Le Temps des Tempêtes

Tome 1

Du même auteur

Georges Mandel, le moine de la politique, Grasset, 1994.
Au bout de la passion, l'équilibre. Entretiens avec Michel Denisot, Albin Michel, 1995.
Libre, Robert Laffont, 2001 ; Pocket, 2003.
La République, les religions, l'espérance. Entretiens avec Thibaud Collin et Philippe Verdin, Cerf, 2004 ; Pocket, 2005.
Témoignage, XO, 2006 ; Pocket, 2008.
Ensemble, XO, 2007.
La France pour la vie, Plon, 2016.
Tout pour la France, Plon, 2016.
Passions, L'Observatoire, 2019 ; J'ai Lu, 2020.

Nicolas Sarkozy

Le Temps des Tempêtes

Tome 1

Il a été tiré de l'édition originale de cet ouvrage
soixante exemplaires, en Munken Pure Rough
de la papeterie Artic Paper Munkedals AB,
numérotés de 1 à 60.

ISBN : 979-10-329-1716-9
Dépôt légal : 2020, juillet
© Éditions de l'Observatoire/Humensis, 2020
170 *bis*, boulevard du Montparnasse, 75014 Paris

Les tempêtes m'ont toujours fasciné. Enfant, j'étais comme hypnotisé par les éclairs, par la violence du vent, par le déchaînement des éléments naturels, par la hauteur stupéfiante des vagues qui déferlaient sur les plages de sable fin de la côte atlantique où je passais mes vacances. Je les craignais. J'en avais peur. Et pourtant, elles m'attiraient comme un aimant. Je ne voulais rien rater de ces enchaînements déroutants. Il m'arrivait de demeurer immobile des heures durant sur les rochers, près de Royan, pour mieux jouir du spectacle de la nature débridée. Au fond, j'aimais ce que je craignais. Parfois, le nez collé à la glace, j'observais intensément le mouvement des éléments. Je n'aurais pour rien au monde quitté mon douillet poste d'observation ni même envisagé de l'abandonner. À bien y réfléchir, je pense que c'est l'histoire de ma vie. Tant de fois, j'ai cherché en même temps que redouté cette montée d'adrénaline qui accompagne chaque période de crise. Enfant, je me contentais d'attendre et de subir les caprices du climat en même temps que la monotonie de la vie quotidienne. J'attendais désespérément qu'un événement surgisse pour tromper l'ennui, dont la seule perspective me glaçait. Jeune, et plus encore adulte, j'ai tout fait pour fuir les temps calmes et devenir un acteur de ces crises que j'appelais de mes vœux tout en les redoutant secrètement... Finalement, avec le recul du temps et l'âge qui passe, je dois bien reconnaître que j'aime les tempêtes, et pas simplement dans le sens climatique. Je les ai souvent cherchées, espérées, rêvées. Elles sont dans ma nature et constituent mon identité. C'est peut-être cet atavisme qui m'a convaincu que cela serait le chemin le plus direct pour devenir enfin légitime aux yeux des autres. Dès mon plus jeune âge, je m'étais mis en tête que, si la situation devenait inextricable, dangereuse, extrême, ma place ne serait plus contestée ! Ce sentiment instinctif ne fit que se renforcer avec les années qui passaient, d'abord parce que j'ai compris qu'il y aurait moins de concurrence à affronter puisque nombre d'ambitieux ont l'habitude de s'évaporer à la première bourrasque, ensuite parce que ce n'est que dans la difficulté que je croyais pouvoir me réaliser pleinement. Très tôt, je fus convaincu que les temps calmes ne seraient jamais pour moi, que j'y serais plutôt moins performant que les autres, ou, en tous cas, que je ne pourrais pas m'y distinguer. D'où vient ce sentiment d'illégitimité ? Je ne saurais le dire. Il y aurait bien des causes à imaginer. Je ne m'y hasarderais pas. Je manquerais de recul et, d'ailleurs, je ne suis même pas certain qu'il existe une explication rationnelle. L'important est que, peu à peu, ce sentiment s'est renforcé jusqu'à s'enraciner profondément en moi. Mais curieusement, au lieu de me pousser au repli, à l'effacement, il m'a tout au contraire attiré vers les sommets et les situations les plus délicates ! Puisque personne n'était prêt à faire ce travail, je me portais volontaire, justement parce qu'il n'y en avait pas d'autres. Je n'étais pas sûr de réussir, mais au moins j'étais certain qu'ainsi j'aurais un rôle à jouer, une place à tenir, et qu'alors on me verrait à l'œuvre. Je serais jugé sur les faits. Les cartes seraient redistribuées. J'aurais ma chance. Je ne pensais même pas à l'éventualité de l'échec, encore moins au risque du ridicule, mais à sortir de l'anonymat, du déprimant statut de spectateur d'une vie se déroulant sans que j'y prenne une part active. Ainsi s'est construit mon goût pour les tempêtes et ma conviction qu'elles seraient mon terrain naturel, mon lot presque quotidien. Bien loin de les redouter je les espérais, les imaginais, les idéalisais. Cette inclination n'a fait que se renforcer au fil des années. J'en ai même fait le fil conducteur de ma carrière politique. En conséquence, j'ai toujours essayé de me rendre indispensable partout où je me trouvais. Pour y parvenir, quoi de mieux qu'une situation qui semble si inextricable que personne ne songe à s'y frotter ? Ainsi, jeune parlementaire et membre anonyme de la direction de ma famille politique, j'étais toujours le premier à vouloir monter au front lors d'un événement politique contraire ou pour une soirée électorale décevante, voire catastrophique. Loin de me lasser, j'ai fini par apprécier ces moments de solitude où tout pouvait se jouer en un rien de temps, où les décisions devaient être prises dans l'instant, où l'instinct valait tout autant que la réflexion. Le temps, alors, ne comptait plus, puisqu'on n'en disposait pas. Très tôt, j'ai ressenti cette vérité : c'est au cœur du cyclone que l'on se sent le plus vivant, c'est au bord du précipice que l'on apprécie le plus les joies simples de la vie. Je rêvais, tout à la fois, d'une vie remplie de fureurs tout en aspirant à la quiétude d'un foyer familial serein et stable. J'ai essayé de tirer de ces contradictions et de ces paradoxes une énergie que je voulais ou que je croyais inépuisable. De fait, elle ne m'a jamais manqué. Elle fut bien souvent la meilleure des alliées, en même temps qu'une planche de salut.

De ce point de vue au moins, la vie ne m'a pas déçu ! Où que je porte mon regard rétrospectif, je trouve des illustrations de cette réalité, ce mélange en moi de crainte et de désir des tempêtes. C'est peu dire que les cinq années passées à l'Élysée m'ont fourni une matière inépuisable. Je fus servi bien au-delà de mes espérances.

D'abord, il m'a fallu m'habituer à cette idée, aussi nouvelle qu'étrange, que par la magie de mon élection du printemps 2007 il n'y avait plus personne au-dessus de moi à qui rendre des comptes. C'était nouveau car, jusqu'ici, j'avais toujours eu soit un mentor que je m'étais choisi, soit un « chef » institutionnel qui m'était imposé, en l'occurrence, le président de la République ou le Premier ministre. À compter du 16 mai 2007, j'étais seul. Plus de lien hiérarchique. Bien sûr, il y avait le peuple français, mais sa force collective ne s'exprime pas dans le quotidien des décisions à prendre, ou des nominations à effectuer. J'avais une équipe, des conseillers, des amis, des visiteurs du soir, mais j'étais seul à prendre et à assumer la décision finale. C'est le premier sentiment qui m'a envahi après avoir raccompagné Jacques Chirac à sa voiture et être remonté dans le bureau présidentiel devenu le mien pour les cinq années à venir. J'y suis demeuré seul quelques instants. J'aurais voulu que ce moment dure plus longtemps, malgré les contraintes protocolaires de cette première journée. Je me suis assis derrière le meuble qui fut celui du général de Gaulle et que venait de m'abandonner Jacques Chirac. Je l'avais vu si souvent à cette place. J'ai pensé à l'étrangeté de la situation. Je l'avais voulu, espéré, rêvé. Maintenant j'y étais. Comment ne pas décevoir tous les Français qui venaient de me faire confiance ? Qu'est-ce qui m'attendait ? Je n'avais plus personne vers qui me tourner. J'ai fermé les yeux. Tout d'un coup, la gravité et, surtout, la solitude propre à la fonction me tombaient sur les épaules. Comme si elles avaient été dans le bureau présidentiel bien avant mon arrivée et que je les avais endossées en y pénétrant. C'était plus brutal que je ne l'avais imaginé. Je pensais m'y être préparé. Ce n'était qu'une illusion. On ne peut pas se préparer à un tel choc. Soudain, mon passé avait disparu comme s'il n'avait jamais existé, seuls comptaient désormais le présent et l'avenir. C'était vertigineux, tellement fort que cela ne provoquait bizarrement aucune excitation intérieure. J'étais tout à la fois calme et parfaitement conscient d'être au bord d'un précipice. Tout paraissait nouveau. J'avais pourtant déjà exercé de nombreuses responsabilités ministérielles et électives, mais cela n'avait rien à voir avec ce qu'il me fallait désormais affronter.

J'étais maintenant au pied du mur. J'avais tant attendu ce moment, nous y étions. J'étais impatient et pourtant j'éprouvais une certaine difficulté à quitter mon tout nouveau bureau. Il le fallait cependant. Déjà, l'huissier de l'Élysée avait sonné à ma porte deux fois pour me rappeler les horaires impératifs et la nécessité d'être à l'heure. De fait, j'étais attendu dans la grande salle de réception du palais pour recevoir le collier de grand maître de la Légion d'honneur, qui marque l'entrée officielle du président dans ses nouvelles fonctions. La cérémonie, très protocolaire, quelque peu désuète, se déroule, outre les caméras de télévision, devant cinq cents invités, triés sur le volet. De nombreux corps constitués, d'inévitables excellences, des ambassadeurs, des habitués des palais de la République qui ne manque-raient pour rien au monde cette intronisation tout à la fois républicaine et monarchique. Les places étaient si rares que j'avais eu peu d'invités personnels, outre mes collaborateurs les plus proches, peut-être une dizaine, guère plus, en comptant mes enfants. Ironie de l'histoire, c'est le président du Conseil constitutionnel qui officiait en tant que gardien du bon déroulement de l'élection présidentielle. Or, celui-ci n'était autre que Jean-Louis Debré, qui m'a toujours voué une haine tenace fondée sur une jalousie irrationnelle mais assez fréquente chez cet homme. Sentiment au demeurant très étrange pour celui qui connut une carrière inespérée au regard de son peu d'intérêt pour les débats intellectuels ou program-matiques. Sa nomination par Jacques Chirac, à peine deux mois avant mon élection, avait fait l'objet d'une passe d'armes entre nous. Une de plus ! Je lui avais fait remarquer qu'il aurait été plus républicain de laisser le futur président, quel qu'il fût, procéder à ce choix si important. Peine perdue, Jacques Chirac n'était pas un homme à abandonner une parcelle de son pouvoir, et ce jusqu'à la dernière seconde. Par fidélité à son grognard, par souci de me réserver une ultime difficulté ou pour les deux raisons à la fois, il confirma son choix, et nomma cet opposant déterminé à la tête du Conseil constitutionnel. Si j'en avais eu la possibilité, c'est Édouard Balladur que j'aurais envisagé de nommer à ce poste. Il y aurait fait merveille, car c'est un fin juriste et, surtout, un homme qui ignore le sectarisme, l'esprit de clan. En quelque sorte l'antithèse de Jean-Louis Debré.

En arrivant dans la grande salle des fêtes, j'aperçus immédiatement la silhouette empruntée de celui-ci. Il n'est jamais naturellement à l'aise mais, pour l'occasion, il l'était moins encore. Pas encore entré dans les habits de sa fonction. C'était sans doute une épreuve pour lui. Sa détestation à mon endroit suintait de toute sa personne. Je m'en fis intérieurement la remarque tout en feignant de ne m'être aperçu de rien. Je ne prononçai, évidemment, aucun commentaire, et commençai mon discours d'intronisation sans même lui jeter un regard. À la réflexion, je mesure que ce fut inutile de ma part, et surtout contre-productif, car il redoubla d'animosité, non seulement tout au long de mon quinquennat mais bien des années après. J'aurais dû agir différemment. C'eût été plus habile et plus intelligent, mais c'était au-dessus de mes forces. Il est vrai que jouer la comédie de la fausse considération m'est un exercice impossible, en tout cas pour lequel j'ai bien peu de prédispositions...

C'était mes débuts de président. J'avais travaillé depuis plusieurs jours, avec le soin qu'on imagine, ces premières paroles. J'imaginais naïvement qu'il s'agissait d'un texte important, presque « historique ». Or, c'est une belle caractéristique française de s'enticher des mots et de s'enivrer des paroles. Mais, comme chacun le sait, celles-ci s'envolent, et ne restent que les faits, les décisions, les actes. Sitôt le discours prononcé, plus grand monde ne s'en souvint. Pour qu'un discours s'inscrive dans la durée, il doit être prononcé et porté dans, et par, des circonstances exceptionnelles. L'élection d'un président, pour importante qu'elle soit, n'en est pas une, ne serait-ce que parce ce qu'elle revient tous les cinq ans.

Comme l'ont fait tous les présidents, à l'exception notable de François Hollande, j'avais tenu à saluer l'action comme la personne de tous mes prédécesseurs. Je voulais montrer par là que le président de la République avait une place singulière dans nos institutions, « au-dessus des partis ». Cela ne doit pas et ne peut pas être qu'une formule creuse et vide de sens. Le président ne doit pas renoncer à ses convictions, mais il a le devoir de parler au nom de tous les Français, y compris de ceux qui n'ont pas voté pour lui. Il est, ce faisant, le symbole de l'union nationale. J'étais d'autant plus convaincu de cette nécessité que je voulais donner du contenu à la promesse de rassemblement et d'ouverture que j'avais maintes fois formulée durant la longue campagne présidentielle qui venait de se terminer. Je lançai donc, dès les premières minutes de mon mandat, un appel « à tous ceux qui veulent servir leur pays... je dis que je suis prêt à travailler avec eux, et que je ne leur demanderai pas de renier leurs convictions, de trahir leurs amitiés, et d'oublier leur histoire. À eux de décider, en leur âme et conscience d'hommes libres, comment ils veulent servir la France ». L'appel était on ne peut plus clair. Il fut bien reçu par une partie de la gauche, moins chez mes propres amis, qui imaginaient là un risque de se voir confisquer des postes qu'ils attendaient parfois depuis longtemps, et pour lesquels certains d'entre eux étaient tout à fait légitimes, au profit des ralliés de la dernière heure. Jean-François Copé et Patrick Devedjian étaient particulièrement remontés contre toute forme d'ouverture. Nous avions eu tant de mal à conquérir le pouvoir ! Il fallait le garder pour nous et seulement entre nous. Telles étaient leurs convictions. Je ne voyais pas les choses ainsi, connaissant trop la propension de notre pays à se diviser à la première occasion. Je me méfiais de ces pulsions de violence propres à la France. L'ouverture était ma réponse à ce risque. J'étais convaincu que cela inciterait chacun à la modération et au rassemblement. À l'inverse, la consanguinité d'un gouvernement ou d'une majorité poussait au sectarisme, et à l'affrontement.

Une fois cette première cérémonie terminée, je rejoignis ma famille et quelques proches pour un déjeuner privé au palais. J'étais heureux de retrouver mes enfants, eux-mêmes quelque peu paralysés par le poids nouveau qu'ils sentaient sur mes épaules, intimidés par les lieux et notre nouvel environnement, et déjà sous la pression de multiples sollicitations médiatiques qui cachaient autant de pièges redoutables pour chacun d'eux. Ma mère, aujourd'hui disparue, était heureuse, voire rayonnante, tout en faisant comme si rien ne lui semblait extraordinaire. Elle expliquait à qui voulait l'entendre qu'elle avait deux autres fils sans doute « plus brillants que le président ». Chère Maman ! J'étais, au fond de moi, heureux pour elle. Quelle revanche pour celle qui avait élevé seule ses trois fils et qui avait tant bataillé pour garder sa place dans l'échelle sociale bien que divorcée, ce qui, à son époque, était loin d'être un détail. Je n'ai pourtant pas aimé ce déjeuner. Je sentais bien qu'un fossé était toujours béant dans ma propre famille. Cela m'inquiétait, en tout cas lorsque j'avais le loisir d'y penser, tant j'avais le sentiment de déjà ne plus m'appartenir. Être seul, ne serait-ce que quelques instants, était devenu quasiment impossible. Pas une minute sans que l'on me demandât une instruction, une signature, un avis. Il fallait s'occuper de tout, et surtout tout de suite. Le tourbillon commença à la première seconde pour ne plus s'arrêter cinq années durant.

À 14 heures, ce 16 mai 2007, je quittai le Palais dans la voiture présidentielle des grands jours, une Peugeot 607 décapotable. Le ciel était limpide, bleu horizon. Le soleil brillait de tous ses feux sans que la chaleur soit caniculaire. Il y avait une petite brise à peine rafraîchissante. Paris resplendissait comme notre capitale peut l'être pour peu que la lumière ait décidé de la mettre en valeur.

Les Parisiennes et les Parisiens étaient venus en cohortes soudées. Des dizaines de milliers sans doute. Tout au long des Champs-Élysées, ils étaient massés sur sept ou huit rangs compacts. Plus je m'éloignais de l'Arc de Triomphe, plus la foule était dense. Le bruit était assourdissant. La lumière aveuglante. Je m'accrochais à la barre extérieure de la voiture de chef des Armées où je venais de monter, et saluais autant que je le pouvais. À mes côtés se trouvait mon chef d'état-major particulier, l'amiral Guillaud, un homme digne et solide, sur le sang-froid duquel je pus toujours compter. Le voyant assis, je lui demandai de se lever pour se joindre à moi. Il me répondit : « Monsieur le Président, c'est vous que les Français ont désigné comme le chef, je me dois de rester à ma place. » Juste après avoir franchi l'avenue de Marigny, j'avais demandé que le cortège s'arrêtât pour que je puisse aller saluer directement quelques-uns des Français qui attendaient. J'avais dû fermement batailler pour obtenir ce droit. Il est vrai qu'il fallait, du même coup, que s'arrêtent les quatre-vingts gardes républicains à cheval qui précédaient le cortège présidentiel. Je descendis et pris un premier bain de foule de président. C'est le moment que j'ai préféré, celui qui de cette journée extraordinaire reste le plus présent à mon esprit. J'aime ce contact, cette proximité, cette possibilité de distinguer des visages dans une foule. J'étais président mais je me sentais des leurs. Enfin, j'avais réussi à être aimé d'eux. Je tenais à ce qu'ils sachent que je voulais leur rendre cet amour au centuple. Cette entorse dans le protocole présidentiel fut assez critiquée au motif que j'avais pris le risque, déjà, de désacraliser la fonction présidentielle. Curieusement, ce procès me fut constamment intenté comme si, pour une partie des observateurs, j'étais décidément trop différent, par ma formation, par mon histoire, par mon identité, de ce que devait être, selon les codes qu'ils avaient eux-mêmes imaginés, le comportement d'un président de la République. Le cœur de leurs convictions était, en tout état de cause, qu'un président ne devait pas montrer ses sentiments. La posture devait prévaloir sur tout le reste. L'argument pouvait avoir du sens à une certaine époque. Pour la mienne, il me semblait complètement dépassé. Je croyais d'ailleurs, à l'inverse, qu'après le culte du secret que partageaient François Mitterrand et Jacques Chirac, un peu de sincérité, d'humanité et de transparence ne pourrait que favoriser le rapprochement que je souhaitais entre les Français du quotidien et le président de la République. Être humain nécessitait à mes yeux, au minimum, que je pusse exprimer mes sentiments. Sans doute ai-je été maladroit en bien des occasions, mais je reste convaincu de la véracité de cette analyse. Les pires travers en politique, ceux que les Français pardonnent le moins, sont l'arrogance et le mensonge. À l'inverse, l'erreur est vite oubliée. L'emportement aussi, pour peu qu'il soit reconnu et qu'il fasse l'objet d'excuses circonstanciées.

Au fond, une partie de nos élites aimerait voir un président désincarné ne montrant jamais la moindre faille en public. Une double vie leur semble bien préférable. De ce point de vue, François Mitterrand correspondait en tout point aux critères habituels. J'avais beaucoup réfléchi à cette question, bien avant mon élection, et pas seulement parce que ma propre situation familiale était à l'époque plus que bancale. Je ne pouvais cependant m'imaginer dissimuler un tel désastre. Forcément, tôt ou tard, cela se serait su. Je ne voulais pas jouer la comédie d'un pouvoir froid et insensible. Je pressentais que celui-ci avait un besoin vital d'incarnation. Je voulais me présenter tel que j'étais, sans faux-semblants, sans artifices. Beaucoup d'observateurs ont glosé sur ce qu'ils prenaient alors pour une faiblesse structurelle propre à ma personnalité. Je crois, au contraire, que la vérité nécessite plus de courage pour l'affronter que pour la contourner. Je n'ai pas dérogé à cette règle durant les cinq années de mon quinquennat. Je crois tout autant aujourd'hui que l'attachement des citoyens à la personne du président tient beaucoup à l'idée qu'ils se feront de son authenticité. On ne ment pas impunément aux Français qui, mieux qu'aucun autre peuple à travers le monde, sont capables de déjouer instantanément tous les artifices habituels de la politique.

Une fois la descente des Champs-Élysées achevée, je me dirigeai vers le monument aux morts de la cascade du bois de Boulogne. Je tenais beaucoup à rendre hommage aux résistants français, en général, et au jeune Guy Môquet, en particulier. J'ai toujours été profondément ému par la lettre déchirante qu'il écrivit à sa famille le 22 octobre 1941 alors qu'il allait être fusillé par les Allemands avec vingt-six de ses camarades. J'ai aimé, dès le premier jour, la simplicité des mots qu'il employait au moment de mourir. Encore aujourd'hui, après avoir tant de fois relu cette lettre, les larmes me viennent aux yeux :

> « Ma petite maman chérie
> Mon tout petit frère adoré
> Mon petit papa aimé
> Je vais mourir ! (...) Certes, j'aurais voulu vivre, mais ce que je souhaite de tout mon cœur, c'est que ma mort serve à quelque chose (...) 17 ans et demi, ma vie a été courte, je n'ai aucun regret si ce n'est de vous quitter tous (...) Courage ! Votre Guy qui vous aime. »

Soixante-dix-neuf années plus tard, ces paroles ont gardé toutes leurs forces, et leur actualité. Elles peuvent parler à chacun de nous du sens qu'il est possible de donner à sa vie. Du sacrifice pour une cause supérieure. De la dignité devant la mort. De l'amour de sa patrie. Et même de la maturité d'un jeune de 17 ans alors. Ce cri, nous pouvons et nous devons l'entendre encore et encore. Il fait partie de notre histoire. Il est consubstantiel à la fierté d'être Français. Peu importait, à mes yeux, que Guy Môquet eût un engagement au Parti communiste. Il était d'abord un jeune Français qui avait choisi la résistance, et l'avait payé du prix de sa vie. Ce « cri », je voulais que dans les écoles on l'écoute, on l'entende, on l'apprenne, on le chérisse. Je voulais que nos enfants mesurent l'horreur de la guerre, à quelle extrémité barbare elle pouvait conduire les peuples les plus civilisés. Je demandai, donc, à tous les enseignants de France de lire dans leurs classes, à leurs élèves réunis, la lettre du jeune Guy Môquet. Cela me semblait juste, et surtout utile. Je n'entrevoyais pas même un espace pour la plus petite polémique. Cruelle absence d'imagination ! Je m'étais trompé. Ce n'était pas la première fois, et cela ne serait pas la dernière. J'avais sous-estimé la profondeur de la politisation malsaine d'une minorité, mais ô combien bruyante, à l'intérieur même du corps enseignant. Ce n'était pas Guy Môquet qui était en cause, mais celui, en l'occurrence moi, qui demandait la lecture de sa lettre. Je fus, tour à tour, accusé de récupérer ce jeune résistant, de m'approprier une partie du patrimoine français, d'introduire la politique dans l'école (comme si depuis 1968 la gauche ne s'était pas emparée de l'esprit de tant de nos éducateurs). L'AFP se fit l'écho de témoignages soigneusement sélectionnés d'enseignants en réaction à mon initiative, dont je doute qu'ils aient représenté ce que pensaient les enseignants dans leur majorité. Ainsi, j'ai pu lire, effaré, les déclarations d'un professeur de philosophie de Tours : « On met en avant un simple otage transformé sur le tard en résistant. » Un certain Sylvain, professeur d'histoire-géographie ajoutait : « Parler de Guy Môquet avec nos secondes qui étudient actuellement la Grèce antique est aberrant. Les élèves vont tout confondre. » Belle preuve de confiance dans la maturité de nos jeunes lycéens ! Les syndicats étaient encore plus clairs puisque le SNES appelait ses troupes à refuser cette cérémonie commandée par Nicolas Sarkozy. Autrement dit, à leurs yeux, j'étais illégitime, alors que je venais d'être élu ! Mais, la palme revint, sans doute, à un certain Martin, professeur d'histoire-géographie, réagissant à propos de l'éventualité de la pose d'une plaque commémorative en l'honneur de Guy Môquet sur le mur d'un lycée de Melun où il enseignait : « Vous imaginez les élèves tomber sur un sinistre "je vais mourir" chaque matin au lycée ? » En lisant ceci, je pensais que ce dernier avait dû être victime d'une grave erreur d'orientation au moment de s'engager dans la carrière d'enseignant. On souhaite à ses propres enfants de ne pas tomber sur un tel professeur. Les meilleurs pourraient ne pas y résister ! Bref, au lieu d'être un facteur d'union autour de notre histoire commune, mon initiative divisa et fractura. Encore aujourd'hui, je le regrette, constatant à quel point l'Éducation nationale s'est bunkérisée, politisée, refermée autour de bastions politiques portés par un sectarisme gauchiste ou syndical, dont l'idéal est devenu le conservatisme et l'immobilisme. C'est un gâchis pour nos enfants et pour la majorité des enseignants qui demeurent portés par un engagement professionnel sans faille et une vocation profonde. Eux aussi sont les otages de cette implacable machine à broyer les initiatives et les bonnes volontés qu'est devenue la rue de Grenelle. À structure constante, tous les ministres de l'Éducation successifs se sont brisé les reins, et continueront de le faire. Ma conviction est désormais bien ancrée. Rien ne sera possible sans une action déterminée de déconcentration et de régionalisation.

Remonté dans ma voiture à la fin de la cérémonie, je fus étrangement pris d'une violente quinte de toux. Je ne pouvais plus m'arrêter de tousser. Était-ce la poussière de cette après-midi ensoleillée de printemps ? Était-ce la fatigue d'une journée intense en émotions ? Je n'en savais rien. Je savais en revanche devoir me rendre à Berlin en fin d'après-midi pour ma première conférence de presse avec la chancelière Angela Merkel. Je me voyais mal effectuer cet exercice entre deux violentes quintes de toux. Pour un démarrage, cela aurait été du plus mauvais effet. J'en étais là de mes réflexions quand l'aide de camp qui suit partout le président, et qui se trouvait pour la première fois à la place avant-droite de mon véhicule, se tourna en me tendant une petite fiole en plastique. « Buvez cela, Monsieur le Président. » Je ne lui avais rien demandé mais je m'exécutai avec discipline. Deux minutes plus tard, comme un salutaire miracle, j'avais retrouvé ma voix et mes moyens. Je le remerciais chaleureusement sans lui demander de précisions sur ce qu'il venait de me donner. Je pensais, en mon for intérieur, que ce militaire que je n'avais jamais vu auparavant et qui désormais partagerait chaque instant de ma vie serait un compagnon indispensable, ou au moins fort utile. Nous nous dirigeâmes vers la base aérienne de Villacoublay où se trouve encore aujourd'hui la flotte gouvernementale. J'y retrouvai mon équipe diplomatique à la tête de laquelle j'avais placé l'indispensable Jean-David Levitte. Nous décollâmes à 16 heures précises, sans Henri Guaino, en retard, une nouvelle fois. Je tenais à marquer, par ce déplacement le premier jour de mon quinquennat, tout l'attachement que je portais à l'axe franco-allemand, et à la collaboration avec nos voisins d'outre-Rhin. Dans mon esprit, il ne s'agissait pas uniquement d'un symbole, mais bien d'une réalité tangible. Je dois à la vérité de reconnaître que je n'avais pas toujours pensé ainsi. Plus jeune dans la politique, sans expérience, j'avais souvent imaginé que tout ceci était exagéré et au fond appartenait à un rituel dépassé. En fait, c'est Jacques Chirac qui m'avait ouvert les yeux. J'avais vu de près comment il avait collaboré avec Gerhard Schröder, pourtant très différent. Le chancelier était socialiste, libéral, réformateur, toutes notions assez éloignées de l'état d'esprit du président français d'alors ! Et pourtant, dès qu'ils étaient d'accord, c'est toute l'Europe qui leur emboîtait le pas. Cela m'avait impressionné, et conduit à modifier beaucoup mon point de vue. Au fil des années, j'étais devenu un militant de l'axe franco-allemand. Je veux d'ailleurs y revenir tant l'affaire me semble décisive. La vérité à ce sujet mérite d'être dite, même si elle peut paraître brutale. Et la vérité, c'est que les Allemands et les Français ne se comprennent pas spontanément. Ils se voient souvent les uns comme les autres de façon caricaturale. Nous sommes naturellement proches des Italiens, de leur paysage, de leur culture, de leur façon de vivre. L'histoire a, bien sûr, joué un grand rôle. À la maison, mon grand-père qui m'a élevé et qui a vécu les deux guerres mondiales les appelait « les boches » ou « les fritz ». C'est peu dire qu'il ne les aimait pas. D'ailleurs, en cela, nous ressemblions à tant d'autres familles françaises. Et c'est justement parce qu'il y a entre nous peu d'affinités naturelles qu'il convient de prendre le plus grand soin de l'amitié entre nos deux peuples. Nous pouvons nous quereller avec nos voisins de la péninsule, cela ne laissera aucune trace profonde, cela ne changera pas l'amitié entre les Italiens et les Français. Avec l'autre côté du Rhin, il pourrait, à l'inverse, se créer un fossé autrement plus profond, avec des conséquences bien plus sérieuses. La réconciliation franco-allemande est notre bien le plus précieux. Il faut en prendre grand soin, car elle est plus fragile qu'on ne l'imagine.

Rétrospectivement, je mesure mieux la profondeur de la vision des architectes de cette réconciliation. Le courage qu'il leur a fallu. La véritable révolution que cela représentait pour eux. De Gaulle, Adenauer, Schuman ont été des génies de l'anticipation. Ils ont été à contre-courant des sentiments populaires des deux côtés du Rhin. Ils ont refusé de suivre le chemin de la facilité, qui eût consisté à se soumettre aux sentiments premiers, grégaires, de leurs propres peuples. En cela ils ont été des guides. Si l'on se contente de suivre la colère populaire, on la subit. Pour la canaliser d'abord, l'apaiser ensuite, il faut lui montrer qu'il existe une autre voie, d'abord plus exigeante, mais au bout du compte tellement plus bénéfique. La génération qui a précédé la mienne a conduit à la réconciliation par la construction de l'Union européenne. Il m'est à proprement parler insupportable que ma génération assiste sans réagir à la destruction de ce complexe édifice après soixante-dix années de bons et loyaux services.

J'ai essayé de m'appliquer ces propres règles. J'avais décidé, quelle que fût la profondeur de mes actuels et futurs désaccords avec la chancelière allemande, de ne jamais la critiquer publiquement et de m'abstenir d'afficher la moindre mésentente. On ne doit pas dire du mal de l'Allemagne. Il y a derrière nous trois conflits terribles en seulement un siècle. Toutes les familles en portent les stigmates. En outre, je voulais avoir une influence en Europe, et cela passait d'abord par la confiance entre Angela Merkel et moi. Tel était bien mon état d'esprit alors que je me dirigeais vers Berlin pour notre premier tête à tête en fonction. J'étais décidé à devenir le partenaire privilégié de l'Allemagne. J'attendais secrètement bien davantage. Je voulais gagner la confiance de la chancelière, devenir son ami. La vérité m'oblige une nouvelle fois à dire que le pari était loin d'être gagné. Difficile en effet d'imaginer deux tempéraments, deux histoires, deux personnalités plus différentes que les nôtres. Angela Merkel vient de l'Est. Sa patience s'est nourrie de son endurance. Attendre est toujours sa première inclination. Comme pour s'en excuser, elle m'a un jour raconté cette histoire : « Je suis née en Allemagne de l'Est. Nous n'avions pas le droit de voyager avant d'avoir atteint l'âge de la retraite. Ma seule impatience était donc d'avoir 65 ans pour, enfin, obtenir le droit de voir autre chose. » Un autre jour où je la retrouvais pour un sommet européen, elle m'apparut très émue. « J'ai un cadeau pour toi », et elle me tendit un DVD du formidable film *La Vie des autres*, qui relate la vie quotidienne en Allemagne de l'Est. « Je veux que tu le regardes. C'est ma vie. C'est vraiment ce qu'était ma vie », insista-t-elle visiblement touchée. La sensibilité sous la banquise. Telle est à mes yeux Angela Merkel. J'avais tout pour l'agacer. À l'inverse, elle représentait tout ce dont je me méfiais. Elle n'aime pas les discours. Elle n'est pas une oratrice hors pair. Sortir des schémas habituels est pour elle un effort presque insur-montable. Trouver une nouvelle voie de passage est ce que j'aime le plus. Elle adore le solide, le sérieux. Elle sait s'accommoder de l'ennuyeux. Par-dessus tout, elle est gênée par ce qui de près ou de loin paraît imprévi-sible. Décider vite lui est insupportable. Attendre, tergi-verser, perdre mon temps représente pour moi le pire. Elle veut incarner la femme allemande qui aime faire ses courses au supermarché et se méfie de tout ce qui brille comme de tout ce qui est brillant. Je ne me suis, à l'inverse, jamais reconnu dans « le président normal » que voulait incarner François Hollande, et j'ai tout fait dans ma vie pour qu'on me remarque. Notre rencontre était donc improbable. Au fond, nous avions tout pour devenir les meilleurs ennemis. Nombreux d'ailleurs pariaient sur ce scénario, y compris dans mon propre entourage, très divisé sur le sujet. À Jean-David Levitte, avocat ardent de notre entente, s'opposait Henri Guaino, exaspéré par la toute-puissance allemande, et son atta-chement intégriste aux dogmes de la Banque centrale et de l'euro fort de Jean-Claude Trichet. Par ailleurs, un fort courant dans notre vie politique et médiatique surfait de façon irresponsable sur une germanophobie qui ne disait pas son nom et qui se nourrissait d'une certaine jalousie nationale à l'endroit des succès écono-miques remarquables de nos voisins, qui accumulaient les excédents quand nos déficits explosaient. J'avais tout de suite perçu ce déséquilibre entre nos deux pays. Je voulais compenser nos faiblesses économiques par notre agilité politique, seul moyen à mes yeux de rééquilibrer le couple franco-allemand. Pour surprenante qu'elle soit, l'entente avec Angela fut, en fait, beaucoup plus facile à mettre en œuvre que je ne l'avais redouté. La chancelière allemande a un tempérament plus aisé qu'il n'y paraît pour peu qu'on sache s'y prendre ou, plutôt, pour peu qu'on sache la comprendre. L'affronter en force est inutile et s'avérera un pari perdu d'avance car, si on la braque, elle peut devenir inexpugnable dans son immobilité. Plus on la pousse, plus elle se renforce. C'est une redoutable tueuse à sang-froid. Il suffit de voir la longue liste de ses victimes, dans son propre parti comme chez ses adversaires politiques. Il faut la surprendre par la vitesse d'exécution. Dans ce cas, il est possible de trouver une voie de passage. Il faut par-dessus tout être franc, y compris quand cela ne lui plaît pas, car elle respecte l'explication rude et déteste le mensonge, qu'elle a en horreur.

Il ne faut surtout pas chercher à la convaincre. C'est peine perdue. Il vaut infiniment mieux l'avertir de l'initiative que l'on va prendre, ne pas l'obliger à s'y associer. Prendre pour soi-même tous les risques, et finalement partager la victoire avec elle, en tout cas si succès il y a. Enfin, il faut prendre garde à ne jamais dire un mot contre elle publiquement, car elle est plus susceptible qu'il n'y paraît. De surcroît, sa vie est consacrée à son travail. Elle est ainsi à la Chancellerie, dans ses bureaux, tous les samedis, et part rarement en vacances. Elle a le loisir de tout voir et de ne rien oublier. La mésestimer est une grave erreur. J'avais tout de suite compris qu'elle nous enterrerait tous, car sa première ambition était de durer. Ce qu'elle réussit avec maestria !

En fin de compte, et indépendamment de nos intérêts stratégiques, j'ai aimé travailler et parler avec Angela Merkel. Je l'ai admirée. J'aime sa résilience et son côté indestructible. Elle est à l'image de sa coiffure, qui ne change jamais, et du pli de ses tailleurs-pantalons, qui ne se froissent pas. J'apprécie ses faiblesses touchantes. Un jour où je lui demandais, alors que nous étions à l'hôtel pour un sommet du G7, pourquoi elle descendait prendre son petit déjeuner à la salle à manger, elle me répondit, désarmante de sincérité : « Parce qu'il y a plus de choix ! » C'était vrai, mais pas tellement raisonnable. J'éclatai de rire. Angela est une bonne vivante quand il s'agit des plaisirs de la table. J'avais enfin trouvé une faiblesse exquise dans le caractère de mon amie. Au fond, cette femme de l'Est m'a séduit par son courage, sa puissance et aussi sa sensibilité aussitôt qu'elle se sent en confiance. Nous avons formé un couple professionnel très complémentaire durant ces cinq années.

Nous nous posâmes à Berlin sans encombre à la fin de l'après-midi. Le trajet pour la Chancellerie depuis l'aéroport est court, moins d'une demi-heure. Je n'ai jamais trouvé beaucoup de charme à Berlin, même si j'apprécie l'immense forêt qui entoure la ville. Alors ministre des Finances, j'y avais couru avec mon collègue allemand de l'époque, à 6 heures du matin. Nous avions fait la une des journaux du lendemain, ce qui avait fortement déplu à Jacques Chirac, m'accusant alors d'avoir voulu détourner à mon profit le sommet franco-allemand. Il n'avait pas vraiment tort. C'était sans doute une provocation inutile ! Les bâtiments où travaille la chancelière sont clairs, majestueux, modernes, rectilignes, mais dénués de la moindre fantaisie. On est bien loin de la culture latine. Certains pourraient même dire que l'ensemble est assez triste. Le bureau d'Angela Merkel est vaste avec une belle vue sur le centre de Berlin. Il y a deux confortables canapés et une grande table de réunion. Selon son humeur du jour, la chancelière choisit l'un ou l'autre. Ce jour-là, c'était le petit salon. Angela avait d'abord prévu que nous puissions débuter par un strict tête à tête.

Elle tenait à ce que nous soyons sans nos collaborateurs pour pouvoir aller au fond des choses. J'étais heureux de cette initiative, nous n'avions, en effet, pas besoin de témoins pour fixer le cadre de ce que seraient nos relations pour les cinq années à venir. C'était d'autant plus nécessaire que depuis le non au referendum de mai 2005, la France avait été mise de côté en Europe. La situation était bloquée, et de surcroît humiliante pour l'un des pays fondateurs de l'Union qui se trouvait, de par le choix de son peuple, exclu de certaines réunions européennes et unanimement désigné comme responsable de l'échec du projet de la Constitution européenne proposée par Valéry Giscard d'Estaing. Le blocage institutionnel était complet. Il fallait en sortir le plus rapidement possible. J'avais besoin du soutien de la chancelière. Sans un accord solide entre nos deux pays, le consensus aurait été impossible à trouver autour de la table du Conseil européen. Elle m'interrogea tout de suite sur mes intentions en matière de referendum. Autrement dit, puisque la situation résultait d'un vote référendaire, faudrait-il un autre referendum en France pour en sortir ? Je lui répondis immédiatement qu'il n'en était pas question. J'avais, en effet, fait arbitrer le sujet par les Français, puisque durant le débat télévisé du second tour qui m'opposait à Ségolène Royal, la question nous avait été posée à tous les deux. J'avais répondu clairement que, si j'étais élu, il n'y aurait pas de referendum. Elle avait dit, à l'inverse, qu'elle en organiserait un. Fidèle à ses habitudes, ma concurrente ne reculait jamais devant une démagogie, quel que soit le prix à payer pour le pays ! J'étais au clair. Je n'ai jamais caché la vérité aux Français. Quand certains de mes amis politiques, comme Bruno Retailleau, ont prétendu par la suite que le traité de Lisbonne avait été fait dans le dos des Français, ils se trompaient lourdement. C'était on ne peut plus clair. On peut parfaitement ne pas partager mon choix de l'époque, mais on ne peut affirmer qu'il fût pris en secret. J'avais d'ailleurs précisé que je croyais à la procédure référendaire pour toutes les questions essentielles où il était possible de répondre par oui ou par non. Ce qui n'était naturellement pas le cas d'un traité qui comprenait des centaines d'articles. Angela Merkel fut soulagée par ma réponse. « C'est courageux de ta part, et cela va permettre de débloquer la situation, car nous n'aurons pas à attendre le résultat par définition hypothétique d'un referendum. Tu as donc le pouvoir de négocier avec nos partenaires européens. » Cette question a été absolument décisive pour établir le climat de confiance entre nous. Elle sentit qu'elle pourrait de nouveau compter sur une France de retour en Europe. Elle m'interrogea ensuite avec beaucoup de soin sur mes intentions en matière de réformes dans mon pays. Nous étions tous les deux alors bien loin d'imaginer le cataclysme qui, dans quelques mois, s'abattrait sur l'économie mondiale. L'économie européenne était prospère. L'Allemagne accumulait les succès. Je la sentis néanmoins fatiguée des années d'immobilisme qui avaient permis à Jacques Chirac, du moins sur le plan intérieur, de mettre en œuvre sa théorie sur l'impossibilité de réformer la France et son scepticisme à l'égard des débats programmatiques. J'affichais devant mon interlocutrice une grande volonté réformatrice conforme à l'état d'esprit de ma campagne. L'entretien dura deux bonnes heures. Il fut chaleureux, prometteur et même constructif. Je perçus, cependant, que la chancelière ne s'était pas livrée complètement. Elle demeurait sur ses gardes, imaginant sans doute qu'avec « ces Français » tout demeurait possible, y compris le pire, et que, de surcroît, elle pourrait avoir en moi un interlocuteur capable de lui contester le premier rôle qu'elle avait fort habilement et méthodiquement conforté en Europe. L'impossibilité pour Jacques Chirac de voyager ces derniers mois et le non au referendum avaient en effet ouvert un boulevard à l'Allemagne. J'étais bien décidé à y mettre un terme. L'amitié stratégique n'empêche nullement la concurrence des pays, et de leurs dirigeants ! Et cela, Angela Merkel, en fine politique à la méfiance instinctive, l'avait parfaitement anticipé ! Je compris, quant à moi, l'ampleur de la tâche qui m'attendait : réussir à faire bouger la chancelière sans pour autant nuire au climat de confiance, dont j'avais un impérieux besoin. Ne jamais céder sur la nécessité du mouvement en Europe, sans que la presse puisse avoir à commenter les désaccords franco-allemands. Aller vite, sans bousculer la chancelière. Cela pouvait ressembler à la quadrature du cercle !

Nous n'en étions pas là au moment de donner notre première conférence de presse commune dans le grand hall d'entrée de la Chancellerie. Il y a là un espace aménagé pour quelque deux ou trois cents journalistes et cameramen, et deux pupitres qui leur font face. Des cabines sont prévues pour les interprètes. La nuit était déjà tombée. Le décor n'invitait pas à la franche gaieté, pas davantage aux effusions. Le ton était, cependant, très cordial, même si le langage tenu était somme toute assez convenu ! Il y avait un véritable mur de photographes, de micros et de caméras. La presse européenne était à l'affût des détails et des anecdotes. Ainsi, j'avais choqué les uns, et amusé les autres, en embrassant Angela après être sorti de ma voiture, et en lui posant la main sur l'épaule. *Le Nouvel Observateur* se signala par un commentaire particulièrement intéressant : « Fini donc le baisemain chiraquien, distingué et distant, il est désormais remplacé par l'effusion théâtrale, le baiser humide et la main sur l'épaule. » Le plus amusant étant que ledit journal se voulait le décrypteur des grands dossiers européens pour ses lecteurs ! Il promettait de se consacrer à l'essentiel. C'était mal parti. Cela n'avait que peu d'importance, mais c'était cependant révélateur de la tentation populiste d'une certaine presse de gauche à vouloir tourner en dérision, et par principe, ce que j'étais et ce que je faisais. Et ce, dans le but de préparer et de nourrir le futur procès en illégitimité. Cela avait commencé dès le premier jour !

Nous partîmes ensuite pour le dîner dans la salle à manger de la chancelière. Les sujets ne manquaient pas, l'Europe bien sûr, mais aussi l'affaire Airbus qui empoisonnait nos relations. Le premier thème était crucial alors qu'Angela exerçait les fonctions de président du Conseil européen. Je lui ai exposé l'idée d'un traité simplifié, qui nous permettrait de sortir par le haut de l'imbroglio juridique où se trouvait une nouvelle fois l'Europe. Après d'intenses débats, la chancelière exprima son accord sur la méthode comme sur le point d'arrivée. Nous décidâmes que nos collaborateurs commenceraient à rédiger de concert un projet. Ainsi était né ce qui deviendrait le traité de Lisbonne. J'avais déjà eu l'occasion, au mois de février de la même année alors que je venais à Berlin en tant que candidat, d'expliquer à mon interlocutrice mes projets en la matière. Une première étape avait donc été franchie. La route était encore longue avant la ratification, mais avec l'accord allemand en poche, tout devenait plus facile ou, du moins, envisageable. Le dossier Airbus, quant à lui, frisait l'obsession pour les Allemands. Ils voulaient obtenir la présidence de la compagnie quand partirait le président français de l'époque, Louis Gallois. Je donnais assez rapidement un accord de principe, qui soulagea la chancelière. Celle-ci, manifestement en mal d'attentions, avait tenu à ce que le dîner me plût. Elle s'était renseignée sur mes goûts. Nous eûmes droit à des asperges puis à une escalope panée et enfin un plantureux gâteau au chocolat. Je fis mon possible pour honorer le repas. Mon régime habituel en prit un coup sérieux. Il fallut même goûter au plateau de fromages, qui est le plat favori d'Angela Merkel. Les vins étaient excellents, à en croire mes collaborateurs. Je n'ai pas pu vérifier ce détail, ne buvant pas une goutte d'alcool. Nous quittâmes la chancelière vers 22 h 30. Nous étions à Paris bien après 1 heure du matin. Ainsi, s'achevait ma première journée de président. Je rentrais épuisé, mais relativement serein, tout s'était déroulé sans encombre. En traversant Paris, je vis ma photo sur les kiosques. Je faisais la une d'absolument tous les hebdomadaires de la semaine. J'ai éprouvé, alors, un sentiment étrange. Depuis mon plus jeune âge, j'avais rêvé d'être reconnu, d'avoir mon nom dans les journaux. Je ne ratais aucune occasion de me faire remarquer. Je dévorais les articles, aussi petits soient-ils, qui m'étaient consacrés. J'avais tendance à m'enorgueillir sottement des bons, et à me désoler des mauvais. Comme si tout ceci avait la moindre importance. En tout cas, je reconnais volontiers que celle que je lui ai accordée pendant des années était bien trop grande. Seul dans mon véhicule au milieu de la nuit, alors que je n'étais pas encore habitué à être président – c'était si neuf –, je n'avais curieusement aucune envie de me plonger dans ces journaux. Je n'en lus d'ailleurs aucun. Quand je suis monté dans la voiture à la descente de l'avion présidentiel, ils étaient posés en tas sur le fauteuil à côté du mien. Je les ai pris. Je les ai feuilletés, à peine, pour aussitôt les abandonner. Sans en lire une ligne. J'en avais, par avance, comme une indigestion. Ce sentiment ne me quitterait plus tout le long de mon quinquennat. Je pense, sincèrement, que cette réaction instinctive et salutaire m'a permis de conserver l'équilibre nécessaire à l'exercice de ces fonctions. Peu de gens me croyaient lorsque j'affirmais ne rien lire de ce que disait la presse. C'était pourtant vrai. Je m'endormis sans difficulté et passai une nuit tranquille. J'ai la chance d'avoir un bon sommeil réparateur. J'ai d'ailleurs toujours veillé à le préserver. J'ai besoin de cette coupure, et de ce repos. Je n'ai jamais été de ceux qui peuvent s'enorgueillir de ne pas avoir besoin de dormir. Au contraire, je déteste me coucher tard, comme je goûte peu les soirées qui s'éternisent. J'aime me lever tôt, et commencer ma journée avant les autres. J'ai l'impression, sans doute illusoire, de gagner du temps sur la vie qui passe. À l'inverse, je n'aime pas les journées qui raccourcissent et la nuit qui tombe. Au fond, j'apprécie ce qui commence et je crains ce qui finit. J'adore arriver ou rentrer. J'ai toujours une angoisse au moment de partir. Ces sentiments de l'enfance ne m'ont jamais quitté !

La seconde journée promettait d'être aussi intense. Je devais, pour la première fois, nommer un Premier ministre. Je ne voulais pas traîner, d'autant moins que mon choix était fait depuis longtemps. Ce serait François Fillon. Je le convoquai donc, à l'Élysée, en ce 17 mai au matin, pour lui confirmer ma décision. Il était content, sans extérioriser plus que cela ses sentiments. Je me suis déjà expliqué sur les raisons de cette nomination, je n'y reviendrai pas. En allant vite, je voulais créer une dynamique, impulser un rythme, donner un sentiment d'efficacité. Je souhaitais procéder avec la même célérité pour la nomination des quinze ministres dont je voulais m'entourer. Ce chiffre était faible, mais à mes yeux suffisant. J'avais eu, un moment, la tentation de fixer ce nombre dans la Constitution, afin qu'il ne puisse pas être dépassé. J'y renonçai par la suite, considérant que cela risquait de créer une rigidité de plus dans l'exercice déjà si contraint qu'est la composition d'un gouvernement. Nous étions bien en avance sur le sujet de la parité puisque sept femmes avaient été nommées, ce qui constituait une première en France. Après l'ouverture, et l'arrivée d'hommes qui n'avaient pas voté pour moi du moins au premier tour, comme Bernard Kouchner, Jean-Pierre Jouyet, Martin Hirsch et même Hervé Morin qui avait soutenu François Bayrou, les femmes avaient la vedette. Pour la première fois, une femme à l'Intérieur, Michèle Alliot-Marie, et une personnalité issue de l'immigration à la Justice, Rachida Dati. Les chiraquiens avaient la part belle, avec Alain Juppé que j'avais choisi comme numéro deux du gouvernement en charge de l'environnement, ou Valérie Pécresse, ancienne membre du cabinet de Jacques Chirac à l'Élysée. Évidemment, dans ces conditions, et avec si peu de ministres, la place de mes propres amis avait été réduite à la portion congrue. Comment pouvait-il en être autrement ? Brice Hortefeux et Roger Karoutchi représentaient le petit contingent de ce que la presse appelait « les sarkozystes historiques ». Beaucoup m'en voulurent. Je peux les comprendre et reconnaître qu'ils avaient des raisons réelles d'être déçus. Et pourtant, je referais ce choix et ne regrette en rien cette volonté d'ouverture. Le sectarisme est un défaut majeur en même temps qu'une preuve de faiblesse. La France a besoin de diversité, de rassemblement, d'élargissement. La tentation du vainqueur est toujours de se rétracter, de se replier sur un petit groupe de fidèles. C'est une erreur que l'on finit par payer fort cher. Bien sûr, il peut y avoir des déceptions, mais peu importe, car les Français font toujours crédit au président qui tend la main et qui veut la réconciliation. En tout cas, une fois les nominations effectuées, les enquêtes d'opinion allaient spectaculairement dans notre sens puisqu'un sondage proclamait que 69 % des Français étaient satisfaits de la composition du gouvernement. Score impressionnant, mais qui, naturellement, ne garantissait en rien que l'état de grâce allait perdurer. Avec François Fillon, nous nous répartîmes les appels à passer aux uns comme aux autres. Bien sûr, annoncer une nomination est plus aisé que refuser une promotion parfois légitime. Pour les premiers, cela ne dure que quelques secondes. L'appelé est si heureux, à la mesure de la crainte qui fut la sienne de ne pas en être, qu'il ne demande pas d'autres détails que l'intitulé exact de son poste. Le rang dans l'ordre protocolaire gouvernemental n'est pas un sujet pour la plupart. Pour ceux à qui l'on refuse, c'est parfois court, tant l'humiliation ressentie est violente, et provoque une rupture provisoire, mais ce peut être plus long, afin de ne pas insulter l'avenir. Patrick Devedjian, dont le décès brutal fut pour moi un choc, avait été particulièrement déçu que je ne lui propose que le secrétariat général de l'UMP. Je dois dire que c'est avec ceux qui prenaient ce refus le mieux, ou du moins le plus dignement, que j'étais le plus gêné. Leurs attitudes amicales et compréhensives me rendaient coupable, en quelque sorte ! François Fillon et moi mîmes vingt-quatre heures pour tout boucler. J'avais hâte de sortir des questions de personnes, toujours usantes, pour qu'enfin nous puissions nous mettre au travail. Je veux dire au *vrai* travail !

J'étais au fond si tranquille que je proposais même à François Fillon de nous retrouver à l'heure du déjeuner au milieu du bois de Boulogne pour courir une petite heure ensemble. Il accepta avec enthousiasme. Nous courûmes ainsi de concert. Seuls quelques rares sportifs croisèrent, avec étonnement, le président et le Premier ministre à petites foulées en cette après-midi de printemps toujours ensoleillée dans les petites allées du bois. Même la météo semblait de notre côté. En matière d'images télévisées, le ciel bleu étincelant, c'est mieux qu'une pluie diluvienne. Je ne sais pas pourquoi, mais on fait plus jeune, plus dynamique, plus présidentiel avec le beau temps...

Dans l'attente des élections législatives du mois de juin qui paralysaient toute volonté d'aller plus vite, car je ne disposais pas encore de la majorité présidentielle, les deux premiers gros dossiers qui m'occupèrent en ce début de quinquennat furent la mise en place du Grenelle de l'Environnement et l'élaboration du traité simplifié européen. J'attachais une importance toute particulière au premier. J'en avais fait un marqueur de la rupture. Je voulais progresser sur les questions environnementales et pour cela j'avais imaginé une procédure originale qui devait nous permettre d'abandonner les faces à faces stériles entre les gentils, « les organisations non gouvernementales », et les méchants, « les gouvernants ». J'étais convaincu que l'immobilisme en la matière était moins la conséquence des grands arbitrages économiques et financiers que l'intraitable bataille d'images et d'égos qui s'engageait dès qu'on parlait de la nature et de sa défense. L'exemple caricatural était Nicolas Hulot, formidable preneur d'images lorsqu'il produisait et animait « Ushuaïa » – on n'a jamais fait mieux depuis – et piètre ministre dès qu'il s'agit non plus de commenter mais d'agir. La défense de l'environnement et de la planète mérite mieux que toutes ces phrases inutiles, culpabilisantes, faussement moralisantes, et surtout passéistes. J'avais l'ambition d'ouvrir une nouvelle voie coopérative et sans tabou. Nous avions tous besoin les uns des autres. Pourquoi s'opposer stérilement, à coup de procès d'intentions et de postures ridicules ? Nous devions cheminer et progresser ensemble, et prendre le risque de nous faire confiance. C'est sans doute la chose la plus difficile tant les *a priori* sont ancrés et profonds. Pour les uns, le monde associatif n'est par principe ni sérieux ni responsable. Pour les autres, le seul fait d'accepter une rencontre avec des politiques est en soi moralement contestable, et hautement compromettant. À ceci s'ajoute l'armée des gauchistes reconvertis en intégristes verts, qui essaient de mettre en œuvre par l'écologie ce qu'ils n'ont pas réussi avec le marxisme : détruire l'économie de marché. Je voulais mettre un coup de pied dans la fourmilière et forcer tous les acteurs de cette comédie médiatique à sortir de leur zone de confort en les obligeant à se parler d'abord et agir ensuite. J'étais prêt à prendre tous les risques. À dire vrai, je n'étais pas certain que celui que j'avais choisi pour incarner cette mission, du moins à l'origine, aurait la souplesse et l'imagination pour la mener à bien. Alain Juppé a beaucoup de qualités, mais pas forcément celles-ci. Cependant, je tenais à l'avoir dans l'équipe gouvernementale pour son sérieux et sa force de travail. Je n'ai jamais envisagé de lui confier l'Économie, car son attachement aux dogmes de Bercy nous aurait conduits à un affrontement immédiat. Je lui avais donc proposé le ministère de l'Environnement. Ce qu'il avait réalisé à Bordeaux en faisait un bon connaisseur de la question. Pour le reste, j'étais bien décidé, compte tenu de l'importance que j'accordais à ce dossier, à m'en occuper aussi souvent que cela s'avèrerait nécessaire. C'est ainsi que moins d'une semaine après mon entrée en fonction, je convoquai le 21 mai, à l'Élysée, le monde des acteurs de l'environnement en vue de l'organisation du Grenelle que j'avais promis durant ma campagne. Ils vinrent tous : Greenpeace, les Amis de la Terre, Écologie sans frontière... l'inévitable Nicolas Hulot. Je les avais tous rencontrés quelques mois auparavant au musée du Quai Branly, où j'avais dû passer un humiliant examen devant une salle bigarrée qui écoutait goguenarde se succéder les différents candidats à l'élection présidentielle. Je leur proposai de travailler à un nouveau format de réunions, composées de parties égales en droit et en devoir : l'État, les collectivités territoriales, les syndicats, les entreprises et le monde associatif.

Bien évidemment, cela obligeait chacun à fournir un effort non négligeable. Ainsi, les agriculteurs devaient accepter la confrontation avec les ONG qu'ils abhorraient. Je fus bien aidé, à partir de 2010, par le remarquable président de la FNSEA d'alors, Xavier Beulin, qui comprit le profit médiatique que le monde paysan pouvait en tirer. Son décès prématuré fut un drame pour sa famille, mais aussi une lourde perte pour toute la profession. C'était un visionnaire capable d'envisager la nouvelle agriculture du XXIe siècle. J'ai rarement rencontré un syndicaliste d'une telle dimension. Il a laissé une place vide qui n'a pas été remplie depuis. Les associations, de leurs côtés, ont dû renoncer à leur conception intégriste de l'indépendance, que la seule perspective d'un travail en commun avec le gouvernement compromettait à leurs yeux. Les syndicats n'étaient pas en reste puisqu'ils se méfiaient de l'institutionnalisation du monde associatif, qui risquait de devenir un concurrent redoutable pour eux dans l'expression des attentes de la société civile. Les entreprises et leurs représentants se méfiaient quant à eux de ce à quoi pouvait aboutir un grand barnum dont ils auraient été les vaches à lait. Et jusqu'à moi, qui devait prendre garde à ce que tout ceci n'accouche pas d'une souris, et pas davantage d'un surcroît de taxes et de complications pour l'économie productive déjà bien assez écrasée de charges. De ce point de vue, l'inscription par Jacques Chirac dans la Constitution du principe de précaution m'apparaissait être la limite exacte de ce dont je ne voulais pas prendre le risque. En effet, faire de la précaution un principe constitutionnel, c'était aller contre toutes les règles de la vie qui fait que, sans volonté de changer, de trouver, de chercher... bref, sans risque, on ne fait rien. Malgré tout, je m'entêtai dans la voie du Grenelle de l'Environnement. L'importance du sujet en valait largement la peine. Une alternative à une écologie gauchiste et « boboïsante » devait absolument émerger. Je voulais trouver la voie d'une économie de marché compatible avec la protection de l'environnement et de la santé de chacun. La réunion se déroula sans incident majeur, quasiment sans anicroche. Certes, la question du nucléaire, véritable obsession de certains de mes interlocuteurs du jour, ressurgit. Je fermai le débat en indiquant que la politique énergétique du gouvernement était claire, et ne serait pas remise en cause. Nous voulions développer massivement les énergies renouvelables sous toutes les formes, sans abandonner un centimètre de terrain quant à l'avance que la France avait acquise en matière nucléaire. Ce sage exemple ne fut hélas pas suivi par mon immédiat successeur. Je précisais, enfin, que le Grenelle de l'Environnement ne devait pas être un énième colloque. « L'époque des colloques est derrière nous. Le temps est à l'action. » Telle était ma conclusion qui fixait en outre trois axes de travail : prévenir le changement climatique, préserver la biodiversité chère à Allain Bougrain-Dubourg, limiter les conséquences de la pollution sur la santé. Je proposais un programme d'action sur cinq ans. Rétrospectivement, et vu de l'année 2020, cela montre qu'au moins nous n'avions pas pris de retard, nous étions même assez en avance sur notre époque. D'ailleurs, une partie de ma majorité mettait ma

volonté environnementale sur le compte de « mes empor-
tements habituels ». Ils n'avaient pas compris, comme le
montrerait la suite, que je n'étais pas le moins du monde
décidé à renoncer à cet engagement. Il est vrai que le
remplacement d'Alain Juppé par Jean-Louis Borloo dès
le mois de juin, à la suite de l'échec du premier à la législative de Bordeaux, me facilita la tâche. Car si Jean-Louis
Borloo n'a pas le sérieux d'Alain Juppé, il a, en matière
d'imagination, d'habileté, et de capacité d'empathie, une
tout autre envergure que ce dernier. De ces points de vue,
c'est un magicien, capable de faire entendre à des interlocuteurs opposés des discours contradictoires auxquels
lui seul semble en mesure de donner une cohérence miraculeuse. Avec ce nouveau ministre, le Grenelle prit une
tout autre dimension. Sa difficulté à s'organiser, loin de
donner l'impression de chaos, faisait vivre une ambiance
créative, un peu échevelée, mais toujours positive. Il fut
un relais indispensable et efficace, en tout cas durant
toute la phase d'élaboration du projet.

*
* *

Deux jours après cette réunion, je partais à Bruxelles
pour défendre mon idée de traité simplifié. Je rencontrai
Guy Verhofstadt, alors Premier ministre de Belgique,
et José Manuel Barroso, le président de la Commission
européenne. La rencontre avec le premier tenait plutôt

du rituel. C'eût été discourtois d'être à Bruxelles et de ne pas lui rendre visite. Cependant, je le savais sur un siège éjectable, tant son parti libéral flamand était en mauvaise posture à l'approche des élections législatives belges. De surcroît, je ne lui faisais guère confiance car, s'il est intelligent, et même brillant, il est aussi fantasque et imprévisible. Nous avions de nombreux désaccords. Il est ainsi un idéologue du libéralisme. À côté de lui, Alain Madelin pourrait presque passer pour étatiste ! Quant à ses convictions fédérales, elles étaient si extrêmes qu'il semblait rêver d'une Europe qui se contenterait de reprendre l'organisation fédérale de la Belgique. Il se voyait comme un grand Européen. J'ai, à l'inverse, toujours pensé qu'il faisait partie de cette longue cohorte d'eurocrates qui ont fini par pousser des millions d'Européens à la méfiance d'abord, puis à la défiance vis-à-vis des institutions européennes. C'est peu dire que j'avais des sentiments mitigés à son endroit. Bernard Kouchner et Jean-Pierre Jouyet qui m'accompagnaient ne partageaient pas mes réserves. Il est vrai que c'était la même aspiration fédéraliste.

L'entretien avec José Manuel Barroso était autrement utile et intéressant. Utile parce que le président de la Commission jouait un rôle important dans le processus de prise des décisions européennes. Intéressant parce que ce Portugais polyglotte, qui parle un français parfait, qui fut Premier ministre dans son pays, disposait d'une très grande expérience. Il avait lui aussi des convictions européennes et libérales fortes, mais il ne raisonnait jamais avec un esprit de système. Sa culture du compromis était toujours la plus forte. En bref, il était possible de lui parler, et surtout de le convaincre. De plus, il était d'un commerce cordial, gentil et même affectueux. Il était cultivé, ce qui permettait de varier les sujets de conversation. Chose rare dans ce milieu bruxellois assez terne, il avait beaucoup d'humour. Ainsi, quelques jours après que ma rencontre avec Carla avait été rendue publique, et alors que nous participions à un sommet européen à Lisbonne, il me dit avec le plus grand sérieux en aparté : « Tu sais une chose importante ? Je viens de découvrir que nous avons exactement les mêmes goûts ! » Je restai quelque peu interloqué. Il poursuivit : « Si Carla a une sœur, pourrais-tu me la présenter ? » J'éclatai de rire, à la surprise des autres chefs de gouvernement européens qui se demandaient ce que nous avions de si amusant à nous raconter. Plusieurs mois après, je l'avais invité à dîner à mon domicile parisien. Il arriva avec un cadeau raffiné, une édition brochée originale des recueils de poèmes du grand poète portugais Pessoa. Il le tendit à Carla en commençant à lui expliquer qui était celui-ci. Carla l'interrompit avant même qu'il pût poursuivre en lui citant, de mémoire, et à brûle-pourpoint, un poème de Pessoa. Barroso comprenant sa maladresse prit une chaise, s'assit, et me dit : « Aurais-tu une aspirine pour moi, j'en ai un urgent besoin ! » Nous nous sommes toujours bien entendus, et j'ai souvent considéré que les multiples procès d'intention qui lui furent faits étaient injustes et disproportionnés.

Les bureaux de la Commission sont froids et sans âme. Il s'agit d'un immense building impersonnel au cœur de Bruxelles. Quel contraste avec la ville qui est, à l'inverse, grouillante de monde, agréable à vivre, truffée de restaurants de qualité et de parcs où l'on peut courir ! J'ai toujours aimé passer du temps à Bruxelles. Je descendais toujours au même hôtel, l'Amigo, où j'appréciais de retrouver les planches de dessins d'Hergé et son héros Tintin qui décorent les murs des chambres. C'était mes lectures favorites de l'enfance. J'attendais à l'époque impatiemment le jeudi, jour de sortie des nouvelles bandes dessinées. Je me plongeais alors des heures durant dans mes lectures favorites. Ministre ou président, j'allais toujours courir dans le Parc royal. Pour peu qu'il y eût du soleil, je m'y sentais vraiment comme à la maison. De surcroît, les Belges en général et ceux de Bruxelles en particulier sont accueillants, gentils, et tellement attentifs à ce qui se passe en France ! Combien de fois ai-je été salué chaleureusement en allant ou en revenant de mon jogging ? Je mesurais alors les attentes que suscitait la France chez ses voisins européens. Sommes-nous toujours à la hauteur de cet intérêt ? Hélas, je ne le crois pas !

Le bureau du président de la Commission est immense et aussi impersonnel que le bâtiment lui-même. On a l'impression que si son occupant y apportait trop de ses affaires personnelles, cela serait considéré comme déplacé ! Et avoir un comportement déplacé, voire original, dans les institutions européennes n'est pas loin d'être considéré comme une faute capitale.

Je ne sais pas si cet état d'esprit est la cause ou la conséquence de la désincarnation en même temps que la déshumanisation de l'Europe. Je me suis souvent interrogé sur ce culte du dogme, de la procédure, de la normalité dans un ensemble européen pourtant si riche de cultures, d'histoires, de traditions, de spécificités. Tout est mis en œuvre pour que l'ensemble soit ouaté, normé, sans aspérité. Même les repas servis lors des sommets étaient exceptionnellement mauvais. Comme si tout était fait pour qu'il en soit ainsi, comme s'il suffisait d'être aride et sans saveur pour être respectable d'un point de vue européen. Il ne faut pas de tableaux au mur, pas de photographies personnelles dans les bureaux, rien qui pourrait distinguer son titulaire. Les locaux se ressemblent tous et sont strictement calibrés en fonction des règles protocolaires. L'uniformisation est la norme. Si c'était un objectif, il a été atteint avec brio, et même dépassé. Je pense à l'inverse que cette habitude est dommageable. Le culte de la discrétion a conduit à un anonymat complet. Qui connaît aujourd'hui le nom des commissaires européens ? Et même celui du président du Conseil ? C'est une grave faiblesse lorsque, de l'autre côté de la table de négociation, se trouvent Donald Trump, Xi Jinping ou Vladimir Poutine. J'avais fait une entorse « risquée » à cet univers normé et étriqué. Je trouvais que les bureaux bruxellois de la représentation française étaient lugubres. Il y avait une salle de réunion de taille moyenne pour le président ou les ministres, et, à côté, une grande pièce pour les collaborateurs, les deux donnant directement sur le couloir de l'étage. Je devais m'y rendre régulièrement pour les nombreux sommets auxquels je participais. Je fis remarquer à Jean-David Levitte et à Fabien Raynaud, alors mon conseiller pour les questions européennes, que, fort heureusement, j'étais doté d'un moral d'acier. Dans le cas contraire, j'aurais pu tomber dans une profonde dépression ! Revenant dans ces lieux quelques semaines après, j'y trouvais de magnifiques photographies, en noir et blanc, qui agrémentaient plaisamment les murs de nos bureaux. L'une d'entre elles me fit particulièrement plaisir puisqu'elle représentait Johnny Hallyday au milieu des années 1960, alors qu'il venait de quitter le service militaire. Il m'arrivait, en pleine nuit, lors des pauses pour les discussions informelles entre négociateurs européens, de regarder avec nostalgie l'image de mon ami. Il n'a jamais su qu'il se trouvait en si bonne place au cœur des institutions européennes. Cela l'aurait bien étonné !

J'expliquai donc à José Manuel Barroso comment nous pourrions, tous ensemble, faire redémarrer l'Europe. Mon idée était simple. La constitution imaginée par Valéry Giscard d'Estaing était morte, définitivement. Mais ce n'était pas une raison pour jeter le bébé avec l'eau du bain et obliger chacun à repartir de zéro alors que pas moins de dix-huit pays européens avaient déjà ratifié le traité constitutionnel. On ne pouvait décemment faire comme si leurs opinions ne comptaient pas. À l'inverse, deux membres, la France et les Pays-Bas avaient dit non en 2005. Le traité prévu n'avait donc aucune valeur juridique. Je proposais de reprendre, dans un traité simplifié, les dispositions qui faisaient consensus, à l'exclusion de toutes les autres. Pour les plus européens, c'était un sacrifice, car l'Union n'irait pas aussi loin qu'il avait été prévu, mais elle continuait cependant à progresser. Ce qui était essentiel. Pour les moins européens, il y avait de quoi se satisfaire de voir reprises une partie de leurs revendications. Pour tous, c'était la certitude de pouvoir sortir d'un immobilisme qui durait déjà depuis plus de deux années. Mon inter-locuteur trouvait l'idée habile, judicieuse. Il promit de ne pas s'y opposer. Cependant, il ne me cacha aucune des difficultés auxquelles j'allais me heurter. Il insista pour que je poursuive le travail de persuasion. En fait, il souhaitait que je porte le projet du début à la fin. Il n'avait nulle intention de le faire à ma place. Après tout, c'était normal, j'étais président de la France. La France avait dit non. Je ne pouvais m'abriter derrière personne pour trouver une issue à la situation très embarrassante où nous avait conduits le referendum de Jacques Chirac. Je savais depuis le début que, pour obtenir un nouveau traité européen, il me faudrait convaincre non la majo-rité, mais l'unanimité des pays membres. Cela semblait inatteignable. L'avenir montra que c'était néanmoins possible. Pour prouver ma volonté et mon engagement total, j'indiquai à mon interlocuteur que je me rendrais à Madrid dès la semaine suivante pour tenter de rallier, à mon initiative, le président du gouvernement espagnol, José Luis Rodriguez Zapatero, dont l'appartenance au Parti socialiste ne nous empêchait pas d'entretenir des relations cordiales, voire amicales. Là encore, la situation n'était pas simple pour mon interlocuteur puisque à l'inverse de la France, le traité constitutionnel avait été ratifié par les Espagnols, qui avaient répondu oui à 76 % ! Cette victoire était aussi spectaculaire que le non français, mais dans un sens diamétralement opposé.

Zapatero avait poussé le luxe jusqu'à rassembler en janvier 2007 à Madrid les dix-huit pays qui avaient déjà ratifié le traité. La France bien évidemment n'avait pas été conviée. C'était dire combien sa marge de manœuvre était étroite. J'ai toujours pensé que l'Espagne avait un rôle central à jouer en Europe. J'aime profondément ce pays, sa culture, son peuple. Durant mes quatre années au ministère de l'Intérieur, j'avais constamment été à côté de la démocratie espagnole contre les terroristes de l'ETA. Cela n'avait pas toujours été le cas de mes prédécesseurs, dont quelques-uns avaient fermé les yeux en échange de la paix en France. J'avais été solidaire de l'Espagne lorsqu'elle en avait besoin. J'attendais la réciproque. Heureusement, les Espagnols ont de la mémoire et de la dignité. Zapatero le démontra en étant très coopératif. Avec son aide, le traité simplifié prenait chaque jour davantage de consistance.

Un second sujet, presque aussi sensible, avait été au cœur de mes entretiens avec José Manuel Barroso. Il s'agissait de la question de l'entrée de la Turquie en Europe. En vérité, quasiment personne n'en voulait, mais personne ne souhaitait prendre le risque de dire non. Angela Merkel était tout à fait de mon avis mais m'expliquait qu'il n'y avait pas moins de trois millions d'Allemands d'origine turque qu'il était difficile de contrarier. Les chefs d'entreprises européens ne voulaient aucun conflit avec un pays riche en contrats profitables pour eux, ce que je pouvais aisément comprendre. La situation était encore plus complexe en France où Jacques Chirac et François Hollande s'étaient retrouvés (déjà) pour être les avocats les plus ardents de l'adhésion de la Turquie à l'Union européenne. Dans un touchant consensus, les deux s'étaient mis d'accord pour, en quelque sorte, me prendre en tenailles. Pour le premier, être contre l'entrée des Turcs, c'était ni plus ni moins que ne rien comprendre aux relations internationales en général, et à la construction européenne en particulier. Il avait fait cette déclaration « tout en nuances » lors d'un Conseil des ministres auquel je participais au cours de l'année 2005. Je crois même me souvenir qu'il avait qualifié ceux qui pensaient comme moi « d'imbéciles ». Quant à François Hollande, son opinion était tout aussi tranchée. Être opposé à l'entrée de la Turquie c'était, au choix, être islamophobe ou turcophobe. S'agissant de moi, il considérait que c'était les deux ! Ma résolution était prise depuis longtemps. Il fallait dire non le plus fermement et le plus tôt possible pour éviter à cet immense pays qu'est la Turquie de prolonger encore l'humiliante attente de négociations interminables, puisqu'elles avaient été annoncées dès 1963 sans produire depuis le moindre résultat concret, ce qui accroissait les frustrations d'un côté, les oppositions de l'autre. Il faut dire que plus de quarante années de discussions sans résultat, cela faisait long ! L'affaire était d'autant plus urgente que Barroso s'entêtait dans cette direction et se trouvait pris à son propre piège. Il voulait absolument ouvrir, dès le mois de juin qui arrivait, de nouveaux chapitres dans les négociations d'adhésion avec Ankara. Je lui fis savoir que le processus en lui-même était absurde puisque la Turquie était en Asie Mineure, qu'elle n'avait donc pas sa place à l'intérieur de l'organisation du continent européen. Il serait difficile d'expliquer aux Européens que, dans ces conditions, l'Europe aurait une frontière commune avec la Syrie, l'Irak et l'Iran ! Ce serait pour le moins étrange. Sans parler des quelque cent millions de Turcs qui pourraient alors entrer en Europe sans visa. Et que dire du président Erdogan, alors Premier ministre, qui pourrait se prévaloir du poids le plus important dans les votes, puisque son pays serait le plus peuplé de l'Union ? Alors que celle-ci était bloquée institutionnellement, discuter de l'adhésion de la Turquie me paraissait n'être rien de moins qu'une folie. Il me répondit qu'il comprenait mes arguments mais que les chapitres de discussion à ouvrir ne créeraient aucune situation irrévocable, et que c'était moins humiliant pour ce grand pays de poursuivre des négociations que de les interrompre. Je fis valoir que je n'avais pas été élu pour mettre en œuvre le contraire de ce que j'avais affirmé durant ma campagne et que, puisque personne ne voulait le faire, j'irais moi-même expliquer à Recep Tayyip Erdogan pourquoi la France disait non. J'étais décidé à bloquer le processus. J'avais bien l'intention de faire ce déplacement à Ankara, afin de marquer l'importance que j'accordais à la Turquie et le respect que les Turcs méritaient. La première chose qu'ils étaient en droit d'obtenir, c'était la vérité. Je fis le voyage en Turquie comme promis quelques mois plus tard. Il fut assez violent. La conférence de presse, notamment, au cours de laquelle je fis face à une centaine de journalistes nationalistes turcs véritablement déchaînés. Aujourd'hui que le temps a passé, que les tensions sont retombées, il est possible d'y voir plus clair. Il me semble que les Turcs eux-mêmes ont compris les données du problème. Leur ambassadeur me le disait encore récemment. Ma position était réaliste et ne relevait en aucun cas d'une quelconque turcophobie. J'ai pu bavarder avec le président Erdogan lors des cérémonies du centenaire de l'Armistice organisées par Emmanuel Macron à Paris, en novembre 2018. Il ne m'a pas semblé qu'il ait gardé de la rancœur à propos de cet épisode. Quant aux différents responsables français favorables à l'adhésion de la Turquie, ils ont disparu du débat. Plus un seul ne dit un mot sur le sujet, sans doute gêné que les faits leur aient, à ce point, donné tort. Reste à imaginer les conditions futures du dialogue entre l'Europe et la Turquie. Je suis convaincu qu'ici encore il faudra faire preuve d'imagination, en créant une nouvelle organisation internationale composée de trois membres fondateurs : l'Europe, la Russie et la Turquie, qui aurait pour mission de parler économie et sécurité.

La Turquie est aujourd'hui l'une des grandes puissances au moins pour sa région d'influence, qui est vaste puisqu'elle est un trait d'union entre l'Europe et l'Asie. Son rôle est capital pour la stabilité du Moyen-Orient comme pour la maîtrise des flux migratoires. On peut constater combien sa stratégie de chantage est déstabilisante pour nous en même temps que moralement très critiquable. L'Europe et la France n'ont aucun intérêt à une confrontation qui ne ferait que des perdants sur chaque rive du Bosphore. Mais la meilleure façon de se faire respecter des Turcs en général, et du président Erdogan en particulier, est d'être fort. Dans la culture ottomane, la faiblesse n'est pas respectée. Il faut être clair. Pas d'adhésion à l'Union européenne donc, ni aujourd'hui ni demain. Dans la même ligne, on peut légitimement s'interroger sur la pérennité de la présence turque au sein de l'Otan. Quels sont encore nos intérêts en commun ? La stratégie agressive du président Erdogan pourrait entraîner l'organisation militaire atlantique dans un conflit qu'elle ne voudrait pas au titre de la solidarité reconnue comme automatique entre les membres de l'organisation lorsque l'un d'eux est attaqué. Il est urgent d'envisager un nouveau cadre statutaire pour institutionnaliser le dialogue avec nos voisins. Le nouveau cadre que j'imagine, auquel se joindraient les Russes, me semble adapté à la nouvelle donne géostratégique. Pour illustrer l'éloignement de nos modes de pensée avec Ankara, quoi de plus instructif que de conter la façon dont s'est déroulé le sommet de l'Otan de 2009 que je présidai avec la chancelière Angela Merkel en même temps à Strasbourg et à Kehl ? La question posée était celle de la nomination du nouveau secrétaire général de l'Otan. Le consensus s'était fait assez facilement autour de la candidature du Premier ministre danois, Anders Fogh Rasmussen. L'homme était compétent, sympathique, francophile. Il avait une maison près de Montpellier où il se rendait aussi souvent que possible pour pratiquer le vélo de route. Ce détail avait d'ailleurs beaucoup contribué à nous rapprocher. Nous parlions braquets, itinéraires d'entraînement et matériels cyclistes dès que nous en avions le loisir. Nous avions formé le projet d'une longue sortie ensemble pour un prochain mois d'août. Rendez-vous avait été pris. Je m'en faisais une joie. Ce fut hélas le moment que choisit Vladimir Poutine pour envahir la Géorgie. J'avais donc d'autres priorités... Sur les vingt-huit pays membres de l'Otan, vingt-sept avaient fait valoir leur accord sur ce choix. Tout allait pour le mieux au moment où le président Gül, qui représentait la Turquie, fit valoir son droit de veto, bloquant ainsi tout le processus. J'organisai une réunion bilatérale avec Angela Merkel pour comprendre quelle mouche l'avait piqué pour tenir une position aussi brutale. L'homme est ouvert, sympathique et souvent de bonne composition. Ce soir-là, il nous était apparu curieusement gêné, emprunté, mal à l'aise. Après une heure où nous le poussâmes dans ses retranchements, il finit par concéder qu'il avait reçu une instruction formelle du Premier ministre Erdogan, qui exerçait la réalité du pouvoir, de refuser absolument la nomination de Rasmussen, au motif qu'il était Danois, et que le Danemark était le pays où l'on avait blasphémé le prophète en publiant les fameuses caricatures ! La posture turque nous mettait dans une situation impossible. Nous ne pouvions capituler sauf à prendre le risque d'un scandale politique de grande ampleur. Je décidai à

mon tour de tout bloquer, et j'indiquai que nous reste-
rions autour de la table le temps qu'il faudrait pour obtenir la nomination de Rasmussen. Nous étions à peine
au milieu de l'après-midi. À 21 heures, Barack Obama
demanda une suspension de séance pour s'entretenir
avec Angela et moi. Il attaqua d'emblée, « Il ne cédera pas.
Ne vous entêtez pas. Laissons passer quelques jours. Cela
va se calmer. Peu importe que Rasmussen soit nommé
maintenant ou dans deux mois ! » Avec Angela, nous
refusâmes d'un même élan, faisant valoir que céder sur
la question des caricatures était pour nous inacceptable.
À 22 h 30, Carla, qui faisait patienter toutes les autres
First Ladies, me téléphona. « Que se passe-t-il ? Tout le
monde est furieux contre toi. Il paraît que tu bloques
tout. Je suis depuis deux heures avec elles, je ne sais plus
ni quoi dire ni quoi faire ! »

Je lui expliquai la situation. Elle comprit en un instant
et retourna s'occuper de toutes les conjointes, dont
Mme Gül qui portait un voile dissimulant l'intégralité
de ses cheveux. Ce n'est que bien après 23 heures que le
président Gül revint soudainement en séance porteur de
« l'accord forcé » de son Premier ministre.

Nous fûmes soulagés et pûmes enfin rejoindre le dîner
officiel qui se tenait à Baden-Baden. L'affaire fit un
homme heureux en la personne de Joachim Sauer, le
compagnon d'Angela Merkel, le seul homme parmi les
First Ladies qui raconta à tous ses amis qu'il avait passé
l'une des meilleures soirées de sa vie ! J'étais heureux
pour lui... mais l'incident en disait long sur l'éloignement

croissant du système Erdogan avec un fonctionnement démocratique et occidental.

*

*   *

Rentré à l'Élysée après mon voyage à Bruxelles, je me rendis dès le lendemain à l'hôtel de ville de Paris, comme il est de tradition pour tout nouveau président de la République. Je crois utile cette marque d'attention du pouvoir central à son plus haut niveau avec les élus parisiens. Elle est révélatrice de la place de Paris dans l'imaginaire national, et des sentiments mitigés des Français à l'endroit de leur capitale. Sans Paris, la France n'eût peut-être jamais existé. Car pour qu'il y eût la France, il fallut une volonté française, et longtemps ce fut Paris qui exprima cette volonté. Tout part de là et y revient. C'est un foyer autour duquel se sont unis les peuples et les provinces françaises. C'est Paris qui a regroupé les provinces et ce sont les provinces qui ont peuplé Paris. C'est le peuple de Paris qui parla au nom du droit des peuples à disposer d'eux-mêmes. C'est le même qui incarna tant de fois la liberté et la fraternité humaines. Et si Paris se taisait, c'est la France qui deviendrait muette. La capitale s'est souvent révoltée contre le pouvoir central mais, sans ce dernier, aucun des grands problèmes parisiens ne pouvait trouver la moindre solution. Je n'imaginais pas encore que je lancerais quelques années plus tard le projet du Grand Paris, mais je voulais une collaboration cordiale avec le maire de l'époque, Bertrand Delanoë. Nous entretenions plutôt de bons rapports. Il était cultivé, sympathique et d'apparence ouverte et modérée. Je dis d'apparence car, pour le fond, les choses étaient plus complexes. Je me méfiais de son tempérament et de sa sensibilité à fleur de peau. Un rien pouvait le blesser et le transformer en adversaire impitoyable. Il était talentueux, s'exprimait fort bien et avait un très réel sens politique. Mais il était capable de se bloquer sur des choses insignifiantes que l'on ne pouvait imaginer, et de vous en vouloir sans qu'on en connaisse vraiment la raison.

Je pressentais tout ceci, ce qui explique que je n'aie jamais songé à lui proposer une fonction qu'il aurait d'ailleurs sans doute refusée. Il avait beaucoup de qualités pour jouer un rôle national et exercer les plus hautes fonctions. Son talent et son intelligence le lui permettaient. Il était assez au-dessus du lot, au moins dans l'univers socialiste, où peu de ses amis pouvaient le concurrencer. Et pourtant, cela ne se produisit jamais. Les faits comptent bien davantage que les potentialités.

Au fond, je ne suis pas loin de penser qu'il a été trop attentif à son image et que, de peur de l'ébrécher, il a développé une aversion aux risques. C'est un handicap insurmontable pour quiconque envisage un destin. Il ne suffit pas d'être doué et d'avoir du potentiel. Il faut pouvoir le mettre en œuvre. Il ne le pouvait pas !

*
* *

Je terminais ce premier mois de mai à l'Élysée en me rendant à l'audience solennelle de la Cour de cassation. J'avais deux raisons d'effectuer ce déplacement symbolique. L'une était personnelle : j'appréciais le nouveau président de la Cour de cassation, Vincent Lamanda. Je l'avais connu alors que j'étais maire de Neuilly-sur-Seine et qu'il présidait la Cour d'appel de Versailles. Nous avions un ami commun en la personne de mon conseiller pour la justice, Patrick Ouart. C'était un homme affable, pondéré, discret et profondément humain. Certes, aux yeux de beaucoup, dans ce milieu si politisé, il présentait le défaut rédhibitoire de ne pas être engagé à gauche, pire, de n'appartenir à aucune organisation syndicale. En bref, je l'appréciais pour toutes les raisons qui le distinguaient de son environnement professionnel ! Je voulais ensuite recréer des liens qui avaient été distendus par mon passage au ministère de l'Intérieur avec l'institution judiciaire. La suite montrera combien j'ai échoué à atteindre cet objectif. Cependant, ma démarche était sincère. Je voyais bien la grande misère financière dans laquelle se trouvait notre justice. Je comprenais les interrogations des femmes et des hommes qui la servaient, sur leur rôle et sur leur place dans la société. Surtout, je constatais chaque jour les attentes déçues de nos concitoyens à l'endroit d'un monde judiciaire opaque, secret, auquel ils avaient fini par n'accorder qu'une confiance minoritaire. Il est vrai qu'en septembre 2006 j'avais provoqué une tempête médiatique en laissant entendre qu'une partie des juges pour enfants du tribunal judiciaire de Bobigny avait en quelque sorte démissionné de leurs rôles, par laxisme vis-à-vis des délinquants mineurs de la banlieue nord. Un écho de presse relatant une affaire de drogue avait même montré que le président du tribunal pour enfants était appelé par de jeunes trafiquants « le Pote ». Je pensais que ce n'était pas exactement ce que l'on était en droit d'attendre d'un magistrat du tribunal correctionnel. Il y avait eu alors un certain émoi, dont il demeurait quelques traces. En prononçant ces mots, j'avais outragé les syndicats de magistrats. Il leur en fallait peu ! Il faut préciser que, par sa fonction, le ministre de l'Intérieur ne peut pas être populaire auprès du corps judiciaire. Les policiers ont pour mission d'arrêter les délinquants. Il est normal qu'ils pensent souvent que les juges ne sont pas assez sévères. La posture d'opposition est, en quelque sorte, institutionnelle ; c'est plutôt sain qu'il en soit ainsi. Dans le cas contraire, cela signifierait que le titulaire de la place Beauvau ne fait pas bien son travail. J'arrivais donc à la Cour de cassation plein de bonne volonté. Mes efforts, apparemment, ne furent pas suffisants, puisque je fus tourné en ridicule par certains médias. Une chroniqueuse justice me décrivit « assis sur un fauteuil tel le roi sur son lit de justice qui s'ennuyait ferme et ne le dissimulait guère ». Passons sur le fauteuil qui n'était pas différent de ceux occupés par les magistrats de la Cour de cassation. Visiblement, la journaliste devait ne pas être bien assise et m'en a tenu rigueur ! Après tout, je peux la comprendre... En revanche, qu'est-ce qui a bien pu lui permettre de croire que « je m'ennuyais » ? Les questions de justice, au contraire, m'ont toujours passionné. De surcroît, ma formation est celle d'un juriste. J'ai passé, il y a bien longtemps, mes diplômes pour devenir avocat. Et je n'ai, depuis, jamais quitté cette profession. À moins qu'elle ait imaginé que je n'arrivais pas à comprendre ce qui se disait ? Peut-être ! Toute une certaine presse militante aimait à me dépeindre sous les traits d'un « inculte impénitent ». J'aurai l'occasion de revenir sur mes rapports avec l'institution judiciaire qui ne furent pas, c'est le moins qu'on puisse dire, un long fleuve tranquille, bien que j'aie toujours veillé à respecter scrupuleusement mes devoirs en la matière, y compris lorsqu'il s'agissait de mesures injustes ou humiliantes. Qu'aurait-on dit si j'avais agi comme il a pu arriver depuis à Jean-Luc Mélenchon et à Marine Le Pen de le faire ?

*
* *

Il me restait une dernière obligation à assumer en ce mois de mai 2007, et ce n'était pas la plus simple, puisqu'il s'agissait de ma participation à la campagne législative. C'était un véritable casse-tête où il n'y avait que des coups à prendre, où j'aurais été attaqué de toutes parts, quel que soit le choix fait ! J'étais, bien évidemment, intéressé au premier chef à pouvoir bénéficier d'une majorité solide, cohérente et loyale au Parlement. Pour cela, il me fallait confirmer la victoire présidentielle et obtenir une majorité législative pour mon parti, et ceux qui collaboraient avec lui. Mais, dans le même temps, le président de la République ne pouvait pas s'embarrasser de politique partisane. Intervenir trop, c'était prendre le risque de descendre du piédestal présidentiel. Intervenir trop peu, c'était la possibilité d'un succès mitigé, voire d'un échec, comme celui qu'avait connu Jacques Chirac en 1997. Je n'avais pas véritablement tranché le dilemme, me contentant de ce que je pensais être un juste milieu en me limitant à quelques interventions peu nombreuses, laissant la conduite de la campagne au Premier ministre et aux dirigeants de l'UMP de l'époque. À la réflexion, je crois que c'était une erreur et que j'aurais dû m'engager pleinement dans ce nouveau combat. Peut-être étais-je fatigué de faire campagne après ces interminables mois de débats présidentiels ? Peut-être l'Élysée avait-il anesthésié une partie de mes instincts politiques ? Peut-être m'étais-je laissé convaincre par un entourage au sens large, qui veut toujours vous protéger mais qui oublie qu'en cas de demi-succès, ou pire, d'échec, c'est le président de la République, et personne d'autre, qui se trouve en première ligne pour rendre des comptes ? Je tins donc un seul meeting, à la fin du mois de mai. J'avais choisi la ville du Havre. Elle me semblait emblématique de la France que je voulais incarner et représenter. Je tenais à m'adresser aux travailleurs, aux ouvriers, aux marins. Ils étaient ma priorité. Je ne voulais pas d'un auditoire trop conservateur, trop bourgeois, et pas davantage d'une boboïsation intellectuelle et élitiste. Je ne pouvais pas oublier que si j'avais réuni 53 % sur mon nom, la participation électorale qui s'était élevée au niveau record de 84 % me créait une responsabilité particulière. C'était vraiment toute la France qui avait voté. C'était donc à toute la France que je devais m'adresser. Au fond, le problème est toujours le même, et je ne prétends pas, loin de là, l'avoir résolu. Comment s'adresser à la France qui souffre, sans démagogie, sans lâcheté, sans complaisance, mais avec des mots que chacun puisse comprendre ? Comment récupérer tous ces Français victimes du déclassement social, économique, culturel, financier ? Comment transformer leurs colères en énergie positive ? J'essayai de sortir de la seule compassion, qui est sympathique mais inefficace, pour entrer dans le monde des faits et de l'action. C'est pour cela que j'ai fait du travail et du respect qu'on lui doit l'ADN de tout mon engagement politique, avec au cœur la question des heures supplémentaires. Je conclus mon discours devant des milliers de Hauts-Normands en leur demandant de m'accorder la majorité législative qui devait me permettre de mettre en œuvre mon projet présidentiel. C'était le minimum que je pouvais faire.

*
* *

Quelques jours auparavant, j'avais rencontré à l'Élysée le leader de la CGT, Bernard Thibault, pour un premier tour d'horizon social. Il m'avait dit ses grandes réserves sur le principe des heures supplémentaires, dont il jugeait qu'elles seraient un instrument dans les mains des patrons pour faire travailler davantage les salariés français qui ployaient déjà sous la tâche. Que, de surcroît, elles détruiraient de l'emploi, car au lieu d'embaucher, les patrons feraient travailler les mêmes davantage. C'est peu dire que j'étais en désaccord avec mon interlocuteur. Le fossé était si grand que je me demandais comment la CGT, censée représenter les travailleurs français, pouvait à ce point s'être éloignée des préoccupations réelles de sa base électorale et militante. Au fond, ils ne défendaient ni le travail ni les travailleurs, mais les statuts. Sans même s'en rendre compte, ils étaient devenus des fonctionnaires du dialogue social. Immobilisme, corporatisme, idéologie étaient maintenant leurs boussoles. La discussion n'était pas possible, tout simplement parce qu'elle ne les intéressait pas. La société devait rester telle qu'elle était, un point c'est tout. Ils étaient prêts à une exception : lorsqu'il s'agissait de dépenser davantage ! Sur ce point, la rhétorique était sempiternelle. Il y avait de l'argent si on savait le trouver. L'État, les riches, les patrons, la Bourse, les financiers représentaient, à leurs yeux, des catégories innombrables qu'il suffisait de « tondre » pour pouvoir dépenser sans compter. À aucun moment, mon interlocuteur ne se demandait pourquoi nous avions les impôts parmi les plus élevés du monde occidental, rapportés au pourcentage de notre PIB, et, dans le même temps, le sentiment d'injustice le plus aigu au sein de tous les pays européens ? Pourquoi encore notre économie n'arrivait-elle pas à proposer des emplois en nombre suffisant, à la différence de ce qui se passait en Allemagne, aux États-Unis ou en Grande-Bretagne ? Je n'essayai pas de le convaincre, c'eût été peine perdue, mais simplement de lui faire comprendre que j'allais scrupuleusement mettre en œuvre tout ce que j'avais dit durant ma campagne, s'agissant notamment des heures supplémentaires défiscalisées et du service minimum dans les transports publics. J'avais été élu. J'avais toute la légitimité pour agir ainsi. Je ne voulais pas passer en force, néanmoins, j'étais décidé à avancer, et ils ne devaient pas en douter. Je n'avais pas à proprement parler de mauvaises relations avec mon interlocuteur. Il était encore assez jeune. Il n'avait pas un tempérament agressif. Il parlait franchement et semblait accepter qu'on lui réponde sur le même ton. Nos discussions n'étaient pas désagréables. En l'observant, je me demandais comment un homme comme lui, finalement assez sympathique, pouvait être membre du Conseil national du Parti communiste ? Car, enfin, être communiste après la guerre, on pouvait le comprendre, car on savait si peu de choses sur ce qui se passait alors en Union soviétique. Mais, au début du XXIe siècle, c'était une tout autre histoire. Les historiens avaient fait leur travail. Les archives avaient été ouvertes. La perestroïka était passée par là. Le mur de Berlin était tombé. Dans ces conditions, demeurer communiste, c'était à mes yeux faire preuve d'un aveuglement coupable autant qu'incompréhensible ! J'appréciais l'allure physique de Bernard Thibault. Grand, donnant l'impression d'être sportif, avec un bon sourire et des yeux très bleus. Il marchait en balançant drôlement les épaules. Je ne pouvais m'empêcher de lui trouver un petit air de Johnny Hallyday. Seule la coiffure était différente. Une coupe arrondie retombant en cascade raide sur les épaules, qui lui donnait un air soixante-huitard qui ne cadrait pas avec le tempérament du leader de la CGT. À la fin de notre discussion, il me prévint qu'il serait vigilant sur tous mes projets mais que, s'agissant des régimes spéciaux, il m'avertissait de ne pas y toucher tant le sujet était sensible pour lui et ses amis. Et que si tel n'était pas le cas, nous irions vers un affrontement brutal. J'étais prévenu ! En retour, je ne précisais pas, outre mesure, mes intentions en la matière. Je me réservais d'ouvrir ce dossier en septembre. Il était inutile, à mes yeux, de sonner le tocsin dès maintenant, et surtout à deux semaines des élections législatives.

*
* *

Un mois déjà venait de s'écouler. Je savais, pour l'avoir intériorisé, que ces cinq années passeraient à la vitesse de la lumière, mais, à ce point de rapidité, j'en étais soufflé ! Les journées défilaient sans même que je m'en rende compte. Je passais d'un événement à un autre, d'un sujet à un autre, voire d'un pays à un autre. C'était étourdissant autant que passionnant. Les observateurs, et d'ailleurs c'était leur rôle, décrivaient par le menu chaque détail de ma vie professionnelle, me prêtant à chaque fois des intentions plus ou moins machiavéliques, sans jamais imaginer la part immense laissée, dans l'exercice du pouvoir, à l'intuition, au hasard, aux circonstances. Au sommet de l'État, on voudrait, ou plutôt on croit pouvoir tout prévoir, organiser, assembler. On se rend vite compte que les occasions d'agir ou de parler se succèdent à une telle vitesse que la phrase de Jean Cocteau, « ces événements nous dépassent, feignons d'en être les organisateurs », est beaucoup plus proche de la réalité que ce que je pouvais imaginer.

À la veille de ces élections législatives, c'est mon style qui faisait débat. Pour les uns, je voulais m'inspirer de Kennedy par fascination pour le modèle américain. Pour les autres, je cherchais à démoder Chirac et son culte du secret en prônant la transparence, y compris sur ma vie privée. Pour les troisièmes, j'étais un personnage de « télé-réalité », aimant les milliardaires et tout ce qui brillait. Des sondages étaient publiés et chacun donnait son opinion, en général orientée par ses propres convictions politiques. Le débat, au fond, portait bien davantage sur ce que j'étais plutôt que sur la politique que je souhaitais mettre en œuvre. J'ai déjà eu l'occasion dans *Passions* de m'expliquer sur les erreurs des premiers jours de mon quinquennat, je n'y reviendrai pas, si ce n'est pour expliquer comment se sont passées les choses, en tout cas de mon point de vue. Il ne sera certainement pas le plus objectif. Comment parler de soi-même froidement ? Mais peut-être sera-t-il plus informé que les commentaires détaillés sur ce que j'étais profondément, et sur ce que j'attendais de personnes que, pour la plupart, je ne me souvenais pas avoir rencontrées !

Mon but était de changer les choses dans notre pays. Mon ambition n'était pas de durer. J'ai trop conscience de la précarité de notre existence. Je voulais agir, connaissant par expérience la très grande capacité de la machine étatique à freiner, à retarder. Je savais que sur les 100 % d'énergie et de volontarisme qui sortaient de mon bureau élyséen, à peine 10 % arriveraient sur le terrain, et encore, si nous étions efficaces et chanceux. J'avais donc décidé de m'occuper de tout, de tout suivre, surtout d'être derrière chacun de mes ministres pour qu'ils donnent le meilleur d'eux-mêmes. Je sais bien sûr qu'on ne fait rien tout seul, mais je devinais mieux encore que, si en tant que président je laissais aller les choses, il ne se passerait strictement rien. De ce point de vue, ce que j'avais observé avec le gouvernement Raffarin m'avait vacciné à tout jamais. J'avais vu de près une prudence excessive et une lenteur assumée. Le volontarisme peut disparaître comme l'eau dans le sable, alors si, en plus, il n'y avait pas de volonté, ou si le pouvoir était seulement velléitaire, le résultat serait connu d'avance. Il n'y en aurait pas. Je voulais conjurer cette malédiction. Pour cela, j'avais décidé de m'exposer du matin au soir. On pourra m'objecter que j'aurais dû mieux faire la part des choses entre ce qui était important et ce qui l'était moins. En théorie, ce raisonnement était impeccable, mais en théorie seulement. Quand on est président de la République, le moindre détail peut vous faire trébucher et vous conduire à une crise politique majeure. Il faut donc tout suivre avec le plus grand soin, comme le lait sur le feu. L'écran protecteur du Premier ministre existait à une époque où les choses allaient moins vite, où les connexions internationales étaient moins imbriquées, où Internet et les chaînes d'informations continues ne faisaient pas partie de notre quotidien. À tort ou à raison, j'étais décidé à être « omniprésident », comme m'avaient pertinemment dénommé certains observateurs. La conséquence de ce choix était de faire reposer l'ensemble du système sur mes épaules. Cela pouvait légitimement être considéré comme une faiblesse. Mais, dans le même temps, c'est moi qui avais été élu, à qui aurais-je pu laisser ce rôle ou cette place ? Et si je n'avais pas choisi d'assumer ce rôle, derrière qui aurais-je dû me cacher ? Et puis, plus sincèrement encore, je n'avais pas parcouru tout ce chemin, je n'avais pas consacré trente-cinq années de ma vie à cette conquête pour, une fois arrivé, refuser l'obstacle et ne pas exercer le pouvoir. En outre, les Français m'avaient élu à ma première tentative, je n'étais donc pas désabusé par la si longue marche d'approche qu'il avait fallu à François Mitterrand comme à Jacques Chirac, pas moins de trois candidatures avant d'exercer le pouvoir. Il y avait un lien entre l'omniprésident que je voulais être et la surexposition de ma propre personne. J'y étais prêt, et cela ne m'aurait pas gêné outre mesure, à un détail près cependant, qui d'ailleurs n'en était pas un. Il s'agissait de ma situation familiale à ce moment précis. Sur ce front, car telle était bien l'expression adéquate, rien ne s'arrangeait. J'aurais même dû me dire, si j'avais été plus clairvoyant, qu'elle allait en se dégradant. J'étais fragile en même temps que fragilisé. J'avais cru que tout rentrerait dans l'ordre. Il n'en était rien. Le moment approchait où je devrais trancher dans le vif. Je le craignais. Je le repoussais comme on éloigne un calice. L'environnement médiatique, lui, le pressentait avec davantage de froide lucidité. Des articles commençaient à fleurir sur le comportement « étrange » de Cécilia. Ils m'ont choqué, à l'époque. Je dois pourtant reconnaître qu'ils disaient vrai. J'avais le sentiment d'écoper seul un bateau qui prenait l'eau de toutes parts. Cette situation n'avait rien d'extraordinaire. Innombrables sont ceux qui l'ont connue. Mais je dirais, pudiquement, que le fait d'être un président de la République au tout début de son mandat ne constituait pas un facteur facilitant ! C'était douloureux sur le plan personnel. Chaque minute, je me demandais quelle catastrophe pourrait bien surgir de ce côté. Surtout, et comment le leur reprocher ? Cela excitait beaucoup les commentateurs. Tout était rapporté à l'aune de mes difficultés familiales. Cela devenait même l'unique grille de lecture, et pas seulement de la presse spécialisée dans ce genre d'actualités. Cette réalité a beaucoup contribué à renforcer l'aspect romanesque, pour le meilleur comme pour le pire, de ma vie privée. Espérer un peu de distance et de pudeur était impossible. J'en étais responsable bien malgré moi.

*
* *

Au tout début du mois de juin, je me rendis à Heiligendamm, jolie plage des bords de la Baltique, au nord-est de l'Allemagne. Angela Merkel était l'hôtesse de l'événement puisque son pays assumait la présidence du G8. Il s'agissait de mon premier sommet international. J'étais impatient d'y participer et de faire la connaissance de certains de mes principaux interlocuteurs internationaux. L'organisation était parfaite, comme toujours en Allemagne. Les installations étaient confortables et professionnelles, sans aucun luxe inutile. Il y avait tout ce qu'il fallait et rien de plus. J'ai apprécié les lieux sans toutefois me dire que j'aimerais forcément y revenir un jour en vacances. Quelle que soit la beauté de cette mer, elle pâtissait, à mes yeux, de la comparaison avec la Méditerranée. Nous avions chacun une petite maison où nous pouvions résider avec nos épouses et nos principaux collaborateurs. Cécilia m'avait accompagné puisque c'était le protocole. Elle était élégante et veilla à ne pas décrocher un sourire avant de m'annoncer, au beau milieu du sommet, qu'elle ne pouvait finalement pas rester à mes côtés les deux journées et demie que durerait la réunion, car elle devait rentrer à Paris au plus tôt y fêter l'anniversaire de sa fille. Elle avait participé au dîner d'ouverture. Elle ne souhaitait pas en faire davantage. J'ai dissimulé mon agacement et j'ai laissé les choses aller ainsi. Que pouvais-je faire sinon subir ?

George W. Bush était arrivé le dernier, et nous avions convenu que j'irais lui rendre visite dans le pavillon réservé à la délégation américaine. Depuis mon élection, je ne l'avais eu qu'une seule fois au téléphone. J'étais heureux de pouvoir évoquer avec lui les nouvelles relations que je voulais construire entre les États-Unis et la France, après les années de bataille, et de méfiance à peine dissimulée, de l'époque Chirac. Une heure avant que je ne quitte le lieu où je résidais pour rejoindre George W. Bush, le protocole américain nous fit savoir que le président venait d'avoir un malaise vagal, qu'il ne pourrait donc me recevoir. J'étais un peu étonné. Je demeurais donc dans la maison qui nous avait été affectée, me perdant en différentes conjectures. À peine trente minutes avaient passé quand nous reçûmes un nouvel appel de l'équipe Bush. « Le président tient absolument à maintenir le rendez-vous avec le président français, mais il le prévient qu'il sera couché, et il tient à s'en excuser par avance ! » Je fis immédiatement savoir que, dans ces conditions, je préférais que le président se repose et que je ne voulais, en aucun cas, le déranger, encore moins être indiscret. La réponse ne se fit pas attendre. « Venez, c'est important que les deux présidents se parlent. » Je m'exécutai donc, en me rendant à pied – la distance n'était que de quelques centaines de mètres – vers le pavillon américain. Je pénétrai dans la salle pour y découvrir une scène saisissante. George W. Bush était allongé sur un canapé, un oreiller avait été placé sous sa tête. Il était blanc comme un linge. Il me salua avec un gentil sourire, en esquissant un geste pour se lever. Je me précipitai pour l'en dissuader.

Sa femme, Laura, était à ses côtés, souriante, et légèrement inquiète. Condoleezza Rice était présente aussi. Chaleureuse, énergique, affable, c'est elle qui m'accueillit. « Ce n'est pas raisonnable, mais le Président voulait absolument vous voir. Il compte sur vous, et il veut créer les conditions d'une grande confiance entre nos deux pays. » La situation était quelque peu surréaliste. Personne n'a jamais rien su de ce malaise. Par discrétion, je ne l'avais même pas raconté aux membres de la délégation française qui n'étaient pas présents. George W. Bush, pour cause de fatigue, de stress ou de décalage horaire, avait eu, en arrivant, un évanouissement, passager et sans gravité. Au fur et à mesure de notre conversation qui ne dura pas moins d'une heure, je voyais l'état physique de mon interlocuteur s'améliorer à vue d'œil. Son visage se colorait de nouveau. Il finit même par quitter la station allongée pour s'asseoir. George W. Bush, qui croit en la justesse de ce qu'il fait, est un passionné. Il voulait notamment s'assurer que la France resterait aux côtés des États-Unis en Afghanistan. Tout à son sujet, il en avait fini par oublier ses tracas physiques du moment. J'étais absolument fasciné par la confiance et la profondeur des rapports qu'il entretenait avec sa secrétaire d'État. Je n'ai jamais vu une telle complicité. Bush me dit à propos de Condoleezza : « Elle est comme ma fille. Tout ce qu'elle dit correspond exactement à tout ce que je pense. » Elle pouvait, au cours de la conversation, l'interrompre, préciser un point demeuré à ses yeux obscur, ou même aller plus loin que son patron, sur telle ou telle question. Elle ne se départait jamais ni de sa franchise ni de sa respectueuse attitude à l'endroit du président. Il y avait beaucoup de dignité à voir cette élégante professeur d'université porter si bien la parole du président des États-Unis. En repartant, je me suis dit que ce dernier avait bien de la chance de pouvoir compter sur une telle force tranquille à ses côtés. Quel que soit le brio de Bernard Kouchner, et sa réelle capacité d'empathie, il ne boxait pas dans la même catégorie ! L'image de George W. Bush est à l'opposé de l'homme que j'ai connu, avec qui j'ai travaillé en confiance. Il est d'abord cultivé. Il m'a souvent étonné en me parlant de Camus, qu'il avait lu, et qui l'avait marqué. Il est franc, et direct. Un jour qu'il déjeunait à l'Élysée, Carla lui proposa une bière. Il répondit : « Hélas, cela m'est absolument interdit. J'ai été, des années durant, un grand consommateur d'alcool. Je ne bois plus car, à la moindre anicroche, je peux retomber ! » Désarmante franchise, sans doute habituelle chez les Américains, mais Bush la pratiquait sans ostentation, simplement, sans affectation. Il aime profondément son pays, sa famille, ses convictions. Il est américain jusqu'au bout des ongles, rien ne lui plaît davantage que la nourriture de son pays. Il est courageux, n'attachant que très peu d'importance à son image ou à ce que la presse pourra dire de lui. Enfin, il tient parole et reste fidèle à ses alliés comme à ses amis. Son leadership est incontestable. Il fut d'ailleurs, à mes yeux, le président des États-Unis qui croyait le plus en l'universalité des valeurs américaines. Ce fut bien différent avec ses successeurs. Obama se souciait de l'image qu'il souhaitait donner d'abord, et laisser ensuite

à la postérité. Quant au président Trump, ce n'est pas
lui faire un procès d'intention que d'affirmer qu'il se
préoccupe exclusivement de ses intérêts et des « deals
successifs » qu'il peut mettre en œuvre. Les convictions
qu'il professe occasionnellement sont si changeantes, et
fonction des circonstances, qu'on serait bien en peine
d'essayer de les rendre, ne serait-ce qu'en apparence,
cohérentes. Je n'omets pas, bien évidemment, la grave
erreur que fut l'intervention américaine en Irak, et les
informations inexactes qui furent communiquées aux
alliés de l'Amérique. Cela restera une tache sur le bilan
de George W. Bush, et sur son action. Jacques Chirac
avait eu le courage et la sagesse de ne pas le suivre. Il
n'en reste pas moins que j'ai eu plaisir à travailler avec lui
une année durant. J'apprécie qu'aujourd'hui encore, nous
soyons restés en contact. J'ajoute que ce n'est pas rien
dans une famille que le père et le fils aient réussi à devenir présidents de la première puissance mondiale, créant
ainsi une nouvelle dynastie dans la société américaine.
Les États-Unis ont, en fait, des traits monarchiques
souvent sous-estimés.

Avec ce G8, je m'initiais aux relations internationales
de premier plan. C'était nouveau pour moi. Je pénétrais
dans la grande salle de réunion cherchant à m'imprégner de tout. Nous étions donc huit autour de la grande
table circulaire. J'étais assis entre Vladimir Poutine que
je voyais pour la première fois, et Angela Merkel qui,
avec prévenance, m'avait placé à sa gauche, réservant
sa droite à George W. Bush. En face se trouvait Tony
Blair, dont c'était le dernier sommet, et Romano Prodi

qui représentait l'Italie. Pour moi, ce dernier était vraiment insondable. Quel curieux contraste : le président du Conseil le plus taiseux et le plus sombre que l'on puisse imaginer, en charge de représenter le pays le plus joyeux et le plus chaleureux d'Europe !

À cette occasion, je retrouvai Tony Blair avec beaucoup de plaisir. J'ai rarement rencontré quelqu'un d'aussi talentueux, brillant, sympathique que le chef du gouvernement britannique d'alors. Nous nous entendions très bien. J'avais du mal à me le représenter sous les traits du leader du Parti travailliste tant, sur de nombreux sujets, il se trouvait être à ma droite, et même assez sensiblement. En l'écoutant, je pensais à nos socialistes français. Quel pouvait être le rapport entre François Hollande, qui allait promettre une taxation à 75 %, et Tony Blair, qui était constamment fasciné par le futur, les nouvelles technologies, et l'esprit d'entreprise ? Le contraste était saisissant et, à mes yeux, pas en faveur des socialistes français. Entre chacun de nous, la présidence allemande avait disposé de petites assiettes de chocolats. Je me souviens qu'elles plaisaient autant à Vladimir Poutine qu'à moi. Nous allongions notre bras presque compulsivement pour en saisir un morceau tout au long des interminables sessions à l'ordre du jour qui étaient, par ailleurs, d'intérêt inégal. Au moment où une énième fois je voulus me resservir, je ne m'étais pas aperçu qu'il n'en restait qu'un. Or, c'est justement celui sur lequel Poutine avait des visées. Il y eut alors une situation cocasse où nous restâmes tous les deux la main suspendue au-dessus de l'assiette. Les autres avaient observé le manège. Poutine et moi ne nous étions pas encore dit un mot. Nous nous regardâmes fixement, nous demandant qui allait céder ? Puis, tout d'un coup, nous éclatâmes de rire en convenant qu'il ne pouvait pas y avoir de perdant ! Nous avons donc, d'un commun accord, décidé de laisser tranquille le dernier morceau de chocolat, et repoussé sagement ladite assiette. Poutine avait beaucoup ri. La glace était brisée. Durant le sommet, nous avons eu un premier entretien bilatéral. Il était important que les choses démarrent bien entre nous. Je marchais sur des œufs, car je connaissais la grande proximité entre Jacques Chirac et lui. Je craignais que, compte tenu de mes relations avec ce dernier, quelques mauvais messages aient pu être passés. J'ajoute que le procès qui m'était souvent fait dans les médias à propos de mon tropisme américain supposé m'obligeait à fournir des efforts visibles pour mettre mon interlocuteur en confiance. En fait, les choses se passèrent mieux que je n'aurais pu l'imaginer, surtout à partir du moment où je pus lui expliquer que ma conviction était solidement ancrée : je ne voulais pas entendre parler d'une coalition européenne contre la Russie. Pour moi, c'était clair, l'Europe avait besoin de la Russie, au moins autant que l'inverse. Je n'ai ensuite jamais dévié de cette ligne, seule compatible avec notre histoire commune. Vladimir Poutine a une voix qui ne correspond en rien à son caractère. Elle est douce, plate, sans force ni charme particulier. J'ai toujours été surpris par ce contraste. À chaque fois que j'ai rencontré le président russe, qui est en tout point une personnalité charismatique, autoritaire et forte, je m'en faisais la remarque. Il est cependant aisé de s'entretenir avec lui. Il est à l'écoute, extrêmement courtois, facile d'accès, sympathique et même assez enclin à sourire et rire. Il est extrêmement fidèle à ses amis comme à ses convictions et peut changer de position s'il est convaincu. Il se méfie pourtant beaucoup de tous et de tout. Gagner sa confiance est la chose la plus importante, sans doute la plus difficile, mais une fois celle-ci acquise, il devient un tout autre homme qui n'a qu'une parole et qui la respecte. Il y a une chose qu'il déteste entre toutes, c'est le double langage, notamment avec la presse. Autrement dit être aimable avec lui lors d'un tête-à-tête et se laisser aller à le critiquer à l'extérieur est vraiment l'attitude à ne pas avoir. Le prendre en force n'est pas, non plus, le meilleur moyen pour obtenir quoi que cela soit. Il accepte volontiers les désaccords et ne vous en tient jamais rigueur. Il comprend parfaitement que vous ayez une ligne rouge que vous refuserez de franchir pour peu que la réciproque soit vraie et que vous acceptiez que lui aussi exprime la nature des limites qu'il ne franchira pas. Il se méfie par-dessus tout des paroles qui s'envolent et des promesses qui restent lettre morte. Seuls comptent, à ses yeux, les actes qu'il n'oublie jamais, pour le meilleur mais aussi pour le pire, notamment lorsqu'il s'estime trahi. Dans le courant de l'année 2010, il me téléphona pour me passer un message que son conseiller diplomatique nous avait préalablement signalé comme très important : « Nicolas, j'ai un service à te demander. C'est vraiment majeur pour moi, car il concerne l'Église russe orthodoxe. Tu sais qu'y compris durant l'époque communiste, elle a tenu. Si nous nous sommes relevés si rapidement après quatre-vingts années de communisme, c'est parce que l'Église orthodoxe, même au pire moment, a été la colonne vertébrale du peuple russe. C'est un enjeu majeur pour moi. Or, il y a un terrain au cœur de Paris qui appartient à l'État français (c'est celui où se trouvait le siège de Météo-France, juste en face du pont de l'Alma). Je te demande de le céder à la Russie, nous paierons le prix qu'il faut, et d'autoriser que nous y construisions une église orthodoxe et un centre culturel qui y sera rattaché. » J'acceptai dans l'instant, sans plus de discussions, l'idée d'une église orthodoxe à cet endroit de notre capitale. Poutine m'avait, par ailleurs, assuré qu'il prendrait les meilleurs architectes pour en faire l'un des plus beaux monuments de Paris. C'est ce qu'il fit, avec brio. C'était notre culture. C'était nos racines, et c'était un magnifique symbole de l'amitié entre nos deux peuples. J'avais si souvent évoqué les racines chrétiennes de la France. Je ne pouvais pas refuser à Poutine de promouvoir celles de la Russie. Enfin, l'immeuble de Météo-France était certainement l'un des plus laids de Paris. Il y eut un certain nombre de polémiques, au titre d'une conception à mes yeux dévoyée de la laïcité comme instrument de combats des religions. Je ne cédais point, expliquant même que les quelques centaines de mosquées qui avaient été ouvertes ces dernières années n'avaient provoqué aucune opposition de la « pensée unique », et de nos élites médiatiques. Je ne voyais pas en quoi cette église orthodoxe, et le centre culturel qui lui serait rattaché, gêneraient en quoi que ce fût la République française. Il y eut certaines difficultés avec le maire de Paris, assez mal à l'aise avec cette initiative. Je n'ai jamais pu démêler si le plus gênant était, à ses yeux, la religion, Poutine ou la Russie. Bertrand Delanoë hésita donc. Nous primes deux années de retard, mais l'essentiel était sauvé. L'église avait vu le jour. Quant à moi, j'avais définitivement gagné la confiance du président russe.

Un autre participant majeur du Sommet était Tony Blair. Il était, contrairement à son habitude, sombre et un peu éteint. La bataille interne faisait rage avec son ami d'hier, Gordon Brown, à l'époque chancelier de l'Échiquier. Ce dernier l'avait emporté. Tony Blair, après dix années passées à Downing Street, devait s'effacer. Ce n'était pas facile car il ne se sentait pas usé ni physiquement ni mentalement. Il était passionné et il aurait volontiers continué. Nous en avions parlé jusque tard dans la nuit de la deuxième journée du sommet. Une idée m'était alors venue. Puisque avec le futur traité simplifié, il y aurait une nouvelle fonction de président du Conseil européen à pourvoir, pourquoi n'en deviendrait-il pas le premier titulaire ? Je dois à la vérité de reconnaître que Tony était tenté mais ne me cachait pas qu'il croyait peu en ses chances. La suite montra qu'il avait raison, et moi tort. Pourtant, je m'entêtai. Je trouvais qu'il avait le brio et l'expérience pour piloter un ensemble de vingt-sept pays européens. Il était travailliste mais également libéral, il pouvait donc rassembler très largement l'échiquier politique européen et, surtout, il était Anglais. C'était une occasion en or d'arrimer la Grande Île au continent ! J'étais, à cette époque, bien loin de m'imaginer le risque du Brexit. Mais, avec le recul, qui pourrait nier qu'un Anglais premier président du Conseil européen aurait constitué un symbole bien utile pour la suite afin de montrer aux Britanniques les plus récalcitrants l'importance que l'Europe attachait à leur présence ? J'étais certain que c'était la bonne stratégie. Cependant je dus déchanter rapidement, et notamment après en avoir parlé à Angela Merkel. Je ne pouvais anticiper ses réserves, car elle appréciait sincèrement Tony Blair dont elle parlait comme d'un ami. Mais de là à lui laisser la conduite du Conseil européen, il y avait un pas, que visiblement elle n'était pas prête à franchir. Elle me confia ainsi : « J'aime beaucoup Tony, mais il faut prendre garde à ce que le futur président ne soit pas trop fort et n'ait pas la tentation de nous mettre sous tutelle. Cela changerait tous les équilibres en Europe. Il faut donc ne pas se précipiter. Attendons de voir comment les choses vont évoluer. » Je ne l'avais pas tout de suite compris. Je manquais d'expérience et de pratique européenne. J'ai appris par la suite que, quand on souhaite enterrer une initiative en Europe, il suffit d'affirmer avec autorité que l'on veut du temps pour y réfléchir ! De fait, on y réfléchit peu, et surtout on ne fait rien. Mais l'anecdote à propos de Tony Blair est révélatrice de l'état d'esprit des plus européens du continent. Aux yeux d'une majorité d'entre eux, il convient à chaque fois, et à tout prix, de choisir une personnalité compatible avec tous et incapable de faire de l'ombre à qui que ce soit. La stratégie est toujours la même. Elle consiste à sélectionner des tempéraments honorables mais de préférence sans charisme, issus des plus petits de l'Union, afin qu'ils n'aient jamais l'idée saugrenue de vouloir un jour s'appuyer sur la force de leur patrie d'origine.

*
* *

J'étais assez déçu par le côté formel des discussions, la qualité des ordres du jour qui contournaient soigneusement les grandes difficultés, de crainte du moindre blocage, et par la faiblesse des communiqués relatant les décisions censées avoir été prises. Les textes étaient, en général, d'une longueur proportionnelle à l'innocuité de ce qui avait été dit. C'était assez long, trop formel, trop empesé, et, surtout, la composition du G8 n'avait plus beaucoup de sens tant le monde avait changé. Mes collègues de l'époque l'avaient compris mais n'en avaient pas tiré toutes les conséquences. En effet, nous avions eu, à huit pays, deux journées pleines de travail, mais l'honneur était sauf puisque dans sa « grande générosité » la présidence tournante du G8 avait invité, pour la matinée du troisième jour et le déjeuner, le G5. Ainsi, il était demandé à la Chine, à l'Inde, à l'Afrique du Sud, au Mexique et au Brésil, rien que cela, de bien vouloir rejoindre le G8, pour une session de rattrapage. Les représentants de plus de trois milliards d'habitants devaient traverser une partie de la planète pour prendre la parole quelques minutes à la fin de la réunion des « grandes nations développées ». J'ai tout de suite senti l'incongruité de la situation, son aspect le plus choquant, et l'incapacité dans ces conditions de pouvoir gérer les grandes affaires du monde. J'attendis la fin du sommet pour dire fermement ma façon de penser. Je n'avais pas encore l'idée du G20 en tête, mais j'étais bien décidé à faire évoluer fortement notre format de discussions.

Un incident curieux clôtura mon premier G8. Les entretiens bilatéraux s'étaient multipliés. J'avais une bonne heure de retard pour la conférence de presse de fin de sommet. J'y arrivai en courant et dus escalader quatre à quatre les deux escaliers menant à la salle de presse. J'arrivai essoufflé, et fatigué après trois journées de prises de contacts internationaux intenses. De ce fait insignifiant est partie une rumeur qui alla grandissante, selon laquelle j'étais arrivé ivre à ce rendez-vous. La nouvelle fut même relatée dans le journal de 20 heures belge, qui s'interrogea sur la nature des boissons qui m'avaient été servies ! Les réseaux sociaux se délectèrent d'images soigneusement sélectionnées. J'y apparaissais, il faut bien le dire, physiquement assez étrange. Le montage était si bien réalisé que moi-même j'aurais pu en être abusé. Le problème, c'est que, de ma vie entière, je n'ai jamais bu une goutte d'alcool ni même trempé mes lèvres dans un verre de vin. Pas plus à Heiligendamm que n'importe où ailleurs. Je ne bois pas. Tout le monde le savait. C'était même de notoriété publique. Il n'empêche que, durant les trois mois qui suivirent, je dus constamment me justifier. Encore aujourd'hui, il m'arrive de rencontrer des

« rigolos » qui me parlent avec un sourire canaille de mes excès alcoolisés d'Heiligendamm ! Il s'agit, en général, d'interlocuteurs dont le teint couperosé ne laisse planer aucune ambiguïté sur leur attachement à la bouteille. Après tout, cet incident monté de toutes pièces m'a peut-être valu l'indulgence de quelques sympathiques pochards à travers le monde ! Au fond, rien ne se perd...

Plus sérieusement, le G8 se terminait sur un accord *a minima*. Nous avions fini par extorquer le consentement du président américain sur la reconnaissance de la responsabilité, au moins partielle, des hommes dans les dérèglements climatiques. Cela semble aujourd'hui une évidence mais, il y a treize ans, c'était une tout autre atmosphère. Quand on connaît la réalité des positions de Donald Trump en la matière, il est loisible de constater que George W. Bush était un conservateur raisonnable. En tout cas, on a vu bien pire depuis ! Certes, il ne s'était pas engagé sur les objectifs chiffrés de réduction de CO_2 que nous souhaitions avec Angela Merkel faire adopter par le G8, mais au moins il avait convenu de la nécessité de cette diminution, et de l'impossibilité de combattre le changement climatique par les seuls progrès de la technique. La position traditionnelle américaine de confiance totale en la science et en ses découvertes pour régler les problèmes environnementaux se trouvait pour la première fois ébranlée.

*
* *

La parenthèse internationale ne pouvait s'éterniser. Un président est toujours rappelé à l'ordre par les questions « domestiques ». Je devais retrouver mon bureau de l'Élysée. C'était d'autant plus nécessaire que nous étions à quelques jours des élections législatives dont je m'étais tenu à l'écart, laissant le Premier ministre multiplier les meetings et les dirigeants de l'UMP régler les questions, toujours sensibles, d'investitures. Le premier tour comme la campagne s'étaient parfaitement déroulés. Mon parti caracolait en tête avec plus de 45 % des voix exprimées, laissant loin derrière le PS avec 35 % et le FN à 4 %. C'était une époque où la droite républicaine savait conserver son électorat en ne laissant qu'une place réduite à la portion congrue à l'extrême droite. Je songe avec nostalgie à cette période quand j'examine la situation d'aujourd'hui, en espérant qu'elle évoluera tôt ou tard. Tout se déroulait sans la moindre anicroche jusqu'à ce qu'éclate la fameuse question de la TVA sociale. Tout était parti d'une maladresse du ministre des Finances, Jean-Louis Borloo, et de l'insondable et habituelle démagogie de Laurent Fabius. La maladresse, d'abord, fut celle de mon ministre, sans doute grisé par les résultats du premier tour, et donc trop confiant, qui expliqua entre les deux tours « que le gouvernement allait regarder l'ensemble des sujets, y compris, d'ailleurs comme nos amis allemands, l'éventualité de la TVA. » En soit, la déclaration n'avait rien de choquant, excepté le moment qui était on ne peut plus mal choisi, et le fait non négligeable que j'avais été élu pour baisser les impôts, pas pour les augmenter. J'avais été choisi pour doper le pouvoir d'achat, pas pour le rogner. Par ces propos, Jean-Louis Borloo ouvrait une brèche dans laquelle nos opposants socialistes se sont engouffrés. Et qui pourrait leur donner tort ? Le plus actif fut Laurent Fabius. Lui, le socialiste, ne voulait pas entendre parler d'augmentation des impôts ! Il devint sur-le-champ notre adversaire le plus déterminé, alors même que, quelques jours plus tôt, il m'avait demandé un rendez-vous à l'Élysée afin que j'accepte de le présenter à la tête du FMI. Dans ce cas, il y a fort à parier qu'il n'aurait pas été gêné de travailler avec moi ! Je lui répondis qu'il était impossible que la France puisse soutenir sa candidature alors qu'il avait fait campagne pour le non à l'Europe chaque fois qu'il en avait eu l'occasion. Jamais nos partenaires européens ne pourraient, dans ces conditions, accepter sa candidature. Il fut très déçu, et m'en a sans doute voulu de lui avoir préféré Dominique Strauss-Kahn. Laurent Fabius fait partie de ces gens qui croient, avec une sincérité désarmante, que tout leur est dû. Ne doutant ni de leur qualité ni de leur statut, ils sont toujours candidats, s'étonnant avec une naïveté touchante que d'autres puissent même songer à leur contester la place. Sous l'Ancien Régime, on les imagine assez bien membres de cette noblesse provinciale manifestant avec ostentation et bonne volonté leur proximité avec les « petites gens ». Laurent Fabius n'a pas fait la carrière qu'il imaginait lui être due. En fait, il n'a réussi que quand il a été nommé. La politique est en cela redoutable qu'aucun de ses acteurs ne peut dissimuler sa personnalité profonde. Les Français ne sont pas dupes. Ce fut fatal à Laurent Fabius. Pour autant, il était un bretteur redoutable. Osant tout. Articulant les argumentaires. Il fut capable, en peu de jours, de lancer une campagne dénonçant de façon virulente une augmentation de la TVA certaine, dès le lendemain des élections. C'était faux mais ce fut efficace. Hommage doit lui être rendu sur ce point. Nous le payâmes au deuxième tour par la perte de cinquante parlementaires qui avaient été promis après les projections des résultats du premier. Bien sûr, la majorité présidentielle l'emportait largement, avec 345 sièges. L'UMP obtenait même la majorité absolue à elle seule. Avec 209 parlementaires, les socialistes étaient loin derrière mais obtenaient un score honorable. Il n'en reste pas moins que cela me renforça dans la conviction que rien n'est jamais acquis, et qu'au premier relâchement le gouvernement serait sévèrement sanctionné. J'avais bien noté moi-même une tentation de suffisance dans les comportements de la majorité et de certains ministres. Comment faire autrement que de manifester avec trop d'emphase son contentement d'avoir gagné ? Je mettais en garde chacun, et moi le premier, sur les ravages que pouvaient provoquer l'arrogance au pouvoir. Les Français donnent leur confiance, et ils peuvent la retirer aussi rapidement. La leçon me servit. J'y ai repensé souvent depuis. C'est si difficile de gagner. Il y a tant d'obstacles, de déceptions, de sacrifices, d'interrogations sur le chemin de la victoire. Alors, quand elle arrive, c'est un tel accomplissement, et en même temps un tel soulagement, qu'il est compréhensible qu'elle donne lieu à des comportements déplacés, certes, mais sans doute inévitables.

Le dimanche du deuxième tour, j'étais installé à la Lanterne. J'aimais cette gentilhommière, posée en bordure du parc de Versailles. La demeure est assez petite, mais confortable, avec des cheminées dans plusieurs pièces. C'est la campagne à trente minutes de Paris, dans le département des Yvelines. La discrétion y est assurée. Je pouvais recevoir des interlocuteurs sans que personne ne le sache, et travailler sereinement. Pour peu que le temps y soit clément, cela devenait un endroit paradisiaque. Une oasis de paix salutaire dans une vie de président où le calme et la tranquillité sont si rares qu'ils finissent par apparaître comme des mots incongrus. J'avais depuis très longtemps découvert ce lieu miraculeusement préservé par la République. Entre 1993 et 1995, Édouard Balladur en avait la jouissance, en tant que Premier ministre. Il m'invitait très régulièrement à le rejoindre pour travailler ou discuter de sujets qu'il souhaitait approfondir. Je m'étais souvent dit que si, un jour, je devenais président, j'aimerais faire de la Lanterne un endroit où je pourrais venir facilement. Je troquais donc le château de Rambouillet contre le pavillon de chasse versaillais. Inversant ainsi les lieux réservés au Premier ministre et au président. Depuis, ni François Hollande ni Emmanuel Macron n'ont modifié cet ordonnancement. Brigitte Macron m'a confié plus d'une fois : « Tous les samedis, je pense à vous lorsque, avec Emmanuel, nous allons à la Lanterne, c'est grâce à votre décision ! » Parfois, un détail permet de faire des heureux. Finalement, ce n'est pas toujours pour les grandes décisions qu'on rentre dans les mémoires des autres.

Cinquante députés de plus ou de moins ne représentaient pas un enjeu politique de premier plan, sauf bien sûr pour les intéressés qui avaient entrevu la victoire et s'en trouvaient privé au dernier moment. La situation d'Alain Juppé me posait une tout autre difficulté. J'étais déçu et triste pour lui. Un mois après être revenu au gouvernement, il devait le quitter. C'était la règle, mais elle était cruelle. Je lui téléphonai le soir même. Sa voix était blanche. Il était sonné mais digne. Un seul ministre battu, et cela tombait sur lui. Il ne pouvait pas ne pas se poser de questions sur son image et sur sa popularité personnelle. Il était battu sur son territoire au cœur de Bordeaux. Je ne m'y attendais absolument pas. Il me présenta immédiatement sa démission. Il n'y avait aucune alternative possible. Je l'acceptai donc. De surcroît, il me fallait trouver un nouveau numéro deux du gouvernement en charge de l'écologie. Je n'hésitai pas car, à mes yeux, la candidature de Jean-Louis Borloo s'imposait. J'eus quelques difficultés à le convaincre. Il souhaitait demeurer à Bercy pour démontrer son sérieux et sa solidité. Je comprenais ses raisons mais ne lui laissai pas le choix. J'avais besoin de lui pour prendre en charge les dossiers de l'environnement et remplacer Juppé. Je n'avais pas d'autre plan. Nathalie Kosciusko-Morizet était trop inexpérimentée pour faire l'affaire. En tout cas, à ce moment précis. J'étais plus hésitant s'agissant du ministère des Finances laissé libre par le départ de Borloo. Aucune candidature n'était réellement évidente ! Cette relative pénurie reposait sur le peu d'intérêt récent d'une grande partie de la classe politique française pour les questions économiques. Il y avait eu une décennie plus tôt beaucoup plus d'authentiques spécialistes de ce domaine. Édouard Balladur, Alain Juppé, Dominique Strauss-Kahn, Alain Madelin s'étaient chacun à leur manière passionnés pour la macro comme pour la microéconomie. On considérait même que la compétence acquise sur ces sujets était la marque des hommes d'État. On n'imaginait pas faire carrière sans démontrer ses connaissances en la matière. Puis, petit à petit, les questions environnementales, sociales, identitaires et même culturelles avaient pris le dessus, et s'étaient imposées dans le débat public. Il y a quelques années encore les échanges faisaient rage entre keynésiens, monétaristes, libéraux. En 2007, ils avaient quasiment disparu, laissant la place à la question des frontières, de la mondialisation et de la souveraineté. La seule exception en la matière tenait aux questions strictement budgétaires. Il n'y avait plus beaucoup d'économistes au sens traditionnel, mais « les budgétaires » constituaient encore un petit groupe assez actif rivalisant entre eux à propos d'orthodoxie, de rigueur ou de respect des critères de Maastricht. Ils étaient certes compétents mais souvent ternes. Privilégiant à outrance le sérieux au brio. Les chiffres aux raisonnements. Le respect du cadre à la recherche de nouvelles marges de manœuvre. Je trouvais que tout ceci manquait d'imagination, en tout cas ne correspondait pas à l'état assez florissant de l'économie mondiale, européenne et française en cet été 2007. J'ai imaginé un moment de proposer la fonction à un chef d'entreprise incontestable dans sa réputation, et dans les compétences qu'alors je lui prêtais. Un nom avait surgi en la personne d'Henri de Castries, qui dirigeait la compagnie d'assurances Axa. J'avais toujours été favorablement impressionné par la clarté de son expression et la solidité de ses convictions. Ce dimanche soir à la Lanterne, je lui téléphonai pour lui proposer le poste. Je lui précisai que j'avais besoin d'une réponse immédiate, car le temps pressait. Je ne voulais pas débuter la semaine sans avoir nommé un ministre des Finances. Il me répondit avec honnêteté et franchise qu'il ne pouvait pas abandonner son entreprise, et qu'il ne souhaitait pas s'investir dans la vie politique, fût-ce pour un poste aussi prestigieux. Je ne voulais pas lui forcer la main. Bien m'en a pris. Plusieurs années après, alors qu'il s'était engagé auprès de François Fillon dans l'espoir de devenir son ministre des Finances, je découvris que ce que je prenais pour de la solidité risquait d'être compris comme de la rigidité. Son programme économique n'était ni plus ni moins que celui de Raymond Barre, trente ans après, la bonhomie en moins. Oublié, le chef d'entreprise. C'est l'inspecteur des finances qui reprenait le dessus. C'était le contraire de ce que j'avais imaginé, et surtout dont j'avais besoin. Avec le recul, je pense qu'il était plus clairvoyant que moi en pressentant que nous n'aurions pas pu nous entendre. De fait, il était davantage fait pour épauler François Fillon que pour travailler à mes côtés. C'est alors que j'eus l'idée de me tourner vers Christine Lagarde. Ce n'était pas évident, car elle était avocate de formation, et ne disposait que de peu d'expérience en matière économique. Mais elle avait pour elle une certaine connaissance de l'international, un tropisme américain bien utile aux finances, et un solide bon sens que j'avais toujours remarqué comme apprécié. J'ajoute que l'idée de nommer pour la première fois dans l'histoire de la République une femme à ce poste me séduisait beaucoup. Contrairement à ce que beaucoup pensent, la parité n'est pas satisfaite par la seule égalité numérique. Je voulais tourner le dos à une époque où les femmes étaient cantonnées aux ministères de la Famille, des Affaires sociales ou à celui de la Petite Enfance. Confier le portefeuille de l'Économie à Christine Lagarde constituait un fameux défi. Je la reçus dès le lundi matin pour lui annoncer la nouvelle. Elle était heureuse, déterminée, modeste sans aucune affectation, comme à l'accoutumée. Tout au long de ses années à Bercy, elle fut irréprochable de loyauté, d'engagement et de courage. Je n'ai eu qu'à me louer de son travail. Elle a donné une crédibilité à notre politique économique sur le plan international. Et quand la crise s'est déchaînée, menaçant de tous nous emporter, elle a su conserver son sang-froid et n'a jamais ajouté de nervosité à un monde devenu totalement instable, ce qui fut bien utile ! La carrière internationale qu'elle a menée brillamment par la suite montre qu'elle disposait bien de toutes les qualités que je lui pressentais.

La parenthèse des législatives était terminée. Nous allions vraiment pouvoir nous mettre au travail, une autre période pouvait s'engager.

*

* *

Je devais urgemment reprendre mon bâton de pèlerin européen pour convaincre encore et toujours de la nécessité et de la possibilité du traité simplifié. Cette fois-ci la partie s'annonçait vraiment rude car il s'agissait de faire étape à Varsovie. La Pologne est un grand pays d'Europe doté de presque autant d'habitants que l'Espagne, c'est-à-dire près de quarante millions. Il compte donc beaucoup, même si les Polonais n'avaient aucune pratique du « compromis » européen. Leur histoire souvent tragique en avait fait des interlocuteurs toujours rugueux. Pour dire les choses simplement, les Polonais faisaient (et font toujours) bien davantage confiance aux Américains qu'aux Européens pour assurer leur sécurité. Et, franchement, il est difficile de leur donner complètement tort. Cela avait donné lieu quelques années auparavant à une fameuse passe d'armes avec Jacques Chirac qui les avait traités de mal élevés parce qu'ils avaient préféré acheter l'avion de combat américain plutôt que le nôtre. J'avais cet incident en tête en me rendant à Varsovie. Ma tâche était singulièrement compliquée par le fait que la Pologne était dirigée à ce moment précis par les deux frères jumeaux Kaczyński. Personnalités étranges et même sous certains aspects lunaires. Ils se vantaient notamment de n'avoir ni chéquier ni carte de crédit. C'est dire à quel point ils étaient rétifs à toute nouveauté ! Parmi les deux frères, l'un était dominant, l'autre était dominé. Et comme ils s'étaient débrouillés pour être respectivement Premier ministre et président, il fallait négocier avec les deux jumeaux. Le dominé était le président. Le dominant, le Premier ministre. Cela ne facilitait pas les choses alors que, protocolairement, je devais discuter avec le premier. Ainsi le président Lech Kaczyński ne donnait jamais son accord sans en avoir référé à son jumeau le Premier ministre Jaroslaw Kaczyński. Mais au cours des sommets et des rencontres internationales, c'est le président polonais qui représentait son pays ! Je consacrais donc des heures pendant les suspensions de séance à parler au Premier ministre qui, lui, était resté au pays. C'était haut en couleur, burlesque, parfois ridicule. Mais il fallait en passer par là puisque le traité simplifié devait être adopté à l'unanimité. L'accord de la Pologne était donc impératif. Je ne pouvais imaginer y renoncer. De surcroît, les Polonais avaient habilement constitué autour d'eux un groupe des pays de l'Est afin d'approfondir leur solidarité et de renforcer leur capacité d'influence. Les frères Kaczyński, comme leur parti et une majorité de Polonais, étaient très réservés sur toute possibilité d'approfondissement des liens européens. Ils tenaient absolument à faire partie du club Europe, ce qui leur donnait malgré tout une certaine sécurité face à la Russie, mais ils ne voulaient pas entendre parler de la moindre avancée si peu que cela soit fédérale. Ils ne refusaient pas notre générosité en matière de fonds structurels européens. On peut même dire qu'ils en étaient très friands, mais, par exemple, fermer leurs mines de charbon pour respecter les contraintes environnementales que l'Europe s'était collectivement engagée à tenir, il n'en était pas question. Il en allait de même pour la fiscalité, domaine où ils avaient bien l'intention de faire ce qu'ils croyaient bon pour la Pologne sans se soucier le moins du monde de la question du dumping fiscal. De plus, leurs dirigeants, et pas seulement les frères Kaczyński, faisaient une obsession de la question de la Russie en général et de Poutine en particulier. Pour eux, c'était clair : nous étions toujours dans la période de la Guerre froide. Aucune confiance ne devait se manifester à l'endroit de leur grand voisin et de son président. L'Europe de ce point de vue n'était jamais assez forte, ferme, agressive. Ils réclamaient à cor et à cri la solidarité des Européens sur cette position. Ici, il n'y avait pas assez d'Europe. Partout ailleurs, il y en avait trop ! Le tableau était assez sombre pour quiconque espérait obtenir un accord sur un traité simplifié qui ne portait pas une grande ambition européenne mais qui, malgré tout, faisait franchir à l'Union un certain nombre d'étapes. Durant ma tournée européenne, il me fallait à chaque fois adapter mon argumentaire car les uns me reprochaient, à l'instar des Espagnols, de faire reculer l'Europe, les autres, comme les Polonais, de vouloir la faire avancer trop vite. Fort heureusement, la Pologne aimait, et aime la France. Nous avons une histoire commune au cours de laquelle nous fûmes souvent côte à côte. Je fus donc reçu en ami venant d'un pays considéré comme un allié d'importance. Certes, nous l'étions moins que les Américains mais, tout de même, le fait que nous disposions de l'arme nucléaire n'était pas un atout secondaire aux yeux de mes interlocuteurs. Ces derniers ne parlaient aucune autre langue que le polonais, nous avions donc recours aux interprètes, ce qui ne facilitait pas l'établissement de relations personnelles. Ils m'écoutèrent poliment, avec attention même, me posèrent des questions, et, en négociateurs madrés, ils s'abstinrent de me fournir la moindre indication sur ce que serait leur réponse, repoussant au prochain sommet l'expression de leurs positions définitives. La ficelle était grosse. Ils s'apprêtaient à faire monter les enchères, nous conduiraient au blocage et attendraient tranquillement que nous cédions sur tel ou tel point qu'ils jugeraient alors important à leurs yeux. Je fis contre mauvaise fortune bon cœur. J'étais soulagé qu'ils n'aient pas fait un scandale public en bloquant tout de suite. Je terminais mon voyage en rendant visite au Premier ministre. Le discours fut exactement le même. Cet intermède me permettait au moins de poursuivre ma course européenne, et de continuer à essayer de convaincre les derniers récalcitrants, me réservant la question polonaise pour la fin. « Le chemin de croix européen » continuait donc. C'était, en soi, une bonne nouvelle.

*
* *

De retour à Paris le 20 juin, je fus accusé d'avoir commis un véritable sacrilège à l'endroit de l'esprit comme de la lettre de la Constitution de la Ve République ! Le journal

Le Figaro, pourtant le plus modéré, publia un article sous la signature de deux journalistes parmi les plus talentueux, Charles Jaigu et Bruno Jeudy, dont le titre ne laissait pas de place au doute : « Du jamais vu sous la Vᵉ République ! » Qu'avais-je donc pu faire de si étrange ? J'avais simplement invité les parlementaires de la majorité à l'Élysée pour y prononcer un véritable discours de politique générale ! Je ne sais si le plus choquant aux yeux des observateurs était d'avoir invité des parlementaires ou d'avoir osé un discours de politique ? Mon initiative était aussi qualifiée de « révolution institutionnelle », pas moins. Au fond, c'était me faire beaucoup d'honneur car, en l'occurrence, j'avais simplement décidé de mettre un terme à une hypocrisie : celle d'un président censé ne pas faire de politique. Or, ces parlementaires venaient d'être élus sur mon programme, avec mon affiche, et en précisant que s'ils gagnaient, ce serait pour appartenir à la majorité présidentielle. Leur fixer une feuille de route pour les cinq années à venir était bien un devoir de ma fonction. Quant au Premier ministre que j'avais nommé, il l'avait bien été pour mettre en œuvre la politique du président, et non la sienne. Quoi de plus républicain, en outre, qu'un président souhaitant rencontrer les parlementaires, parler avec eux, les écouter plutôt que de rester enfermé en son château tel un monarque ou d'aller à la télévision pour indiquer de façon martiale qu'il a demandé au Premier ministre de faire ceci ou cela ? J'assumais donc de monter moi-même en première ligne. Déjà, des voix s'élevaient pour affirmer que j'en faisais trop. Cela ne ferait que s'amplifier tout au long de ces cinq années. Au lieu de quoi, j'ai toujours considéré que, collectivement, nous n'en faisions pas assez, que, moi-même, je n'étais pas assez volontariste. Je suis d'ailleurs encore plus persuadé, le recul aidant, que les Français ne considèrent jamais que leurs responsables politiques en font suffisamment.

De là, un divorce grandissant entre le milieu média-tico-intellectuel qui rêve d'un président volant à une hauteur stratosphérique sans jamais mettre ses mains dans le brasier et des Français qui regardent ce qui change concrètement et n'y trouvent jamais leur compte.

Le thème central de mon propos était de renouveler mon engagement au début de cette législature, de mettre en œuvre tout ce que j'avais dit durant ma campagne présidentielle. Je voulais devancer tous les blocages habituels, mettre en garde la technostructure étatique, et avertir les plus frileux à l'intérieur de ma majorité comme au gouvernement. « Je ne trahirai pas le mandat que j'ai reçu des Français. » Tous les observateurs ont alors évoqué l'hyper-présidentialisation à laquelle je me livrais. S'ils avaient pris du recul, ils auraient compris que, bien davantage que mon invitation aux parlemen-taires, la réduction du mandat présidentiel à cinq ans et l'inversion du calendrier qui mettait systématiquement les législatives après les présidentielles ont beaucoup plus compté que toutes autres choses dans cette évolution vers la présidentialisation. Ces deux mesures ont joué un rôle décisif. Et celle-ci a par ailleurs toujours existé sous la Ve République, à l'exception des seules périodes de cohabitation. C'était inévitable à partir du moment où le président de la République était élu au suffrage universel. Comment imaginer une autre orientation ? Elle n'aurait aucun sens. Dans nombre d'autres démocraties, le système est bien différent, puisque le Premier ministre est élu par les parlementaires. Cela change tout, car c'est d'abord à eux que le chef du gouvernement doit rendre des comptes. Les « comptes » du président de la République, c'est aux Français qu'il les doit et à personne d'autre. Au fond, ce débat nous renvoie à l'attitude constante d'une partie des élites françaises à l'égard du pouvoir comme de l'argent. À leurs yeux, on peut se donner beaucoup de mal pour conquérir le pouvoir mais, une fois obtenu, il vaut mieux ne pas apparaître comme aimant l'exercer et donc professer une élégante distance à son endroit. Il en va de même pour l'argent, que l'on peut gagner jusqu'à devenir riche à condition de bien montrer que l'on n'a rien fait pour arriver à ce résultat ! Et cela serait encore mieux si on pouvait affirmer que cet « enrichissement n'avait jamais été une motivation ». Il s'agirait en quelque sorte d'une « richesse subie ». Je n'ai jamais été à l'aise avec ces hypocrisies, en tout cas dans le domaine qui fut le mien, celui du pouvoir. Je m'étais tant battu pour l'obtenir, je voulais l'exercer. Sans doute n'ai-je pas été assez prudent en le revendiquant si haut et si fort, sous-estimant ainsi le poids des habitudes au sein de nos élites. Au lieu de voir dans mon volontarisme un engagement sincère, salutaire et utile après les périodes de fin de règne minées par les maladies de François Mitterrand et de Jacques Chirac. Les commentateurs ont à l'inverse considéré en majorité que je me comportais comme un « nouveau riche » du pouvoir, voire un « parvenu ». Mon élection était déjà en soi une provocation, puisque je ne répondais à aucun des critères habituels. Je n'étais pas un énarque. Je n'avais pas fait l'Inspection des finances. Je ne me vantais pas de racines particulières à l'intérieur d'une région française bien identifiable. De surcroît, j'étais de droite et n'avais pas l'intention de m'en excuser. Je voulais bousculer nos conservatismes, nos frilosités, notre jalousie nationale. Je ne le regrette en rien. Mais j'aurais dû, ou pu, y mettre davantage de formes. Cela n'aurait rien retiré au fond de ma politique mais m'aurait sans doute facilité les choses. Était-ce une erreur de jeunesse ? Un trop-plein d'énergie ou un trop-plein d'envie de faire ? D'envie de vivre ? D'envie de marquer l'histoire ? Quelles qu'en soient les raisons, en agissant ainsi, j'ai sans doute confondu la franchise, qui est plutôt la marque de mon tempérament, et ce qui a pu, non sans raison, être pris pour une provocation inutile. Cela a beaucoup facilité la tâche de tous les conservatismes qui voulaient se mettre en travers de mon chemin. La gauche pouvait plus aisément poser les bases de son procès en « bling-bling », les syndicats dénoncèrent mon absence de volonté sociale, les ONG ma dureté en matière migratoire. Là où l'affaire est plus complexe qu'il n'y paraît, c'est que, dans le même temps, et pour des raisons strictement inverses, beaucoup de Français, surtout dans les couches les plus populaires, appréciaient ce nouveau langage et cette attitude différente. Je sentais ce soutien populaire et ne voyais pas en quoi j'aurais dû modifier les choses. Je voulais absolument éviter d'être l'otage de cette *intelligentsia* qui a si souvent dominé la pensée politique. Ce souci louable m'a sans doute poussé à trop en faire, une nouvelle fois. Trouver le juste ton est bien difficile et ce d'autant que l'humeur des Français est changeante. Ainsi, ils ont aimé l'aspect bourgeois d'Édouard Balladur avant de s'en exaspérer. Balladur n'avait pas changé. Les Français, si. Ils ont aimé mon dynamisme avant de s'en inquiéter. Je n'avais pas changé. Les Français, si. Ils ont apprécié la normalité de François Hollande avant de la détester. François Hollande n'avait pas changé. Les Français, si. Et je pourrais sans doute avancer le même paradoxe à propos de la jeunesse du président Macron.

Je terminai mon discours aux parlementaires en soulignant combien, toute ma vie, j'avais entendu de prétendus responsables affirmer : « On n'y peut rien », « On a tout essayé », « Ce n'est pas possible ». Toutes ces formules creuses qui ne servaient qu'à justifier l'absence d'ambition, de volonté, de vision. Définitivement, je voulais faire comprendre que je n'avais pas été élu pour cela. J'étais sincère. C'est ce que je crois au plus profond de ce que je suis. C'est ma vie, et, sans doute, mon destin. Mais c'était aussi ce que je pensais de la France et de son immense potentiel. Nous sommes vraiment un peuple capable du meilleur comme du pire. Plus que tout autre pays à travers le monde, nous avons besoin que l'on nous propose une grande ambition. Nous ne sommes pas faits pour les destins étroits, les perspectives médiocres. Certains peuvent imaginer qu'il s'agit de la marque d'une arrogance nationale. Je ne le crois pas, car nous n'avons tout simplement pas le choix. Dans l'extrême, nous donnons toujours le meilleur. Dans le surplace, nous nous laissons souvent aller au pire. Nous ne connaissons que rarement le juste milieu. Notre histoire est là pour le montrer de façon surabondante. Je savais cela, et, en conséquence, je voulais proposer aux Français une grande ambition nationale.

Une chose était claire pour les observateurs, c'est que l'on n'allait pas s'ennuyer durant le prochain quinquennat et que, de surcroît, il était inutile de chercher une autre cible que le président. Quand je repense à cette période, le plus curieux, à mes yeux, c'est que j'étais à tel point pénétré de ma mission, et passionné par mon travail, qu'à ce moment précis, je n'étais pas le moins du monde angoissé ni même inquiet, du moins je n'en ai pas le souvenir. Bizarrement, je le suis davantage aujourd'hui, en relisant les commentaires de l'époque. Certains parleront sans doute d'inconscience. Je ne le crois pas. J'étais tranquille parce que je voulais faire, réaliser, réussir, et ce quel qu'en soit le prix. Je ne cherchais ni à durer ni à plaire. Je savais que, dans cette fonction, la reconnaissance, si reconnaissance il y avait, viendrait avec le temps qui passe, et qu'il en faut parfois beaucoup. C'était le seul domaine où je m'étais préparé à être patient !

*
* *

Je partais dès le lendemain pour Bruxelles. Deux longues journées et une nuit m'attendaient. Mais cette fois-ci l'enjeu était de taille puisqu'il s'agissait du traité simplifié. Par ailleurs, je me savais attendu au tournant par tous ceux qu'exaspérait mon volontarisme. J'étais au pied du mur européen. On allait pouvoir mesurer la portée exacte de mon influence auprès de mes pairs européens. Autant dire que, dans mon esprit, l'échec n'était pas une option.

Ce traité simplifié marquait l'achèvement du cycle de révision des traités européens consécutif à l'effondrement du bloc dominé par l'Union soviétique. Il y avait eu Maastricht en 1991, qui avait fixé les étapes du passage à la monnaie unique en laissant de côté la réforme des institutions de l'Union. Lui avait succédé, en 1997, le traité d'Amsterdam, où fut acceptée une timide repondération des voix au Conseil, et où les « grands » pays renoncèrent à leur second commissaire. Enfin, en 2001, le traité de Nice aboutit à un compromis très critiqué mais qui ouvrait officiellement la voie à l'élargissement de l'Europe vers l'Est. Je ne reviendrai pas sur l'échec déjà évoqué de l'adoption d'une Constitution européenne censée remplacer tous les traités existants par un seul texte qui serait venu parachever l'édifice institutionnel européen. L'idée était juste et utile. Elle alla pourtant rejoindre le cimetière de toutes les bonnes initiatives qui échouèrent par le seul fait de la coagulation de leurs adversaires aux objectifs contradictoires, voire antinomiques.

Le Conseil débuta difficilement. La présidence allemande échoua à convaincre les Polonais. Je ne m'étonnais pas de cette situation de blocage. Je ne croyais pas
que les Polonais pussent céder à la chancelière. Non pas
parce qu'elle aurait manqué d'autorité ou d'expérience.
C'était tout le contraire. Mais, pour les frères Kaczyński,
l'Histoire avec un grand « H » comptait beaucoup. Céder
à l'Allemagne, compte tenu de ce qui advint au XXᵉ siècle
entre ces deux pays, était tout simplement impossible.
Après en avoir discuté avec Angela Merkel, nous décidâmes que la France allait s'essayer à bâtir un compromis après ce premier échec. Cela donna lieu à pas moins
de sept heures de discussion ininterrompue durant la
nuit. Je trouvais finalement un compromis peu glorieux
mais efficace, puisqu'il évitait le blocage, en accordant
aux Polonais un délai pour qu'ils puissent continuer à
invoquer l'ancienne procédure de vote jusqu'en 2017. Ils
gagnaient dix années, ce qui, au regard du calendrier politique polonais et de l'âge des deux jumeaux, était comme
une éternité. Je dus arracher, en pleine nuit, l'accord
du Premier ministre demeuré à Varsovie, alors que le
président était dans le bureau de la délégation française
à Bruxelles. J'appelai en renfort à me rejoindre, au petit
matin, Tony Blair et Jean-Claude Juncker. Pendant ce
temps, les autres délégations attendaient que la « fumée
blanche » soit sortie. Après une longue heure de discussion, il finit par lâcher un « tak », qui signifiait « oui » dans
sa langue natale, et qui suscita chez nous un immense
soulagement. Pendant que je discutais avec son jumeau,
le président polonais suait à grosses gouttes, et refusait

de prendre le téléphone pour parler à son frère, de peur de se faire réprimander avec violence. C'était vraiment un accord de dernière minute. La présidence allemande le reprit tel quel, sans en modifier un mot, et les vingt-sept autres pays de l'Union l'approuvèrent. La présidence portugaise, qui prenait le relais le 1ᵉʳ juillet, n'avait plus qu'à nous convoquer à Lisbonne en octobre. Le traité du même nom pouvait voir le jour. Le blocage institutionnel était derrière nous. La France retrouvait toute sa place. La vérité oblige à dire que nous sommes passés bien près de l'échec ! Angela Merkel avait sérieusement menacé Varsovie de convoquer une conférence intergouvernementale à vingt-six si les Polonais persistaient dans leur refus. Cette alternative devait, à mes yeux, être évitée à tout prix. Je ne pouvais en effet accepter que soit exclu de l'Union européenne, moins de vingt ans après la chute du mur de Berlin, le plus grand pays d'Europe de l'Est. Comment expliquer alors à quarante millions de Polonais, qui s'étaient seuls et si courageusement libérés des chaînes communistes, que nous avions choisi de les exclure de l'Europe libre ? Comment faire une croix sur ces immenses figures européennes qu'étaient devenus Lech Walesa et le pape Jean-Paul II ? C'était tout bonnement inacceptable pour tout Européen digne de ce nom.

Nous avions réussi parce que le couple franco-allemand avait joué la partition de façon complémentaire, et surtout ordonnée. Les vingt-cinq autres étaient bien souvent exaspérés par notre entente mais ils étaient, dans le même temps, soulagés parce que, finalement, cela fonctionnait.

J'ajoute que le système européen n'est pas habitué à ce que l'un de ses membres fasse preuve de volontarisme. Au début, il rabroue l'intéressé pour son audace, puis il s'en exaspère, considérant qu'il s'agit d'un manque de solidarité européenne, mais à la fin il finit par céder, parce que le système n'est pas fait pour résister. Rien ne peut s'opposer à la volonté d'agir, surtout en Europe qui en a un tel besoin.

Lorsque à la suite du vote sur le Brexit en 2016, j'ai proposé que les vingt-sept adoptent un nouveau traité pour acter l'exigence des peuples d'Europe que l'Union évolue, innombrables furent ceux qui m'opposèrent que ce n'était pas possible, que nous n'y arriverions pas, que ce n'était pas un problème d'institutions. Je veux dire à quel point je suis en désaccord avec cet état d'esprit de démission. Ce qui n'est pas possible, c'est de continuer à faire semblant de croire que cela fonctionne alors que rien ne marche plus. Il faut des changements très profonds en Europe, et il ne pourra pas y en avoir si les règles de fonctionnement, donc les traités, ne sont pas revus de fond en comble. Être européen aujourd'hui c'est plaider pour le mouvement, la remise en cause, l'adaptation au nouveau contexte géostratégique. Tout change dans le monde. Les peuples bougent et surtout protestent. L'Union européenne n'a pas les moyens de demeurer sourde, ou immobile. C'est trop dangereux et cela serait contraire à toute son histoire.

Je tenais mon premier succès diplomatique. Le sommet de Lisbonne promettait de n'être qu'une formalité. En vérité, nous eûmes à régler encore deux problèmes de dernière minute. L'un avec le président du Conseil italien, Romano Prodi, qui s'était mis en tête d'obtenir un parlementaire européen de plus pour son pays. Il obtint satisfaction. L'autre, toujours avec les Polonais, qui ne faisaient confiance à personne et qui, en conséquence, exigeaient que la décision fixant la procédure alternative de vote qu'ils avaient obtenue soit inscrite dans le traité lui-même. Ce qui était juridiquement impossible. Ils finirent par accepter qu'elle soit notée dans une déclaration annexée au traité. Ainsi va l'Europe, souvent le théâtre de batailles homériques qui paraissent dérisoires avec le temps qui passe, mais qui occupent un temps fou lorsqu'elles surviennent, et surtout détournent des questions essentielles. À la mi-octobre 2007, le traité de Lisbonne était adopté par les vingt-huit États membres dans le cloître des hiéronymites de Belém. Une année plus tard, quasiment tous les Parlements l'avaient ratifié, à l'exception de l'Irlande qui dut s'y reprendre à deux fois. La présidence portugaise fut efficace, sérieuse, précise. Le Portugal est un petit pays mais j'ai souvent observé la qualité de ses responsables politiques. Toutes les tâches qui leur étaient confiées étaient exécutées avec une grande rigueur. C'est une nation très utile aux équilibres européens.

Les années passèrent et je fus critiqué, y compris au sein de ma propre famille politique, pour ce traité qui n'était pas assez ambitieux aux yeux de beaucoup. Il y a sans doute du vrai dans ces critiques mais aussi une certaine amnésie. Nous partions de si loin. Arriver à un accord sous la forme d'un nouveau traité, en moins de cinq mois, relevait d'un authentique défi dans un univers européen qui ne nous avait pas habitués à tant de célérité. J'observe que, treize années après, rien n'a été modifié de ce que nous avions adopté, et que l'espoir d'aboutir à un tel consensus dans les circonstances que nous connaissons aujourd'hui tiendrait sans doute du rêve inaccessible. En fait l'Europe ne peut survivre sans leadership. Celui-ci est beaucoup plus aisé qu'on le croit à installer. Car c'est tout le continent qui attend de nouvelles idées, et celui ou celle qui sera capable de les porter. Pour lancer de telles initiatives, il ne faut pas espérer un hypothétique consensus. Il ne viendra jamais, en tout cas pas *a priori*. Il sera la conséquence de l'initiative, pas sa cause. À mes yeux, cela confère à la France une grande marge de manœuvre en même temps qu'une très lourde responsabilité. Mener l'Europe n'est pas un droit pour les Français. C'est un devoir, car si nous ne le faisons pas, personne ne le fera à notre place ! Les grands et les petits pays sur notre continent ont les mêmes droits, mais pas les mêmes devoirs. La France en a bien davantage que les autres, c'est son destin et son honneur.

Tout au long de ces négociations, je fus soutenu par une équipe remarquable regroupée à l'Élysée autour de Jean-David Levitte à l'expérience irremplaçable, puisqu'il a servi pas moins de trois présidents, Valéry Giscard d'Estaing, Jacques Chirac et moi-même. C'est un bourreau de travail qui ne perd jamais son sang-froid. Il sait toujours où il veut aller et n'en démord pas. Sous des dehors d'une exquise courtoisie et d'une grande modestie, il peut être brutal par sa capacité à ne jamais renoncer. Il était brillamment secondé par Fabien Raynaud, aussi intelligent qu'imaginatif, lui-même épaulé par le fidèle Éric Tallon. L'indispensable Pierre Régent avait la délicate mission d'expliquer ma politique étrangère aux médias. Sans eux, nous n'y serions pas arrivés. Bernard Kouchner, alors ministre des Affaires étrangères, ne s'est curieusement jamais passionné pour les questions européennes. Il a très peu pris part aux différentes négociations. Il aimait parcourir le monde, et le faisait bien. Les capitales de notre continent étaient sans doute trop proches pour lui. En fait, c'est la distance et l'exotisme qui le faisaient vibrer. Et comme chacun sait, Bruxelles, en matière d'exotisme... Quant à Jean-Pierre Jouyet, on peut dire qu'il fut loyal et qu'il mettait en œuvre ce qu'on lui disait de faire. Mais il ne montrait pas un enthousiasme excessif, et surtout s'abstenait de toute initiative. En fait, je me rendis vite compte que la politique que je mettais en œuvre était par trop éloignée de ce qu'il savait faire et de ce en quoi il croyait. Il était constamment affolé par l'idée que nous puissions nous fâcher ou brusquer tel ou tel obscur eurocrate. Cela le paralysait. Son leitmotiv était : « Surtout, n'allons pas trop vite. » C'est peu dire que je ne l'ai pas écouté outre mesure !

L'Europe était désormais dotée d'un président stable du Conseil européen, et d'un Haut-Représentant pour la politique étrangère. Le président de la Commission serait désormais élu par le Parlement, ce qui marquait une avancée démocratique significative. Les coopérations renforcées étaient simplifiées, de même qu'étaient étendus les domaines de vote à la majorité qualifiée. Je crois sincèrement que nous avons été au bout de ce qu'il était possible d'obtenir.

*
* *

Une autre série de questions me tenait à cœur en ce début de quinquennat. Elles portaient sur des engagements que j'avais pris durant la campagne. Elles mettaient en cause la vie d'hommes et de femmes. Je veux parler de la libération d'otages dont j'avais affirmé, au soir de mon élection, « qu'ils étaient Français parce qu'ils étaient martyrisés ». Il s'agissait d'Ingrid Betancourt, de nationalité franco-colombienne, prise en otage par les FARC, des cinq infirmières bulgares et du médecin palestinien prisonniers de Kadhafi depuis huit ans. Autant je suis assez réservé sur les leçons publiques, à portée générale, données à propos des droits de l'Homme à l'occasion d'événements médiatisés dont j'ai souvent observé l'effet contre-productif, autant je considérais qu'il relevait du devoir de la France de se porter au secours de malheureux, abandonnés de toutes et de tous, et de mettre les réseaux de notre pays à leur service. Les droits de l'Homme n'ont jamais été pour moi une question de posture, ou de raisonnements théoriques. Il s'agissait de cas concrets qui représentaient à mes yeux autant d'authentiques scandales.

Au début du mois de juin, je recevais donc le fils et la fille d'Ingrid Betancourt, ainsi que sa mère, pour leur confirmer ma volonté inébranlable d'obtenir sa libération. La pauvre femme avait ainsi passé six années dans la jungle amazonienne aux mains de ses bourreaux dans des conditions abominables. Je ne connaissais pas Ingrid Betancourt, mais je l'avais vue à la télévision au moment de la sortie de son livre en France. J'avais été impressionné par son charisme, son raisonnement très articulé et la force qui émanait de sa personne. Elle m'avait marqué. Je ne l'avais pas oubliée. C'était quelques mois avant qu'elle ne fût prise en otage. Elle a raconté son enfer dans un livre magnifique, *Même le silence a une fin*, dont je ne peux que recommander vivement la lecture. J'étais heureux de recevoir ses enfants pour les assurer de mon engagement total et, bien sûr, de celui de la France. À cette occasion, je fus favorablement impressionné par sa fille, alors âgée d'à peine 20 ans, et qui parlait avec une maturité remarquable. Ses proches étaient las d'attendre des nouvelles, et éperdus d'inquiétude. Comment ne pas l'être ? Je savais que cela serait long, très long, qu'il fallait s'armer de patience. Je ne leur ai pas caché la vérité. J'ai admiré leur courage, leur sang-froid, leur résilience. Quant à nous, nous savions qu'elle était en vie, mais où ? Et dans quel état ? Impossible d'en apprendre davantage. Par ailleurs, le président Uribe qui dirigeait la Colombie à cette époque n'était pas, loin s'en fallait, l'interlocuteur le plus aisé et le plus souple. Sa fermeté à l'endroit des FARC était inébranlable. Je pouvais le comprendre. Il s'agissait d'une organisation authentiquement criminelle qui contrôlait, avec une grande brutalité, pas moins d'un tiers de son pays. Mais cela ne facilitait pas les pourparlers et donc l'espérance d'une libération prochaine. Au fil des mois, nous avions cependant pu ouvrir, avec énormément de difficultés, un canal indirect de négociations, par l'intermédiaire d'un homme courageux dont je tairais le nom, professeur de son état, connaissant parfaitement la Colombie, qui accepta de se rendre à plusieurs reprises à la rencontre des FARC. Il faut imaginer le voyage dantesque qu'à chaque fois nous devions imposer à notre négociateur. De Bogota, il devait prendre un avion pour se rendre dans le centre de la Colombie. À partir de là, il lui fallait marcher une bonne semaine dans la forêt amazonienne, qui est l'une des plus dangereuses au monde, accompagné de soldats français. Puis, arrivé au beau milieu de cet espace immense, les soldats le laissaient dans les mains des FARC ce qui, en soit, représentait un risque très significatif. Puis encore deux jours de marche pour arriver sur les lieux des discussions, qui duraient, elles aussi, deux ou trois jours. C'est dire s'il ne s'agissait vraiment pas d'une partie de plaisir. Aujourd'hui encore, j'éprouve une grande reconnaissance à l'endroit de ce héros anonyme. C'était le seul fil que nous tenions vraiment. Nous devions en outre prendre garde à l'armée colombienne qui ne souhaitait aucune discussion et surtout aucun compromis. Je craignais qu'une provocation ne mît la vie d'Ingrid en danger. Finalement, elle fut libérée un an plus tard, à la suite d'une action des forces de sécurité colombienne. Je m'en souviens comme si c'était hier. Je reçus un appel dans la nuit me prévenant que c'était fait. Une grosse vingtaine d'heures après, je l'accueillais à l'aérodrome de Villacoublay où l'avion militaire français la ramenait. Quand elle est descendue, j'ai vu son sourire radieux. Elle n'avait rien perdu de sa grâce après six années dans la jungle. Nous sommes devenus amis. Elle est une personne lumineuse. C'est une chance pour Carla comme pour moi de l'avoir rencontrée. Elle méritait toute la peine que tous ses amis s'étaient donnée pour la récupérer. Souvent, j'ai pensé aux conditions de son retour. Comment reprendre sa vie là où on l'a laissée six années auparavant ? Comment se reconnecter avec ses proches ? Quels dégâts l'absence avait-elle produits ? C'est sa vie, mais cela aurait pu être la nôtre. Je ne sais pas si j'aurais su réagir avec sa force et son équilibre.

Les infirmières bulgares relèvent d'une tout autre histoire, certainement encore plus dramatique, car elle a été intégralement inventée et mise en œuvre par l'un des dictateurs les plus criminels et les plus déséquilibrés de la seconde moitié du xxᵉ siècle. L'affaire commença à l'été 1998, quand des cas de sida furent signalés à l'hôpital de Benghazi, la deuxième ville de Libye. Des dizaines d'enfants auraient contracté le virus alors qu'ils y étaient hospitalisés. Une enquête de police fut diligentée par les autorités libyennes. La piste criminelle était alors construite de toutes pièces. Le coupable désigné fut le médecin palestinien Ashraf al-Hadjudj, qui a immédiatement été arrêté. Quelques jours plus tard, une vingtaine de coopérants étrangers travaillant dans le même hôpital étaient interpellés avec une brutalité extrême. Parmi eux se trouvaient les cinq infirmières bulgares. Elles subirent immédiatement des sévices, des humiliations, des viols. La benjamine d'entre elles, âgée de 32 ans, tenta même de se suicider. Le même mois, un procès à grand spectacle fut organisé devant le tribunal du peuple de Tripoli. Ils furent accusés d'avoir sciemment transmis le virus du sida à quatre cent vingt-six enfants, et, également, pêle-mêle, de consommation d'alcool, de trafic de devises, de relations sexuelles illicites. Kadhafi lui-même évoqua l'hypothèse d'une opération de la CIA ou du Mossad. La situation dériva avec ce procès de fous, à l'intérieur d'un régime dirigé par un halluciné, dans une atmosphère d'hystérie totale. Des aveux partiels furent même extorqués à ces malheureux par une utilisation intensive de la torture. La situation était tellement injuste et ubuesque que des sommités médicales se manifestèrent pour porter secours à ces innocents. Le professeur français Luc Montagnier, après avoir réussi à enquêter, expliqua aux autorités que la contamination résultait uniquement des épouvantables conditions sanitaires sur place. Que celles-ci avaient d'ailleurs commencé bien avant l'arrivée des infirmières bulgares. Et que certains enfants contaminés n'avaient jamais été soignés dans le service où elles travaillaient. Tout ceci ne servit à rien, puisque les accusés furent finalement condamnés à mort. D'autres initiatives internationales étaient intervenues ensuite pour sauver ces malheureux. La commissaire européenne Benita Ferrero Waldner, le président bulgare Georgui Parvanov, l'association Avocats sans frontières firent aussi leur maximum. Rien n'y fit. Ce furent enfin 114 lauréats du prix Nobel qui écrivirent une lettre ouverte à Kadhafi, publiée dans le magazine *Nature*. La peine de mort fut malgré tout confirmée. C'est dans ces conditions que, le 6 mai 2007, j'ai annoncé que la France se rangerait aux côtés des infirmières bulgares et du médecin palestinien. La situation était bloquée. Tous ceux qui s'étaient manifestés pour ces malheureux en étaient réduits à attendre avec angoisse la date de leur exécution. Kadhafi n'avait pas, jusque-là, habitué la communauté internationale à une quelconque mansuétude. Pour tout le monde, la situation était perdue. Rien ne bougerait. Ma propre équipe diplomatique était, elle aussi, plus que sceptique. Il était inutile, à leurs yeux, « d'exposer le président à un échec quasi certain ». Je compris vite que les filières classiques seraient inopérantes tant le dictateur libyen était hermétique à toute forme de raisonnement, de logique, de pragmatisme. De surcroît, le prendre par la force ne servirait à rien car il vivait dans son monde, utilisant le moindre espace comme une plateforme pour déverser son galimatias habituel. Sans autres possibilités, je décidai en dernier recours de lui téléphoner et de lui proposer le marché suivant : « Si vous relâchez les otages, je vous recevrai à Paris comme un chef d'État. Vous retrouverez une place digne de votre pays, et la communauté internationale pourra à nouveau aider au développement de la Libye. » Il faut se souvenir qu'à cette époque, Kadhafi s'employait à normaliser son image et celle de son pays afin de réintégrer la communauté internationale. Il avait ainsi renoncé au terrorisme d'État et à son programme nucléaire militaire. C'est la raison pour laquelle Jacques Chirac, Tony Blair, Gerhard Schröder ou encore Colin Powell s'étaient rendus à Tripoli au cours des années précédentes. Mais aucun pays occidental n'avait encore franchi le cap d'inviter Kadhafi en visite. Le premier appel ne suscita que peu de réactions. Je fus surpris par les véritables grognements qui émanaient de sa personne. Il ne parlait ni anglais ni français. Nous avions donc recours à un interprète des deux côtés du téléphone. Mais la plupart du temps il parlait au moyen d'onomatopées et de bruits indistincts. Puis il s'enivrait de tirades interminables. Je n'étais pas beaucoup plus avancé. Jusqu'au jour où j'eus l'idée de le rappeler pour lui proposer de lui envoyer deux de mes proches, en la personne du secrétaire général de l'Élysée, Claude Guéant, et de Cécilia. Je voulais flatter cet égotique maladif, et me servir de ce travers pour obtenir la libération des otages. Je posais cependant la condition que mes deux émissaires pussent visiter librement les infirmières bulgares, ainsi que les familles des enfants contaminés. Kadhafi m'annonça théâtralement que, dans ces conditions, il recevrait personnellement Claude Guéant et Cécilia. Le premier voyage eut lieu le 12 juillet. Il se passa sans anicroche. Les choses commençaient à s'apaiser. J'entrevoyais un mince espoir au bout du tunnel, même si Kadhafi ne voulait pas céder sur le principe d'une compensation financière à verser aux familles. Je lui indiquai que ni la France ni l'Europe ne pourraient verser un centime. D'autres pays arabes étaient cependant prêts à aider pour faciliter la libération des prisonnières. En signe de « bonne volonté » relative, le Guide libyen accepta de commuer la peine de mort en peines de prison à vie. Cela nous procura de l'oxygène, du temps et de l'espoir. Pour la première fois, la Libye nous envoyait un signal positif. Je décidai alors de bousculer le calendrier et de renvoyer en Libye ma délégation, avec mission de ramener les otages ou, plus exactement, de ne pas quitter le sol libyen sans eux. C'est ce qu'ils firent courageusement, le 22 juillet 2007. Après un nouvel entretien téléphonique avec le Guide, tout finit miraculeusement par se débloquer. Le 24 juillet, Cécilia, Claude Guéant et Benita Ferrero-Waldner ramenèrent, à bord d'un avion de la République française, les infirmières en Bulgarie où elles furent accueillies avec l'enthousiasme que l'on peut imaginer. Tout le monde était heureux et soulagé. La Libye avait gagné « la normalisation » de ses relations avec l'Europe. Les pauvres femmes battues et violées pendant huit ans avaient retrouvé leur famille. La France, si fière de se proclamer la patrie des droits de l'Homme, avait obtenu un succès incontestable. Au moins l'on pouvait dire que nous avions réussi là où les autres s'étaient cassé les dents. Je reconnais que la méthode que nous avions employée n'était pas classique, au sens où nous n'avions pas utilisé de diplomates. Mais au bout du compte, ce qui était important était de mettre un terme au cauchemar de ces infirmières et de ce médecin. Le prix à payer pour la France était nul ; pour moi, il serait

de recevoir Kadhafi, trois jours durant, à Paris, où il me
ferait tout ce que cet esprit dérangé était capable d'imaginer, y compris de planter sa tente dans le jardin de la
résidence française officielle de l'hôtel Marigny. J'eus
droit aux critiques acerbes de l'opposition qui oublia les
otages et expliqua que je recevais « mon ami Kadhafi » !
La réaction caricaturale d'une caste mondaine qui n'avait
que les mots droits de l'Homme à la bouche, mais qui
n'aurait jamais accepté de mettre les mains dans le brasier
pour obtenir un résultat concret. Comme toujours, seul
comptait à leurs yeux l'image, le miroir, le son de leur
propre voix. Encore aujourd'hui je me demande comment
j'aurais pu obtenir ces libérations sans parler à Kadhafi.
J'entends l'argument de ceux qui disent « parler, c'est déjà
se compromettre ». Mais dans ce cas, on se condamne à
l'inefficacité, et à l'absence cruelle de résultat. Qui oserait
prétendre que la velléité des démocraties n'est pas un
risque de compromission plus grave encore ? Je gagnais
dans la bataille l'amitié des Bulgares qui me remirent, au
mois d'octobre suivant, leur plus haute distinction. Je
rencontrai à cette occasion les infirmières, qui me
tombèrent dans les bras, pleurèrent abondamment, et
me chargèrent de multiples remerciements pour Cécilia
qui n'avait pas souhaité m'accompagner. Claude Guéant
était là. Il avait travaillé avec efficacité et discrétion. Ce
résultat lui devait beaucoup. L'opposition ne se grandira
pas durant cette période. Notamment François Hollande
qui, comme chacun le sait maintenant, est le gardien
scrupuleux de la façon dont un président devrait se
comporter et qui exigea, et obtint, une commission

d'enquête sur les conditions de la libération des infirmières. « Il faut faire la lumière », affirmait-il alors. Avec
lui, on aurait été plus tranquille. C'est tellement plus
simple de ne rien faire, et de commenter ! Mais la palme
revint à Daniel Cohn-Bendit, lui aussi assez peu crédible
en matière de leçons de morale, qui fit comme seul
commentaire : « On instrumentalise l'Europe pour une
thérapie familiale de couple parce qu'il fallait occuper
Cécilia. » C'était méchant, inutile, et déplacé. Mon
opinion sur lui s'est figée ce jour-là ! Cependant, avec
cette conclusion heureuse et malgré ces premières
attaques, j'obtenais mon deuxième succès international,
et j'avais désormais un problème de moins à gérer. C'est
cela qui comptait le plus.

Il me fallait désormais me concentrer sur le sort terrible
du soldat Shalit, retenu par le Hamas dans un lieu tenu
secret à Gaza. Il avait été capturé le 25 juin 2006 par un
commando de terroristes palestiniens à Kerem Shalom.
Son enlèvement était alors revendiqué par les brigades
Izz al-Din al-Qassam dans le but d'être échangé contre
des Palestiniens détenus en Israël. Il était âgé de 19 ans.
J'avais évoqué pour la première fois son sort lors d'un
dîner du CRIF, au mois de février 2008. Je reparlai de
Gilad Shalit devant la Knesset en juin 2008, lors de ma
visite d'État en Israël. J'avais fait de sa remise en liberté
un défi personnel. Gilad Shalit me raconterait, après sa
libération, qu'il resta cinq années interminables dans
une pièce complètement occultée, sans voir le jour une
minute ! Il disposait comme unique fenêtre sur l'extérieur

d'une télévision, où il pouvait regarder, en juillet, le Tour
de France. Il rêvait ainsi aux paysages français du fond
de sa cellule d'où on ne le sortait jamais. Durant toutes
ces années de captivité, j'ai reçu à plusieurs reprises son
père. C'est un homme qui m'a profondément marqué par
son calme, son sang-froid et sa détermination à sauver
son fils par tous les moyens, y compris celui de planter sa tente, pour y dormir la nuit, devant les bureaux
du Premier ministre israélien afin que celui-ci n'oublie
pas que Gilad avait été séquestré alors qu'il appartenait
à Tsahal. Le fait qu'il était de nationalité française était
vital, car sa mort aurait signifié pour ses bourreaux la
mise en œuvre d'une attaque directe contre la France.
Il y a fort à parier, dans ces conditions, qu'être Français
à part entière lui ait sauvé la vie. À l'inverse, la nationalité israélienne, aux yeux du Hamas, était plutôt une
circonstance aggravante ! Le père du soldat Shalit était
persuadé que son fils était encore vivant. Nous n'en
savions rien, nous étions sans aucune nouvelle de lui
jusqu'en octobre 2009, quand nous reçûmes enfin une
preuve de vie. Durant toutes ces années, il ne put jamais
communiquer avec sa famille. Le seul contact fut par l'intermédiaire d'une lettre, du père à son fils, que je réussis
à faire passer miraculeusement, à la suite d'un heureux
concours de circonstances, aux geôliers de Gilad. En effet,
le chef du Hamas était réfugié à Damas. Je profitai donc
d'un voyage officiel en Syrie pour demander à Bachar
al-Assad de transmettre la lettre de Noam Shalit à son fils
par l'intermédiaire du chef de l'organisation terroriste,
et d'user de son influence, qui était réelle, pour que ces

derniers la remettent à son destinataire. C'était un simple geste humanitaire pour ce jeune, détenu depuis tant d'années. Nous espérions qu'al-Assad le ferait si Gilad était toujours en vie, ce qu'encore une fois nous ne savions pas avec certitude. Je peux témoigner en revanche de la conviction de Noam Shalit durant toutes ces années que son fils était bien vivant. Rien ne pouvait le désespérer. Rien ne pouvait le faire renoncer. Rien ne pouvait le faire douter. Je n'osais pas lui dire combien nos services de renseignement étaient pessimistes, en même temps que réalistes. Comment être optimiste pour un soldat israélien prisonnier du Hamas à Gaza ? Rien ne pouvait raisonnablement nous pousser à la confiance. Je dois à la vérité de dire que Bachar al-Assad fit comme il me l'avait promis. Il transmit la lettre au chef du Hamas. Ici encore « les droits-de-l'hommistes » seront certainement choqués de cette utilisation, une de plus, d'un authentique dictateur. En soi, c'était déjà une compromission supplémentaire ! Mais comment faire autrement pour obtenir, comme je m'y étais engagé, la libération ? Lors d'une autre occasion, j'écrivis moi-même une lettre à Gilad que j'essayai de faire passer par le même canal. C'était une façon de montrer au Hamas l'implication de la France. Nous étions au mois de juin 2011. Mon message était clair : « Cher Gilad, la France ne vous abandonne pas à votre sort, et ne cessera d'agir avec d'autres, y compris dans le monde arabe, pour que finisse ce calvaire injustifiable ! » Bien sûr, il m'arrivait de me dire que j'avais peut-être écrit à quelqu'un qui avait été assassiné depuis la dernière preuve de vie. Mais après tout, quel risque cela représentait-il ? Aucun. D'autant plus que je mettais un point d'honneur à tenir ma promesse initiale que les trois groupes d'otages puissent rentrer en leurs maisons respectives. Finalement, à l'automne 2011, Gilad Shalit fut libéré à la suite d'un échange de prisonniers entre les Israéliens et les Palestiniens. Benyamin Netanyahou le remit aussitôt aux Allemands, qui eux aussi s'étaient beaucoup mobilisés en sa faveur. Je reçus, quelques semaines après sa libération, toute la famille Shalit qui avait tenu à ce que leur premier déplacement, hors d'Israël, soit pour la France. J'étais heureux que ce calvaire se fût terminé de la meilleure des façons, et intrigué de recevoir pour la première fois ce jeune soldat Gilad Shalit, dont j'avais tant évoqué le nom sans jamais l'avoir rencontré. Il arriva en civil, avec son père. Je vis un tout jeune homme, avec un peu d'acné sur le visage, des fines lunettes, touchant de timidité et de réserve. Il avait un beau et large sourire. On le sentait pourtant épuisé physiquement comme moralement. Il n'en montrait rien. Il était d'une grande pudeur. Il ne décrivit jamais les sévices physiques qu'il avait subis. Il s'anima pour me raconter le Tour de France vu par lui à la télévision française sans comprendre un traître mot de notre langue. J'avais devant moi un homme dont les bourreaux avaient volé cinq années de sa vie. Il n'exprimait pourtant ni colère ni désir de vengeance. Juste le besoin de se reposer et de tourner la page. Il me confia combien il était gêné d'être reconnu dans la rue dans son pays. Il tenait ardemment à redevenir un jeune citoyen « anonyme » d'Israël. En le voyant quitter l'Élysée avec son père, je me disais intérieurement qu'avec une jeunesse de cette force, de cette solidité, de cette qualité, Israël avait, comme nation, de beaux jours devant elle. J'avais envie de dire à tant de Français, jeunes et moins jeunes, que ce qu'avait fait Gilad Shalit, nos grands-parents l'avaient fait en leur temps pour la France. Depuis, nous avons beaucoup pris l'habitude de nous plaindre. J'espère cependant que cette flamme d'une résistance française demeurera aussi forte que celle que j'ai vue dans les yeux de ce jeune soldat israélien qui avait fait son devoir et n'en tirait aucun titre de gloire particulier. Je recevais de la famille Shalit cette belle leçon qui me fit mieux comprendre la force de l'âme israélienne. Je ne les ai jamais oubliés. Le temps ne peut effacer les visages qui vous ont marqué.

Ainsi la boucle était bouclée. Une médiocre polémique fut entretenue par une journaliste qui suivait ce dossier et qui, au lieu de se réjouir de cette libération, écrivit : « Ce n'est pas la première fois que M. Sarkozy prétend s'être emparé du dossier Gilad Shalit. » Pour des journalistes engagés politiquement à ce point, tout devenait prétexte à la dénonciation, même les évidences qu'il fallait manipuler et retourner contre moi. Au-delà du détail que représentait cet article, cela en disait long sur la haine que mon élection était en train de soulever au sein de nos élites à la gauche de l'échiquier politique. Il était encore trop tôt pour que j'en prenne conscience. Cela viendrait bien assez vite. Finalement, le débat politique intérieur français n'en a tenu aucun compte. Mes échecs avaient été soulignés. Les succès, non. Mais, à titre d'homme et pas seulement de président, Ingrid

Betancourt, Gilad Shalit, les infirmières bulgares et le médecin palestinien feront pour toujours partie de ma vie. « Les droits de l'Homme », ce sont des visages, des destins, des victimes, des drames de l'histoire et pas seulement un raisonnement, une déclaration d'intention ou un sujet de discours. J'ai besoin de cette incarnation. Sans elle, il ne reste rien, ou si peu.

*
* *

Nous approchions du premier 14 Juillet de mon quinquennat. C'était un moment émouvant, auquel j'attachais une grande importance. Les symboles comptent beaucoup lorsqu'ils se rattachent à l'histoire de France. Les moments d'unité sont si rares dans notre pays, raison supplémentaire de les honorer comme il se doit. Le défilé militaire si spectaculaire, et si spécifique à l'âme belliqueuse française, me renvoyait de surcroît à ma propre histoire. Comme pour tant d'autres familles des années 1960, les occasions de sorties n'étaient pas si nombreuses. La parade militaire du 14 Juillet, comme les cérémonies du 11 Novembre, en faisait partie. Quand j'étais enfant, les bruits assourdissants des véhicules militaires sur les pavés des Champs-Élysées m'impressionnaient vivement. L'odeur du gasoil qui s'en échappait me faisait frissonner. L'ordonnancement impeccable des militaires m'emmenait bien loin dans mes rêves enfantins de bravoure. Et puis je trouvais la musique militaire tellement entraînante que j'aurais été prêt à tous les exploits dès que j'en entendais les premiers sons. Nous étions alors parmi le public avec mon grand-père. On ne prenait jamais les premiers rangs. Cela ne se faisait pas ! J'étais sur ses épaules, à applaudir et à m'émerveiller. Plus de quarante années après, je descendais les Champs-Élysées. Le chemin avait été long. Il faisait beau. Dans la voiture de commandement, avait pris place à ma gauche le chef d'état-major des Armées, le général Georgelin, un proche de Jacques Chirac qui jusqu'au dernier moment n'avait pas cru ou n'avait pas voulu croire à la possibilité de mon élection. Nous nous étions affrontés à plusieurs reprises dans le passé, alors que j'étais ministre des Finances. Je le trouvais trop brutal, pas assez fin dans ses analyses. Il ne disait pas un mot, se demandant sans doute comment j'allais réagir. Je le sentis, cependant, impressionné par la chaleur, et l'enthousiasme soulevé à cet instant. À un moment, il s'enhardit et me demanda, après que j'eus arrêté notre véhicule pour un bain de foule spontané, si j'étais heureux devant ce spectacle. C'était naïf et assez gentil de sa part. Je lui répondis avec sincérité que le terme « heureux » ne me semblait pas approprié tant je savais par expérience que ceux-là mêmes qui vous adulaient pouvaient à tout moment se retourner. Que le pouce qui était levé s'abaisserait, tout aussi implacable. Je ne voulais pas me laisser bercer par l'euphorie de ce premier 14 Juillet. Déjà, je me préparais pour les lendemains dont je savais qu'ils seraient forcément douloureux. L'armée française défila impeccablement. J'avais invité à se joindre à elle un détachement de chacun des autres pays de l'Union européenne. C'était le plus beau spectacle que l'Europe pouvait offrir. Toutes ces armées qui s'étaient tant combattues tout au long des siècles précédents, et qui aujourd'hui défilaient ensemble. J'étais depuis deux mois président de la République. Tout se passait à peu près bien. En m'asseyant face à la foule immense, alors que la parade militaire débutait, je ressentis une grande émotion, et je m'interrogeai, l'espace d'un instant, sur la chance qui était la mienne de connaître un tel destin, de venir de si loin, et de pouvoir faire tant de choses qui me passionnaient. Je mesurais le privilège, l'honneur, et, bien sûr d'abord la responsabilité. En revanche, je ne percevais pas les risques, la jalousie que tout ceci ferait surgir, les ambitions contrariées ou barrées par la faute de ma seule présence dans ce fauteuil. Céline fait dire à Bardamu, dans le *Voyage au bout de la nuit* : « Le courage n'est qu'une absence d'imagination. » Faut-il que j'en aie manqué alors ! La fameuse garden-party de l'Élysée, qui suivait le défilé, était consacrée aux victimes d'actes de délinquance ou de catastrophes naturelles. Preuve que j'étais dans ma tête demeuré ministre de l'Intérieur. Je voulais absolument renouveler les invités afin d'en faire une réception populaire plutôt qu'un lieu de rencontre des habitués de ce genre de cérémonie. Enfin, j'avais souhaité l'organisation au Champ-de-Mars d'un grand concert gratuit, lui aussi populaire. J'avais demandé à Michel Polnareff d'en être la vedette. Il y avait là tout un nouveau symbole. Après toutes ces années à Los Angeles, j'étais heureux qu'il revienne. Son talent immense n'était plus à démontrer. Je l'avais beaucoup admiré dans ma jeunesse et, comme à moi, il rappelait beaucoup de bons souvenirs à tant de Français de mon âge. J'allais le saluer dans sa loge juste avant le concert, alors que le Champ-de-Mars était bondé. Il se montra gentil, chaleureux et drôle. Il tint absolument à me présenter ce qu'il appelait « son bébé ». Je ne savais pas du tout de quoi ou de qui il s'agissait. Quelques instants après, je fus étonné de voir arriver, en fait de « bébé », une spectaculaire jeune femme à la peau cuivrée, qui devait bien mesurer 1 m 80 ! Le mot bébé était la preuve d'une grande tendresse mais il rendait compte d'une façon étrange de la réalité ! Une seule ombre au tableau, mais elle était de taille : j'étais seul. Une nouvelle fois, Cécilia n'avait pas souhaité m'accompagner, évoquant la fatigue de cette longue journée. Cela me peinait, mais je me disais que j'avais tant de chance qu'il fallait bien que quelque chose ne tournât pas rond. C'eût été trop injuste, dans le cas contraire.

*
* *

Il me restait encore une décision délicate à prendre avant la fin du mois de juillet. Je devais choisir un candidat français pour le poste de directeur général du FMI. Le titre est prestigieux, même si les marges de manœuvre du directeur sont moindres qu'on ne peut l'imaginer, tant le poids de l'administration y est prégnant et, surtout, tant l'influence américaine y est majeure. En effet, rien qu'avec leurs votes au sein du conseil d'administration, les États-Unis sont en mesure de bloquer toutes les décisions. Mon choix fit grand bruit puisqu'il se porta sur la candidature d'un authentique socialiste, Dominique Strauss-Kahn. Je dois m'expliquer sur cet arbitrage, dont je comprends qu'il ait pu déplaire à certains de mes amis politiques. Il me faut d'abord préciser qu'à l'époque, n'étant pas, loin s'en fallait, un intime de Strauss-Kahn, j'ignorais tout de sa vie privée et de ses pratiques. Il était un opposant talentueux, moderne et sympathique. Nous nous étions affrontés quelques années auparavant lors d'un débat télévisé qui avait été vif mais courtois. Nos rapports étaient distants et cependant cordiaux. Il était venu me voir à l'Élysée dès le mois de juin pour me confier combien il s'ennuyait en politique, et à quel point il voulait changer de vie, convaincu qu'il était alors du peu d'avenir du Parti socialiste français. Il avait astucieusement repéré que le poste de directeur général du FMI serait disponible. La tradition voulait qu'il s'agisse d'un Européen. Avec ma récente élection, la France avait plutôt le vent en poupe. Le moment était donc bien choisi pour qu'il tentât de me convaincre de proposer sa candidature. De fait, Dominique Strauss-Kahn présentait de nombreux atouts. Il était un spécialiste de la matière économique et financière. Il pratiquait parfaitement plusieurs langues étrangères. Certes, il appartenait au Parti socialiste, mais à plusieurs reprises, il s'en était démarqué par son refus d'une pratique archaïque, et par sa disponibilité à une certaine forme de modernité. Il correspondait parfaitement à la politique d'ouverture que j'étais en train de mettre en œuvre. Et enfin, sa nomination, au cas où j'y arriverais, retirerait à l'opposition un de ses leaders parmi les plus redoutables. Je fus donc rapidement convaincu de l'opportunité de ce choix. Je pensais, à l'époque, qu'il représenterait parfaitement notre pays au sein du FMI, et donnerait de la France l'image d'une démocratie moderne où la majorité et l'opposition étaient capables de travailler ensemble. Fort habilement, Dominique Strauss-Kahn n'était pas avare en compliments sur mes premières semaines à l'Élysée, ajoutant que la vie politique serait vraisemblablement terminée pour lui au cas où il serait choisi. Autrement dit il me laissait entendre qu'il saurait se souvenir de ce « cadeau » que je m'apprêtais à lui faire. J'écoutais d'une oreille distraite, connaissant trop bien la vieille devise de Charles Pasqua : « Les promesses des hommes politiques n'engagent que ceux qui les reçoivent. » Et de toute façon, tout ceci était bien trop éloigné pour tirer des plans sur la comète. Que valait une demi-promesse de DSK cinq années avant l'échéance ? J'avais décidé qu'il serait le candidat de la France et je n'avais rien besoin d'autre. J'en étais persuadé : il serait un bon dirigeant d'organisation internationale. J'en faisais l'annonce le 8 juillet 2007, dans *Le Journal du dimanche*. Puis je fis campagne pour lui auprès des Allemands, des Américains, des Espagnols... et de tant d'autres. Son élection à l'automne fut saluée comme un succès pour lui. Ce qui était bien normal, mais c'en était un aussi pour la France, qui retrouvait ainsi une capacité

à imposer l'un des siens à ce poste international prestigieux. Une fois encore était démontré le rôle que pouvait
jouer notre pays sur la scène internationale. J'étais
heureux de cette décision et de l'image qu'elle donnait.
DSK prit ses fonctions d'une manière méthodique et
sérieuse. Il s'installa à Washington avec sa femme, la
journaliste Anne Sinclair. Il semblait épanoui dans ses
nouvelles responsabilités. Il ne manquait pas de venir
assez régulièrement me rendre compte de ses activités.
C'était toujours intéressant, même si je le vis « décoller »
peu à peu. À l'entendre, il était devenu le centre de toutes
choses, rien ni personne ne pouvait l'arrêter quand il
s'agissait de donner son opinion ou une analyse de la
situation. Je ne m'en formalisais pas outre mesure, ayant
moi-même souvent péché en la matière ! Il y eut un
premier avertissement sérieux quand fut révélée une
histoire de « cœur », qui fit grand bruit, avec une écono-
miste hongroise du FMI. Aux États-Unis, qu'un patron
ait une liaison avec une salariée de son institution ou de
son entreprise constitue une faute majeure. Les
Américains n'ont pas le tempérament latin. Les choses
se calmèrent finalement, mais DSK n'était pas passé loin
de la catastrophe. Je le reçus à cette occasion à l'Élysée.
Non pour lui faire la morale – de quel droit aurais-je pu
le faire ? – mais pour lui dire qu'il devait prendre garde,
car il n'aurait pas de seconde chance, et qu'il allait finir
par tous nous pénaliser. Nous l'avions soutenu, il n'avait
pas le droit de nous mettre dans cette sorte d'embarras.
Sa réponse fut sans ambiguïté : « Je te le garantis. J'ai
fait une erreur... j'en ai fini avec mes conneries. » Je

reproduis ici à dessein le vocabulaire exact qu'il a employé. De fait, la vie reprit son cours sans que nous n'en reparlions jamais. Les années passèrent. Un an avant l'élection de 2012, les socialistes organisèrent leurs primaires. DSK avait retrouvé goût à la politique, persuadé qu'il était de sa supériorité sur tous les autres. Il avait donné au journal *Libération* un entretien qui m'avait surpris par son arrogance et son absence totale d'empathie. Il déclarait notamment n'avoir que trois problèmes : « le fric, les femmes et [sa] judéité. » C'était assez curieux de mettre ainsi les choses sur le même plan. Sur le moment, je n'ai pas compris ce que venais faire là ce « j'aime les femmes ». Par la suite, je fus éclairé. Pour DSK, aimer les femmes c'était posséder les femmes. J'ai toujours pensé qu'aimer les femmes, c'était aimer être aimé des femmes ! Et cela fait sans doute une sacrée différence. À cette époque, il était redevenu un rival et ne me rendait plus visite. Il expliquait d'ailleurs à longueur d'interview que son élection au FMI était due à ses seules performances et qu'en conséquence, il ne se sentait redevable de rien à mon endroit. La posture était si prévisible, et classique, que je ne lui en voulais pas le moins du monde. Je me réjouissais par ailleurs de l'avoir face à moi quand il aurait gagné la primaire socialiste, car je voyais bien qu'il était dans l'outrance caractéristique de la trop grande confiance en soi, et qu'à un moment où à un autre, cela lui jouerait forcément des tours, même si j'étais bien loin de m'imaginer lesquels. Sa femme Anne Sinclair était encore plus certaine de leur victoire. Elle interrogeait le Tout-Paris pour savoir ce que devrait être son rôle de *First Lady*. Son statut de journaliste « star », sa certitude d'être de la bonne gauche, et de la bonne pensée, sa pratique des mondanités intellectuelles et les sondages favorables à son mari lui avaient complètement fait perdre la tête. J'ai pensé à cette époque qu'elle voulait ce statut davantage encore que DSK. L'ensemble me rappelait, sans doute trop cruellement, *Les Précieuses ridicules*. Nous en étions là lorsqu'une nuit, à 2 h 45, mon fils aîné Pierre me téléphona à l'Élysée alors que Carla et moi dormions profondément. « Papa, as-tu vu que DSK vient d'être arrêté par la police américaine ? » Je pris quelques instants. Je lui demandai : « Mais comment sais-tu cela ? Es-tu certain ? Ou est-ce une rumeur ? » « Mais c'est partout sur les réseaux sociaux, c'est un scandale mondial », me dit-il lui-même ahuri par la nouvelle. C'est peu dire que je suis tombé de l'armoire. Je n'avais pas la moindre idée de ce qui avait bien pu se passer. Je ne reviendrai pas sur les faits eux-mêmes, qui ont été surabondamment commentés, et médiatisés. Mon récit n'amènerait rien de neuf. J'ajoute que tout est à ce point glauque, et que l'intéressé a payé un tel prix, que je m'en voudrais de rajouter quelques lignes sur une affaire qu'il vaut mieux oublier. Je ferai cependant une exception pour dire à quel point je fus stupéfait d'entendre Anne Sinclair mettre en cause les autorités françaises, laissant même entendre que je n'y étais pas pour rien. C'était grotesque, mais j'ai pensé que la pauvre femme devait être tellement déstabilisée par les événements qu'il était compréhensible qu'elle ait pu à ce point perdre pied. Je reçus une visite très touchante à cette occasion. Ivan Levaï, l'ancien mari d'Anne Sinclair, avait voulu que je le reçoive urgemment pour me dire sa conviction que DSK était innocent. « Il faut que vous l'aidiez. » J'appréciais la démarche de celui-ci, sa dignité, et sa grandeur d'âme. Il n'était vraiment pas obligé d'agir ainsi. Que pouvais-je faire, cependant ? Dans toute cette malheureuse et triste histoire, demeure, à mes yeux, l'insondable mystère de la personnalité humaine. Nos faiblesses, nos secrets inavoués et inavouables, la dualité extrême de certains personnages. J'ai souvent repensé au Dominique Strauss-Kahn que je croyais connaître, à la violence de ses désirs profonds comme à son intelligence subtile. Je l'ai plaint aussi quand toute la planète se détourna de lui. En revanche, il m'a exaspéré quand, à peine sorti de prison aux États-Unis, il revint en France donner des leçons d'économie lors d'un « 20 heures » sur TF1 où il paraissait si peu sympathique. Aujourd'hui, j'avoue ne plus trop savoir qui est ce DSK que j'ai propulsé à la tête du FMI. Si c'était à refaire, je ne le referais pas. Mais comment aurais-je pu prévoir un tel enchaînement, cette chute qui ne peut, au fond, que s'apparenter à un « suicide » inconscient ?

*
* *

L'agenda d'un président de la République oscille sans cesse entre le national et l'international. Impossible d'échapper à l'un comme à l'autre. Tout est lié. Il est inutile de chercher à construire une barrière entre eux. C'est toujours le cas, et cela a toujours été ainsi, quels que soient les présidents. Mais cette réalité était encore plus forte pour les deux déplacements que je devais effectuer avant la fin du mois de juillet 2007, en Afrique de l'Ouest et au Maghreb. Ce sont des régions du monde où l'épiderme est si sensible. Les histoires collectives et personnelles y sont tellement entremêlées à celle de notre pays. Les malentendus si profonds. Les souffrances et les espérances à ce point pressantes qu'il est illusoire de s'imaginer autre chose que des journées animées, peuplées de multiples polémiques, tout au long de ces voyages. Je n'échappais pas à la règle... bien au contraire.

Le déplacement à Dakar et le discours qui porte son nom constituèrent, de fait, la première véritable difficulté de mon quinquennat. Je partais en Afrique avec un double handicap. Le premier était l'attachement à ce jeune continent qu'on prêtait à Jacques Chirac. Loin de moi l'idée de contester le tropisme africain de mon prédécesseur, qui fut nourri au lait de la Françafrique et donc ami proche de tous les inamovibles chefs d'États africains. Par mon âge, mes réseaux africains souffraient fortement de la comparaison avec Jacques Chirac. En bref, les commentateurs expliquèrent qu'il était en son jardin, moi non. Ce n'était pas inexact, même si j'avais cherché, en vain, la grande décision qui aurait illustré la réalité de cet attachement africain de mon prédécesseur. Mon second handicap était autrement plus redoutable puisqu'il s'agissait de la question migratoire. Jusqu'à présent, la pratique du double langage, l'un pour Paris, l'autre pour Dakar, Libreville ou Abidjan était la règle. Il fallait être martial à domicile et tout à fait discret en Afrique. Or, j'étais bien décidé à rompre avec ce que je pensais être une détestable habitude qui ne pouvait qu'aigrir les relations, augmenter les désillusions et nous conduire à de très graves problèmes. Il n'en fallait pas davantage pour que nombre d'observateurs et de journalistes me présentent comme un adversaire de l'Afrique en général, et même des noirs en particulier ! Le procès en racisme perçait constamment chez certains de mes procureurs. Il est vrai qu'au seul prononcé du mot « immigration », votre compte était réglé. Vous étiez du côté des « méchants ». On n'était guère dans la nuance, c'est le moins que l'on puisse en dire. À tout ceci, qui était déjà suffisant, il fallait ajouter le climat politique local africain qui n'avait rien à envier, en termes d'outrances et de violences, aux échanges politiques français. De ce point de vue, on n'est jamais à l'abri d'une balle perdue. J'avais choisi Dakar pour son importance politique, économique, et symbolique. À l'époque, le Sénégal était présidé par une aussi étrange qu'intéressante personnalité, Abdoulaye Wade. Plus qu'étrange, en fait, l'homme était surtout paradoxal. Érudit, titulaire d'une agrégation d'économie obtenue sur les bancs de l'université française, et en même temps assez désorganisé dans sa pensée. Suivre une conversation avec lui exigeait un très grand effort de concentration. Gros travailleur, il pouvait être impressionnant lorsqu'il décrivait ses projets de développement, et en même temps complètement cyclothymique. Il lui arrivait de se renfrogner dans un mutisme complet comme de partir dans des colères homériques. Incontestable démocrate pour 90 % de son activité, il pouvait céder à une des pulsions de son tempérament et envoyer un de ses opposants en prison. En résumé, le calme n'était pas son point fort et son imprévisibilité notoire nous faisait toujours redouter le pire. Je l'aimais bien cependant, car j'admirais ce très long parcours au service de son pays, et l'aspect ascétique de sa personnalité. Au fond, il n'aimait et ne vibrait que pour son travail. En cela, il était très loin du portrait caricatural du président africain aimant à jouir de toutes les bonnes choses de la vie. Les chiffres, entre la France et le Sénégal, étaient impressionnants. À l'époque de Jacques Chirac, nous avions accordé pas moins de 83 % des demandes de visas émanant des Sénégalais, et dix mille étudiants du même pays suivaient leurs formations en France, représentant par leur nombre la première nationalité étudiante étrangère en France. Qui faisait plus et mieux pour le Sénégal ? Il ne s'agissait pas, bien sûr, de recevoir des remerciements pour cette ouverture et cette capacité d'accueil. J'étais réaliste. Il ne fallait pas trop en demander, mais de là à nous reprocher notre manque de générosité... là, c'était trop. Je n'étais pas décidé à accepter la moindre remarque à ce propos. Je commençais donc mon voyage déclarant ce en quoi je croyais fermement : « La France n'a pas à rougir de ce qu'elle a fait et de ce qu'elle continuera à faire. Mais c'est mon devoir de le dire, ici, à Dakar, nous ne pouvons pas accueillir tout le monde. Je n'ai pas deux langages. Je ne viens pas en Afrique pour tenir un discours différent de celui que je tiens à Paris. » En quoi était-ce choquant ? Rien dans le fond ne l'était effectivement, mais le dire en Afrique pouvait être pris pour une provocation tant les responsables africains étaient habitués à la lâcheté de nos discours officiels. Pour moi, c'était clair. Dire la vérité était une question de respect pour la jeunesse d'Afrique dont, par ailleurs, « je savais l'envie de partir qu'éprouvait un si grand nombre d'entre eux confrontés aux difficultés de l'Afrique. Je connaissais la tentation de l'exil. » Finalement, ce message était passé sans grandes difficultés, sans susciter non plus d'applaudissements nourris. Je n'en attendais pas, d'ailleurs. En revanche, pour les Français, ce discours était parfaitement compris. Le Front national avait été ramené à un peu plus de 4 % lors des dernières législatives. Je n'étais vraiment pas enclin à lui redonner un espace, aussi minime soit-il. J'étais attendu au tournant. Je me devais de tenir une position ferme, et républicaine.

La seconde question polémique et habituelle tournait autour de la colonisation, et de l'impossible situation où nous mettaient nos complexes en la matière. Si nous nous occupions de l'Afrique, nous étions les nouveaux colonisateurs. Si nous ne nous en occupions pas, nous étions des égoïstes qui les abandonnaient à leur sort. Le dilemme était infernal, et le piège parfait. Alors que je devais prononcer ce qui restera comme le discours de Dakar devant les étudiants de l'université Cheikh-Anta-Diop, je déclarais : « Je ne suis pas venu effacer le passé car le passé ne s'efface pas. Je ne suis pas venu nier les fautes ni les crimes car il y a eu des fautes et il y a eu des crimes. Il y a eu la traite négrière, il y a eu l'esclavage, les hommes, les femmes, les enfants achetés et vendus comme des marchandises. Et ce crime ne fut pas seulement un crime contre les Africains, ce fut un crime contre l'Homme, ce fut un crime contre l'humanité tout entière. »

À la différence du président Macron et de sa déclaration en Algérie, je pensais que c'est la traite négrière qui était un crime contre l'humanité, et non la colonisation car, dans celle-ci, il y a eu des femmes et des hommes qui ont enseigné, soigné, aimé l'Afrique. Le système était injuste, indéfendable, cruel, mais à l'intérieur de celui-ci il y a eu des comportements individuels qui pouvaient être nobles. Là où je créai la polémique qui éclata violemment, ce fut avec la fameuse phrase : « La colonisation fut une faute mais le drame de l'Afrique vient aussi de l'Afrique... l'homme africain n'est pas assez entré dans l'histoire. » Je ne m'attendais pas à un tel déferlement. J'en fus même très surpris. Les choses les plus folles et les plus sottes furent prononcées en cette occasion. Un certain Doudou Diène, rapporteur spécial de l'ONU sur les formes contemporaines du racisme, déclara à la tribune des Nations-Unies : « Dire que les Africains ne sont pas entrés dans l'histoire est un stéréotype fondateur des discours racistes des XVIIe, XVIIIe et XIXe siècles ! » J'échappais donc *in extremis* à l'assimilation avec les racistes du XXe. J'étais soulagé de cette soudaine indulgence ! Quant à Ségolène Royal qui, comme on le sait maintenant, n'hésite jamais à se joindre aux déclarations les plus outrancières, elle affirma, l'œil humide : « Je demande pardon pour ces paroles humiliantes qui n'engagent pas la France ! » Même ma secrétaire d'État Rama Yade, toujours très attentive à la pensée unique, n'hésita pas à affirmer : « L'homme africain est le premier à être entré dans l'histoire. » Elle ne se donna pourtant pas la peine d'expliquer comment, où, et quand. Dans son esprit, cette affirmation valait argument. La presse sénégalaise était violente, mais curieusement moins outrancière. Les titres étaient forts mais finalement assez justes : « Les vérités de Sarkozy aux Africains, c'est arrêtez de pleurnicher. » « Il n'a pas fait dans la dentelle pour dire ce qu'il pense de l'Afrique et des Africains qui sont responsables de leur malheur. » Je dois reconnaître que tout n'était pas inexact dans ces commentaires. Comment, en effet, revendiquer à bon droit son indépendance et ne pas assumer au moins une part de ses propres actes ? Je crois encore aujourd'hui que l'Afrique a une part de responsabilité dans son propre malheur. On s'est entretué en Afrique au moins autant qu'en Europe. L'affirmer ne constitue en rien une insulte à quiconque. Je crois également que les colons ont saccagé un art de vivre africain. Ils ont abimé un imaginaire merveilleux et une sagesse ancestrale, en plus d'avoir pillé des ressources en hommes comme en matières premières.

Mais, même si la colonisation fut une faute, de celle-ci est né, il faut avoir le courage de le comprendre, l'embryon d'une destinée commune avec la France et l'Europe. La colonisation a cessé dans les années 1960. Il était aussi grand temps de tourner la page, et de considérer les problèmes tels qu'ils étaient aujourd'hui et non tels qu'ils se posaient cinq décennies plus tôt.

Avec le recul, je dois reconnaître que je suis rentré tout seul dans le piège politique où mes adversaires souhaitaient me voir tomber. De leur point de vue, c'était pain bénit. Sur le fond, je n'ai rien à renier. Bien évidemment, il n'y avait dans ce discours rien de méprisant, encore moins de raciste. J'avais même dit aux jeunes d'Afrique : « N'écoutez pas ceux qui veulent vous déraciner, vous priver de votre identité, faire table rase de tout ce qui est africain, de toute la mystique, la religiosité, la sensibilité, la mentalité africaines, parce que pour échanger, il faut avoir quelque chose à donner, parce que pour parler aux autres, il faut avoir quelque chose à leur dire. » Quel plus bel hommage à l'identité africaine pouvais-je prononcer ? Je crois même que mon constat, pour brutal qu'il puisse paraître, n'était ni faux ni injuste. « Le problème de l'Afrique, c'est de cesser de toujours répéter, de toujours ressasser, de se libérer du mythe de l'éternel retour, c'est de prendre conscience que l'âge d'or qu'elle ne cesse de regretter ne reviendra pas pour la raison qu'il n'a jamais existé. » Dire aux Africains d'arrêter de se tourner vers le passé pour enfin épouser l'avenir était à mes yeux un devoir. Non pour leur donner je ne sais quelle leçon, mais pour leur faire comprendre que pour que l'Afrique s'en sorte, c'était d'abord sur elle-même qu'elle devait compter sans se défausser encore, et toujours, sur son histoire, sa géographie, son climat. L'exemple le plus pertinent était comme toujours celui de la question de la fécondité de la femme africaine. Je poursuivis mon discours et, sans doute, chargeai encore la barque en affirmant : « La réalité de l'Afrique, c'est une démographie trop forte pour une croissance économique trop faible. » Qui pouvait sérieusement contester ce constat d'évidence ? Et le nombre de naissances en Afrique subsaharienne ne pouvait pas être mis sur le compte de la colonisation !

En fin de compte, ce voyage fut considéré comme une erreur politique. Ai-je voulu trop en dire ? L'ai-je dit trop franchement, ou trop brutalement, ou les deux à la fois ? Ai-je commis un péché de suffisance en me pensant plus fort que je ne l'étais ? Ai-je surestimé la maturité du débat politique africain en le croyant prêt à rejeter « les prêchi-prêcha » habituels pour épouser de nouvelles réalités ? Je laisse à chacun le soin de trancher un débat qui, de toute façon, ne peut l'être que subjectivement... C'était une erreur. Comment le contester ?

Je le regrette d'autant plus que j'aime profondément l'Afrique et les Africains. Ce continent m'a toujours fasciné comme m'hypnotise la rue africaine, son grouillement, sa vivacité, sa joie de vivre, ses solidarités familiales. Encore aujourd'hui, je peux rester des heures à observer ce va-et-vient bruyant familier et si caractéristique. J'aime le discours des politiques africains avec cette emphase et cette préciosité dans le vocabulaire choisi. En les écoutant, j'ai l'impression d'une musique si mélodieuse qu'elle en devient presque immédiatement convaincante. J'aime enfin la fidélité des amitiés africaines. Mieux que beaucoup d'autres, les Africains savent faire la différence entre les affections démonstratives d'un jour et la réalité d'une solide relation de confiance. J'ai toujours pensé que nous autres, Européens du Sud, étions beaucoup plus proches qu'on ne l'imagine de l'Afrique. En tout cas, une chose est certaine, c'est que nos destins sont liés pour le meilleur comme pour le pire. Ils sont liés par les seuls liens qui ne se brisent jamais, ceux de la géographie. Nous sommes de la même partie du monde. J'espère vivement que les peuples d'Europe arriveront un jour à comprendre qu'un euro investi en Afrique, c'est un euro investi en Europe, qu'il n'y aura pas d'avenir apaisé possible pour nous avec une Afrique qui sombrerait à nos portes. Il ne s'agit pas d'une question de générosité, de morale ou de cœur mais d'une analyse lucide. Si les deux milliards cinq cents millions d'Africains que comptera le continent en 2030 ne peuvent vivre, s'épanouir, croire en l'avenir, ils chercheront à partir, et rien ni personne ne pourra les en empêcher. Il n'y aura jamais de murs assez hauts, de législation assez solide, d'égoïsmes assez structurés pour s'y opposer. C'est ce que j'avais essayé de dire à Dakar le 26 juillet 2007. J'avais échoué à le faire comprendre. Aujourd'hui encore, je m'en veux de cette occasion manquée, tant la question me semble avoir gardé toute sa cuisante urgence.

Sept mois plus tard, lors de ma visite en Afrique du Sud, je prononçais au Cap devant le Parlement sud-africain un nouveau discours consacré aux relations avec le continent africain. J'y réaffirmais ma conviction que celles-ci devaient être profondément refondées pour devenir plus équilibrées, plus transparentes mais aussi plus décomplexées. Je joignais le geste à la parole en annonçant que

les huit accords de défense liant la France à des pays africains, qui avaient suscité tant de fantasmes, seraient tous
renégociés et intégralement publiés. Je rappelais également qu'il n'y avait pas d'exception africaine en matière
de démocratie et de droits de l'Homme, car c'était des
valeurs universelles auxquelles tous les peuples aspiraient
et avaient droit. Je disais enfin combien il était pour moi
prioritaire que le continent africain se voie enfin reconnaître sa juste place dans la gouvernance mondiale ; et
que je me battrais pour cela. Ce que je fis durant les cinq
années de mon mandat. Le discours du Cap fut beaucoup
mieux accueilli, mais je dois bien admettre que, malheureusement, il ne suffit pas à effacer l'incompréhension
de Dakar.

*
* *

Le second voyage était tout aussi complexe, puisqu'il
s'agissait de l'Algérie, même si, fort heureusement, il ne
donna pas lieu aux mêmes déchaînements, en tout cas du
côté français. Il est vrai qu'il ne s'agissait que d'une visite
de travail de cinq heures avant la visite d'État que j'ef-
fectuerais quelques mois après. Je tenais à cette prise de
contact avec le président Bouteflika tant j'étais conscient
de la susceptibilité à fleur de peau de mon interlocuteur. Attendre l'automne aurait été compris comme un
manque de respect envers des Algériens toujours très

suspicieux s'agissant de leur indépendance, et tout autant à l'endroit des sentiments que les autres, tout particulièrement les Français, leur témoignent. Je connaissais déjà le président algérien à qui j'avais rendu visite à plusieurs reprises alors que j'étais ministre de l'Intérieur. J'étais toujours ému au moment de le rencontrer car, à mes yeux, il demeurait l'un des derniers « dinosaures » du xxe siècle encore en fonction, et même en vie. Ayant commencé dans la carrière politique très jeune, il fut ministre à 25 ans du président Boumédiène lui-même. Il occupa le poste de ministre des Affaires étrangères à 26 ans. Il avait connu et rencontré absolument toutes les grandes personnalités du monde, et notamment tous les géants du xxe siècle : Mao, de Gaulle, Churchill, Gandhi, Mandela... On pouvait l'interroger sur tous, il était inarrêtable et passionnant à force de souvenirs personnels et d'anecdotes. En sa compagnie, j'avais l'impression de consulter une bibliothèque de l'histoire contemporaine. Sa connaissance était grande. De surcroît, sur tous les sujets, son expérience était immense. Alors, bien sûr, converser avec lui prenait du temps. L'unité de mesure, c'était trois heures. Si une réunion durait moins, on pouvait considérer qu'elle avait été écourtée. Un détail me gênait. Il ne voulait pas converser en face à face. Nous étions toujours assis côte à côte. Il fallait constamment tourner la tête pour se regarder. Je quittais souvent la résidence où il me recevait avec un fameux torticolis. Je devais également accepter que la première heure (et c'était un minimum) fût consacrée à ce qu'il appelait « la guerre de libération ». Il s'ensuivait un cortège de reproches sur les injustices et les atrocités auxquelles tout ceci avait donné lieu. Un moment, n'en pouvant plus, je m'écriai : « Mais sais-tu qu'au moment des accords d'Évian, j'avais à peine 7 ans ! Nous n'allons pas passer ces quelques heures à nous préoccuper de ce qui s'est déroulé entre nos deux pays il y a maintenant quarante-cinq ans ! De grâce, regardons l'avenir, et, mettons, au moins entre nous, ce passé de côté. » Je dus également me justifier de ce qu'il appelait mon tropisme marocain. Pour lui, c'était limpide, j'aimais davantage le Maroc que l'Algérie. Je m'en défendis avec vigueur même si, intérieurement, je me disais : « Au moins, quand je suis à Rabat, le roi ne me reproche pas le Protectorat ! » Quand on sait que les frontières entre le Maroc et l'Algérie sont fermées depuis bientôt vingt-six années, il est aisé de comprendre la complexité des relations intramaghrébines. Ma visite avait un autre but. Je voulais convaincre le président algérien d'adhérer à mon projet d'Union pour la Méditerranée. Obtenir son approbation sur le principe d'un sommet à Paris était central, tant son influence était grande sur un certain nombre de ses voisins. Abdelaziz Bouteflika me donna son accord avec un enthousiasme qui me surprit. Puis, nous avons partagé un merveilleux méchoui. Avec sa gentillesse et sa grande courtoisie, il arrachait avec les mains les meilleurs morceaux, et s'inquiétait de savoir si j'avais vraiment apprécié. Comme souvent avec les personnes d'un certain âge, il voulait que je me nourrisse à satiété, c'est-à-dire pleinement, et plus encore. Par certains côtés, il me rappelait ma mère, qui trouvait que ses fils n'avaient jamais assez apprécié sa cuisine ! Quand je repense à lui aujourd'hui, j'ai la nostalgie d'un homme cultivé, gentil, inconditionnel de son pays. Curieux destin personnel. Il était très discret sur sa vie privée. Il aimait sa mère et vivait avec elle. Il était proche de son frère que je n'ai pas connu réellement, et qui dort aujourd'hui dans une prison d'Alger, et ce pour de nombreuses années. Pour la famille Bouteflika, la roche Tarpéienne a été bien proche du Capitole.

Pour ce premier déplacement, j'avais tenu à inviter dans ma délégation Jean Daniel, le patron historique du *Nouvel Observateur*. Je pratiquais rarement ce genre d'invitation car je me méfiais d'abord de moi-même et de ma capacité à parler librement, à faire confiance trop facilement. Combien de fois m'était-il arrivé de me faire piéger par ma légèreté ? En la matière, le processus était toujours le même. J'étais dans l'avion du retour. Tout s'était bien passé. J'étais fatigué, je me relâchais. En face, il y avait souvent un journaliste que je côtoyais depuis des années. Je pensais bien le connaître, et j'oubliais que son métier était d'abord de me faire parler pour ensuite tout raconter, si possible en en rajoutant de façon à rendre ce que j'avais dit plus brutal, plus blessant, plus susceptible de provoquer la polémique. Le prétendu « off » existait dans le monde d'avant, celui où les journalistes cherchaient à créer une relation de confiance sur le long terme afin d'obtenir des informations. Ce temps était révolu, puisque ce n'était plus « l'info » qui comptait, mais « le buzz ». Au long terme s'était substituée l'immédiateté. Il ne servait à rien de s'en plaindre. Il fallait seulement en tenir compte, et être assez intelligent pour ne pas se faire piéger. Je confesse que j'ai eu beaucoup de mal avec cette nouvelle pratique. Je suis trop spontané, trop libre, trop imprudent aussi. J'avais décidé de me protéger moi-même en ne laissant plus entrer de journalistes dans mon intimité. Je fis une exception avec Jean Daniel car, par son talent, par son âge, par sa culture, il appartenait vraiment au « monde d'avant ». Il agaçait beaucoup dans mon milieu politique par une certaine propension à s'écouter volontiers. Il était très friand de ses propres analyses, et aimait à interroger son interlocuteur non sur ce qu'il croyait au fond de lui-même, mais sur ce qu'il avait pensé des idées qu'il venait de présenter. Je savais tout ceci mais cela ne comptait pas à mes yeux, tant j'appréciais sa courtoisie, et la passion qu'il éprouvait à chaque fois qu'il pouvait être au cœur de l'événement ou proche de ceux qui en étaient les acteurs. J'aimais qu'il ne soit jamais devenu blasé et qu'il ait su conserver intact son enthousiasme. Chez lui, le mot de retraite n'avait aucune signification. Il a travaillé jusqu'au bout. En cela aussi, il était digne. Je savais pertinemment qu'il était de gauche et qu'il avait voté pour Ségolène Royal, mais lui en tenir rigueur eût été ridicule ; il lui était impossible de se couper de son milieu intellectuel, politique, social. C'était son snobisme. De surcroît, connaissant son attachement à l'Algérie, je voulais le convaincre de la force de mon projet sur l'Union de la Méditerranée, en faire l'un de ses ambassadeurs, en tout cas dans la presse. Nous discutâmes longtemps à l'aller comme au retour. J'en ai gardé un souvenir agréable. Cela me changeait tellement de pouvoir parler à un interlocuteur journaliste qui s'intéressait au fond des choses et pas seulement à leur écume. À son retour, il rédigea pour *Le Nouvel Observateur* un papier assez aimable. Bien sûr, il commençait son article en précisant qu'il était de gauche, et qu'il ne regrettait pas d'avoir voté Ségolène Royal. C'était comme une excuse qu'il devait présenter au reste de la rédaction pour avoir accepté d'être dans l'avion présidentiel. À l'inverse, aurait-on imaginé un journaliste « de droite » revendiquer son vote pour moi ? Le malheureux aurait été immédiatement disqualifié aux yeux de ses confrères. Une motion de défiance aurait été votée par la société des journalistes de son média. On ne dira jamais assez la force du « deux poids, deux mesures », selon qu'on soit de gauche ou de droite. J'étais, cependant, heureux de la conclusion de l'article de Jean Daniel : « C'est la première fois que j'entends un représentant de la France abandonner, vis-à-vis de l'Algérie, l'habituelle attitude de paternalisme complexé. » Jean Daniel avait bien compris que je voulais que nous traitions avec l'Algérie de puissance à puissance, en nous tournant vers l'avenir et en laissant tranquille notre passé si tourmenté. Rien que pour cela, l'avoir emmené avait été utile.

*
* *

Le mois de juillet tirait à sa fin. J'allais pouvoir souffler après tous ces événements, haletants, stressants autant que passionnants. Je voulais cependant, afin de pouvoir

commencer septembre sur les chapeaux de roue, utiliser
au mieux cette période de l'été pour mettre en place les
comités dont j'avais eu l'idée pour préparer les grandes
réformes auxquelles j'étais le plus attaché. Les installer
en juillet permettait de les trouver opérationnels à l'automne. Je ne voulais pas perdre une seconde. Je pensais,
notamment, et depuis plusieurs années, à une réforme de
notre Constitution que je voulais majeure. D'abord, parce
que je croyais que nos règles constitutionnelles devaient
évoluer. Les graver dans le marbre est sans doute nécessaire pour le corpus général mais, à l'intérieur, il y a
toujours matière à innover, à dépoussiérer, à moderniser.
Je ne voulais pas entendre parler d'une VIe République
qu'appelaient de leurs vœux tous ceux qui détestaient
le général de Gaulle, et ce qu'il nous avait légué de plus
important : la Constitution de la Ve République. Je
souhaitais en préserver l'architecture générale, l'esprit,
la logique mais, pour moi, il n'y avait rien de sacrilège
à modifier ce qui avait vieilli, à supprimer ce qui était
devenu obsolète, à ajouter tout ce qui ne pouvait exister
en 1958 et en 1962 mais qui était devenu bien réel en
2007. Je connaissais l'argument rituel selon lequel cela
n'intéressait pas les Français, qui n'avaient que faire de
ces débats de juristes et de politiciens. Je n'en croyais pas
un mot. J'avais mes priorités en tête, et je n'en démor-
dis pas. Un dernier obstacle m'était présenté, et pas des
moindres, puisqu'il s'agissait de la procédure propre à
la réforme constitutionnelle, dont je savais à quel point
elle était complexe, et quels efforts il faudrait développer
pour en triompher. En effet, j'excluais dès le début, en

tout cas dans ma tête, la procédure référendaire, trouvant pour le coup le sujet trop complexe pour le réduire à une question à laquelle il aurait fallu répondre par un oui ou par un non. Dans ces conditions, il me restait donc la redoutable procédure parlementaire, qui exigeait d'abord un vote conforme sur un texte identique par l'Assemblée nationale et le Sénat, puis une réunion du Congrès qui devait se prononcer à la majorité des 3/5e ! Il me fallait donc toutes les voix de la majorité, sans qu'il en manquât une seule, et sans doute quelques suffrages qu'il faudrait décrocher sur les bancs de l'opposition... Je savais la tâche rude. Beaucoup autour de moi la pensaient même impossible. Il était difficile de leur donner tort. Je mis donc un soin particulier à préparer et à baliser les chemins qui devaient conduire à l'adoption de cette réforme constitutionnelle. La première étape consista à installer un comité de réflexion et de proposition sur la modernisation et le rééquilibrage des institutions de la Ve République.

Je souhaitais que des spécialistes puissent travailler librement, lancer quelques débats, agiter le milieu des constitutionnalistes, voir comment tout ceci réagirait, et en tirer ensuite les conséquences concrètes et pratiques. Le choix du président fut aisé puisque, dans mon esprit, il ne pouvait s'agir que d'Édouard Balladur, en qui j'avais une grande confiance, qui partageait peu ou prou mes convictions et qui savait parfaitement organiser des travaux de réflexion très pointus, le tout sans jamais se laisser déborder. La composition dudit comité fut complexe à mettre en œuvre. Je la voulais crédible, et en même temps diverse pour épouser le spectre le plus large. J'insistais beaucoup pour que Jack Lang en fît partie. J'avais besoin d'un homme de gauche incontestable pour bien montrer que ce travail n'était pas partisan. C'était l'une des conditions du succès final. Autrement dit, si bien commencer la procédure de réforme constitutionnelle n'était pas une garantie de réussite, mal la débuter était la quasi-certitude d'un échec cuisant à l'arrivée. Jack Lang appartenait au Parti socialiste, ses titres de mitterrandien n'étaient plus à démontrer, et ses compétences demeuraient au-dessus de tout soupçon puisqu'il pouvait brandir son doctorat et son agrégation de droit à qui aurait voulu les contester. Je réussis à le convaincre en lui donnant ma parole que ma main ne tremblerait pas au moment de décider en faveur de la question prioritaire de constitutionnalité, dont il ne se consolait pas qu'en deux septennats François Mitterrand n'ait pas réussi ou pas voulu la faire aboutir.

Dans mon discours d'installation du comité Balladur à l'Élysée, je fixais le cadre et plaidais largement en faveur d'évolutions qui allaient même plus loin que ce que j'avais imaginé pendant la campagne. Je me disais en effet que, quitte à prendre le risque d'une réforme constitutionnelle, autant qu'elle en vaille vraiment la peine par son ambition et son importance. Je demandais d'abord que les pouvoirs du président de la République s'exercent de façon plus transparente et qu'ils soient encadrés par de réels contre-pouvoirs, ce qui n'était pas le cas. À ce titre, je souhaitais vivement que le président ait la possibilité de venir expliquer lui-même sa politique devant le

Parlement. Je trouvais curieux, pour ne pas dire davantage, que je puisse m'exprimer au nom de la France devant
les Parlements du monde entier, à l'exception notable de
celui de mon pays. Tout ceci n'avait plus aucun sens, et ne
servait qu'à masquer l'illusion d'un Premier ministre seul
responsable politique. L'opposition m'accusa immédiatement de dérive monarchique, me reprocha de vouloir
un parlement à genoux, à mes pieds. Curieusement,
devenu président, François Hollande oublia ses déclarations enflammées et se rendit devant le Congrès pour
y prononcer son discours en application d'une réforme
constitutionnelle qu'il avait violemment combattue !
Cette contradiction ne le gêna nullement. Sans doute
pensait-il que, puisque c'était lui, le danger monarchique
était ainsi évité. Et de fait, comment imaginer « un roi
normal » ? Je poursuivais la logique des contre-pouvoirs
en demandant que, pour la première fois dans l'histoire
de la République, la Cour des comptes puisse pénétrer à
l'intérieur de l'Élysée pour y vérifier l'usage des deniers
publics par le président. Aussi invraisemblable que ceci
puisse paraître, nul n'avait songé à mettre un terme à cette
incongruité. Les comptes de l'Élysée n'étaient contrôlés
par personne. René Dosière, député socialiste, et vigilant
censeur de mon quinquennat, n'avait apparemment pas
été choqué de l'opacité complète des quatorze années
de François Mitterrand au Palais. Je voulais imposer
ce changement de pratique. À l'un de mes amis qui me
mettait en garde contre cette innovation et les risques
qu'elle pouvait présenter, je répondis : « Je le fais aussi
pour me protéger de mes propres collaborateurs et de la

tentation qu'ils peuvent éprouver de satisfaire par principe toutes les demandes du président. » Ce contrôle de la Cour des comptes me semblait conforme aux règles républicaines, et finalement protectrices, du président. Je continuais dans la même veine, souhaitant la limitation du nombre de mandats successifs à l'Élysée. J'avais beaucoup réfléchi à cette question. Je crois intimement que le pouvoir est dangereux en soi, surtout quand on s'y habitue. J'avais été très impressionné par la fin assez triste de Margaret Thatcher qui, après onze années passées au 10 Downing Street, s'était exclamée à la télévision les yeux embués de larmes : « Personne ne m'a parlé, personne ne m'a averti de ce qui se tramait dans mon dos, au sein de mon groupe de parlementaires. » Elle se trompait. Ce n'était pas qu'on ne lui avait pas parlé, mais bien plutôt qu'elle n'écoutait plus ! Dix années successives au sommet du pouvoir, c'est un bail déjà très long. Le slogan populaire, « Dix ans, ça suffit », était en fait assez réaliste. Je pensais cette évolution inévitable, mais avec l'omniprésence de la médiatisation qui ne fait qu'accélérer l'usure propre au pouvoir, c'était devenu encore plus urgent. Tenir dans ces conditions un temps si long était déjà une forme d'exploit. Alors davantage... Il était même inutile d'y penser. Cela m'apparaissait vraiment une exigence de pur bon sens.

Je voulais enfin et surtout renforcer significativement les pouvoirs du Parlement. J'estimais que ceux-ci avaient été beaucoup diminués par les conséquences du quinquennat et du calendrier qui mettaient désormais les législatives juste après la présidentielle. *De facto*, ces deux événements avaient renforcé l'emprise du président sur ses députés. Si on y ajoutait les mesures de procédure comme le 49-3 et le quasi-monopole de l'ordre du jour parlementaire entre les mains du gouvernement, cela finissait par être trop, et même beaucoup trop ! Je proposais que l'ordre du jour soit partagé à parts égales entre les parlementaires et l'exécutif. C'était à mes yeux un minimum, et encore, à titre provisoire. Dans mon esprit, j'étais certain que viendrait le jour où l'Assemblée nationale comme le Sénat deviendraient intégralement maîtres de leur agenda, comme du choix des textes à discuter. Comment imaginer au XXIᵉ siècle un Parlement qui ne peut débattre librement de ce qui l'intéresse ? Avec le fait majoritaire, cette évolution me paraissait aussi inéluctable que souhaitable. J'évoquais aussi la question du 49-3 pour indiquer que je considérais l'emploi de cette arme de procédure comme un aveu de faiblesse d'un gouvernement incapable de se faire entendre de sa majorité, donc de ses propres amis. De fait, j'ai toujours refusé son utilisation durant les cinq années de mon quinquennat, y compris pour la réforme portant l'âge de départ à la retraite de 60 ans à 62 ans. Pourtant, la tentation a existé. François Fillon comme Bernard Accoyer, alors président de l'Assemblée nationale, y avaient pensé. J'ai considéré que les inconvénients seraient plus lourds que les avantages. Je l'ai donc écarté. Hommage soit rendu, à cette occasion, à la majorité parlementaire qui m'a constamment soutenu et suivi, sans que j'aie eu besoin de la contraindre plus que de raison !

Je posais ensuite la question du statut, et des moyens de l'opposition. Avec l'ouverture, j'avais créé une première brèche dans l'aspect monolithique de la majorité au sein des institutions gaullistes. Je voulais aller plus loin. Tous les pouvoirs dans les mains d'un seul camp politique, ce n'est pas sain. Une opposition réduite à jouer les utilités, c'est contre-productif pour l'avenir, car cela déresponsabilise et infantilise le débat démocratique. Être éloigné de toutes sources d'informations et de pouvoirs ne prépare pas à l'exercice de responsabilités gouvernementales futures. La qualité des échanges et des débats en pâtit. Chacun est ainsi encouragé à penser et à dire des choses qui ne correspondent en rien à la réalité. Je troublais assez profondément ma majorité en annonçant que je souhaitais qu'à l'avenir la présidence de la commission des finances soit réservée à une personnalité appartenant à l'opposition. Ainsi, cette dernière bénéficierait de toutes les informations économiques et financières dont elle avait besoin pour critiquer le gouvernement et pour préparer son propre programme. C'était pour le coup une avancée démocratique majeure. Beaucoup de mes amis suffoquèrent de rage. Ils avaient déjà eu à accepter des ministres qui avaient fait campagne contre nous, et voici que, maintenant, je leur demandais d'abandonner toute prétention sur la présidence de la plus prestigieuse des commissions au Sénat comme à l'Assemblée nationale. C'en était vraiment trop, d'autant que le poste en question servait souvent d'antichambre à ceux qui rêvaient de devenir secrétaire d'État au Budget ou mieux encore... Je dus faire face à une fronde menée par le président du groupe UMP à l'Assemblée nationale, Jean-François Copé. Il ne voulait pas en entendre parler. Nous avions gagné. C'était donc pour nous. Tout le reste n'était que lâcheté politique. Pour lui, la logique était claire, il fallait tout prendre. Loin de me détourner, cette réaction me conforta dans ma volonté d'aller au bout de cette nouvelle ouverture. En l'occurrence, Jean-François Copé n'était pas pire que les autres. Il était simplement comme tous les autres, qui ne voyaient pas combien cette appropriation exclusive du pouvoir exaspérait les Français et les portaient aux comportements les plus violents. Je crois vraiment que la force comme le courage en politique tiennent d'abord en la capacité à maîtriser le pouvoir qui vous échoit momentanément, et à ne pas hésiter à le partager dans des proportions raisonnables pour faire comprendre à soixante-huit millions de Français que, d'une façon ou d'une autre, ils sont nombreux à être représentés au sein de nos institutions républicaines.

J'observe avec plaisir que nul n'est revenu sur cette pratique « civilisée ». Depuis, chacun a pu à son tour l'utiliser et en apprécier les bienfaits. C'est une idée pourtant simple à comprendre, mais si difficile à intégrer dans son esprit. Quand on est au gouvernement, on ne devrait jamais oublier que, sous peu, il faudra retourner dans l'opposition. À l'inverse, il est inutile de se morfondre une fois devenu opposant, car forcément, un jour, il y aura un retour aux responsabilités.

Je proposais quelques autres aménagements qui, pour être moins importants, n'en étaient pas moins significatifs de la rupture que je souhaitais en ce domaine comme en d'autres. Je demandais notamment que le président de la République soit définitivement déchargé de la présidence du Conseil supérieur de la magistrature, à qui revenait la responsabilité de la nomination des magistrats aux postes de responsabilité les plus importants. Même si au fil des années son rôle était devenu plus symbolique, cela restait un symbole choquant pour qui souhaitait défendre l'indépendance de la Magistrature. Seulement, à mes yeux, cette indépendance ne devait pas être garantie qu'envers le seul exécutif. Elle le devait aussi à l'endroit des forces politiques et des centrales syndicales. On est indépendant ou on ne l'est pas ! Et si on l'est, c'est de tous et de toutes. C'est une des raisons pour lesquelles je souhaitais que les magistrats soient minoritaires au sein de ce Conseil supérieur. Malheureusement, les syndicats de magistrats, et notamment le premier d'entre eux, règnent en maîtres quasi absolus sur un corps de huit mille personnes qui mériterait un système de nomination tenant bien davantage compte du mérite, du travail, de la qualité des décisions plutôt que d'amitiés corporatives et syndicales de moins en moins souterraines, donc de plus en plus incongrues. Dans le même esprit, je souhaitais être déchargé du droit de grâce collectif, qui me semblait appartenir à un autre temps, et ne conserver que le droit de grâce individuel, qui pouvait répondre à des situations humaines de grande détresse.

La question des nominations à des postes sensibles et importants me préoccupait depuis longtemps. Je ne voulais certes pas renoncer à cette prérogative essentielle de l'exécutif. Après tout, il était naturel de vouloir s'appuyer sur des femmes et des hommes en qui l'on avait confiance plutôt que le contraire, mais je souhaitais réduire le sentiment généralisé du « fait du Prince », qui faisait des ravages dans l'opinion publique. Trouver le juste équilibre était loin d'être simple. C'est la raison pour laquelle j'ai proposé d'instaurer une réelle transparence dans le processus de nominations à la tête des établissements publics, des entreprises publiques et des autorités indépendantes. Le système était limpide. Le chef de l'État devait proposer un nom. La personne dont la promotion était envisagée se trouvait alors auditionnée par les commissions compétentes des deux chambres du Parlement. Un droit de veto était possible pour le Parlement, ce qui obligeait la majorité et l'opposition à se mettre d'accord. Je me demande encore pour quelle raison ce système a été abandonné en ce qui concerne la présidence de France Télévisions, pour revenir à une désignation par une autorité dite indépendante (qui ne l'est pas toujours... et même pas souvent), et qui ne bénéficie pas, à la différence du président et des parlementaires, de la légitimité conférée par le suffrage universel. Toutes les combinaisons et les petits arrangements ont repris de plus belle. La première nomination de Delphine Ernotte demeura de ce point de vue le contre-exemple parfait de ce qu'il aurait fallu mettre en œuvre. La personne n'est pas en cause car elle a beaucoup de qualités. Les conditions de sa promotion, si ! Dans l'avenir, il faudra revenir à ce système de nomination qui oblige le pouvoir exécutif à prendre et à assumer ses responsabilités, et autorise le

Parlement à exercer un contrôle vigilant. Le tout sous le regard de l'opinion, puisque tous les débats sont publics.

Il restait enfin le sujet, central à mes yeux, du Conseil constitutionnel, de son rôle, de son évolution future, de sa composition et de la fameuse question prioritaire de constitutionnalité.

Cette dernière était devenue un véritable serpent de mer. Elle apparut pour la première fois dans les 101 propositions du candidat Mitterrand en 1981. Elle fut reprise dans sa lettre aux Français de 1988 sans davantage de succès. Autant de fois promises, autant de fois remises ! Lionel Jospin lui-même en avait fait un élément important de son programme de 2002. À l'inverse, je n'en avais pas parlé dans ma campagne, même si j'avais toujours suivi le sujet de fort près. La situation était en effet choquante en ce qu'un citoyen français pouvait saisir les juridictions européennes de l'inconventionnalité d'une loi française qui lui portait un préjudice mais ne pouvait en appeler aux juridictions nationales au sujet de ce même préjudice sur le terrain constitutionnel ! C'était absurde. Je reconnais cependant que le problème n'était pas simple. D'abord parce que cela revenait à faire du Conseil constitutionnel une Cour suprême, ou au moins à le mettre sur le chemin de cette évolution. Ensuite, parce que cela consistait à placer ce dit Conseil au-dessus de la Cour de cassation et du Conseil d'État, ce qui pouvait donner le sentiment de s'attaquer à deux fameux bastions, et représentait une incontestable difficulté supplémentaire. Enfin, il y avait la redoutable question du filtre. La possibilité d'un recours, c'était une liberté supplémentaire. Mais à l'inverse, trop de recours, et c'était l'instabilité juridique assurée. Mon entourage était très divisé, en tout cas pour ceux qui professaient un avis sur ce sujet rapidement obscur pour le commun des mortels. Henri Guaino était déchaîné contre cette idée, dénonçant avec force un futur gouvernement des juges qui représentait à ses yeux ce qu'il y avait de plus antidémocratique. Je dois confesser avoir été longtemps hésitant, pour finalement basculer sans regret en faveur de ce que l'on dénomme aujourd'hui la QPC. Depuis, la rapidité de son appropriation par les Français m'a stupéfié. On parle aujourd'hui de la QPC comme si elle avait toujours existé. Elle représente un progrès majeur de notre droit. Il ne viendrait à l'idée de personne de la retirer. Même les plus hostiles en sont devenus des soutiens vibrants. Ainsi, lors d'une cérémonie de vœux qui se tenait à l'Élysée, où le Conseil constitutionnel venait présenter les siens à Emmanuel Macron par la voix de son président Laurent Fabius, ce dernier s'approcha de moi et, encore sous le coup de l'émotion provoquée par le discours qu'il venait de prononcer vantant le bilan de « son Conseil », me tint le propos suivant : « Vous savez que la question prioritaire de constitutionnalité est un immense succès. Il s'agit d'un progrès majeur dans le fonctionnement de notre État de droit ! » Je lui répondis avec un large sourire : « Je partage pleinement votre avis. Quel dommage qu'alors que vous étiez parlementaire, vous ne l'ayez pas voté, et que dans la foulée vous ayez fait bruyamment campagne contre la réforme constitutionnelle qui l'introduisait dans notre droit ! » Il accusa si fortement le choc que je me suis même demandé s'il n'avait pas oublié « son vote ». Puis, reprenant ses esprits, il conclut : « C'était de la politique. » Belle démonstration de cynisme, et d'absence de convictions. Jack Lang fut autrement cohérent, et surtout courageux. Il assuma son choix de bout en bout, n'en déviant pas d'un centimètre. Il alla même jusqu'à reconnaître avec une grande honnêteté : « Sarkozy a fait ce que nous n'avons pas eu le courage de mettre en œuvre ! » Jacques Attali écrivit à la fin de mon quinquennat : « À la différence de ceux de François Mitterrand, le mandat de Sarkozy ne fut marqué par aucun progrès sur le plan des libertés publiques. » Or, comme nous entretenons des relations amicales depuis des années, je lui téléphonai pour lui rappeler la QPC, et donc son oubli. Avec élégance, il me répondit : « Tu as raison. Je l'avais oubliée. J'ai donc été injuste ! » Il y avait cependant du vrai dans son analyse initiale, car la QPC est curieusement passée inaperçue. Plusieurs raisons l'expliquent. La droite dans son ensemble ne s'est peut-être pas assez intéressée à ces sujets de progrès dans les libertés publiques. La chose était de surcroît sans doute trop technique pour être médiatisable. À cela s'ajoutait que beaucoup pensaient que la « sécurité publique » était le contraire de la « liberté publique ». Alors que c'est tout l'inverse, puisque l'un a toujours besoin de l'autre en tout cas en termes de contreparties. Le résultat fut que la QPC s'installa sans que la gauche ne la revendique, et pour cause : elle avait failli tant de fois à ses promesses, et sans que la droite ne s'en réclame pour autant. Les Français ont donc eu un temps l'impression qu'elle était née toute seule. En quelque sorte sans géniteur. C'était bien sûr inexact, puisqu'elle fut la conséquence directe de la réforme constitutionnelle de 2008.

D'ailleurs, y compris au sein du gouvernement, peu nombreux étaient ceux qui en avaient saisi l'importance. Ni le Premier ministre ni le garde des Sceaux de l'époque n'eurent l'idée d'associer leurs noms à ce changement majeur de notre droit. C'était bien dommage ! La QPC a permis la réappropriation de notre corpus institutionnel par les citoyens. Elle a renforcé la position de la France dans le dialogue avec les juridictions européennes. Avant, il fallait passer au-dessus du niveau national pour faire trancher par ces dernières une question relative aux libertés publiques. Cette incongruité est désormais derrière nous. La QPC n'a depuis donné lieu à aucun excès. Je crois pouvoir affirmer qu'il n'y a pas eu une liberté plus importante accordée aux citoyens français depuis trente ans. Au moment de son adoption, son importance n'a pas été mesurée. Douze années après, avec le recul que nous avons acquis, je peux ranger la QPC comme l'une des réformes majeures de mon quinquennat. Le temps qui passe n'apporte pas que du négatif !

Au fur et à mesure des semaines et des mois, la réforme prenait de l'ampleur et de la consistance. J'étais de plus en plus persuadé de la pertinence et de l'opportunité de ce saut institutionnel. Édouard Balladur me remit son rapport comme prévu. Il était intelligent, solide, sérieux. Il pesait parfaitement les différentes problématiques en s'abstenant de les trancher. Je reconnaissais là le tempérament balladurien, mais aussi, et peut-être surtout, sa volonté de me laisser ma liberté entière. Ce qui m'était tout à la fois utile et précieux. J'avais les mains libres. Il me restait simplement à appuyer sur le bouton pour déclencher la procédure. Après avoir hésité sur ce sujet aussi, je décidai finalement de renoncer à introduire une dose de proportionnelle pour les élections légis-latives. Il y avait assez d'« irritants » pour ma majorité pour que je n'en rajoute pas. Je choisis également de ne pas persévérer sur le chemin qui pouvait conduire à la disparition du poste de Premier ministre. J'étais déjà à chaque instant accusé d'être caricaturalement « omnipré-sident ». Toucher à la fonction du locataire de Matignon n'aurait fait qu'aggraver les choses. Là encore, c'eût été contre-productif. Cependant, je persistais en mon for intérieur à penser que la fonction avait perdu beaucoup de son utilité avec le quinquennat. Le mandat était devenu trop court pour nécessiter ce « fusible » politique. En tout cas, cela ne présentait plus la même nécessité qu'avec le septennat. De surcroît, j'avais observé que Matignon était devenu un obstacle plutôt qu'une aide pour l'Élysée. En effet, l'équipe de collaborateurs du Premier ministre expliquait, dès qu'il fallait dire non à une demande d'un parlementaire, « qu'ils auraient été heureux de pouvoir le faire, mais que, hélas ! le château, comprenez l'Élysée, ne le voulait pas ! » C'était humain, sans doute inévitable mais cela compliquait la fluidité des rapports avec la majorité parlementaire. J'ai dû tout au long du quinquennat contourner le problème en multipliant les invitations collectives ou individuelles de parlementaires. Cela prenait beaucoup de temps et relançait à chaque fois le débat sur les rôles respectifs du président et du Premier ministre. Seul point positif, François Fillon ne se plaignait jamais de ces réunions. Il avait assez habilement choisi d'endosser le costume de l'homme qui souffrait en silence, avec dignité. Il le fit parfaitement. Avec sa prudence, et sans doute plus de lucidité que moi sur les risques politiques encourus, François Fillon n'était guère enthousiasmé par la perspective de la réforme constitutionnelle. Il en percevait tous les obstacles qu'il imaginait difficilement surmontables. De plus, je devinais que sa posture de « gaulliste intransigeant » ne le mettait pas très à l'aise avec mes projets de réforme de la loi suprême. À ses yeux, c'était donc dangereux, et, assez inapproprié. Je dois à la vérité de dire qu'il s'agit davantage de mon interprétation que le résultat d'un discours argumenté qu'il m'aurait tenu. Pas davantage sur ce sujet que sur tous les autres, François Fillon ne manifestait ouvertement ses désaccords. Je les apprenais par des confidences des uns et des autres, ou plus souvent par les « sorties de route » de tel ou tel de ses proches qui, avec son accord tacite plus souvent qu'explicite, se chargeait de donner son opinion réelle en critiquant la dernière de mes initiatives. L'ancien parlementaire Jean de Boishue était le spécialiste attitré en la matière. Rémunéré comme collaborateur par Matignon, son travail consistait à expliquer que, dans le couple exécutif, il y avait « un méchant et un gentil ». On comprenait vite la répartition des rôles, en tout cas à ses yeux. Il remplissait sa tâche inlassablement, mais sans la finesse qui l'aurait pourtant rendu plus efficace. J'ai vite compris que je serais plutôt seul pour mener à bien cette réforme, à laquelle je tenais de plus en plus. Autrement dit plus j'y travaillais, plus j'étais convaincu de sa nécessité. Les premières étapes furent franchies sans trop de difficultés. Nous obtînmes ce qui était un minimum, les votes de l'Assemblée et du Sénat. Il y avait eu des protestations, des abstentions, quelques votes contre mais rien de très sérieux, en tout cas à ce stade. La suite promettait d'être une tout autre histoire car, pour atteindre la majorité des 3/5e, il ne fallait aucune perte en ligne. Ici commença un long chemin de croix, semé de multiples palabres, de discussions interminables. J'avais plusieurs catégories de réfractaires. La plus facile à contenter était sans conteste celle constituée de ceux qui comptaient marchander leurs votes, autrement dit profiter de l'importance de leur suffrage personnel. Ce n'était pas très élégant, mais je pouvais le comprendre. Il s'agissait pour l'essentiel de parlementaires bien implantés dans leurs territoires, très attachés à leur circonscription, qui ne nourrissaient aucune ambition nationale. Cette catégorie était plus nombreuse que je ne le croyais. Elle était silencieuse, assez rarement présente sur les bancs du Parlement, toujours sur le terrain. Leurs doléances étaient multiples. Pour les uns, c'était une école à ne pas fermer, un hôpital communal à ne pas transférer, un arrêt supplémentaire sur le parcours d'un TGV, un amendement à accepter, une catégorie supérieure de collectivités à intégrer... La variété des demandes était infinie. Heureusement, le nombre des demandeurs ne l'était pas. Après tout, comment reprocher à un parlementaire de vouloir défendre les intérêts de ceux qui l'avaient élu ? À leur manière, ils faisaient leur travail d'élus de la nation en s'inspirant de la fameuse réplique de l'inamovible ancien député de Paris, Édouard Frédéric-Dupont : « Nous sommes les relations de ceux qui n'en ont pas. » La seconde catégorie était plus difficile à réduire. Il s'agissait de tous ceux qui me reprochaient de ne pas avoir fait droit à leurs demandes de promotion. En matière d'ambitions contrariées, même après seulement un an à l'Élysée, c'était plutôt le trop-plein que le manque. Alain Lambert, alors sénateur-maire de la ville d'Alençon, était l'un des plus irascibles. Comment avais-je pu passer à côté de son talent ? Voilà la question qu'il posait fréquemment. Que je ne l'aie pas choisi comme ministre du Budget, voire des Finances, était vécu par lui comme une offense personnelle. Il m'indiqua la profondeur de sa déception. Je sentais bien davantage la réalité de sa détestation à mon endroit. C'était curieux car, avant de devenir un éphémère ministre de Jean-Pierre Raffarin, il s'agissait d'un homme pondéré, calme et plutôt bienveillant. Je n'aurais jamais imaginé que pareille évolution fût possible. C'est en cela que la politique est souvent une forme de tragédie. Elle met les personnalités à l'épreuve « des hauts et des bas ». Des grandes chaleurs, et des froids les plus violents. Certains n'y résistent pas. Il était de ceux-là. Je devais donc m'armer de patience. Faire preuve d'humilité en appelant aux sentiments affectueux qui nous avaient liés autrefois. Alain Lambert n'était pas le seul, il y en avait d'autres. Il fallait pour eux plusieurs appels, voire plusieurs rendez-vous, et toujours garder le contact au moins jusqu'au jour du vote, pour ne pas prendre le risque qu'ils changent d'avis. La troisième catégorie était sans doute la plus difficile, car elle était vraiment convaincue de la justesse de ses positions ! Beaucoup se recrutaient à l'intérieur de l'amicale gaulliste de la plus stricte obédience. Ils étaient émouvants de fidélité et de constance mais, à mes yeux, ils n'avaient pas compris la philosophie profonde du général de Gaulle, qui toujours avait été faite de ruptures complètes et d'adaptations constantes. Les conversations commençaient avec la même antienne : « Président, je te serai toujours fidèle, mais mes convictions profondes m'interdisent de voter ta réforme constitutionnelle. » J'expliquais sans relâche que si je devais tenir compte « des convictions profondes » de chacun, il n'y aurait plus de majorité ni de gouvernement. Et que si par ailleurs on partait de ce principe, ayant été élu par les Français dans leur ensemble, mes convictions devaient primer sur celles des élus par circonscription ! Parfois, je n'étais pas aussi calme. Je pouvais être excédé, et dire à mon interlocuteur : « Tes idées, si tu savais à quel point je m'en moque ! Je te demande de faire de la politique. Si la réforme ne passe pas, cela sera un gros échec pour moi, et par ricochet pour toi aussi ! » Je n'en suis pas fier, mais je dois reconnaître que cela pouvait m'arriver. Curieusement, ce n'était pas toujours contre-productif. Parfois, cela fonctionnait. « Ne t'énerve pas, me disait alors mon interlocuteur du moment. J'ai compris, tu peux compter sur moi. »

À chaque voix gagnée, j'étais tellement heureux que je me confondais un peu ridiculement en remerciements. J'aurais pu les embrasser... Le dernier week-end avant le vote, nous avions décidé de partir trois jours au Maroc avec Carla. Le temps était splendide. Nous étions tellement heureux de cette parenthèse enchantée à Marrakech. Au bout de deux jours, Carla me demanda cependant : « Pourquoi as-tu voulu que nous venions tous les deux ? Depuis 48 heures, tu passes ton temps au téléphone ! » Elle disait vrai. Je m'excusais en lui expliquant l'enjeu de la réforme au moyen d'une image empruntée au film de Woody Allen *Match Point* : « Te souviens-tu de la partie de tennis quand la balle heurte la bande blanche du filet ? Elle hésite et, finalement, tombe du bon côté. Ce n'est pas le hasard, c'est parce que le joueur a mis tout son poids dans la balle. Eh bien, c'est ce que je suis en train de faire. L'issue sera très, très juste, je dois moi aussi mettre tout mon poids ! »

La veille du vote, Bernard Accoyer, qui présidait le Congrès en tant que président de l'Assemblée nationale me téléphona. « J'ai bien réfléchi, j'ai l'intention de ne pas participer au scrutin. Cela me semble plus digne. » J'explosai en lui répondant : « As-tu perdu la tête ?! Cela va se jouer au plus infime écart. Ton devoir est de voter. Imagine que l'on perde parce que tu n'aurais pas exprimé ton choix ! » En raccrochant, je me suis vraiment demandé ce qui avait bien pu lui passer par la tête. Le déroulement du vote me conforta dans mon analyse initiale, puisque nous ne l'emportions que d'une seule voix ! J'avais eu chaud. Une fois encore, la différence entre le succès et la défaite s'avérait minime. Le chef de file des députés socialistes, Jean-Marc Ayrault, se surpassa en déclarant : « Une voix pour réformer la constitution, c'en est presque pathétique ! » Il oubliait de préciser qu'il s'agissait d'une voix au-dessus des 65 % des suffrages. La vérité, c'est que nous l'avions emporté. La Constitution était réformée. Mon pari était gagné. J'en étais sincèrement heureux. J'observe que, depuis, personne n'a même tenté une réforme de ce type, tant les conditions à réunir pour son succès sont immenses. Mais le dernier mot doit revenir à Jack Lang : « Le projet de réforme qui a été soumis au Congrès de Versailles comprend cinquante propositions qui, toutes, marquent une avancée positive et, parfois, plus audacieuse que ne l'était le projet socialiste de juin 2006. » On ne saurait mieux penser, et surtout mieux dire...

*
* *

Tout au long du mois de juillet 2007, je m'étais installé à la Lanterne. J'y rentrais tard le soir chaque fois que je n'étais pas en déplacement à l'étranger. J'en partais tôt le matin, soit pour me rendre à l'Élysée, soit pour prendre un avion à Villacoublay, qui se trouvait seulement à quelques minutes. J'essayais d'y demeurer tranquille le week-end pour y recevoir des interlocuteurs dont je voulais solliciter l'avis, pour y travailler les dossiers qui demandaient plus de temps à maîtriser, ou, simplement, pour me reposer. Je pratiquais mon jogging quotidien dans l'immense parc de Versailles. Les huit cents hectares représentaient avec ses innombrables chemins dans la forêt un réservoir inépuisable d'itinéraires variés. Je pouvais voir *in situ* la magie des perspectives imaginées par Le Nôtre. Et puis tout d'un coup, au détour d'une petite route, le château de Versailles apparaissait dans sa splendeur. Je crois connaître chaque bassin, chaque recoin, chacun des lieux merveilleux de ce parc entretenu avec un soin remarquable. J'aime le château et le domaine. Je les apprécie infiniment plus de l'extérieur que de l'intérieur. En effet, je n'ai jamais pu me défaire d'un sentiment de tristesse chaque fois que j'ai pénétré à l'intérieur du château lui-même. Les proportions y sont admirables. La galerie des Glaces est un joyau. Faisait-il pourtant bon y vivre ? J'en doute. En fait, je trouve que cet ensemble prend toute sa dimension dans son écrin de verdure, et dans sa perspective. En 2007, le printemps comme l'été ont été splendides. Souvent nous dînions dehors dans le petit jardin de la Lanterne. J'avais l'impression d'y être en vacances, même si je sentais que plus rien ne plaisait à Cécilia. Elle eut l'idée étrange de passer nos vacances d'août aux États-Unis avec des amis qui y avaient loué une maison. J'aurais pu m'y opposer. Je ne l'ai pas fait. Nous partîmes donc pour quelques jours à Wolfeboro. L'endroit était magnifique, peuplé de lacs et de forêts, à deux heures par la route de Boston. Mais l'idée était maladroite politiquement, et, de surcroît, elle ne fit qu'accélérer la dégradation de nos rapports. Je n'ai eu durant ce séjour que deux moments de répit. Le premier, quand je dus précipitamment retourner à Paris pour les obsèques du cardinal Lustiger. J'étais arrivé aux États-Unis le 2 août, et le 5 l'archevêque de Paris mourait des suites d'une longue maladie. C'était un homme que j'avais appris à connaître, et à apprécier. Il était une autorité morale dont l'éclat allait bien au-delà de la seule communauté chrétienne. Sa parole était entendue et respectée. Il bénéficiait d'une qualité somme toute assez rare, le courage. Il disait ce qu'il pensait, et s'exprimait toujours en termes compréhensibles. De plus, il était tolérant en même temps que bienveillant. Il ne portait pas de jugements à l'emporte-pièce. Sa pensée était nourrie des multiples références que sa grande culture lui autorisait. Je l'avais connu quand, ministre de l'Intérieur, j'avais eu à régler l'épineuse question de l'occupation des églises par des immigrés en situation irrégulière. C'était un casse-tête. Les catholiques se trouvaient écartelés entre le devoir de charité et d'accueil, et le refus d'être pris en otage à travers leurs bâtiments les plus sacrés. Nous avions tous les deux établi un *modus operandi* fondé sur la rapidité d'exécution, qui avait fini par régler la question des occupations. J'aimais me rendre à son domicile de l'évêché de Paris pour partager un repas de qualité, mais toujours assez frugal. Je lui devais cette traversée de l'Atlantique, car je voulais m'incliner sur sa dépouille. Je tenais aussi à saluer et à souligner l'importance et la place de l'Église dans la société française. Je ne pratique pas mais j'aime les rites religieux. J'apprécie la ferveur populaire qui est propre aux grands rassemblements organisés par l'Église de France. Depuis les années 1960, elle avait été tellement attaquée, moquée, réduite au silence. C'était profondément injuste, et assez souvent vulgaire. On ne peut pas dire que ceux, innombrables, qui l'ont remplacée dans le débat public aient eu beaucoup de choses tellement plus intéressantes à dire, ou en tout cas qui méritait d'être entendues. Quand je suis arrivé directement de l'aéroport aux portes de Notre-Dame, celui qui allait devenir le cardinal Vingt-Trois m'accueillit par ces mots chaleureux : « Merci d'avoir traversé l'Atlantique pour Jean-Marie Lustiger, et pour l'Église de France. » Nous étions sur le parvis de Notre-Dame, une foule nombreuse et recueillie était rassemblée pour son évêque. Malgré le mois d'août, les chrétiens avaient tenu par ce dernier geste à honorer la dépouille de celui qui fut l'un des plus grands cardinaux de Paris. Cet aller-retour ne fut pas un effort pour moi. Je respectais beaucoup ce grand homme d'Église. J'étais heureux de me sentir membre de la communauté chrétienne, surtout pour une telle occasion.

La seconde parenthèse fut plus légère, ou du moins plus festive. George W. Bush, apprenant que nous étions aux États-Unis en vacances, avait eu l'idée réellement attentionnée de nous inviter dans sa propriété familiale au bord de l'Atlantique, très exactement à Kennebunkport dans le Maine. Ce n'était pas très éloigné de l'endroit où je me trouvais ; il fallait malgré tout 1 h 30 de voiture pour atteindre cette magnifique demeure donnant tout droit sur l'océan. La maison était typique, en tout cas c'est l'idée que je m'en faisais, de celles que possèdent les familles aisées américaines. Elle semblait confortable, solide, rationnelle, sans luxe ostentatoire. J'eus la bonne surprise de découvrir que toute la famille était intégralement présente, pas seulement George et Laura Bush. Ils avaient convié également le père, l'ancien président, et la mère, Barbara, ainsi que son frère l'ancien gouverneur de Floride. Les deux jumelles Bush étaient aussi de la partie. J'étais venu seul car le matin même Cécilia m'avait indiqué qu'elle ne se sentait pas bien et qu'elle ne viendrait pas ! Elle consentit à téléphoner à Laura pour l'en avertir. J'étais désolé pour les Bush, et gêné par le comportement de ma femme. C'est ce jour-là que j'ai compris que je ne pouvais plus continuer à fermer les yeux, qu'il faudrait trancher, et que, sans doute, le plus tôt serait le mieux.

J'avais reçu le message que la tenue vestimentaire serait décontractée. J'étais venu sans cravate, mais avec une veste. Les Bush étaient en jeans et polos. Un barbecue avait été préparé et installé dans le jardin face à la mer. George insista pour que nous fassions un tour de bateau. Le sien n'était pas très grand mais se trouvait équipé de deux puissants moteurs. Le président prit lui-même les commandes. Nous partîmes à très vive allure, je crois n'avoir jamais été aussi vite sur une embarcation. Nous étions sous la surveillance d'un imposant navire de l'armée américaine. Nous prenions tous les virages à la corde. Je devais m'agripper au bastingage pour ne pas tomber. Il y avait un peu de houle qui faisait taper la coque, accentuant le sentiment de roulis et d'instabilité. Mieux valait ne pas être sujet au mal de mer, le résultat aurait été garanti ! Je sentais George W. Bush dans son élément. Il y avait une quantité de phoques impressionnante, qui levaient la tête dans un mélange de joie et d'étonnement à notre passage. Le président des États-Unis s'est révélé pour l'occasion un pilote émérite. À mes yeux toutefois, un peu brutal. Alors que je lui demandais pourquoi nous allions si vite, il me répondit que nous n'étions pas à la moitié de la puissance de ces moteurs. Je compris instantanément qu'il pouvait donc y avoir pire... et je n'ai pas insisté davantage. La presse avait été soigneusement tenue à l'écart. C'était le domaine privé des Bush. N'y pénétrait pas qui voulait. Cela m'arrangeait bien car, seul au milieu de la famille Bush au grand complet, cela aurait encore renforcé l'étrangeté de l'absence de Cécilia.

J'étais vraiment au cœur des États-Unis. Je fis honneur aux viandes et aux saucisses qui nous furent servies en abondance, et j'étonnais mes hôtes en déclinant les canettes de Coca-Cola fournies, elles aussi, avec profusion. Je n'ai, en effet, jamais bu de cette boisson. Au dessert, George W. Bush voulut faire une déclaration. Il demanda le silence et, s'adressant à moi : « Tu vas voir Nicolas à quel point les services de contre-espionnage américains sont supérieurs à tous les autres ! » Puis, il se tourna vers la porte de l'office d'où un serveur sortit avec un plateau où se trouvait une immense glace au café : « Nous savons qu'il s'agit de ton dessert préféré. » Tout le monde éclata de rire. C'était vrai et surtout gentil, comme l'était l'invitation dans leur intimité que seul Vladimir Poutine avant moi avait connue.

Après le déjeuner, nous eûmes un entretien à trois puisque George avait invité son père à se joindre à nous. J'étais heureux de cette initiative, car j'admirais son père depuis longtemps. J'avais donc en face de moi deux présidents américains. Visiblement, ils étaient satisfaits de tourner la page des relations conflictuelles avec la France qui avaient suivi la catastrophique intervention en Irak. J'avais lu à dessein une passionnante biographie de Lafayette avant ce séjour américain. Je voulais m'imprégner de ces deux cent cinquante années d'amitié entre nos deux pays. L'ancienneté de nos relations et le prix du sang qui avait été payé des deux côtés de l'Atlantique constituaient autant de liens indissolubles. Au-delà des contingences politiques ou des désaccords sur tel ou tel dossier, l'amitié entre l'Amérique et la France a toujours eu une importance majeure à mes yeux. Et cela quelle que soit la qualité des rapports entre les présidents. Autrement dit ce n'est pas parce que les Américains ont porté Donald Trump à la Maison Blanche que l'amitié entre nos deux peuples doit se distendre. Je ne suis même pas loin de penser que nous devons à nos anciens combattants et à tous ceux qui reposent dans nos cimetières, des deux côtés de l'océan, le respect de cette ligne politique fondamentale que l'on appelle parfois « l'Axe atlantique ».

*
* *

À peine rentré à Paris, je choisis de me rendre à Plouescat pour les obsèques du patron pêcheur Bernard Jobard, disparu dans le naufrage de son bateau le *Sokalique*. Le malheureux était entré en collision avec un cargo de quatre-vingts mètres battant pavillon des îles Kiribati. Certains pourraient penser que cet événement n'a pas sa place au milieu de tous les soubresauts du monde de cette époque. Ce n'est pas mon avis. D'abord parce que je n'ai rien oublié de ces quelques heures passées en compagnie de ces familles éplorées. Ensuite, parce que ces moments partagés de grande tristesse m'ont fait mieux comprendre la réalité de cette France profonde dont il est si souvent question et que l'on connaît si mal. J'arrivai au domicile de la famille Jobard, une petite maison, comme il y en a tant dans ce petit coin du Finistère. Le cercueil était ouvert. Le mort y était allongé. Sa femme lui tenait la main. La scène était saisissante. Il y avait peut-être une dizaine de personnes dans la pièce. Toutes appartenaient au milieu de la mer. Ils étaient graves, silencieux, solidaires, et... en colère. En colère contre tous et toutes. Les armateurs, les pays qui abritaient des pavillons de complaisance, les fonctionnaires qui les harcelaient, les politiques qui ne les défendaient pas... La liste était longue. Je me recueillis quelques instants avec eux. Nous échangeâmes des mots brefs mais intenses. Je leur donnai ma parole que j'exigerais des comptes de la part des responsables. Ils me crurent à moitié. Ils furent froids et polis. Sans doute devaient-ils penser, « au moins, il est venu ». Puis, nous nous dirigeâmes vers la petite église bondée pour l'occasion. Ils étaient là par centaines, à l'intérieur comme à l'extérieur, serrés, mutiques, émus. J'avais l'impression de pouvoir lire la Bretagne à livre ouvert. La messe fut bouleversante. La veuve ne pleurait pas. Sa douleur était bien au-delà des larmes. Tout le monde se serrait autour d'eux. Il ne faisait plus qu'un. J'ai rarement ressenti l'impression d'une foule aussi totalement à l'unisson. Au moment où nous quittions l'église derrière le cercueil, retentit à tue-tête « Love Me Tender », l'inoubliable titre d'Elvis Presley. J'étais stupéfait. Au cœur de ce territoire breton, c'est le grand Elvis que la famille avait choisi pour accompagner l'être aimé entre tous à sa dernière demeure. La France profonde est moins repliée sur elle-même qu'on le croit à Paris. Aimer son terroir, y vivre, y finir sa vie ne donne pas des œillères mais des racines. J'ai beaucoup appris sur la France, sur ses peines, sur ses émotions ce jour-là à Plouescat. Les gens et les événements qui vous marquent le plus ne sont pas toujours ceux qu'on croit sur le moment.

*
* *

Nous étions déjà au rendez-vous des cent jours, tellement importants pour les observateurs et les médias et qui comptent si peu aux yeux des Français, qui comprennent parfaitement qu'ils n'ont pas élu un président pour cent jours mais pour cinq années. Chacun y alla de son appréciation, et de son pronostic. Comme les sondages étaient bons, voire très bons, les journalistes expliquaient dans leur grande majorité que j'avais mangé mon pain blanc, que ce qui allait venir serait d'une tout autre nature. Ils n'avaient pas complètement tort. Il n'y avait d'ailleurs pas grand risque à prédire que le pire était pour demain, car en politique, c'est assez souvent le cas. Ce fut un réel motif de satisfaction que de constater l'impressionnant mouvement d'adhésion à l'endroit des premiers textes législatifs que nous avions fait adopter par le Parlement. Je n'étais pas étonné, s'agissant de la détaxation et de la défiscalisation des heures supplémentaires. J'en avais fait le cœur de ma ligne politique. C'était la façon la plus simple de récompenser le travail comme les travailleurs. Pourtant, tout ce que Paris comptait de spécialistes y était opposé. La quasi-totalité de l'administration de Bercy, arguant de « l'effet d'aubaine », avait tout fait pour dénaturer mon projet. Ce fut un combat homérique pour le maintenir tel que je l'avais imaginé.

De l'extérieur de l'appareil de l'État, il est impossible d'imaginer la capacité immense de l'administration, aidée par des ministres inexpérimentés ou apeurés à l'idée de commettre une erreur, à retarder, à modifier, à affadir un projet qui ne lui paraît pas conforme à l'idée qu'elle se fait de l'intérêt du pays. Il s'agit parfois de mauvaise volonté politique, quand certains hauts fonctionnaires veulent combattre un gouvernement qui n'est pas le leur. Ce n'est toutefois pas le plus fréquent. J'ai ainsi observé qu'avec la meilleure volonté du monde, des fonctionnaires, en nombre cette fois, s'imaginent qu'ils sont l'incarnation de la pérennité de l'État, et qu'il convient de protéger celui-ci de ceux qui le dirigent. Les raisons sont multiples. Il n'y a pas assez d'argent, ou bien c'est trop risqué, ou c'est trop novateur. L'administration des Finances est la spécialiste de ce genre d'attitude. Toute dépense y est, par principe, mal vue. Et quand les fonctionnaires n'ont pu l'éviter par les arguments frontaux habituels, comme « le dispositif existe déjà », ou « cela ne servira à rien » sinon « à profiter aux plus riches », ils inventent les barèmes, les plafonnements, les conditions de ressources. Autant de stratagèmes inépuisables capables de vider un projet de son contenu en deux temps trois mouvements. Pour une raison qu'encore aujourd'hui je n'arrive pas à saisir complètement, les heures supplémentaires ont toujours été dans leur collimateur. Les fonctionnaires de Bercy étaient ainsi très précis pour expliquer avec force détails combien elles allaient coûter, mais il était impossible d'obtenir la moindre prévision sur ce qu'elles allaient rapporter, en matière de recettes de TVA notamment. J'avais beau expliquer que quand on gagne 2 000 euros par mois et que l'on reçoit 200 euros de plus au titre des heures supplémentaires, c'était beaucoup, mais qu'il fallait bien comprendre que ce revenu additionnel serait dépensé et non épargné et que cela doperait donc la première recette de l'État qui est celle de la TVA, rien n'y faisait. Je n'ai pas pu obtenir le moindre calcul, aussi approximatif soit-il. Pour les mieux disposés, ce dispositif des heures supplémentaires était inutile, pour les autres, il était nocif car il empêcherait la création d'emplois. La vieille lune du partage du temps de travail était décidément bien enracinée dans le cerveau d'une partie de nos élites. Mes ministres et leurs cabinets qui provenaient de la même administration ne voulaient pas, et on peut les comprendre, se mettre mal avec leurs administrations. Pendant des semaines, les projets que je recevais successivement étaient tous marqués du même sceau, celui de la dénaturation ! Tout était, à chaque fois, à refaire ! Un jour, parce que le contingentement des heures était trop bas. Un autre, parce que les heures étaient déchargées socialement mais devaient être soumises à l'impôt sur le revenu. Une fois encore, parce qu'elles ne pourraient s'appliquer qu'aux PME à l'exclusion des grandes entreprises. En bref, il y avait toujours une raison pour contourner, éviter, modifier mon idée de base. Or, je pensais que le système des heures supplémentaires déchargées et défiscalisées ne fonctionnerait que s'il était simple, large et universel. En bref, tout ce que dans ses profondeurs, l'administration de Bercy n'aimait pas. En effet, si c'était simple, les contrôleurs du fisc ne pourraient se livrer à l'une de leurs interprétations dont ils avaient le secret, et qui leur permettaient d'élargir l'assiette de base de l'impôt autant qu'ils le souhaitaient. Si c'était large, cela allait coûter trop d'argent. L'administration ne croyant jamais à un possible « effet retour » en matière de recettes fiscales à la suite d'une incitation au travail. Si c'était universel, cela allait profiter à tous ceux qui, à leurs yeux, n'en avaient pas besoin, les entreprises qui faisaient des bénéfices et les particuliers qui gagnaient de l'argent. Je veux préciser que, dans mon esprit, il ne s'agissait pas de mauvaise foi ou de « sabotage » politique. C'est en vérité plus grave car la haute administration pensait que c'était son devoir d'agir ainsi, et que tout autre comportement serait contraire à l'idée qu'elle se faisait de son rôle de fonctionnaire. Il faut donc bien comprendre cette réalité française. Ce n'est pas tout d'avoir l'idée d'un projet, spécialement en matière économique, il convient surtout de veiller de bout en bout à sa réalisation et à sa mise en œuvre. Le moindre relâchement sera utilisé pour le dénaturer. Sur ce point, ma conviction est faite depuis longtemps. Je n'étais pas trop « omniprésident », plutôt pas assez ! En y repensant, je peux affirmer que la bataille des heures supplémentaires fut plus facile à gagner auprès de l'opinion publique que de l'administration ! Je ne l'avais pas imaginé, et encore moins prévu.

La loi sur le service minimum dans les transports en commun était elle aussi plébiscitée. Xavier Bertrand exerçait ses fonctions avec une grande conscience professionnelle. Il était soucieux de bien faire et ne ménageait ni son temps ni sa peine. Il voulait être le meilleur élève du gouvernement. J'aimais son manque de confiance qui le poussait à être sur tous les fronts à la fois. Il professait être mon plus fidèle soutien. J'y croyais souvent, d'autant plus que j'appréciais sa compagnie. Nous n'avons pas eu, avec ce service minimum qui n'en portait pas le nom, les obstacles sociaux que j'avais imaginés et même parfois redoutés. Deux mesures étaient au cœur des débats. La première concernait l'obligation pour un salarié gréviste de se déclarer 48 heures à l'avance, la seconde, l'instauration obligatoire d'un vote à bulletin secret pour décider de la poursuite ou de l'arrêt d'un mouvement au-delà de huit jours de grève. Dans n'importe quelle démocratie, cela passerait pour du simple bon sens ; pour la France et ses syndicats, c'était une « atteinte au droit de grève ». Cela en disait long sur l'archaïsme de nos relations sociales.

Même le si controversé « bouclier fiscal », qui limitait toutes hausses d'impôts à un maximum de 50 % des revenus, faisait l'objet d'une appréciation positive à hauteur de 64 % dans les mêmes sondages. J'en étais stupéfié. Les Français étaient donc en train de comprendre que payer à la collectivité 50 % de ses revenus en impôts, c'est-à-dire travailler six mois pour l'État et six mois pour soi, c'était un partage équitable. Ce bouclier devenait pourtant l'obsession de l'opposition. J'étais en train de faire des « cadeaux aux riches ». J'étais donc l'ami des riches. Depuis la Révolution française, il y a une partie (heureusement minoritaire) de la France qui pense toujours ainsi. Le seul argument audible venant du Parti socialiste était celui-ci. Il fallait détester les riches, réduire les riches, punir les riches. Bien sûr, on ne se donnait jamais la peine d'expliquer à partir de quand on était riche. Cela aurait été trop simple ! À partir de quel montant de revenus le devenait-on ? J'aurais été heureux de le savoir. Ce débat m'a toujours semblé ne faire que des perdants. Qui peut croire qu'en ayant moins de riches, on réduira le nombre des pauvres ? S'il n'y a plus de riches, qui créera des emplois ? Qui favorisera la consommation ? Qui sera en mesure de produire les biens dont notre économie a besoin ? Cet argument tétanisait jusqu'à ma propre majorité. J'avais beau leur expliquer que cela n'avait guère d'importance, que tous les gouvernements étaient accusés de la même façon et ce quoi qu'ils fassent, qu'il fallait soutenir et récompenser le travail, et que c'est ainsi qu'une majorité de Français nous soutiendrait, rien n'y faisait. Certains parlementaires centristes allèrent jusqu'à me demander de sortir l'ISF du bouclier fiscal. Je refusais énergiquement, arguant qu'un bouclier qui laisse passer une flèche avait une utilité toute relative ! La gauche sait parfaitement culpabiliser toute personne qui ne pense pas comme elle. Vous voulez contrôler l'immigration ? C'est que vous n'avez pas de cœur. Vous voulez favoriser l'initiative et l'esprit d'entreprise ? C'est que vous êtes égoïste, car vous ne pensez qu'aux riches ! Ainsi s'est développée et enracinée une pensée unique qui empêche la France de se libérer de ses chaînes et de mettre en valeur ses atouts si nombreux. À l'époque, j'ai eu le tort de laisser se développer ce matraquage contre le paquet fiscal de la loi TEPA. Malgré toute sa bonne volonté, Christine Lagarde n'avait pas encore l'expérience et le vécu politique qui lui auraient permis d'y faire face seule. J'aurais dû me porter plus fortement sur ce front politique aussi. Je me suis laissé endormir par tous ceux qui me conseillaient de rester président, c'est-à-dire de conserver une certaine hauteur. C'était sans doute exact pour beaucoup de sujets mais pas pour l'économie et pas davantage pour la sécurité. En fin de compte, je n'étais qu'à moitié satisfait de notre politique économique. Je pensais qu'en la matière, la rupture n'avait pas été assez forte, ou au moins qu'elle n'avait pas été assez loin.

C'est d'ailleurs dans cet esprit que j'avais décidé l'installation de la commission présidée par Jacques Attali, qui était chargée de réfléchir, hors de la contrainte du quotidien, sur les conditions de la libération de la croissance. Je ne suis pas un absolu partisan de tous les « comités Théodule », censés réfléchir beaucoup, proposer un peu, et agir pas du tout. J'avais fait une exception car le sujet méritait vraiment une réflexion transversale libérée de toutes préoccupations comptables. J'ajoute que Jacques Attali me semblait être la personnalité idoine. Je ne le crois pas adapté pour une gestion quotidienne où, à mon sens, il épuiserait vite son énergie et son formidable potentiel imaginatif. J'imagine qu'il trouvera ce portrait injuste mais je sais qu'il a un tel besoin de liberté pour exprimer ses talents multiples que lui accrocher comme un wagon à une locomotive une administration ou une grande entreprise serait contre-productif. Je lui ai donc laissé toute liberté pour la composition de sa commission et de ses collaborateurs. Parmi ceux-ci, il y avait « le jeune Emmanuel Macron », dont il m'avait dit grand bien, et que j'ai dû rencontrer à deux reprises. À cette époque, ce dernier se disait socialiste. Depuis, j'ai l'impression qu'il en est revenu. De mon point de vue, il a eu raison, c'est sans doute pour cela que nous nous sommes rapprochés ! Je dois reconnaître que j'aime travailler en m'entourant de gens différents et surtout créatifs. C'était le cas de Jacques Attali. Une fois encore, je veux expliquer combien sont rares, lorsque vous vous trouvez au sommet de l'État, ceux qui sont en mesure de vous apporter des idées, des concepts, des initiatives, susceptibles de changer le cours des choses. Innombrables sont les demandeurs, les messagers de mauvaises nouvelles, les suiveurs et les flatteurs. À l'inverse ceux qui sont capables d'imaginer des solutions sont si peu nombreux. C'est pourquoi je veillais à la présence, dans mon entourage, de personnalités atypiques et créatives. Cela m'a parfois joué des tours, comme avec Patrick Buisson, mais le plus souvent, se confronter à des opinions et des personnalités éloignées de ce que vous êtes est une richesse. Et pour moi, c'était, et c'est sans doute un besoin vital.

*
* *

Je terminais ce mois d'août par une nouvelle initiative qui rompait avec les habitudes présidentielles puisque j'avais décidé de répondre à l'invitation du Medef à prononcer un discours lors de ses universités d'été à Jouy-en-Josas. Il s'agissait d'une première pour un président de la République en exercice. Aussi invraisemblable que cela puisse paraître, pour beaucoup, ce n'était pas la place du chef de l'État. Ils trouvaient sans doute que l'événement manquait de prestige. À moins que le plus gênant résidât dans le fait qu'il s'agissait d'entrepreneurs ! Je courais selon eux un risque en apparaissant aux côtés de « chefs d'entreprises », ou pire « de patrons », comme les désignaient mes adversaires. Le simple fait de se retrouver dans un cénacle pareil était la certitude de voir mon positionnement politique caricaturé. Y compris à l'intérieur de mon cabinet, cette initiative fut fortement débattue. Les pour et les contre s'opposèrent vivement. Les uns affirmaient : « Imagine-t-on le général de Gaulle en de telles circonstances ? » Les autres défendaient au contraire le principe de ma présence auprès de « ceux qui étaient le poumon de l'économie française ». Je n'eus aucun mal à trancher. J'avais envie de m'y rendre, et de tenter à cette occasion de rassembler la nation derrière ses entreprises. Quoi de plus naturel que d'encourager ceux qui créent des emplois, qui prennent des risques et donnent de la vigueur à la France ? Avec le désastre du communisme partout dans le monde on aurait pu penser que la « lutte des classes » était rangée au rayon des vieilleries idéologiques. C'était inexact ! Pour beaucoup, se trouver dans une enceinte avec des patrons, c'était choisir ces derniers contre les employés, les ouvriers, les salariés. Au fond de moi, j'étais heureux de braver ces interdits d'un autre temps. Il y avait sans doute mon inclination pour la provocation, mais je souhaitais également saisir cette opportunité pour parler franchement à mon auditoire du jour. J'étais prêt à les défendre, à les soutenir, à les aider, mais j'attendais en retour qu'ils fassent des efforts. Or, comment se faire entendre si je n'étais pas capable de leur parler de façon directe, et sans intermédiaire ? La présidente du Medef de l'époque était Laurence Parisot. Je la connaissais bien pour l'avoir côtoyée sur les bancs de Sciences Po à la fin des années 1970. C'était une personnalité assez étrange. Elle pouvait être intelligente, fine, d'un contact aisé. Elle n'était jamais dans le conflit frontal et direct. J'avais tout pour arriver à développer une relation privilégiée avec elle. Pourtant, cela ne fut pas le cas. Peut-être était-ce davantage de ma faute que de la sienne. Je ne parvenais pas à lui faire totalement confiance. Je trouvais ses raisonnements par trop intellectuels. Son goût pour la bien-pensance et son souci constant de se trouver du bon côté me déplaisaient. Elle ne fut jamais déloyale. Mais à l'inverse, je savais que, par « gros temps », il était inutile de trop compter sur elle. Au fond de moi, j'ai toujours pensé qu'elle aurait dû tenter l'aventure de l'engagement politique plutôt que celle de la défense de l'entrepreneuriat. En fait, elle raisonnait en politique sans l'être vraiment. Et elle parlait en chef d'entreprise sans l'être non plus tout à fait. Or, le Medef a une administration interne très forte. La technocratie de la structure patronale n'était donc pas contrebalancée par la personnalité de la présidente. Tout mon quinquennat, j'ai eu l'impression de manquer de cet interlocuteur fort qui aurait pu parler au nom des entrepreneurs de France. Avoir des syndicats si politisés et un patronat faible, au moins médiatiquement, créait un réel déséquilibre pour le gouvernement.

J'avais choisi de parler franchement à mon public du jour, en attaquant d'emblée par l'affirmation que si la France avait moins de croissance que les autres, c'était parce que nous travaillions moins qu'ailleurs. Si nous voulions créer des emplois et de la richesse, il fallait travailler davantage. Bien sûr, mon auditoire apprécia, cependant ce n'est pas seulement lui que je visais, mais tous les Français. Le travail, c'est la vie. Nous sommes faits pour travailler. Si nous ne libérons pas les forces de travail, nous n'arriverons à rien. C'était mon credo. Je n'en ai d'ailleurs pas changé. Je crois toujours que les Français, dans leur immense majorité, partagent cette analyse. Puis je pris mes interlocuteurs du jour davantage à rebrousse-poil en prononçant un « gros mot », celui du pouvoir d'achat. « Expliquer qu'il n'y a pas de problème de pouvoir d'achat en France, c'est se moquer du monde. » Un silence pesant accompagna cette affirmation. Je continuai toutefois, car il me tenait à cœur de le faire comprendre, et de le dire là, aux universités du Medef. Ma conviction était qu'il y avait bel et bien un déficit de compétitivité pour les entreprises françaises, du fait de nos impôts et de nos taxes multiples. Mais l'honnêteté m'obligeait à dénoncer, avec la même force, la faiblesse de nos salaires. Je poursuivis en reprochant « un certain nombre de comportements inadmissibles. Je n'ai pas été élu pour soutenir les spéculateurs, et les prédateurs. À un capitalisme purement financier, à ses dérives, à ses excès, je veux opposer un capitalisme d'entrepreneurs. » C'était un an avant la fameuse crise qui allait ébranler l'économie mondiale. Je voulais être le président de l'entreprise, de la liberté, de l'esprit d'initiative, de la possibilité de constituer un patrimoine et de le développer, mais je me gardais bien, par mes mots comme par mes actes, de devenir l'otage du monde de l'économie. Pour les avoir fréquentés, je les connaissais bien. Et je savais qu'ils n'hésiteraient pas à en demander toujours davantage. Et qu'à leurs yeux ce ne serait jamais assez. Je pressentais qu'il fallait leur parler avec autorité, sans laisser trop de place à la discussion dans laquelle ils pouvaient s'engouffrer et faire tourner les choses en leur faveur. Je redoutais également la versatilité de ce monde, et, sa capacité à nulle autre pareille de critiquer demain ce qu'ils avaient encensé hier. L'exercice n'était pas aisé. Se faire applaudir de mon auditoire sans me couper de tous ceux qui regardaient de l'extérieur était un sacré défi. Je ne regrettais toutefois pas ma venue à ces universités d'été. Et, si c'était à refaire, je le referais plutôt deux fois qu'une. Évidemment, beaucoup de ce qui y avait été dit ne tarderait pas à être complètement bouleversé par l'ouragan qui déferlerait bientôt et qui était en train de grossir avec une rapidité stupéfiante sur le monde.

*
* *

Au début du mois de septembre, Nelson Mandela arriva à Paris. Il était alors âgé de 89 ans. Il marchait seul, mais devait s'aider d'une canne qu'il ne quittait jamais. Il était accompagné par sa dernière épouse, Graça Machel, qui n'est pas Sud-Africaine mais Mozambicaine. Comme tant d'autres, j'admirais le prix Nobel de la Paix qui eut le génie, la force et la générosité de réconcilier l'Afrique du Sud avec elle-même. C'était bien sûr un honneur de le recevoir à l'Élysée, mais je jugeais que ce n'était pas suffisant. Bien qu'il ne soit plus chef d'État en exercice,

je décidai d'aller le chercher à l'aéroport d'Orly pour son
arrivée. Je ne l'ai fait en cinq ans que deux fois, l'autre
étant pour accueillir le pape Benoît XVI. À son arrivée,
Mandela me parut fatigué, bien qu'un sourire illuminait
son visage. Je l'avais tant de fois vu en photo. Maintenant,
j'étais devant lui. Malgré l'âge qui l'avait fait se tasser, je
le trouvais grand, davantage en tout cas que je ne l'imaginais. Il me remercia chaleureusement pour cet accueil.
Il était gentil, prévenant, doux. Sa voix n'était pas puissante. Il parlait d'un ton égal sans jamais en accélérer le
rythme. C'est son regard qui m'a marqué. Il était intense,
et si jeune. Je me suis fait la remarque du contraste entre
son âge, son physique diminué, et ce regard absolument
intact. Dans la voiture qui nous conduisit à l'Élysée,
j'éprouvais le sentiment d'avoir à mes côtés une grande
part du XXe siècle. L'un de ces hommes que l'on peut compter tout au plus sur les dix doigts des mains, parce qu'ils
ont façonné notre époque. Sa place est immense. Il est
l'un des rares à être entré dans l'histoire de son vivant. Il a
payé cher ce statut. Vingt-sept années d'emprisonnement
dont dix-huit à Robben Island, dans une cellule que j'ai
visitée et qui était si petite qu'il ne pouvait pas s'y allonger pour dormir de tout son long. Nous étions seulement
quatre à table pour le dîner. J'y avais convié mon conseiller diplomatique Jean-David Levitte. J'observais que mon
invité avait repris des forces. Il devisait gaiement. Je
n'arrêtais pas de lui poser des questions sur son histoire,
sur son pays, sur sa famille. Il me confia son bonheur
de vivre, à l'exception de ses genoux qui le tracassaient
beaucoup. Lorsque je le reverrais, six mois plus tard, lors

de ma visite d'État en Afrique du Sud, il ne marcherait plus. Il utiliserait une chaise roulante pour lui permettre de se déplacer. Son épouse était aux petits soins, attentive à tous ses besoins. Pour l'occasion, il s'était habillé avec une élégance naturelle qui m'impressionna. Il était beau et lumineux. La soirée s'attarda. J'aurais bien aimé continuer, mais je sentais que la fatigue revenait. Il fallait qu'il parte. Je le regrettais. Avant de quitter l'Élysée, il tint à me remettre un cadeau personnel. Je l'ouvris devant lui. C'était une grande et magnifique photographie de lui lorsqu'il était revenu, dans le courant des années 1990, visiter sa cellule de Robben Island. Il la signa devant moi d'une écriture légèrement tremblante. Je l'ai conservée précieusement. Elle est aujourd'hui encore dans mon bureau de la rue de Miromesnil. Il n'est pratiquement pas une journée sans que je ne la regarde. Son visage apaisé fixant l'horizon au travers des barreaux épais de sa cellule ne cesse de m'impressionner. Durant le dîner, il m'expliqua le système de fous appliqué aux prisonniers de l'île où il fut emprisonné si longtemps. Selon qu'ils étaient blancs, métis ou noirs, ils avaient des droits différents pour recevoir le courrier ! Une fois par semaine pour les premiers, une fois par mois pour les deuxièmes, une fois par trimestre pour les derniers. Il en allait de même pour les travaux imposés aux détenus. Pour les noirs, c'était le pire : casser des cailloux en pure perte. Il avait donc passé dix-huit années à casser de la pierre, sur Robben Island, sans que cela altère son caractère, son esprit, sa santé mentale. Et lorsqu'il en fut libéré, il trouva la force surhumaine de déclarer : « L'opprimé et l'oppresseur sont tous deux dépossédés de leur humanité. Quand j'ai franchi les portes de la prison, telle était ma mission : libérer à la fois l'opprimé et l'oppresseur. » C'était l'homme avec qui j'avais passé la soirée. Au-delà de ce qu'il m'avait dit, sa présence seule était, en soi, une source d'inspiration et d'apaisement. Peut-être est-ce l'aspect le plus gratifiant de la politique que cette possibilité de vivre des rencontres aussi privilégiées. Un dernier détail me frappa. Mandela aimait rire, plaisanter, vivre. Au fond rien n'était brisé à l'intérieur de cet homme exceptionnel. C'est sans doute ce qu'il y a de plus fascinant dans chaque être humain que cette volonté de vivre plus forte que tout.

*
* *

Au début du mois de septembre, je décidais de décentraliser le Conseil des ministres. Je choisis comme première ville d'accueil Strasbourg. J'étais hanté par l'idée d'être enfermé à l'Élysée, d'y être coupé de ce contact dont j'ai toujours éprouvé un réel besoin. Je n'avais pas aimé la façon dont s'était déroulé le deuxième mandat de Jacques Chirac. Je l'avais vu progressivement se laisser isoler de tous et de toutes. Je percevais combien il lui était ensuite difficile de reprendre la route. Quand, après bien des atermoiements, il se résolvait à le faire, cela devenait une telle opportunité que tous ses opposants l'attendaient pour le conspuer. Je n'acceptais donc pas une seule journée sans qu'il ne s'y trouvât une occasion de rencontre extérieure. Une partie de mon équipe de communication me mettait en garde contre le risque de la banalisation. C'était pourtant exactement ce que je cherchais. Je voulais que les déplacements présidentiels ne soient un événement que pour ceux qui me recevaient et n'en soient plus un pour les médias nationaux et les opposants de tous poils. C'était le seul moyen que j'avais trouvé pour rencontrer « tranquillement » les Français du quotidien, sans être encerclé par un cordon opaque de caméras et de photographes, qui me privait de tout contact réel et exaspérait celles et ceux qui avaient fait le déplacement dans l'espoir de s'adresser à leur président. Y compris pendant la dernière année de mon quinquennat, j'effectuais ainsi pas moins de quatre ou cinq déplacements par semaine. Ces visites de terrain étaient minutieusement préparées par mon remarquable chef de cabinet Cédric Goubet, et son équipe. Un jour, le sympathique leader de Force ouvrière Jean-Claude Mailly m'avait confié : « Président, vous allez finir par nous ruiner ! » Je le regardai, étonné. Il reprit avec un large sourire : « On n'arrive plus à suivre le rythme de vos déplacements. Cela coûte cher d'organiser des manifestations, et des cars pour transporter nos militants ! » Je lui répondis sur le même ton : « Ne vous inquiétez pas trop pour aujourd'hui, car vous verrez que demain sera bien pire pour vous. Mailly, ma stratégie est toujours la même. On part à fond, et on accélère. » Nous avions ri de bon cœur. Mais derrière la plaisanterie, il y avait du vrai. Je voulais les épuiser. J'ai d'ailleurs naïvement cru que c'était possible.

Les Conseils des ministres décentralisés correspondaient bien à cette stratégie. Il s'agissait du premier hors de Paris depuis 1976. Force m'est de reconnaître que l'idée est, en fait, plus séduisante que sa réalisation. En effet, quels que fussent les efforts déployés pour être simple et accessible, le résultat fut décevant. Une telle concentration de ministres autour du président impliquait une surabondance de forces de sécurité, de barrières, de moyens de transmissions, sans compter les médias toujours à la recherche de la moindre anicroche. À l'arrivée, j'avais l'impression de me trouver dans une ville morte. Et quand je voyais des Strasbourgeois, ils étaient parqués derrière des barrières métalliques. Même si j'essayais de multiplier les déplacements à pied, rien n'y faisait. J'avais passé la nuit dans un bel hôtel, confortable, où le service était d'une grande gentillesse, mais qui manquait de charme. Le Conseil lui-même s'était réuni à la préfecture. Tôt le matin, j'avais pu faire mon jogging dans le parc de l'Orangerie. J'aime Strasbourg et ses rues si commerçantes. J'apprécie ses multiples canaux qui serpentent au milieu du quartier de la petite France. Les Alsaciens sont travailleurs, chaleureux, ils ont un caractère fort mais franc. Je comprends l'attachement viscéral qu'ils portent à leur région. Bien sûr, il n'y a ni mer, ni grande montagne, mais la campagne, les rivières, les paysages, les villages y sont sans doute parmi les plus beaux de France. La nourriture y est excellente, mais en rien diététique. Et refuser de se resservir d'un plat est un geste sinon inamical, à tout le moins déplacé.

J'avais demandé qu'en plus de l'ordre du jour propre au Conseil des ministres, il soit évoqué spécifiquement les dossiers alsaciens. Parmi eux, l'un me tenait à cœur : la prolongation jusqu'à Strasbourg du TGV Est. Il manquait encore cent vingt kilomètres, pour lesquels personne ne voulait payer. Chacun aimait à claironner que la capitale alsacienne était une capitale européenne, mais du fait de ce TGV inachevé, s'y rendre était un véritable périple. L'aéroport est petit, infiniment plus que celui de Bâle-Mulhouse. Je décidai de mettre un terme à cette profonde incongruité. Le maire de Strasbourg était Fabienne Keller. C'était une centriste, membre de l'UMP. Elle partageait la direction de la ville avec mon vieil et indomptable ami Robert Grossmann. Je voulais l'aider, et l'associer à cet événement qu'était la venue du Conseil des ministres dans sa ville. À cette occasion, je découvris une personnalité bien différente de l'image que j'en avais. Elle avait toujours professé un engagement chrétien qui m'avait impressionné. Je la croyais charitable, généreuse et franche. Or, durant ces deux journées à Strasbourg, elle ne cessa de m'accabler de critiques sur les uns comme sur les autres. Cela m'avait tant surpris que je m'étais fait la remarque intérieure que, bien que nous manquions de femmes dans la vie politique, ce n'était pas à elle que je penserais en premier en cas de besoin. Je ne tentais l'expérience des Conseils décentralisés qu'une autre fois, pour la Corse. Ce fut pire encore, tant les questions de sécurité y étaient incontournables. Il y avait un policier tous les deux cents mètres, sur la route de l'hôtel du Maquis, où je résidais. Je n'ai quasiment pas rencontré un

Corse en dehors des élus. C'était une occasion manquée. Je le regrettais mais me rendais à l'évidence, c'était trop difficile de surmonter ces obstacles. En conséquence, j'arrêtais à regret la pratique des Conseils des ministres décentralisés.

*
* *

J'étais préoccupé par la situation au sein de l'Éducation nationale. La nation faisait depuis des années un effort budgétaire considérable. C'était même devenu le premier budget civil. Malgré cela, le mal-être y était de plus en plus perceptible. Les parents n'étaient pas satisfaits. Les enseignants, par le biais de leurs innombrables syndicats, faisaient aussi savoir leur mécontentement. Quant aux enfants, qui pouvait prétendre qu'ils s'y épanouissaient quand, chaque année, le système ne produisait rien de moins que cent mille décrocheurs qui disparaissaient littéralement de l'univers scolaire sans diplôme, sans formation et sans avenir ? J'ai longtemps pensé qu'une bonne réforme de l'Éducation nationale devait avoir pour priorité les enfants. J'ai compris sur le tard que c'était sans doute une erreur, car une bonne réforme devait plutôt partir des maîtres. En effet, comment nos enfants pourraient-ils s'épanouir si les enseignants n'étaient pas eux-mêmes épanouis ? Je décidai donc de m'attacher d'abord à leur situation et à leur condition.

Je sais par expérience, pour en avoir rencontré tant, qu'il existe beaucoup d'enseignants portés par une véritable vocation et qui donnent chaque jour le meilleur d'eux-mêmes pour les élèves qui leur sont confiés. Chacun peut avoir présent à l'esprit le cas de tel ou tel instituteur ou institutrice qui a transformé sa vie par son charisme et sa capacité pédagogique. Mais si l'on veut bien abandonner la langue de bois, la vérité oblige à dire que, si des exemples « glorieux » existent, tant d'autres « désolants » y font face. Et comment pourrait-il en être autrement, pour un corps qui compte pas loin d'un million de membres ? D'ailleurs, plus que les personnalités des uns et des autres, ce qui est préoccupant est l'évolution, à mes yeux assez détestable, de l'expression collective du corps enseignant par l'intermédiaire de ses représentants syndicaux. L'intérêt corporatiste a pris le pas sur tout et sur tous. Et quand il n'est pas corporatiste, il est politique. La massification de la scolarité a conduit à la paupérisation du corps enseignant. On a d'abord élevé le nombre des élèves. Puis, on a augmenté celui des professeurs. La quantité a pris le pas sur tout et d'abord sur la qualité. Le seul impératif qui semblait important était celui, louable, de ne laisser personne au bord du chemin. Le problème, c'est que ce but a été partiellement atteint au prix d'une baisse généralisée, et impressionnante, de la qualité. Il fallait du chiffre, du nombre, des statistiques. Seul comptait le quantitatif. Pendant ce temps, toutes les questions sur l'exigence propre à l'enseignement, la mission de l'Éducation nationale, les servitudes du métier comme ses devoirs ont complètement disparu du débat public. Si j'avais encore eu besoin d'en être convaincu, la réaction, hélas quasi unanime, des syndicats de l'Éducation nationale lors de l'épidémie de Covid-19 aurait achevé d'emporter ma conviction. Tous quasiment, sans exception, ont défilé devant les écrans de télévision pour expliquer qu'un déconfinement avec réouverture des écoles le 11 mai 2020 était extrêmement dangereux, et qu'ils le refuseraient dans ces conditions. Heureusement que les syndicats des personnels de santé, hospitaliers et libéraux, n'ont pas réagi ainsi. Car, qui aurions-nous trouvé pour nous soigner ? À l'époque, déjà, je ne formais aucun espoir de pouvoir convaincre la plupart des interlocuteurs institutionnels de l'Éducation nationale, dont je connaissais les engagements politiques à gauche aussi profonds qu'anciens. Cependant, je ne voulais pas désespérer de la qualité individuelle d'une majorité de professeurs. Je décidai donc de leur écrire pour leur parler d'éducation, de leur mission, et du sens que la nation devait donner à l'école. Je voulais faire comprendre qu'éduquer, c'était chercher à concilier deux mouvements contraires que je décrivais ainsi dans la lettre que je leur adressais : « Celui qui porte à aider chaque enfant à trouver sa propre voie et celui qui pousse à lui inculquer ce que soi-même on croit juste, beau et vrai. » Je croyais utile d'affirmer ce dilemme pour mieux mettre en garde contre la tentation du moule unique, du collège unique, de la méthode unique qui excluait de la réussite scolaire tous les enfants « différents » et avait gâché tant de talents qui n'avaient pour réussir d'autres options que d'abandonner, le plus tôt possible, les bancs de « l'école classique ». Dans la foulée, je dénonçais la tentation inverse, celle qui avait voulu tout construire autour de la personnalité de l'enfant. J'essayais de résumer mon point de vue par la formule : « Jadis il y avait sans doute dans l'éducation trop de culture et pas assez de nature. Désormais il y a peut-être trop de nature et plus assez de culture. Jadis on valorisait trop la transmission du savoir et des valeurs. Désormais, au contraire, on ne les valorise plus assez. » Je voulais faire comprendre que le rôle de l'Éducation n'était pas d'aider nos enfants à rester des enfants, ni même à devenir de grands enfants, mais de les aider à devenir des adultes, à devenir des citoyens. Peut-être davantage que toute autre chose, je voulais réconcilier l'Éducation nationale avec l'idée même de l'exigence. Je demandais aux enseignants d'apprendre à nos enfants à être exigeants vis-à-vis d'eux-mêmes. Tout ne se vaut pas. Toute civilisation repose sur une hiérarchie des valeurs, l'élève n'est pas l'égal du maître. Nul ne peut vivre sans contrainte. Il ne peut y avoir de liberté sans règles. Tels étaient les principes sur lesquels nous devions bâtir désormais notre projet éducatif. Je précisais même : « L'enfant s'affirme en disant non. On ne lui rend pas service en lui disant toujours oui. » Je parlais aussi du goût de l'effort. La joie de comprendre est une récompense après le long travail de la pensée. J'évoquais le respect. Le respect nécessaire du professeur vis-à-vis de l'élève, des parents vis-à-vis de l'enfant, de l'élève pour son professeur. Je précisais : « Je souhaite que les élèves se découvrent lorsqu'ils sont à l'école et

qu'ils se lèvent lorsque le professeur entre dans la classe. »
Je recommandais de donner le maximum à chacun au
lieu de se contenter de donner le minimum à tous. Je
les exhortais à ne pas craindre l'excellence. Voilà en
quelques phrases la rupture éducative que je voulais
promouvoir. C'était la première fois qu'un président de
la République écrivait aux éducateurs pour leur dire ce
que la nation attendait d'eux. J'étais convaincu que l'éducation était le sujet le plus important de la politique. En
agissant ainsi je savais que je bousculais les habitudes
et transgressais les clivages habituels. Qu'un président
de droite écrive aux enseignants, majoritairement de
gauche, créait en leur sein un malaise qu'il était aisé de
percevoir. Ils paraissaient tout à la fois flattés d'être l'objet d'une telle attention, et en même temps méfiants de
cette intrusion du plus haut niveau dans ce qu'ils considéraient être leur pré carré. La réaction des syndicats
de l'Éducation nationale exprimait cette gêne. C'était
difficile pour eux de ne pas apprécier, du moins publiquement, cette marque de considération, mais que j'ose
parler d'autorité, de respect, de mérite et d'excellence
apparaissait, aux yeux de nombre d'entre eux, comme
une provocation. J'avais à dessein, et en creux, dessiné
le parfait opposé de l'idéologie de 1968. Je constatais
une nouvelle fois que notre pays, en tout cas au niveau
de ses élites, était fasciné par l'idée d'égalité qui apparaissait pour beaucoup comme le but ultime à atteindre.
Le risque avec l'égalité, c'est qu'elle se transforme rapidement en égalitarisme et que celui-ci aboutit au nivellement et à l'uniformisation. Je crois, à l'inverse, à la

différence qui est sans doute l'aspect le plus riche de l'humanité. Et c'est elle que l'on doit respecter et valoriser. Or, on ne peut aimer et considérer la différence que si on se libère de la tyrannie égalitariste. L'école est le creuset pour apprendre et pour comprendre cela. Je ne regrette pas cette longue lettre tirée à un million d'exemplaires, même si je reconnais qu'elle est restée comme un coup d'épée dans l'eau qui n'a bien sûr pas fait évoluer les mentalités et les pratiques, du moins en profondeur. Au moins aurais-je essayé ! Je crois cependant que la rue de Grenelle est devenue un tel empire de conservatisme, de corporatisme, de politique partisane que le changement, par touches successives et progressives, est voué à l'échec. Rien n'est susceptible de faire bouger cette citadelle qui se vit comme assiégée. On se demande bien par qui, et par quoi ? Elle a appris à tout digérer, à tout étouffer, à tout ralentir. C'est ce qu'elle fait de mieux. Toutes réformes raisonnables comme tous changements graduels finissent par se diluer avec une rapidité stupéfiante. Le monde change à une vitesse spectaculaire. Notre Éducation nationale reste comme un bloc imperméable à tout ce qui lui paraît étranger. À mes yeux, il y a même une analogie possible entre l'Europe d'aujourd'hui et la rue de Grenelle, c'est celle de l'impuissance. Tout le monde y revendique le pouvoir et l'a amené à un tel niveau de dilution qu'en conséquence, personne n'est réellement en mesure de l'exercer. Les ministres de l'Éducation successifs essaient avant tout d'éviter les blocages et les ennuis. Ils règnent sur leur cabinet, et encore ! Ils passeront et l'administration demeurera. Ils ne laissent même plus leur nom à une réforme, car celles-ci ont même disparu ! J'aurais dû faire pour l'Éducation nationale ce que nous avions mis en œuvre avec l'autonomie des universités. Au fond, je n'ai pas été assez ambitieux dans les changements à y apporter. À mes yeux, il y en a au moins trois de nature structurelle à mettre en œuvre pour le futur. Le premier doit passer par une diminution drastique du nombre des enseignants, qui sera compensée par une augmentation de la durée de leur travail. Vingt-quatre heures de cours par semaine en primaire comme en maternelle, c'est vraiment trop peu. Il s'ensuivrait une augmentation salariale conséquente pour chacun d'entre eux. Le second doit permettre à chaque établissement de s'adapter à son environnement culturel, économique, social. Sans davantage d'autonomie accordée à chaque équipe de direction, on continuera à laisser le pouvoir à des centrales syndicales devenues omnipotentes. Le troisième doit ouvrir à une forte régionalisation, pour rapprocher beaucoup le pouvoir de décision des acteurs de terrain. Je crois hélas que sans cette triple révolution dans l'organisation de l'Éducation nationale, nous n'arriverons à rien de satisfaisant. Je crains même que la situation aille en s'aggravant jusqu'à devenir ingérable. Je n'ignore nullement la difficulté de la tâche. Cependant, on ne peut continuer à assister, impuissant, à un tel désastre qui désespère jusqu'à ces centaines de milliers d'enseignants qui croient encore en leur travail, et qui voient leurs bonnes volontés se briser sur la rigidité d'une administration à bout de souffle, qui n'a plus qu'une seule ambition : survivre immobile.

*
* *

La fin du mois de septembre est toujours, pour le président français, l'occasion de passer quelques jours à New York puisque, de tradition, c'est à cette époque que l'assemblée générale des Nations-Unies se réunit. C'est donc l'opportunité de prononcer un discours à « la planète », du moins le croit-on au moment de le délivrer. Je me réjouissais de cette perspective. New York au mois de septembre est un enchantement. La chaleur humide et étouffante de l'été a disparu. Il est possible de vivre et de respirer sans air conditionné, ce qui, aux États-Unis, est un privilège aussi rare qu'appréciable. Décalage horaire aidant j'allais, dès 6 heures du matin, courir dans Central Park. J'y avais mon trajet habituel jusqu'au Reservoir, rendu inoubliable par Dustin Hoffman. Je tournais deux fois autour du lac puis je rentrais à l'hôtel, après avoir croisé des dizaines d'écureuils affairés à fureter et à se nourrir, apparemment peu dérangés par les ondes radio des policiers du FBI qui m'accompagnaient. Je me suis souvent fait la remarque de la propreté et de l'absence de papiers traînant par terre ou de prostituées vendant leurs charmes dans ce parc immense. Je me disais que les gestionnaires du bois de Boulogne seraient bien inspirés de passer quelques jours auprès de leurs collègues américains. Peut-être auraient-ils pu trouver quelques bonnes pratiques dont il ne serait pas absurde de s'inspirer ? Je rentrais à l'hôtel affamé et réjoui à l'idée de cet inimitable petit déjeuner américain qui m'attendait. Aux États-Unis, ils sont si copieux et si riches qu'il m'aurait été largement possible de tenir toute la journée juste avec cela. J'étais impatient de découvrir l'enceinte, comme l'ambiance de l'impressionnant building des Nations-Unies. Pour l'occasion, il est possible d'assister à un constant ballet de voitures officielles précédées de sirènes hurlantes. On reconnaît chacune au drapeau qui orne le véhicule du chef de la délégation. J'étais seul dans la voiture américaine blindée qui avait été affectée à la France. Ses proportions étaient, elles aussi, hors normes. La police de New York était partout. Le FBI également. De l'intérieur de ma voiture, je regardais le spectacle de la rue avec nostalgie et intérêt. Je voyais tous ces gens qui s'affairaient sans tenir aucun compte du brouhaha que nous faisions. L'habitude, sans doute ! La rue new-yorkaise, c'est le monde en résumé. Il s'y trouve mélangés toutes les couleurs, toutes les nationalités, toutes les modes vestimentaires, et surtout tous les physiques. Il y a des petits, des grands et même des très grands. Il y a des minces, des gros et parfois des très gros. Personne ne se regarde, ne se juge, ne se moque. Tout y est possible et accepté. Tout y est si actif que, même à simplement regarder, on s'y fatigue. Et ce d'autant qu'en fin de matinée le décalage horaire se faisait sentir en moi par le biais d'un violent coup de barre. Je m'endormis sans même m'en rendre compte. Je me réveillais juste au moment de franchir les épaisses grilles du bâtiment des Nations-Unies et de passer devant les 192 drapeaux représentants chacun des États membres de l'époque. L'entrée dans le palais était grouillante, une vraie ruche. On y entendait, on y parlait dans toutes les langues. Tout le monde s'y côtoyait, s'y interpellait, s'embrassait, se saluait ou s'évitait. Un diplomate était toujours là pour me signaler une délégation qu'il serait inopportun que je croise. Dans ce cas, soudainement, il convenait de bifurquer et de sembler passionné par un sujet ou un autre. Je procédai ainsi pour éviter le président iranien Ahmadinejad dont je ne souhaitais vraiment pas serrer la main, et qui passait en même temps que moi dans le grand couloir d'accès. C'est un endroit plaisant que ce palais des Nations-Unies car la planète entière s'y trouvant rassemblée, il est possible d'éviter nombre de voyages par une simple utilisation rationnelle de son temps de présence dans cette enceinte. Je découvrais ce monde de la diplomatie internationale avec un mélange de curiosité et d'amusement. J'étais impressionné par le nombre de conseillers qui peuplaient toutes les délégations. Ils étaient faciles à reconnaître car, quelles que soient leurs nationalités, ils se ressemblaient tous. Ils étaient en général jeunes, bien habillés, portant d'épais dossiers. Ils avaient des cernes autour des yeux, le regard inquiet de ceux qui seront désignés responsables du moindre problème. Ils pratiquaient tous toutes les langues ou presque. J'aimais observer cette foule affairée et bigarrée, même si c'est plutôt elle qui regardait le nouveau président français !

Je venais d'être élu. C'était ma première intervention. Il y avait donc de la curiosité. Je pénétrai dans un petit bureau, juste derrière la tribune officielle de l'immense salle de l'assemblée générale. J'avais vu tant de fois le pupitre et le décor à la télévision. Cette fois-ci, j'y étais. Je confesse avoir ressenti une certaine émotion en me dirigeant vers le micro après avoir salué le secrétaire général, le très aimable Coréen Ban Ki-moon. Une fois sur scène, je fus surpris par l'ambiance très calme qui régnait. Il y avait pourtant beaucoup de monde, tous portaient des écouteurs pour la traduction. Le spectacle était étonnant. On se serait cru dans une salle de commandement, au moment du lancement d'une fusée spatiale, où chacun est concentré sur son propre écran. Tout le monde écoutait attentivement sans jamais manifester de très vibrantes approbations ni, à l'inverse, de bruyantes réprobations. C'était studieux, silencieux, assez froid, en fait. En tout cas, pour l'orateur habitué à la chaleur des meetings, cela représentait un fameux changement. C'était même presque déstabilisant que de s'adresser à un auditoire à ce point dénué de réactions au-delà de celles qu'imposaient la courtoisie et la politesse. J'avais l'impression de parler dans le vide et devais faire un effort de concentration pour ne pas oublier que les télévisions du monde entier étaient présentes. Ce n'était certes pas le bon moment pour commettre un faux pas quelconque. Je m'en tenais donc strictement au discours écrit que nous avions travaillé avec mon équipe diplomatique. J'étais servi par le calendrier, puisque la France présidait ce mois-ci le Conseil de sécurité, que nous avions décidé de réunir l'après-midi même pour obtenir la création d'une force de quatre mille hommes qui serait envoyée à la frontière du Darfour. C'était mon premier discours devant les Nations-Unies. J'ai voulu y défendre l'idée que la France militerait toujours pour la paix, mais que celle-ci ne signifiait pas la stabilité. Cette dernière était le mot référent de toute la politique étrangère de François Mitterrand. Or, je n'ai jamais aimé ce concept. En son nom, on avait toléré trop de choses, comme le mur de Berlin ou la coexistence de deux Allemagnes, celle de l'Ouest et celle communiste. Pour les millions d'Européens de l'Est, la « stabilité », c'était la prison à l'intérieur de l'empire soviétique. Mais le grand dossier du moment était celui de l'Iran et de son programme nucléaire. Force est de constater que cela n'a pas beaucoup changé depuis. J'affirmais à la tribune et devant le président iranien, qui était dans la salle au moment où je parlais, que cette perspective était inacceptable comme l'était le nucléaire militaire pour la Corée du Nord et pour la Libye. Je marquais la différence avec le nucléaire civil qui ne devait pas, à l'inverse, être le monopole des « nations riches » et pouvait devenir accessible aux pays en voie de développement, y compris l'Iran. J'essayais de fixer une ligne, tout à la fois de fermeté avec le renforcement des sanctions que j'appelais de mes vœux, et de dialogue avec le refus de la perspective d'une guerre et d'un bombardement de l'Iran. Cette hypothèse avait été évoquée par Bernard Kouchner quelques jours auparavant. Or, je pensais que cette crise internationale devait être gérée avec beaucoup de sang-froid, de fermeté et de réflexion. Utiliser un langage guerrier était inutile et risquait de nous faire prendre une mauvaise pente. J'étais certain que les sanctions les plus sévères étaient la seule voie raisonnable et que cela finirait bien par produire des résultats. J'espérais, en fait, une révolte contre leurs dirigeants des quatre-vingts millions d'Iraniens qui, un jour, devraient en avoir assez de ces souffrances qui leur étaient imposées par un régime jusqu'au-boutiste. Depuis, on a vu comment les révoltes populaires iraniennes étaient traitées par le régime des ayatollahs. Je profitai de l'occasion pour préciser et clarifier la position de la France sur la question sensible de l'Otan. En vérité, j'étais en désaccord depuis longtemps avec ce que je considérais être les ambiguïtés françaises. La France était membre fondateur de cette organisation qui comptait alors vingt-six pays. Je ne comprenais pas pourquoi le débat politique français en faisait une sorte d'épouvantail. De surcroît, nous en étions l'un des principaux contributeurs financiers et humains. Nous participions à toutes les opérations de l'alliance. Pourquoi dans ces conditions prendre une position bancale avec un pied dedans et un autre dehors ? Je faisais donc savoir que nous étions prêts à réintégrer le seul comité sur les vingt-huit où nous n'étions plus, à la double condition qu'un Français soit nommé au plus haut niveau des instances dirigeantes de l'Otan, et que, bien sûr, car ce point n'était pas négociable, l'indépendance de l'usage de notre arme nucléaire soit totalement garantie. Je terminai mon discours en appelant à un nouvel ordre mondial pour le XXIe siècle.

J'affirmai la volonté de la France de soutenir le multila-téralisme, et donc les Nations-Unies. J'ajoutai cependant que celle-ci devait changer dans sa structure comme dans son mode de fonctionnement. J'étais persuadé que la composition du Conseil de sécurité n'était rien de moins qu'un scandale ! Que l'Inde, que le Japon ou que l'Allemagne ne soient pas membres permanents était déjà une étrangeté, mais qu'il n'y ait pas un seul pays africain, arabe ou sud-américain parmi les membres de droit constituait une injustice majeure. Comment espé-rer gérer les affaires du monde sans un seul représentant permanent des deux tiers de la population mondiale ? Je ne croyais pas davantage au processus de décision qui condamnait les Nations-Unies à un immobilisme consternant et destructeur. Je m'aperçois avec le recul que cette question de la gouvernance mondiale m'a toujours passionné comme préoccupé. J'observais avec inquiétude le marché mondial se mettre en place avec une rapidité stupéfiante. Comme les autres, j'assistais aux progrès de la mondialisation que rien ne semblait en mesure d'arrêter ni même de ralentir. Mais face à cet inéluctable mouvement, j'étais inquiet de ne voir aucune instance de régulation, aucun cadre mondial fixant des règles minimales de fonctionnement. Il y avait toujours plus d'échanges commerciaux, de transferts de popula-tions, de mobilités en tous sens, mais personne pour maîtriser la vitesse, corriger les excès, organiser des contre-feux. Le secrétaire général des Nations-Unies, Ban Ki-moon, me dit fort courtoisement qu'il me trou-vait sévère avec l'organisation qu'il présidait. C'était un homme bien élevé, pondéré et pudique. C'est peu dire qu'il n'élevait jamais la voix. Il était intelligent, travailleur mais profondément ancré dans la culture du compromis qui, avec le temps, était devenue celle de l'unanimisme. Il fallait donc toujours attendre que tout le monde soit d'accord pour avancer. Comme ce n'était jamais le cas, on n'avançait pas. J'essayais vainement de lui faire comprendre que la poursuite du *statu quo* signifiait la mort assurée de l'ONU. Et qu'il valait bien mieux assumer un solide désaccord sur le futur, dont on pourrait toujours sortir par un compromis, que ce néant immobile. J'appréciais sa disponibilité et sa bonne volonté inlassable mais j'enrageais de son aversion pour le risque. Nous avions de bonnes relations cependant. Ainsi, à chacun de mes passages à New York, il m'invitait à déjeuner dans sa maison de fonction. Il s'agissait d'un joli hôtel particulier avec un petit jardin et de beaux parquets en bois, dans un des quartiers résidentiels de New York. Nos rencontres étaient toujours attentives et cordiales, mais je n'ai pas le souvenir qu'il en soit jamais sorti quoi que cela soit. Lorsqu'il quitta ses fonctions, chacun le regretta comme l'homme honnête et droit qu'il était, mais au moment de saluer son bilan, il devenait plus complexe de trouver beaucoup à en dire. Il faut reconnaître que le poids de cette administration onusienne est particulièrement pesant et peut décourager bien des personnalités à fort tempérament. J'avais pensé que l'ancien président Lula aurait fait un formidable secrétaire général. C'était bien avant ses problèmes judiciaires au Brésil, mais lui-même avait immédiatement décliné mon offre avec deux arguments pleins de bon sens et d'humour : « Nicolas, je te remercie mais imagine un patron des Nations-Unies qui ne parle pas un mot d'anglais ! Et je n'ai pas l'intention de l'apprendre à mon âge. J'ajoute que je suis Brésilien et donc inapte à vivre ailleurs que dans mon pays, même à New York. »

*

* *

En rentrant à Paris, j'eus l'idée, que je trouve bien étrange aujourd'hui, de me rendre à l'hôtel de ville de Neuilly-sur-Seine pour adouber la candidature de David Martinon, mon fugace porte-parole, à l'élection municipale qui approchait. Bien sûr, j'entourai cette initiative de multiples précautions. Il s'agissait d'un retour aux sources qui me permettrait de remercier les Neuilléens pour leur confiance qui m'avait permis d'être leur maire vingt années durant. Aujourd'hui, je comprends combien cette initiative était déplacée. D'abord, parce que c'est toujours une idée fausse, bien que naturelle, de se croire propriétaire de sa ville ou de sa circonscription. Au prétexte que l'on a gagné tant et tant d'élections successives, on finit par s'imaginer avoir des droits, notamment celui de désigner son successeur, et, si on y arrive, d'exiger que celui-ci soit fidèle à votre personne comme à votre politique. Tout ceci ne cache en fait que de vaines vanités qui n'ont aucune légitimité ni politique ni morale.

La vérité, c'est que les électeurs estiment, à juste titre, que c'est celui qui a été élu qui doit leur être redevable de leur fidélité. Et pas le contraire. Ensuite, parce que ce jeune diplomate, David Martinon, avait beaucoup de talent pour la diplomatie et sans doute moins pour la politique. Et, comme chacun le sait, et comme j'aurais dû le savoir moi le premier, ce sont deux métiers qui n'appellent pas du tout les mêmes qualités. Il fut battu avant même d'avoir combattu. C'était d'ailleurs davantage de ma faute que de la sienne. Le désastre était prévisible. Je lui avais demandé de se retirer pour éviter l'humiliation. Le nouveau maire qui fut élu me voua immédiatement une haine féroce et une jalousie constante. Je ne le connaissais pas et tout ce que j'en avais vu ne m'avait pas incité pas à en savoir davantage. Une nouvelle fois, j'y vois la preuve qu'il n'est jamais bon d'être trop sûr de soi. Avec le recul je comprends, hélas, que cela avait été mon cas.

*
* *

Durant ce mois de septembre, je dus recevoir François Bayrou. Il avait fait un bon score lors du premier tour de la présidentielle, 18 %, ce qui, pour une candidature dite centriste, était inespéré. Je trouvais, dans ces conditions, normal d'entendre ses commentaires sur les dossiers du moment. Je savais qu'il n'avait pas voté pour moi lors du deuxième tour. Je ne lui en tenais pas rigueur. Je le connaissais depuis longtemps et n'ignorais pas que son tempérament profond le portait à une détestation de tous ceux qui avaient réussi là où il avait lui-même échoué. Cela représentait à ses yeux une très réelle offense. Emmanuel Macron en fera, à son tour, avant la fin de son quinquennat, l'amère expérience. Je n'en doute pas un instant. François Bayrou a toujours trahi ceux qu'il a choisis. Je dois reconnaître que, ne m'ayant jamais soutenu, il n'a jamais eu l'occasion de me trahir. Ce n'était donc pas cela qui me gênait à la perspective de le recevoir. J'avoue, en revanche, avoir ressenti une réelle difficulté avec l'idée visiblement flatteuse qu'il a de lui-même. Je me suis toujours demandé ce qui lui faisait s'imaginer que ses avis étaient à ce point précieux. J'avais cependant tort de m'en inquiéter, car il consacra tout l'entretien à m'expliquer comment, en fait, il avait réussi à gagner la présidentielle de 2007 ! Il y a du Ségolène Royal dans François Bayrou... j'étais tellement étonné que je laissais mon interlocuteur s'enivrer de sa spectaculaire réussite ! Il n'avait pas été qualifié pour le deuxième tour. Ce n'était qu'un détail car, il en était persuadé, il serait le prochain président de la République. Il lui suffisait d'attendre 2012. Au moment des échéances, il y a loin entre les espérances et la réalité. Il y avait malgré tout quelque chose d'émouvant à constater un si profond manque de réalisme. Je me suis même demandé si cet état d'esprit ne l'avait pas protégé en l'empêchant de se poser la question des raisons de ses trois échecs successifs. Le tropisme qui consiste à faire porter la faute aux autres ne permet certes pas de progresser car, du coup, il empêche d'apprendre de ses échecs, mais il protège certainement d'une remise en cause intime et personnelle forcément douloureuse. Cette dernière fut évitée à François Bayrou par son tempérament même. Je veux ajouter un dernier commentaire sur la façon dont la vie sait, à merveille et si sûrement, punir tous ceux qui oublient que la nature humaine est faite d'erreurs commises et qu'en conséquence, il convient de ne jamais, et sous aucun prétexte, se poser en donneur de leçons. C'est trop dangereux, et le retour de bâton peut être cruel. Or, depuis vingt ans, François Bayrou n'est guère avare sur ce sujet. La morale, la République propre, la politique intègre, la posture du procureur inflexible et insensible, l'homme inattaquable et insoupçonnable... c'est lui. Il l'a tellement proclamé qu'il a peut-être fini par y croire lui-même. Depuis *Notre-Dame de Paris* et son curé qui soupirait pour Esmeralda entre deux sermons enflammés contre la luxure, Victor Hugo a montré que tous ceux qui se donnent en exemple sont au mieux comme tous les autres, mais qu'ils peuvent, à l'occasion, être pire. François Bayrou, à peine un mois après avoir été nommé garde des Sceaux, fut poussé à la démission pour le financement de son propre parti, au moment même où il présentait un texte sur la moralisation de la vie politique. Alors a commencé pour lui un chemin de croix qu'il avait tant de fois stigmatisé chez les autres. Il était le censeur le plus sévère, le plus intégriste, celui qui n'éprouvait même pas une petite once d'humanité. Je n'ai rien dit quand il fut convoqué par la police, rien dit lorsqu'il fut entendu par les juges, rien dit lorsqu'il fut mis en examen. Je ne le regrette pas, car on ne frappe jamais un homme en situation de faiblesse. J'espère seulement que François Bayrou a, aujourd'hui, réfléchi au comportement qui fut le sien et a considéré avec l'intelligence qui est la sienne qu'on ne se grandit jamais à frapper au-dessous de la ceinture. J'imagine qu'il doit trouver la leçon cruelle. Je ne m'en réjouis nullement, mais il m'arrive parfois de penser qu'il l'a bien cherché.

*
* *

Le mois d'octobre fut complexe à gérer pour différentes raisons. D'abord parce que c'est ici que démarrèrent les premiers affrontements avec les syndicats. Il y en aura bien d'autres, mais ceux-là promettaient d'être sévères, car ils portaient sur la « vache sacrée » des régimes spéciaux. Il fallait bien que cela arrive un jour. Je m'y étais préparé et avais soigneusement choisi le terrain. Personne, jusqu'à présent, n'avait osé réformer le statut préférentiel des cheminots, des gaziers, des postiers et des agents de la RATP. Cela représentait beaucoup de monde. EDF, la SNCF, la RATP, la Poste étaient autant de bastions réputés imprenables où les syndicats Sud et CGT régnaient en maîtres absolus. Tellement habitués aux reculades des précédents gouvernements, mes contradicteurs syndicaux en avaient tiré la conclusion que je n'oserais pas aller au bout. De fait, la dernière tentative en la matière remontait à l'automne 1995, quand Alain Juppé avait dû reculer sous la pression de la rue. Toutes explications s'avéraient d'ailleurs vaines. Les syndicats ne voyaient aucune injustice à ce statut privilégié. On avait beau leur dire que conduire un TGV n'était pas comparable avec la mise en chauffe d'une locomotive à vapeur, que descendre dans une mine de charbon et travailler dans une centrale nucléaire n'était vraiment pas de même nature, rien n'y faisait. Ces statuts étaient pour eux le fruit de « luttes ouvrières ». C'était autant d'acquis sociaux. En conséquence, ils ne renonceraient à rien et se battraient sur tout. J'étais prévenu. J'avais bien compris que la seule solution pour le gouvernement consistait à tenir, et à essayer de ne jamais être lâché par l'opinion publique. Car, comme bien souvent, c'est elle qui serait le juge de paix. Je ne pouvais reculer puisque la réforme des régimes spéciaux avait été un engagement clair de ma campagne. Comment pouvait-on, en effet, justifier une situation où les uns devaient cotiser trente-sept années et demie pour partir avec une pension pleine alors que tous les autres français allaient payer quarante années ? Le souci d'équité nous commandait d'agir et en l'occurrence de ne pas céder. Et cela d'autant plus que les régimes spéciaux étaient déficitaires. C'était donc les contribuables qui, par l'intermédiaire de leurs impôts, devaient combler ces déficits qui approchaient les huit milliards annuels. Les choses partirent sur les chapeaux de roue. L'appel à la grève fut ainsi plus suivi à la SNCF, lors du premier jour, qu'elle ne l'avait été au plus fort du conflit de 1995. À la mi-journée, plus de 73 % des cheminots étaient en grève. À la RATP, le trafic était quasi nul. Quant à EDF, il y fut recensé jusqu'à 80 % de grévistes. Je n'avais pas besoin de ces chiffres pour savoir que cela serait tendu. Nous rentrions vraiment dans le vif du sujet. J'étais plutôt serein, et totalement ancré dans ma décision. Je savais bien que, si je cédais, c'en aurait été déjà fini de mon quinquennat. Xavier Bertrand, alors ministre du Travail, tenait bien le choc et faisait un bon travail, même si, Raymond Soubie, mon indispensable conseiller social, était à la manœuvre. J'étais heureux qu'il soit à mes côtés. Son calme, son intelligence, ses réseaux, son expérience et aussi son courage me furent très utiles. Pendant que je multipliais les déclarations de fermeté, il discutait, apaisait, argumentait. Surtout, je lui avais demandé de bien montrer à nos interlocuteurs que je ne pouvais en aucun cas reculer, qu'il y avait donc un risque de violence qui pouvait nous emmener sur un terrain où il n'y aurait que des perdants, à commencer par eux-mêmes. Je me rendais même à la centrale nucléaire de Penly, en Seine-Maritime, pour tenter de convaincre les salariés d'EDF. Je fis un vibrant plaidoyer pour le nucléaire devant les centaines d'agents EDF et GDF qui y étaient rassemblés. J'avais choisi ce lieu car je savais que la CGT y était majoritaire. Or, c'était bien le seul point commun que nous avions. Défendre le nucléaire était pour la CGT EDF une question quasi identitaire. Cela ne faisait pas passer la pilule des quarante ans mais cela diminuait malgré tout la tension. La preuve en était apportée par le fait que j'avais pu m'y rendre sans déclencher de violences. Ce qui n'était déjà pas rien. Quelques semaines plus tard, je me

rendis tôt le matin dans un atelier de la SNCF dans le but
identique d'essayer de convaincre. J'appris à cette occasion qu'alors que l'État était l'unique actionnaire, jamais
un président de la République n'était venu spécifiquement à la rencontre des agents. Il ne fallait pas s'étonner,
dans ces conditions, que les relations sociales y soient à
ce point de tension. Il y avait là quelques centaines de
cheminots qui m'attendaient de pied ferme. Raymond
Soubie était à mes côtés. Il avait pour l'occasion mis une
écharpe rouge. Dans la voiture, sur le chemin qui nous
amenait au dépôt SNCF, je lui avais demandé en riant
si, dans son esprit, c'était un drapeau blanc. Il m'avait
répondu : « C'est rouge, certes, mais c'est du cachemire ! »
En arrivant, nous fûmes conspués, et immédiatement
entourés. Un homme très énervé insulta Soubie avec
des mots qui prêtaient à mon conseiller des pratiques
qui n'étaient visiblement pas les siennes. Il ne perdit pas
son sang-froid, bien qu'il fit à peine la moitié de la taille
de l'énergumène qui lui faisait face. Puis, s'adressant à
celui-ci d'une voix calme : « Monsieur, cela ne se fait pas
de parler ainsi. Soyez assez aimable de modérer votre
langage, et de me laisser passer ! » Et il passa ! J'avais vu
la scène. Je lui glissais à l'oreille : « Vous êtes courageux,
Raymond. » Il me souffla : « Continuons, Président, ce
n'est que le début. » Il avait raison puisque à cet instant
même un individu, couvert de badges Sud, me hurla : « Tu
vas voir Sarko comment on va te faire reculer. Tu vas
pas être à la fête ! » Je m'arrêtai et me retournai devant
mon interlocuteur pour lui dire : « Regardez-moi bien
dans les yeux, je vous donne ma parole d'honneur que

j'irai jusqu'au bout ! » Les télévisions avaient tout capté. J'eus bien du mal à commencer mon propos tant le brouhaha était fort. Sifflets, cornes de brume, insultes, tout y passait ! J'y arrivais cependant en les avertissant que les Français nous regardaient et nous jugeaient, et que les cheminots valaient mieux que les images de violence qu'ils étaient en train de donner. Finalement, je pus m'exprimer dans un calme relatif. La première épreuve était franchie.

D'autres manifestations s'ensuivirent. D'autres grèves aussi. Le mois de novembre fut très difficile puisque la France resta neuf journées sans presque aucun transport en commun. J'eus un échange téléphonique déterminant et presque violent avec Bernard Thibault. Tout était bloqué. Je dis au secrétaire général de la CGT : « Si vous voulez ma place, présentez-vous aux élections, mais je ne céderai pas. Il peut y avoir des violences et des morts, vous en porterez l'entière responsabilité. Ce n'est pas la CGT qui dirige la France. Et si vous ne voulez pas être des factieux, il faut arrêter ! » Pour lui permettre de sauver la face et accélérer le retour au calme, j'acceptai, dans un ultime compromis, d'allonger le délai d'entrée en vigueur de la nouvelle durée de cotisations. Je fixais la date de 2016, ce qui laissait huit années de transition. Les « puristes » m'accusèrent d'être trop faible. Huit années, c'était trop long. Il était légitime de le penser, mais je répondis que cela m'aurait bien arrangé de ne pas avoir à être si « généreux », mais qu'il aurait pour cela fallu que le travail soit fait avant ! Et cela valait dans mon esprit pour la droite comme pour la gauche. Cette première tempête sociale s'est bien terminée. J'avais été aidé pour le coup par les sondages qui montraient un soutien constant des Français à notre réforme. Sans ces derniers, je ne suis pas certain que nous aurions pu tenir jusqu'au bout.

*

* *

La deuxième tempête de cet automne décidément morose fut mon divorce. Depuis les vacances aux États-Unis, la vie familiale était devenue intenable. Cécilia ne voulait plus rien faire, même sauver les apparences était devenu impossible. Il fallait mettre un terme à une situation qui pouvait à tout moment virer au ridicule. Je m'assurai donc que Cécilia était bien dans l'état d'esprit de la rupture définitive en la prévenant que cela serait cette fois-ci sans retour. Elle confia à plusieurs de ses proches qu'elle ne me croyait pas. Elle était très sûre d'elle, sans doute trop. Je lui indiquai mon accord pour divorcer, aux conditions qui seraient les siennes. Je lui proposai de surcroît d'avoir recours à la même avocate. Elle choisit celle-ci sans même que je la connaisse auparavant. Bien m'en a pris, puisque je découvris en maître Cahen une femme intelligente et pleine de tact. Les choses allèrent vite. Je le souhaitais vivement. Je voulais me débarrasser du fardeau de ces incessants allers et retours. Cécilia ne l'avait pas compris, sans doute moi non plus à l'époque, mais inconsciemment je m'étais détaché plus que je ne le croyais. C'est sans doute curieux à lire ou à entendre, mais c'était pourtant la réalité. La présidente de la chambre de la famille du tribunal de grande instance de Nanterre fut remarquable de discrétion et de professionnalisme. Elle vint à l'Élysée en fin d'après-midi, dans le plus grand secret, pour nous entendre d'abord l'un après l'autre, puis ensemble sur notre volonté de divorcer. Puis, elle prononça le divorce. C'était fait. La page était tournée. Le feuilleton à rebondissements pouvait cesser. Il ne restait plus qu'à en informer les Français. J'ai parfois pensé à cette magistrate que je n'ai jamais revue depuis, et qui a pourtant joué un rôle important dans ma vie. Il m'arrive de sourire en l'imaginant seule dans le bureau du président de la République alors que j'en étais sorti pour qu'elle puisse s'entretenir avec Cécilia ! Je venais de vivre, dans un cadre extraordinaire, ce que des millions de Français avaient connu dans leurs vies quotidiennes. J'étais ainsi ramené à ma condition d'être humain comme les autres. C'était un échec. Je l'avais redouté. La magistrate et Cécilia quittèrent le palais à la nuit tombée. Je restai seul. Je rédigeai un communiqué de quatre lignes annonçant notre divorce, et notre volonté commune de ne faire aucun commentaire. Cécilia l'avait relu et m'avait donné son accord. Personne dans mon entourage n'était au courant du divorce qui venait d'être prononcé, à l'exception de ma secrétaire personnelle, la discrète et sensible Sylvie Burgel. J'appelai ensuite Catherine Pégard, à cette époque membre de mon cabinet, pour lui confier le communiqué que je lui demandais de rendre public tôt, le lendemain matin. Elle le prit sans

un mot de commentaire avec une pudeur et une réserve
dont je lui suis encore reconnaissant aujourd'hui. Tout
juste me dit-elle : « C'est mieux ainsi. » Ce fut son seul
propos. Il en disait long sur son intelligence et son tact.
Cette nuit-là, je dormis d'un sommeil profond. Je me
réveillai même soulagé, avec un poids en moins sur la
poitrine. J'en étais le premier étonné. Je savais cependant que, dans les jours à venir, j'allais être ausculté
jusque dans les moindres détails, et que lorsque l'on me
serrerait la main, cela serait comme pour des condo-
léances. Mais j'avais l'habitude depuis deux ans de cette
comédie impudique. Et puis tout valait mieux que ces
constants et usants va-et-vient. Je partais le jour même
pour un sommet européen à Lisbonne. Quelle ne fut
pas ma stupéfaction de voir sur le chemin du retour
tous les kiosques de Paris recouverts d'une affiche de
Cécilia qui confiait ses états d'âme au magazine *Elle* ! Elle
avait pourtant elle-même souhaité que nous ne fassions
pas la moindre déclaration ! Je me suis senti trahi. Mais
au fond, mis à part l'amour propre, cela ne changeait
rien. Je décidais donc de me taire, de ne rien dire, et
d'être aussi digne que possible. Ce qui n'était déjà pas si
simple. Aujourd'hui encore je ne le regrette pas. Parler,
commenter, répondre aurait été destructeur pour ma
fonction comme pour mon fils Louis. Je pariais sur la
sagesse et la compréhension des Français. Je croyais
profondément qu'ils n'avaient pas besoin d'explications
ni de sous-titres. Chaque fois que les événements et les
décisions sont forts, les commentaires s'avèrent inutiles.
Cela avait été une épreuve. J'ai ressenti de la tristesse, et

un sentiment de gâchis, mais c'était ainsi. Je n'avais pu que retarder l'inéluctable. J'avais échoué à l'empêcher. La vie continuait. Je n'étais pas à plaindre. J'avais tant de choses à faire qui occupaient mon esprit. Je me jetai dans mon travail avec encore plus d'énergie. Je voulais tourner la page. Curieusement, je ne ressentais ni nostalgie ni dépression passagère. Il faut dire qu'il ne s'agit pas d'une inclination naturelle de mon tempérament. Je me surprenais même à me sentir mieux que je n'aurais pu l'imaginer. Mes deux fils Pierre et Jean redoublèrent d'attention à mon endroit. Mes amis firent bloc. Mon agenda était surchargé. C'était une nouvelle illustration du proverbe selon lequel l'idée de la douleur est toujours plus douloureuse que la douleur elle-même.

*
*   *

C'est ce que je pensais en cette fin d'année 2007, jusqu'à ce que se produise un événement dont je n'ai jamais parlé avant d'écrire ces lignes, et qui montrait que le choc physique avait été plus rude que je ne le croyais moi-même. J'avais divorcé depuis trois jours et devais me rendre au stade de France pour présider la finale de la coupe du monde de Rugby. J'étais heureux de cette occasion de sortie et me faisait une joie de cette soirée au milieu d'un monde sportif dont j'ai toujours apprécié la compagnie. J'aime ces ambiances. Ces retrouvailles.

Ces discussions enflammées, et ce côté bon enfant d'où la prétention est toujours absente. J'y ai toujours fait le plein d'énergie. Je reviens comblé de ces rencontres et de ces moments partagés. Ce n'est jamais un effort pour moi de m'y rendre et même d'y passer de longues heures. Ce soir-là, j'éprouvais cependant le besoin de me munir d'une écharpe car je me sentais un peu fragile, et douloureux au niveau de la gorge. Rien de sérieux, encore moins de dramatique. Je n'y attachais d'ailleurs pas une grande importance. Je ne l'avais même pas signalé aux médecins qui ont pour mission de suivre le président de la République 24 heures sur 24. Ce soir-là, c'était leur chef, le Dr Christophe Fernandez, qui était de garde. C'était un jeune militaire de grande qualité professionnelle, d'un calme à toute épreuve, et d'une gentillesse peu commune. Aujourd'hui encore nous sommes amis. Le froid était ce soir-là assez vif. La soirée s'éternisait. Je ne pus rentrer à l'Élysée que vers minuit. Dans la voiture qui me ramenait, je sentis que ma gorge était en train de s'enflammer. Cela me brûlait, j'avais maintenant du mal à avaler. De retour dans les appartements privés de l'Élysée, je me résignai à appeler le médecin pour qu'il me donne – c'était ce que je pensais nécessaire – une ou deux pilules pour me soulager avant de m'endormir. Il était minuit et demi lorsqu'il m'ausculta. Je le vis changer de couleur alors qu'il touchait encore ma gorge. Son diagnostic était sans appel. Il me le confia sans précaution. « Président, votre gorge est en train de se déformer. Vous devez avoir un flegmon, cela peut être grave. Nous devons partir immédiatement à l'hôpital du Val-de-Grâce. » J'étais ahuri ! J'avais certes mal à la gorge, mais c'était supportable. Je lui répondis avec incrédulité. « Êtes-vous certain que vous ne dramatisez pas ? Mettez-moi sous antibiotiques et on verra l'évolution ! » Sa réaction fut brutale. « Il n'en est pas question. Je préviens le service ORL du Val-de-Grâce que nous serons là-bas dans quinze minutes. Vous n'avez pas le choix. Je ne peux pas vous laisser ainsi. » J'obtempérai d'autant plus que son diagnostic avait fini par m'inquiéter. J'avais confiance en lui. Il fallait partir et laisser faire les professionnels. Nous quittâmes le palais vers 1 heure du matin. Le docteur avait pris place dans ma voiture. Deux motards nous précédaient. Une voiture suiveuse avec les membres du GSPR nous accompagnait. Nous traversâmes Paris à toute allure. Je pénétrai au Val-de-Grâce par une porte dérobée. La voiture me déposa presque devant l'ascenseur. Le général qui dirigeait l'hôpital m'attendait, de même que le médecin militaire qui exerçait la responsabilité du service ORL. On avait dû le réveiller en pleine nuit pour l'occasion. Je devais être entre les meilleures mains. L'armée ne plaisante pas avec ce genre de choses. J'étais impressionné de les voir à ce point prêts à toutes les éventualités. On me fit entrer immédiatement dans une salle médicalisée. J'enlevai ma veste et ouvris ma chemise. L'examen commença. J'étais allongé. Je commençais à souffrir de plus en plus. Je ne sais si l'origine de ce mal était physique ou psychologique. Le verdict tomba rapidement. Sans hésitation, et sans un sourire, le chirurgien me dit : « Je vous garde cette nuit, on vous opère demain matin à la première heure. Vous êtes en train de développer un flegmon de belle taille. Vous ne pouvez pas garder cela. C'est trop dangereux. » J'étais un peu sonné mais trouvai la force de lui répondre : « Il n'en est pas question. Je dois partir pour une visite d'État lundi matin au Maroc. Par ailleurs, je ne resterai pas à l'hôpital cette nuit. Avec mon divorce, la presse va échafauder je ne sais quelle histoire. Je suis rentré sur mes deux pieds. Je sortirai de la même manière et irai terminer la nuit à l'Élysée. » Sa réaction ne se fit pas attendre : « Je comprends, Monsieur le Président, mais dans ce cas je dois ouvrir le flegmon dans votre gorge tout de suite et sans vous endormir ! Cela va faire mal. Je vais devoir vous faire souffrir. » « Général, je vous fais confiance faites au mieux et au plus vite. Le reste n'est pas votre affaire. » J'enlevai ma chemise, et une jeune et très gentille infirmière m'annonça qu'elle allait me faire une piqûre. Encore aujourd'hui, j'ignore de quoi. Je fus étonné quand elle me prit la main avec un air sincèrement désolé. Je ne tardais pas à comprendre. Le général me fit ouvrir largement la bouche. Il y fit pénétrer son bistouri, et incisa. Il avait dit vrai. Cela n'avait pas duré longtemps mais je ressentis une violente douleur. Mes yeux se mirent à pleurer. J'étais gêné et dus m'excuser. L'infirmière me confia : « Avec ce que vous venez de vivre, on pleurerait à moins ! » Les jambes un peu flageolantes, je me suis rhabillé. Je retrouvais ma voiture en marchant à pas comptés. On m'avait installé un cathéter au bras gauche pour m'injecter des antibiotiques à hautes doses. Je revins au palais vers 3 h 30 du matin, exténué. J'essayais de dormir tant bien que mal. Dès 9 heures le lendemain, Christophe Fernandez m'auscultait à nouveau. Je vis tout de suite à son visage que l'évolution n'était pas favorable. « Président, nous devons retourner à l'hôpital. Je crains que le flegmon ne soit revenu. » Nous repartîmes donc dans le même équipage que la veille. Le même médecin m'attendait. Seule l'infirmière avait changé, ce que je regrettais intérieurement. Le général était sincèrement désolé, il n'y pouvait d'ailleurs rien. « Je vais devoir vous faire souffrir à nouveau. » Je souris à peine et eus juste le temps de souffler. « Faites vite, par pitié. » Bizarrement, je souffris moins que pour la première intervention. C'était sans doute l'habitude. Je retournai ensuite à l'Élysée avec mon cathéter et la bouteille d'antibiotiques suspendue à une paterne que je devais trimballer à chaque fois que je me déplaçais. Je passai le reste du dimanche dans les appartements privés sans voir personne. Vu mon état, c'était préférable. Je mis Claude Guéant dans la confidence, comme Jean-David Levitte. Ils furent solides et amicaux, me proposant même d'annuler la visite d'État au Maroc du lendemain. Je répondis : « Surtout pas, quelle explication pourrions-nous donner ? Ils ne nous croiront jamais ! Maintenez. Cela ira ! »

Je veux aujourd'hui dire ma reconnaissance à tous les militaires du service de santé du Val-de-Grâce qui ont su se montrer si efficaces et si discrets. C'est tellement rare de nos jours de pouvoir faire confiance. L'armée reste vraiment ce corps où les mots service, patrie, honneur, professionnalisme ont encore une signification. Je confesse mon admiration pour cet univers et mon affection profonde pour tous ces Français admirables de dévouement. Personne n'a parlé. Personne ne s'est confié. Personne n'a trahi sa mission. Il s'agit vraiment d'un monde à part, qui n'a pas été perverti par la modernité prétendue du nôtre. Pourvu que cela dure.

*

* *

Je me réveillai le lundi matin sans avoir mal à la gorge, mais dans un état de grande fatigue. J'étais livide. J'avais régulièrement des montées de nausée. Je ne me sentais vraiment pas dans mon assiette. Nous devions cependant partir pour prendre l'avion présidentiel qui allait m'emmener pour la visite d'État de trois jours au Maroc. Je demandai à Marina que j'ai eu la chance d'avoir comme maquilleuse durant toutes ces années, et dont la bonne humeur est communicative, de « forcer » sur la dose de maquillage afin d'être plus présentable. La présence constante des caméras oblige le président de la République à être maquillé pratiquement tous les jours.

Mais ce jour-là, c'était encore plus nécessaire qu'à l'accoutumée. La visite commençait à Marrakech où le roi Mohammed VI avait prévu de m'accueillir. C'est un homme d'une grande intelligence, très francophile, et d'une gentillesse qui ne se dément jamais. Il m'avait demandé de choisir la ville où je souhaitais débuter le voyage. J'avais répondu Marrakech, car il s'agissait pour moi d'un lieu unique au monde. Cette oasis d'où l'on peut apercevoir les neiges éternelles de la chaîne de l'Atlas ne ressemble à aucun autre endroit. L'air descend des hautes montagnes et se réchauffe progressivement lors de la traversée du désert pour arriver à bonne température au moment d'entrer dans la ville. Le ciel est d'un bleu unique. Les peintures de Majorelle en portent témoignage. Elles ne mentent pas. Les fleurs sont omniprésentes. Les odeurs sont celles d'un Orient qui aurait choisi de se rassembler tout entier dans cette ville miraculeuse. L'art et l'artisanat y ont pris racine depuis des siècles. La population est joyeuse, accueillante, bigarrée et bruyante. L'air est doux. Le soleil y est garanti. J'ai toujours le sentiment d'être à la maison tant tout me paraît familier et différent, car c'est déjà le début de l'Orient. Les Marocains nous sont ainsi tout à la fois proches et lointains. Le roi m'avait téléphoné juste après mon divorce pour me dire de venir avec des proches. « Emmenez vos fils, je ne veux pas que vous soyez seul, j'y tiens beaucoup. Je leur présenterai mes neveux. Ils s'amuseront bien tous ensemble. » J'avais été touché par cette délicate attention et avais en conséquence demandé à Pierre et à Jean de m'accompagner, ce qu'ils avaient accepté avec leur affection coutumière. Ce n'était vraiment pas de chance d'être malade alors que je me faisais une joie de revenir dans ce Maroc qui m'est si cher, et que j'aime tant. J'ai toujours ressenti cette proximité. Je pourrais sans doute y vivre. J'essayai durant les trois heures que durait le voyage de reprendre quelques forces en dormant de façon presque ininterrompue.

J'avais toujours l'aiguille du cathéter plantée dans mon avant-bras. Je devais prendre garde à ce qu'au moment de me saluer personne ne s'appuie par inadvertance sur celui-ci. Quand malgré tout cela se produisait, je ne pouvais réprimer une grimace de souffrance. L'avion se posa à l'heure prévue. J'allais quelques minutes dans la chambre qui m'était réservée pour me rafraîchir et m'entretenir avec le médecin. J'avais le cœur au bord des lèvres. C'était sans doute la conséquence des fortes doses d'antibiotiques que l'on m'administrait depuis deux jours. Les ministres qui m'accompagnaient ignoraient tout de mon état physique. Quand la porte s'ouvrit, le spectacle était grandiose. La cavalerie marocaine vêtue de rouge, sabre au côté, était nombreuse et impeccable. Le roi était venu m'accueillir. Une immense voiture décapotable nous attendait. Le soleil était au zénith et tapait fort. J'étais étourdi par la beauté du paysage, le bruit de la foule immense, la chaleur de l'accueil. Je rassemblai toutes mes forces pour tenter de faire bonne figure et profiter de ces moments inoubliables. Nous montâmes dans la voiture où nous restâmes debout un long moment. Le roi avait bien fait les choses. De l'aéroport jusqu'à son palais dans la Médina, la foule était compacte peut-être sur dix à quinze rangées. Des dizaines de milliers de personnes se massaient sur notre passage. Les Marrackchis criaient, chantaient, applaudissaient, s'apostrophaient. Le bruit était ininterrompu. Avec le roi, nous ne pouvions pas échanger un mot. On ne pouvait s'entendre. Les cavaliers de l'armée royale nous précédaient. Vivre de tels moments permettait de comprendre instantanément la profondeur et l'ancienneté de la culture marocaine. Quand le souverain descendit, chacun se précipita pour baiser sa main qu'il retirait aussitôt avec un mouvement étrange de recul. Le palais était somptueux sans être clinquant. Chaque objet y respirait l'histoire, la tradition, le goût le plus raffiné, l'artisanat le plus habile. Tout était beau sans que rien ne semblât neuf. J'étais soulagé que l'épreuve physique se soit déroulée sans incident. J'imaginais rétrospectivement, et avec terreur, ce qu'auraient pu être les titres des journaux : « Trois jours après son divorce, le président a un malaise lors de sa visite d'État ! » Cela aurait fait bien dans le tableau, et ce alors que toute la presse déjà me décrivait abattu, malheureux, seul ! Il est certain que lorsque l'on est président, il vaut mieux ne pas être malade, même légèrement, mais dans ma situation, ce n'était vraiment pas le moment ! Nous arrivâmes enfin dans le bureau du roi. Je me sentais vraiment mal, et m'en ouvris à lui. Je lui expliquai ce qui s'était passé et lui demandai de pouvoir disposer de trente minutes pour me remettre. Avec tact et gentillesse, il accéda à ma demande et, au lieu de parler des dossiers qui nous attendaient, je me suis allongé dans une chambre. Le médecin m'accompagna. Je fus d'abord « malade comme un chien » puis, comme par miracle, je sentis peu à peu mes forces revenir. De fait, une heure plus tard, j'éprouvai l'euphorie que connaissent bien tous les migraineux. Après avoir souffert, le corps est si soulagé que tout paraît léger et facile. Je repris le cours de la visite d'État comme si rien ne s'était passé. Personne ne s'était aperçu de quoi que ce soit. Quel soulagement ! Je n'étais pas passé loin de la catastrophe. Le soir, il y eut un grand dîner d'État offert par le roi. La nourriture était abondante et succulente. Par prudence, je fus très parcimonieux. Le roi avait fait venir son frère, le prince Moulay Rachid dont j'appréciais l'humour froid, la grande humilité et la finesse d'analyse, et ses trois sœurs. Toute la famille était présente. Soucieux de ma santé, le souverain veilla à ce que les choses ne s'éternisent pas. Je dormis dans une des résidences royales au cœur de la Palmeraie. Le lieu est comme un paradis sur terre. Il est entouré d'un parc de quatre-vingts hectares d'orangers, de citronniers et d'oliviers. L'Atlas y apparaît dans toute sa splendeur. En me réveillant le lendemain, il était là, juste en face de ma terrasse. La neige y scintillait. Il faisait vingt-huit degrés et je la voyais ! Je prenais le petit déjeuner avec mes deux fils. J'aurais tant aimé que cette parenthèse se prolongeât. Il fallait déjà repartir. Les chefs d'entreprises marocains m'attendaient pour un discours et une séance de questions-réponses puis les journalistes pour une conférence de presse. Je m'aperçus bien vite que mon voyage au Maroc ne les intéressait guère. Le sujet du jour, c'était mon moral. Ils en étaient si préoccupés qu'avec moins d'expérience, j'en aurais été presque touché ! Ruth Elkrief me posa au moins trois fois de suite la question : « Mais comment allez-vous ? » Comme elle était plus fine et aussi plus sensible que la plupart de ses confrères, elle n'alla pas plus loin. Mais l'allusion était claire. Je fis comme si je n'avais pas compris et continuai mon chemin. Personne n'était dupe. D'ailleurs, même si cela m'agaçait, je comprenais qu'à leur manière ils faisaient leur travail. Je ne

pouvais décemment pas leur en vouloir. Les seuls responsables de la situation, c'était Cécilia et moi. Nous nous
étions mis dans une situation impossible. Il fallait assumer. Je me disais d'ailleurs qu'au prochain voyage les
choses rentreraient dans l'ordre et que plus personne n'en
parlerait. Le lendemain, je me rendis à Tanger pour un
discours sur l'Union pour la Méditerranée. Quelques
mois plus tard, je retrouvai le roi dans cette belle ville
pour poser la première pierre du « premier TGV arabe ».
Il avait tenu à l'attribuer à la France sans appel d'offres,
démontrant une nouvelle fois son attachement et sa
confiance pour notre pays. Malgré mes embarras, ce fut
une belle visite. Aujourd'hui encore, il m'arrive d'y penser
avec une nostalgie heureuse. Le Maroc a bien de la chance
de disposer d'un souverain de cette qualité. Sa vision est
celle d'un pays qui doit se moderniser sans perdre son
identité. Il a l'autorité de son père Hassan II et son intelligence, mais il y ajoute la modernité de son âge et l'humanité de son tempérament.

*
* *

Au début du mois d'octobre, je m'étais rendu à la grande
mosquée de Paris pour participer à un repas de rupture
du jeûne. Cette initiative avait provoqué un certain émoi.
C'était la première fois qu'un président de la République
se rendait en ce lieu sacré pour nombre de musulmans

français afin de participer à un iftar. J'ai toujours aimé cet endroit qui fut inauguré au début du xxe siècle par Gaston Doumergue en hommage aux musulmans français tombés au champ d'honneur de la Première Guerre mondiale. La grande mosquée de Paris a une histoire et je voulais l'honorer. J'ajoute qu'après mon déplacement à Notre-Dame pour les obsèques du cardinal Lustiger, je souhaitais faire un geste pour l'islam, qui était désormais la deuxième religion de France par le nombre de ses pratiquants. Le lieu est vraiment agréable avec en son centre un jardin fait de quiétude et de calme autour d'une jolie fontaine. Le bureau du recteur est comme un antre fait de bois ouvragé et de secrets anciens. Les salons sont joliment décorés. C'est Alger au cœur de Paris, et cela ne manque pas de charme. L'ambiance y est chaleureuse. L'accueil toujours bon enfant. On y rit, on y plaisante, on s'y dispute aussi, sans que tout ceci ne laisse de traces, comme si l'important était avant tout de se parler. Combien cet islam me semblait différent de celui de ceux qui s'en réclamaient bruyamment à coup de bombes, de cruautés, et d'atrocités diverses ! Comment était-ce possible qu'une même religion produise de tels écarts de culture, d'humanité de comportements ? J'avais ce jour-là en face à moi les responsables du CFCM, des imams de différentes mosquées, des responsables d'associations cultuelles. J'avais l'impression que nous parlions le même langage. Ils comprenaient de quoi il retournait. Ils adhéraient dans l'ensemble à mon idée de développer « un islam de France » qui, à l'inverse « d'un islam en France », devait et pouvait s'intégrer à la

République française. Je voulais les aider, les soutenir, les réveiller aussi. Je les exhortai à prendre leur part du combat à mener contre tous ces « fous » qui se prétendaient de « Dieu », et qui n'étaient rien d'autre que des barbares sanguinaires. Je leur dis qu'un musulman sera toujours plus efficace pour s'opposer aux djihadistes qu'un non-musulman. Et que c'était pour cela que nous avions besoin de leurs rassemblements, de leurs mobilisations, de leurs courages. Je dois à la vérité de dire que mes espérances furent sur ce point souvent déçues. J'ai parfois trouvé que les réactions de la communauté musulmane modérée étaient trop timorées, en tout cas rarement à la hauteur de la gravité de la situation. C'était pourtant elle qui souffrait le plus des conséquences de l'amalgame. Était-ce dû à un manque de courage ? Il faut dire que la menace pesait lourdement sur eux comme sur leurs familles. On peut comprendre leurs hésitations. Était-ce dû à une crainte de se couper d'une partie de leur communauté, et des jeunes tout particulièrement ? On peut l'entendre, mais ce serait alors plus inquiétant pour l'avenir. Était-ce une incompréhension de la gravité de la situation ? Est-ce possible d'imaginer que qui que cela soit puisse ignorer le point de tension où notre société en est arrivée ? On pouvait se perdre en conjectures. Au fond, seul le résultat comptait. Et de ce point de vue, il était vraiment décevant. Le plus regrettable est que la situation perdure, voire s'aggrave. D'une manière ou d'une autre, il va bien falloir arriver à résoudre ce problème de l'islam de France. Les musulmans français devront faire un effort important d'intégration de leurs pratiques religieuses à l'intérieur de la République. Cet effort, les chrétiens l'ont fait, au début du xxᵉ siècle. Cela fut violent. Le processus qui nous a fait passer de la chrétienté à la laïcité fut difficile, parfois excessif, souvent intolérant. Mais nous y sommes arrivés. Les juifs ont connu un processus parallèle et c'est Napoléon qui en a été le maître d'œuvre. Ici encore, la contrainte fut utilisée plus souvent qu'à son tour. Personne ne doit pouvoir s'imaginer qu'avec l'islam les choses se dérouleront sans opposition, sans sacrifice et sans polémique. L'autorité de l'État est en cause. Elle doit maintenant être utilisée pour contraindre s'il le faut. Au fond de moi, je pense qu'il y a eu assez de discussions, de colloques, de débats. Il est largement temps d'agir. Chacun connaît les têtes de chapitre et les données du problème s'agissant des imams indésirables, des mosquées où se déroulent les prêches inacceptables, des associations cultuelles où l'on tient des propos indéfendables, des radicalisés qui sont tolérés sur notre territoire, des comportements à l'endroit des femmes contraires à nos valeurs. La liste pourrait être beaucoup plus longue. Il n'y a plus qu'à agir sans trop se soucier d'une pensée unique qui brandira le drapeau de l'islamophobie à la première occasion. Mais peu importe, chacun doit comprendre que c'est l'inaction qui renforce un peu plus chaque jour cette dernière. À l'inverse, je suis certain que c'est l'action qui nous en sortira. Nous n'avons plus le choix. C'est la cohésion de notre société tout entière qui est en cause. Les choses ont été très loin. Je veux espérer qu'il est encore temps d'agir pour éviter un affrontement dont les conséquences seraient incommensurables.

*

* *

Je pensais que tenir en Corse un Conseil des ministres décentralisé était utile, tant l'autorité de l'État y avait été bafouée. Ce Conseil décentralisé prenait une significa-tion particulière. C'était mon vingt-huitième déplacement officiel sur l'île de Beauté en seulement cinq années. C'est peu dire que j'aime cette terre et ses habitants et que je me suis acharné à les aider à triompher de leurs démons. Comment, en effet, avec tous les atouts qu'on lui connaît, la Corse a-t-elle pu ne pas réussir son décollage écono-mique ? Sur cette île, il n'est pas exagéré d'affirmer que rien ne manque. Les paysages sont à couper le souffle, sans doute parmi les plus beaux de Méditerranée, où la concurrence est pourtant fort rude. Il y a du soleil, et il y a de l'eau. Les montagnes y sont si hautes qu'elles arrêtent les nuages, et lui confèrent une pluviométrie enviable en comparaison de celle de beaucoup d'îles voisines qui n'ont pas cette chance. C'est le cas notamment de la Sardaigne. À mi-chemin entre la France et l'Italie, la Corse est un point de passage incontournable. La terre est bonne. Il y a des pâturages, des montagnes, des plages, des plaines, des rivières. Tout est à profusion. L'histoire y a été riche. La culture y est omniprésente. Le tourisme n'a pas réussi à gâcher une seule perspective. La côte est quasi intacte. Et l'île est à 1 h 30 en avion de Paris. Et pourtant, malgré tant de potentiels, le compte n'y est pas encore. C'est presque désespérant. Il faut relire Prosper Mérimée pour comprendre qu'au fond, rien n'a changé dans la mentalité profonde des insulaires qui demeurent aussi prompts à l'accueil chaleureux, et à l'amitié sincère, qu'à la violence la plus brutale. Qui peuvent être ouverts et généreux, mais également fermés comme dans un camp retranché, et à la limite de l'égoïsme quand il s'agit d'aider quelqu'un qui n'est pas corse de père en fils depuis au moins huit générations. Comment ne pas aimer les Corses ? C'est impossible, tant il y a d'histoires à partager, d'humour à goûter, d'authenticité à respecter. Mais, dans le même temps, comment ne pas s'énerver à propos de la Corse qui trouve qu'on n'en fait jamais assez pour elle, et qui vous reproche dans la foulée d'en faire trop sans la laisser vivre ? Comment ne pas s'agacer de cette « omerta » que sur l'île on appelle solidarité ?

J'avais choisi pour lieu de résidence un très charmant hôtel à une vingtaine de kilomètres d'Ajaccio, Le maquis, que j'aime tant. Je connaissais bien l'endroit, son calme, sa localisation exceptionnelle face à la mer. La patronne, Ketty, était un personnage haut en couleur, qui n'avait pas sa langue dans la poche et qui m'avait constamment soutenu dans tous mes combats contre les nationalistes. Nous avions prévu de tenir le Conseil des ministres à la préfecture où j'avais tant de fois dormi, et où j'avais aussi mes habitudes. Je comprenais bien que le discours de fermeté avait besoin d'un complément sur le plan du développement économique. C'était une nouvelle illustration de la carotte et du bâton. Je ne voulais pas refaire le ministre de l'Intérieur. J'avais proposé dès 2002 un plan exceptionnel d'investissement de deux milliards d'euros sur quinze ans pour financer les grands travaux d'infrastructure de l'île. Je n'acceptais à aucun prix que cet argent soit saupoudré et disséminé au gré des amitiés dans chaque commune ou dans chaque canton. J'avais observé de longue date que la qualité des routes était exceptionnelle dans le plus petit canton de Haute-Corse, où il passait si peu de voitures mais dont le conseiller général savait cultiver des amitiés. En revanche, il fallait toujours trois bonnes heures de route pour rallier les deux capitales insulaires que sont Bastia et Ajaccio. À ce jour, les travaux de l'autoroute n'ont toujours pas commencé. Je m'employais également à briser l'enclavement de la Corse renforcée par une conception absurde du service public qui empêchait, par exemple, que l'île soit desservie par les compagnies aériennes à bas coûts. Je ne comprenais pas pourquoi celles-ci pouvaient utiliser tous les aéroports de France sauf ceux de l'île. Comme à l'accoutumée, les indépendantistes m'attendaient de pied ferme en décidant d'une manifestation le matin même de mon arrivée à Ajaccio. Jean-Guy Talamoni, le porte-parole des indépendantistes, affirma que le gouvernement français agissait avec eux « comme la junte militaire birmane. Ce sont les mêmes méthodes. » Visiblement, il n'avait qu'une connaissance très approximative de la Birmanie. Je l'avais rencontré à de nombreuses reprises. Au début, je pensais qu'il pouvait être un interlocuteur utile. Je m'étais trompé pour une raison qui ne tient ni à son tempérament ni à sa personnalité mais bien plutôt à sa proximité avec Charles Pieri. Le casier judiciaire de ce dernier est impressionnant. Ses pratiques sont connues de toute l'île. Il fait peur à beaucoup de gens. Il était inutile de chercher à convaincre Jean-Guy Talamoni. Comme il était prévisible, pour l'occasion de ma visite il refusa sous un prétexte quelconque d'assister à mon discours devant l'Assemblée territoriale. Je n'y attachai aucune importance puisque mon objectif était d'attirer tous ceux qu'on appelle « les autonomistes ou les indépendantistes modérés ». Je n'attendais rien de la faction extrême de cette famille. Le président de la collectivité était Camille de Rocca Serra, dont j'avais connu le père sur les bancs de l'Assemblée nationale lors de ma première élection. Cela aurait été difficile de le manquer. C'était un original. Ainsi, il ne se séparait jamais d'un petit revolver en argent plaqué qu'il n'hésitait pas à brandir, et qu'il refusait d'abandonner même lorsqu'il siégeait au Palais-Bourbon. J'en avais été assez impressionné. On l'appelait le « renard argenté ». Renard, parce qu'il était d'une intelligence politique peu commune. Argenté, parce qu'il portait les cheveux blancs. Son fils lui avait succédé. Il était intelligent comme le père, sans doute plus sympathique et accessible. Il fut un soutien aussi fidèle qu'il lui était possible de l'être. Il ne fallait pas être trop exigeant en la matière. C'est souvent ainsi avec beaucoup de responsables politiques corses. Ils se trouvent pris dans un faisceau d'amitiés publiques ou secrètes dont eux seuls savent tirer les fils, ce qui explique souvent bien des comportements incompréhensibles pour tout non-insulaire. À cette époque, la droite en Corse était majoritaire, mais cela ne se voyait pas tant leur propension à se diviser, à se fâcher, à se déchirer était illimitée. Les haines se trouvaient d'autant plus profondes qu'on ne se souvenait pas des causes de celles-ci. Il était donc possible de se détester sans savoir exactement pourquoi. Il s'agit sans doute de la région la plus politique de France. Le niveau de connaissance et de pratique en la matière est impressionnant. C'est comme si chaque Corse avait son agrégation de politique ! C'est bien d'ailleurs ce qui rend les conversations si plaisantes et si stimulantes. C'est ce qui donne ce charme particulier à la table corse et sa convivialité à nulle autre pareille. Et puis, sur l'île, rien ne s'oublie. On se souvient de tout. Ce qui, un jour, est entré dans la mémoire n'en sort pas. Pour le meilleur comme pour le pire. Amis pour la vie. Ennemis pour la vie. C'est du pareil au même. Je terminais la journée par un dîner avec François Fillon et les ministres présents chez Jean-Jean. C'est un fameux restaurant, et de surcroît un ami de longue date, dont la spécialité est les pâtes aux langoustes. Il ne lésine sur aucun des deux ingrédients. Les murs sont couverts de photos des « célébrités » qui sont passées chez lui. Force est de constater qu'il y en a eu davantage que de murs, tant ceux-ci sont intégralement couverts ! Il n'y a qu'un seul moment embarrassant lorsque, sortant du restaurant, il diffuse à tue-tête « L'Ajaccienne » sous le regard étonné des passants, en me pointant d'un doigt amical. J'aime cette ambiance où chacun se retrouve après des mois ou même des années sans se voir comme si l'on s'était quitté la veille. J'aime marcher dans les rues d'Ajaccio et regarder la Méditerranée qui y est omniprésente. Je ne peux m'imaginer la France sans la Corse. Et tout autant l'inverse, la Corse sans la France. La pire chose qui pourrait arriver à cette île miraculeuse serait son indépendance. Les insulaires seraient alors livrés à l'idéologie d'une minorité et à la cupidité d'une mafia qui entraîneraient la société corse vers ses plus mauvais penchants. Tout le monde y perdrait. Les 320 000 Corses se retrouveraient isolés, orphelins, abandonnés à leurs divisions séculaires. La pauvreté et le sous-développement seraient inéluctables. Comme le serait la mise sous coupe réglée des Corses les plus entreprenants qui verraient la mafia insulaire vivre à leurs crochets sans freins ni limites. Heureusement que l'État est présent et qu'il sert de garde-fou. Je dois cependant reconnaître que le FLNC et consorts ont pu avoir une seule influence bénéfique. En effet, la spéculation immobilière et le littoral défiguré n'ont pu prospérer sur l'île comme ils l'ont fait dans tant d'endroits du sud de la France. C'est le seul aspect « positif » de la peur des bombes. Mais à quel prix et avec quelle violence ! La Corse n'a rien à craindre pour son identité, pour sa langue, pour sa culture, pour sa gastronomie, pour ses chants... Ils sont si enracinés que rien ni personne ne pourra y porter atteinte. Pour la deuxième journée de mon séjour corse, j'essayai de convaincre mes interlocuteurs d'investir dans les tournages de film. Je proposai de créer une zone franche exonérée d'impôts pour attirer les réalisateurs du monde entier. Pourquoi laisser cette manne créatrice aux seuls

pays de l'Est ? J'imaginais aussi de rendre la Corse autonome sur le plan énergétique. Je voulais y créer la
première station d'énergie solaire de France. J'essayais
enfin de développer des projets touristiques de haute
qualité. Mes interlocuteurs appréciaient, partageaient, et
même approuvaient. Puis, une fois rentré à Paris, tout
s'arrêtait à nouveau. Les batailles picrocholines repar-
taient de plus belle. Rien n'avançait. J'avais beau essayer
d'y nommer les meilleurs préfets, d'inventer des procédures budgétaires spéciales, de pousser moi-même à
chaque fois que je le pouvais les dossiers les plus importants, le résultat était toujours décevant, comme si la
société corse était frappée d'apathie. Et pourtant, il existe
tant de Corses entreprenants, courageux et imaginatifs.
Mais ils se trouvent en butte au même fatalisme et à la
même résistance passive. Comme si rien n'était possible,
ou alors au prix d'un effort sans précédent. Ceux qui
m'ont succédé comme beaucoup de ceux qui m'avaient
précédé n'ont pas même essayé de faire bouger la Corse.
Ou plutôt, c'est quand elle ne bougeait pas qu'ils étaient
le plus heureux ! Je me souviens combien il fallait d'efforts
à Charles Pasqua pour convaincre Jacques Chirac de s'y
rendre. Ce n'est pas qu'il n'aimait pas l'île, mais il était
sceptique sur la possibilité d'y réussir quelque chose sur
le long terme. On ne pouvait pas lui donner complètement tort. Je reconnais bien volontiers ne pas avoir beaucoup mieux réussi que les autres avec la Corse. Mais je
revendique d'avoir essayé plus souvent, et plus fortement
que tous les autres. J'imagine trop le potentiel exceptionnel de ce territoire et de ses habitants pour y renoncer.

Il m'a manqué, et à mon sens, il manque toujours à l'île des leaders politiques à la hauteur de ce que pourraient être les ambitions légitimes de la Corse dans la République. Peu à peu, la qualité des élus nationaux s'est banalisée. J'en veux pour preuve que les Corses dans la vie politique nationale ont quasiment disparu. Que sont devenus ces personnages mythiques et fleuris qui faisaient le charme de nos débats politiques, tels Alexandre Sanguinetti, Charles Pasqua, René Tomasini, Achille Peretti ? Aujourd'hui, les politiques corses ne sortent plus de leur île. C'est un appauvrissement pour elle comme pour le continent. Je n'oublierai jamais cependant ce que je dois aux Corses et à leur fidélité. Ils m'ont constamment et quelles que soient les difficultés du moment donné leurs suffrages avec une confortable majorité. Je leur resterai toujours attaché, et serai toujours prêt à les aider, et ce quelle que soit la place qui sera la mienne. Je crois sincèrement que lorsque l'on a une fois dans sa vie laissé la Corse entrer dans son cœur, il n'y a plus aucun moyen de l'en faire sortir. Ce sont des sentiments uniques que je revendique peut-être sans pudeur, mais c'est parce qu'ils sont pour une île, elle aussi, unique !

*
* *

Après la Corse, la Russie. Différences de températures, de cultures, de complexité, et bien sûr, d'objectifs. C'est tout l'intérêt et aussi toute la difficulté de la mission du président de la République. Il convient d'être passionné de tout, d'être au courant de tout, et de pouvoir s'adapter à tout. L'important étant de bien rester concentré sur ce que l'on est en train de faire en oubliant ce qui s'est passé avant, et en ne se projetant pas trop tôt sur ce qui va se produire le lendemain. Poutine avait attendu deux jours pour m'adresser ses félicitations après mon élection. La presse avait interprété ce « retard » comme un signe de défiance à l'endroit de mon tropisme américain supposé. C'était notre première véritable rencontre après le G8 de Heiligendamm. Il me reçut dans sa résidence de Novo-Ogariovo, qui se trouve à une quarantaine de kilomètres du centre de Moscou. Il faut près d'une heure en voiture pour s'y rendre, et ce même sous escorte policière. La circulation à Moscou est très difficile. J'empruntai donc une succession d'autoroutes bordées de ces inimitables HLM de l'époque soviétique. Autant la capitale russe est somptueuse en son centre, traversée par la Moskova, et rassemblée autour du Kremlin et de la place rouge, autant la banlieue est souvent triste et ingrate. Les immeubles défilaient d'une manière ininterrompue. Ils étaient de plus en plus hauts et toujours aussi gris. Les routes s'enchevêtraient à l'infini. Je me rendis vraiment compte, à cette occasion, de l'immensité de la capitale russe. Puis nous bifurquâmes sur la droite et pénétrâmes dans une forêt que nous suivîmes pendant vingt bonnes minutes. L'atmosphère avait bien changé. Fini les hauts buildings. Nous traversions des villages où se trouvaient des commerces de marques de luxe, et notamment de voitures haut de gamme. Le quartier devenait résidentiel et privilégié. Nous arrivâmes sur une longue route. Nous étions toujours dans la forêt mais, de chaque côté, se dressaient désormais des palissades en bois d'au moins quatre mètres de haut. Visiblement nous approchions du cœur névralgique de la Russie. La demeure privée de Vladimir Poutine ne devait plus être très loin. Effectivement, cette fois-ci nous tournâmes sur la gauche. Nous marquâmes un très léger temps d'arrêt devant un barrage tenu par des militaires impénétrables et impeccables. Nous nous retrouvâmes sur une petite route serpentant au milieu d'un bois parfaitement entretenu qui nous conduisit jusqu'à une large bâtisse où Vladimir Poutine nous attendait. L'ensemble était confortable, vaste et sans charme. C'était le lieu de travail privé de Poutine. Nous passâmes trois heures à tenter de rapprocher nos points de vue sur le nucléaire iranien, sur l'avenir du Kosovo dont mon interlocuteur ne souhaitait pas qu'il devienne indépendant, ou encore à propos des dissidents et des droits de l'Homme. Je lui faisais part, notamment, de notre préoccupation à la suite de l'assassinat de la journaliste Anna Politkovskaïa à Moscou un an auparavant. À cette occasion, je découvris la capacité de mon interlocuteur à écouter, à argumenter et à laisser la conversation se dérouler y compris à propos des sujets les plus sensibles pour lui. Je fus sincèrement étonné, et agréablement surpris, de cette liberté de ton. Je compris également qu'elle avait une contrepartie. Vladimir Poutine attendait de nous que nous ne le trahissions pas vis-à-vis de l'extérieur. Je percevais combien toutes nos initiatives publiques étaient en vérité contre-productives. Si nous voulions le convaincre, et obtenir des gestes concrets, il fallait créer la confiance et engager une diplomatie discrète. Ainsi, nous obtiendrions des résultats. En revanche, cela rendait impossibles les *shows* médiatiques ou les déclarations enflammées lors des conférences de presse. Or, c'est justement ce qu'avait fait Bernard Kouchner un mois auparavant à Moscou en rencontrant les ONG critiques à l'endroit de Poutine. Il fallait faire un choix. Avoir des résultats ou parader. J'ai vite tranché. J'eus quelques années plus tard une nouvelle illustration de ce trait de caractère de Poutine. Nous étions fin 2012, il m'avait reçu en compagnie de mon ami, et directeur de cabinet, Michel Gaudin. L'un des sujets du jour était le sort des trois jeunes filles connues sous le nom des « Pussy Riot » qui avaient été jetées en prison après avoir chanté des prières punk anti-Poutine en dansant sur l'autel de la cathédrale orthodoxe de Moscou. Cette initiative ne valait certainement pas les trois années de prison auxquelles elles avaient été condamnées. Je faisais valoir à Vladimir Poutine mes arguments : « Tu as fait un formidable travail pour ramener la Russie au rang des superpuissances. Ta voix compte dans le monde. Elle est écoutée. Ton pays a progressé spectaculairement depuis le démantèlement de l'Union soviétique. Vous êtes passés au bord du gouffre. Tu as redressé et unifié la Russie pacifiquement. Pourquoi tout gâcher avec des initiatives comme celles prises à l'encontre des Pussy Riot dont personne ne parlerait si tu ne les avais pas mises en prison ? » La réponse fut cinglante : « Tu connais l'importance pour moi de l'Église orthodoxe. Comment peux-tu défendre des gens capables d'un tel blasphème ? » « Je ne les défends pas, j'essaie juste de te faire comprendre que c'est à toi que cela nuit. Relâche-les et, dans deux mois, plus personne n'en parlera. » La conversation cessa sur ce point. Il ne répondit ni oui ni non. Quelques mois plus tard, les Pussy Riot étaient relâchées. Poutine n'avait cédé à aucune pression, à aucune campagne. Lors de notre rencontre suivante, il me dit : « Tu as vu que j'ai libéré tes amies les Pussy Riot. » « Ce ne sont pas mes amies, je ne les ai jamais rencontrées, mais au moins as-tu pu constater que plus personne n'en parle. » « C'est vrai, tu avais raison. » Ainsi est Vladimir Poutine. Il peut être accessible à la contradiction, écouter et surtout entendre à condition qu'il n'y ait aucune pression extérieure. Je le compris très vite, et ne me départis plus jamais de cette stratégie.

À la fin de notre premier véritable entretien, il me demanda si je souhaitais visiter la propriété. Je lui répondis « avec plaisir » et, de fait, j'étais sincèrement curieux de connaître le cadre de vie de mon hôte. Nous montâmes dans un immense 4 × 4 dont il prit lui-même le volant. Nous démarrâmes sur les chapeaux de roues pour emprunter un ensemble de toutes petites routes asphaltées qui serpentaient dans la forêt. Nous n'étions pas loin des 80 km/h. Il y avait juste derrière nous l'interprète qui ne paraissait pas trop rassurée elle-même par les compétences de conducteur de Poutine. Nous visitâmes d'abord une autre grande bâtisse où se trouvait l'ensemble des installations sportives du président russe, qui adore pratiquer une activité physique quotidienne. Il y avait un impressionnant dojo où Vladimir Poutine pouvait faire ses entraînements de judo. Il me proposa de l'essayer avec lui ! Sachant qu'il était ceinture noire et qu'il venait de se voir remettre son sixième dan, j'ai poliment et prudemment décliné l'invitation. Nous remontâmes en voiture pour nous diriger vers une charmante petite église orthodoxe. Nous y pénétrâmes et nous y retrouvâmes seuls. Je lui demandai s'il lui arrivait d'y venir prier. Il m'indiqua comme s'il s'agissait d'une évidence : « Bien sûr, car je suis un orthodoxe pratiquant. » Vingt ans auparavant, ce n'est sans doute pas la réponse que m'aurait faite le patron du Kremlin. Autre temps, autres mœurs. Cela me faisait mesurer la vitesse des changements vécus par la Russie toutes ces dernières années. Enfin, nous arrivâmes devant une grande maison bourgeoise. Il y avait au rez-de-chaussée un salon avec un bar assez curieux où l'on pouvait s'asseoir pour prendre un verre. C'est ce que nous fîmes, ou plutôt ce que nous essayâmes de faire. Mon hôte me proposa à boire. Je demandai sobrement un café. Après cinq minutes infructueuses à s'acharner sur la machine à café, Poutine se tourna vers moi : « Tu sais faire marcher ce truc-là ? » « Non absolument pas, et cela n'a aucune espèce d'importance. » Nous éclatâmes de rire de nous retrouver ainsi tous les deux seuls, essayant sans succès de nous faire un café. Ce n'était pas brillant, mais nous pûmes constater l'étendue de notre incapacité à nous débrouiller seuls. Cela dérida beaucoup Poutine qui n'est, dans les relations personnelles, ni arrogant ni prétentieux. Il est même assez sympathique. Nous partageâmes ensuite un dîner copieux durant lequel nous reprîmes nos conversations de travail. Mon interlocuteur ne semblait jamais fatigué. Il veillait à ce que tout se passât bien. Il était attentif, courtois et direct. C'était vraiment facile d'engager le dialogue avec lui. Il ne se départait cependant pas d'une forme de réserve que je mettais alternativement sur le compte d'une certaine méfiance, qui est l'une des caractéristiques du président russe, et d'une sorte de timidité, que j'ai souvent depuis observée chez lui. Il n'aime pas se mettre en scène. Il est plus mal à l'aise en public qu'en privé. Je rentrai assez tard dans la nuit à mon hôtel au cœur de Moscou. J'étais fourbu et la journée du lendemain était particulièrement chargée. Elle commençait par le discours que je devais prononcer devant l'université Bauman où plusieurs centaines d'étudiants et d'enseignants russes m'attendaient. Des noms prestigieux avaient fréquenté cet établissement, parmi lesquels Pavel Soukhoï et Andreï Tupolev. La renommée scientifique de cette université n'était plus à vanter. Je venais, une nouvelle fois, défendre ma conviction que lorsque le fossé se creusait entre l'Europe et la Russie, ni l'une ni l'autre n'était alors en mesure de peser de façon décisive sur les affaires du monde. J'expliquais sans relâche que l'Europe avait besoin de la Russie et que la Russie avait besoin de l'Europe. Puis, je répondis aux questions des étudiants. Certaines étaient académiques, et préparées. D'autres étaient plus spontanées et plus polémiques. Mais, dans l'ensemble, j'ai vraiment été impressionné par la vitalité, l'enthousiasme, et une certaine liberté de ton de ces jeunes Russes. Cela en disait en tout cas long sur les ressources de cet immense pays. Après quasiment un siècle de dictature communiste, et moins de vingt ans après la chute du mur, j'avais face à moi des jeunes comme les autres. Ils avaient soif de contacts, de rencontres, d'ouverture. C'est ce jour-là que j'ai compris que la Russie avait encore beaucoup de choses à dire au monde. Puis, je me rendis au Kremlin pour un déjeuner de travail suivi d'une conférence de presse commune. Dans ce palais, tout est immense, et la tonalité de couleur dominante est le blanc. C'est beau et en même temps clinquant. Les salles se succèdent sans fin. Nous pénétrâmes dans le bureau de Poutine. La pièce était très vaste mais le bureau lui-même se trouvait curieusement excentré dans un coin. Nous devisions en présence de nos deux conseillers diplomatiques autour d'une petite table ronde sur laquelle se trouvaient des boissons diverses et de la nourriture russe, telle que les pirojkis sur lesquels je jetai un dévolu addictif qui fit sourire Poutine. Il en commanda immédiatement une autre assiette. Cette convivialité russe est bien agréable. Vous ne restez jamais plus de quelques minutes sans qu'on vous offre quelque chose à manger ou à boire. Je pensais en moi-même à toutes ces réunions en France où souvent on ne vous propose pas même un verre d'eau. Lors de la conférence de presse qui suivit, Vladimir Poutine apparut peu cordial et plus fermé. Il était moins souriant que la veille. La presse interpréta cette froideur comme un message qui m'était destiné. J'en étais moins sûr, car mon hôte n'aimait pas se retrouver face aux journalistes, et notamment les étrangers. De surcroît, nous étions sous la coupole bleu et or de la fastueuse salle Catherine. C'était prestigieux, impressionnant et guère chaleureux. Il est vrai que des divergences subsistaient, notamment sur l'Iran où Poutine ne voulait pas entendre parler de nouvelles sanctions contre le régime des mollahs. Il avait, de plus, ajouté de façon fort peu crédible : « Nous n'avons pas d'informations objectives. C'est pourquoi nous partons du principe que l'Iran n'a pas de plans pour se doter de l'arme atomique ! » Je repartais de Moscou convaincu que Poutine serait un partenaire, certes incommode, mais prévisible, et de parole. J'avais envie de travailler avec lui. Je voulais lui faire confiance, et que dans la foulée il m'accordât la sienne. J'étais en tout cas convaincu que l'on ne pourrait rien faire sans lui. J'étais, par ailleurs, bien décidé à ne pas me laisser phagocyter par une partie de l'Europe de l'Est dans une posture antirusse qui ne me semblait correspondre ni à nos intérêts ni à notre histoire commune.

*   *

Je réunissais une nouvelle fois à l'Élysée les quatre cents parlementaires de la majorité. Nous étions au début du mois d'octobre. J'avais trois messages à faire passer. Le premier consistait à défendre les personnalités de gauche, et notamment les ministres m'ayant rejoint, qui commençaient à être sérieusement attaqués. Il est vrai qu'ils tendaient parfois le bâton pour se faire battre. Certains, comme Bernard Kouchner ou Martin Hirsch, supportaient difficilement d'être coupés de leurs familles d'origine. Ils voulaient, en conséquence, sans cesse rappeler qu'ils étaient de gauche. Cela déstabilisait la droite et exaspérait dans le même temps la gauche déjà scandalisée qu'ils aient franchi le Rubicon. Ce qui n'est jamais facile, je le reconnais volontiers. Mais le fait qu'ils n'assument pas ou si peu ce choix fondateur les fragilisait. Ils avaient ainsi tous les inconvénients sans en tirer le moindre avantage. Je devais donc les protéger et les défendre d'autant plus. Je voulais ensuite tordre le cou au débat habituel qui ressurgissait dès que la croissance semblait faiblir, celui du tournant de la rigueur. Je l'avais tant de fois vu à l'œuvre que je m'étais promis de ne jamais y succomber. De gauche ou de droite, ils se ressemblaient trait pour trait, les partisans de cette rigueur ! Le raisonnement était toujours identique. La croissance ralentissait, les déficits augmentaient, les impôts flambaient, le pouvoir d'achat diminuait. Et les gouvernements qui demandaient aux Français de se serrer la ceinture mais de rester confiants car les résultats finiraient par arriver ! Et ils n'arrivaient jamais ! Telle était la politique économique dont je ne voulais à aucun prix. Telle était l'image que je me refusais de donner. Très jeune, j'avais vu Raymond Barre, Pierre Bérégovoy, Alain Juppé s'y essayer avec leurs tempéraments propres. Les modalités n'avaient pas été exactement les mêmes mais les principes demeuraient immuables et, hélas, les résultats aussi. Dans mon esprit, c'était clair, avec un tel raisonnement on échouait économiquement et on était certain d'être battu aux prochaines élections. C'était la double peine. Certains, dans la majorité, étaient pourtant tentés d'emprunter ce chemin. François Fillon n'en était jamais très éloigné comme en porterait témoignage son projet économique présidentiel. J'avais donc décidé très tôt de fermer la porte à toutes tentations de ce style. Je prévenais : « Si la solution était dans l'augmentation des impôts, nous serions le pays au monde qui compterait le moins de chômeurs et qui aurait la croissance la plus forte ! » Je poursuivis dans la même veine : « Ce n'est pas parce qu'il y a des déficits que la France ne travaille pas assez. C'est parce qu'elle ne travaille pas assez qu'elle accumule des déficits. » La politique d'austérité aurait conduit à étrangler un peu plus le pouvoir d'achat, à couper encore dans nos investissements et à augmenter les impôts. J'en étais convaincu, le résultat aurait été encore moins de croissance. Je résistais donc avec conviction à ces pressions qui venaient notamment des rangs centristes, et des plus européens de la majorité qui craignaient toujours la possibilité d'une remontrance bruxelloise. La gauche, sans pudeur et sans honte, se plaignait aussi des déficits dont elle m'imputait la responsabilité alors que j'étais président depuis cinq mois ! Finalement, je prenais le risque d'apparaître comme l'homme qui ne se préoccupait pas des déficits et de l'endettement. J'étais conscient des ennuis que cette posture m'attirerait auprès d'une partie de nos élites économiques. Mais à tout prendre, je préférais assumer ceux-ci plutôt que de me trouver définitivement coupé du cœur de mon électorat, en l'occurrence, les couches populaires. Ces dernières, par expérience, savaient très bien de quoi il retournait chaque fois qu'on évoquait la possibilité de l'austérité. Je ne voulais à aucun prix de cette fracture. J'avais été élu par la France du travail. C'est par davantage de travail que nous pourrions nous en sortir, pas par plus de matraquage fiscal ! Le troisième message était plus conjoncturel puisqu'il s'agissait des sondages qui commençaient à baisser. Comment pouvait-il en être autrement ? Si je me mets un instant, aujourd'hui, à la place des commentateurs de l'époque, la situation devait finir par être lassante pour eux. Comme ministre de l'Intérieur, je caracolais en tête des enquêtes d'opinion depuis 2002. Cela n'avait pas changé aux Finances. Et j'étais toujours au-delà des 50 % après cinq mois de présidence. Les premières baisses étaient donc attendues avec impatience. Pour les uns, avec des arrière-pensées politiques. Pour les autres, seulement pour enfin pouvoir écrire autre chose. C'était humain et compréhensible. Il n'y avait pas matière à s'en formaliser. Mais il me fallait être attentif à mes propres réactions. Je ne devais surtout pas me raidir et accuser le coup. Les sondages n'ont guère d'importance en eux-mêmes. Au mieux, ils traduisent une humeur de la Nation qui, par définition, est passagère autant que fugace. À quel point sont-ils exacts ? Quelle est leur fiabilité ? Je n'en sais rien et pressens que personne ne le sait réellement. En revanche, ils influent beaucoup sur le moral d'une majorité et sur l'ambiance qui règne autour d'un gouvernement, et même à l'intérieur de celui-ci. Ils agissent comme des révélateurs des personnalités profondes des uns comme des autres. Puisque les miens commençaient à baisser, il me fallait montrer un visage imperméable aux doutes, aux hésitations et aux attaques qui allaient redoubler. En la matière, le moindre signe de faiblesse peut déclencher une forme de curée.

*
* *

Au cours du mois de novembre, je dus terminer la consultation des chefs de partis que je m'étais engagé à tenir à propos de la ratification du traité de Lisbonne. C'était au tour de Philippe de Villiers de venir à l'Élysée. À chaque fois que je l'ai rencontré, j'ai toujours ressenti une forme de malaise. Ce ne sont ni ses idées ni sa stratégie qui étaient en cause. Ils les défendaient d'ailleurs avec un talent certain et parfois une solide dose d'humour. Il se disait viscéralement pour la France, contre l'Europe de Bruxelles et la mondialisation. C'était convenu mais pas si choquant. Il est féru d'histoire, d'identité, et d'une culture nationale profonde, bien que toujours orientée. De ce point de vue, la conversation avec lui est toujours animée, intéressante et fleurie, tant il sait donner vie à ses arguments. Il peut trouver des formules-chocs, des phrases assassines et une cohérence qui semble implacable. Il est, de surcroît, talentueux, bourré d'idées, et assoiffé d'action. C'était beaucoup de traits de caractère qui auraient pu nous rapprocher. D'où venait donc ce sentiment de méfiance intuitive que j'ai souvent éprouvé à son endroit ? Je me suis plusieurs fois posé en moi-même la question. Malgré son intelligence et son énergie, je ne lui aurais pas confié de responsabilités importantes. En fait, il ne m'inspirait pas assez confiance. Je n'étais sûr de rien en ce qui le concernait. Il pouvait être charmant et amical un jour, et devenir l'opposé le lendemain sans raison apparente, autre que ses humeurs qui le dominent constamment et font de lui un homme, peut-être pas instable, mais finalement assez imprévisible. Un autre trait de son caractère faisait que je restais à distance. C'était une forme de méchanceté que je trouvais parfois cruelle et, en tout cas, toujours inutile. Elle se traduisait dans sa manière de parler et même de sourire. On sentait la dague prête à frapper sans plaisir, seulement parce que c'était dans sa nature. Quand il était aux prises avec ses sentiments et qu'il s'exprimait, sa lèvre supérieure se retroussait vers le haut comme un geste inconscient qui pouvait signifier son mépris intime. J'étais cependant partagé, car il pouvait aussi être touchant et même émou-vant. Ainsi, lorsqu'il me décrivit le cauchemar que l'un de ses fils faisait vivre à sa famille en accusant l'aîné d'avoir eu des comportements inappropriés avec son frère. J'ai compris à ce moment-là la violence qu'avait pu ressentir cette famille, et le chemin de croix que cela avait été. Il me narra dans le détail le déroulement de l'instruction et du procès. Il en parlait avec pudeur, sincérité et une réelle authenticité. On pouvait aisément vouloir alors devenir son ami. Il fut aussi courageux quand il affronta l'épreuve de la maladie, ce cancer à l'œil étant venu se rajouter aux drames familiaux. Je me disais qu'un homme qui avait tant souffert ne pouvait pas être un mauvais homme à la fin. Et puis, quelques jours après, il reprenait une de ses saillies qui me confortait dans mon intuition initiale de ne pas lui accorder ma confiance. C'est ce qui explique que, tout au long de ces années en politique, j'ai davantage cherché à « gérer » Philippe de Villiers qu'à l'utiliser ou à le fréquenter. Je le regrette parce qu'il est original et différent. Au fond, c'est sans doute l'un des plus beaux exemples de talents gâchés pour la République. Il avait les moyens de la servir plus haut et plus longtemps. C'est tant mieux pour le Puy du Fou, qui a ainsi pu profiter à plein de son génial créateur, c'est dommage pour la France qui aurait pu avoir besoin de ce grand talent.

*
* *

Un autre front social était en train de s'ouvrir en cet automne. Il promettait d'être puissant puisqu'il prenait sa source dans les universités à l'occasion de la loi sur leur autonomie. Il s'agissait d'une de mes promesses de campagne les plus emblématiques. On parlait de cette autonomie sans discontinuité depuis 1968 et la nomination après les événements du vibrionnant Edgar Faure comme ministre de l'Éducation. Plus on l'évoquait, moins on la mettait en œuvre. C'était devenu un chiffon rouge qui suscitait grèves et occupations systématiques à sa seule évocation. Pour ses adversaires de gauche et d'extrême gauche, le mot était presque pire que celui de « sélection », c'est tout dire. D'ailleurs dans leur esprit, le second était la conséquence du premier. À leurs yeux, cette autonomie nous conduirait dans un système de facultés à deux vitesses qu'il fallait combattre à tout prix. Pour eux, mieux valait être traité également dans des universités moyennes ou médiocres que de prendre le risque de laisser une partie d'entre elles prendre leur envol et devenir excellentes. On ne dira jamais assez combien la tentation du nivellement obéit chez nous à une sorte de fascination morbide. Au fond, si tous nos étudiants échouaient « également », il n'y aurait pas d'injustice ! Et donc, plus de problèmes. Et puis, l'autonomie risquait d'être la porte ouverte aux droits d'inscription payants dans les universités, ce qui ne manquerait pas d'accroître alors les injustices sociales, en tout cas aux dires des mêmes. J'avais vu avec quelle vitesse Jacques Chirac avait empêché Luc Ferry, le ministre de l'Éducation nationale de l'époque, de déposer son projet de loi portant sur l'autonomie des universités en 2003. Il y avait pourtant beaucoup de bonnes choses dans ce texte, qui retourna dans ses cartons sans même faire l'objet d'une discussion au Conseil des ministres. Le président de la République de l'époque en parlait comme de la « nitroglycérine », à n'évoquer sous aucun prétexte. Or, je considérais que c'était justement tout l'inverse et que, sans cette autonomie, jamais nos universités ne pourraient remonter dans les classements internationaux où elles faisaient maintenant pâle figure. Je voulais même aller très loin en laissant à chacune d'elles la possibilité de choisir librement les conditions d'entrée, avec ou sans sélection, le prix de l'inscription fixé pour leurs étudiants, les enseignants français ou étrangers qu'elles désiraient engager, les contenus de leurs programmes pédago-giques, dont je voulais qu'elles puissent les déterminer à leur guise. Autrement dit il s'agissait bien d'une véritable révolution dans ce monde universitaire si conservateur. J'avais porté mon choix comme titulaire du ministère de l'Enseignement supérieur et de la Recherche sur Valérie Pécresse. C'était une jeune femme intelligente, organisée, stable et calme, ce qui représentait, à mes yeux, beaucoup de qualités pour un poste si difficile. De surcroît, elle avait professé un profond chiraquisme, ayant même appartenu au cabinet de mon prédécesseur. Ce n'était pas inutile d'appeler une figure chiraquienne pour mettre en œuvre un projet sur le fond en tout point opposée à la philoso-phie de Jacques Chirac. Je connaissais les qualités comme les manques de ma ministre. Elle serait loyale et précise et, dans le même temps, elle ne se livrerait pas à « quelques originalités » qui pourraient tout mettre par terre. Son langage était policé. Ce n'était pas d'elle que seraient venues les formules brillantes mais parfois à l'em-porte-pièce de Claude Allègre. J'étais, tout autant que pour les régimes spéciaux, décidé à tenir. J'avais dit publi-quement « une ou deux années d'occupation des locaux et de grèves ne nous feront pas reculer d'un centimètre ». Je voulais soutenir ma ministre pour que les syndicats

de l'enseignement supérieur n'arrivent pas à la déstabili-
ser comme il l'avait fait pour quasiment tous ses prédécesseurs. Je me préparais par ailleurs à prendre quelques
initiatives directes en cas de besoin, pour aider à débloquer le projet si cela s'avérait nécessaire. C'est ce que je
fis, en annonçant la vente de 3 % d'actions de l'entreprise
EDF pour doter en capital les universités devenues autonomes et financer mon ambitieux Plan Campus. En effet,
à quoi servirait l'autonomie s'il n'y avait pas de moyens
financiers pour la mettre en œuvre ? J'ai aussi reçu à trois
reprises, à l'Élysée, tous les présidents d'universités pour
les écouter sur notre projet, et éventuellement retenir
quelques-unes de leurs remarques. C'était une première.
Jamais un président n'avait agi ainsi. J'ai d'ailleurs aimé
ces trois réunions, d'abord parce que mes interlocuteurs
étaient sincèrement passionnés et imprégnés de leurs
sujets, ensuite parce que nombre d'entre eux étaient de
gauche, sans doute même la majorité, mais d'une gauche
libérale qui ne pouvait donc être contre le principe de
l'autonomie, fût-elle défendue par un président de droite.
Dans leurs universités respectives, en revanche, ils se
trouvaient opposés à leurs amis d'hier, les syndicats
étudiants et enseignants de gauche. C'était une guerre à
fronts renversés. J'avais dû tenir la première de ces
réunions dès le mois de juin 2007. Devant l'hostilité du
monde universitaire à notre projet, j'avais souhaité reca-
drer les choses pour qu'elles repartent d'un bon pied.
J'avais notamment prévu que l'autonomie serait obligatoire et non optionnelle, et que cette dernière serait généralisée à toutes les universités dans un délai de cinq ans.

Je voulais également qu'elles aient la possibilité de se regrouper après un vote à la majorité absolue. Je trouvais qu'il y avait trop d'établissements et qu'ils n'avaient pas une taille suffisante pour devenir des universités de pointe. L'autonomie représentait un fameux changement de mentalité. Un jour, les services du ministère me proposèrent de fixer un montant minimum pour les droits d'inscription. Je refusai énergiquement. Comment accorder l'autonomie tout en fixant du ministère le montant des droits d'inscription ? Cela n'avait pas de sens. Leur donner la liberté était bien l'unique moyen de responsabiliser un monde universitaire si longtemps infantilisé par un statut trop protecteur et une tutelle omniprésente. J'ajoutai que si chaque université était libre de fixer le montant de cette inscription, cela diminuerait de beaucoup les risques de nationalisation du conflit. Mon raisonnement était exactement le même pour la sélection à l'entrée comme pour les passages dans les années supérieures. Et d'ailleurs, pourquoi l'Institut d'études politiques de Paris avait-il acquis ce droit depuis des années ? Et comment justifier que toutes les autres facultés ne l'auraient pas eu ? Pourquoi tolérer une telle injustice ? Au fond, le seul argument pertinent contre l'autonomie était le risque de voir émerger un monde universitaire à deux vitesses. Car c'était vrai. Certains sauraient profiter de la liberté pour s'envoler et d'autres n'y réussiraient pas. Mais la vérité est que je souhaitais cette disparité avec des universités qui seraient dans l'excellence mondiale, d'autres dans la moyenne, d'autres sans doute en dessous. Mais toutes les facultés françaises ne pouvaient prétendre à être dans les cent premières du monde. Les meilleures tireraient vers le haut les moins performantes. Ainsi, les étudiants français auraient le choix de toute une gamme d'établissements correspondant à des aspirations multiples et à des tempéraments différents. À mes yeux, tout valait mieux que cette uniformité médiocre et moyenne qui empêchait les meilleurs de réussir, et condamnait les moins bons à le demeurer. J'y voyais une nouvelle illustration de la passion égalitariste de la France qui peu à peu nous avait fait quitter les meilleurs standards internationaux. Nous vécûmes une année et demie d'occupations avec souvent des violences et des piquets de grèves. Dès le mois de novembre 2007, une quinzaine d'universités étaient bloquées à la suite d'assemblées générales. Toulouse-Le Mirail, Paris-Tolbiac et Rennes furent leaders en la matière. Nous étions accusés d'être des ultras libéraux ce qui, venant des ultras gauchistes, ne manquait pas de sel ! On me reprochait également de livrer les universités au patronat, par le seul fait que nous avions prévu que des chefs d'entreprise puissent être membres de leurs conseils d'administration. Cela me semblait pourtant être une bonne idée pour ne pas déconnecter l'université du monde de l'entreprise, où les étudiants iraient chercher des stages et des emplois une fois leurs études terminées. J'étais également accusé d'être « injuste », parce que j'acceptais l'idée de la sélection. Je m'opposais donc à cette idée absurde selon laquelle tout le monde devait avoir son diplôme. Or, j'ai toujours pensé qu'un diplôme se méritait par son travail. Le donner à tous, c'était inéquitable à l'endroit de ceux qui avaient travaillé. Nous tînmes bon. La loi portant autonomie des universités passa, et entra donc en vigueur. Au 1ᵉʳ janvier 2011, 90 % des universités avaient opté pour une gestion autonome. En 2012, les quatre-vingt-trois universités françaises étaient acquises au nouveau système. Naturellement, tous ceux qui avaient protesté oublièrent leurs protestations une fois revenus au pouvoir. La loi portée par Valérie Pécresse s'applique toujours aujourd'hui. Quant à François Hollande, son seul apport fut de ne pas remettre un centime dans le capital de nos universités aujourd'hui autonomes ! Valérie Pécresse avait bien résisté. J'avais pour l'occasion découvert un monde universitaire plus dynamique, plus énergique et plus imaginatif que je ne me le figurais. J'avais sans doute des *a priori*. Comme toujours, quand on éprouve ce type de sentiments, on se trompe. Le monde universitaire a depuis montré que, dans sa grande majorité, il avait su mettre à profit cette nouvelle liberté pour se développer et faire briller la recherche française. On reste parfois sans voix à constater la violence des oppositions au moment du vote d'un texte, et la facilité de sa mise en œuvre une fois celui-ci obtenu. Qui parle aujourd'hui de remettre en cause cette autonomie ? C'est bien simple : personne.

Je veux évoquer également le grand emprunt qui m'avait permis d'affecter onze milliards d'euros à l'enseignement supérieur et huit milliards à la recherche. Je me passionnais notamment pour le plateau scientifique de Saclay, dont je voulais faire la première plateforme d'intelligence d'Europe. J'y affectai pas moins d'un milliard d'euros !

Je tenais rassembler en un même lieu des universités et des grandes écoles comme Polytechnique. Ce fut une fameuse bataille puisque chacun considérait qu'elles devaient rester au cœur de Paris, et refusait donc cet exil lointain, dévalorisant, qu'ils me reprochaient de leur imposer. Nous avons tenu. Je suis revenu il y a quelques mois sur le plateau. J'ai été impressionné par le développement spectaculaire du site. Je ne regrette vraiment pas tous ces efforts. Pour conclure sur ce point, je veux laisser la parole au *Nouvel Observateur* qui, le 15 octobre 2012, écrivait sous la plume de Patrick Fauconnier : « Nicolas Sarkozy peut être crédité d'avoir eu le courage d'engager la plus profonde réforme de l'université et de la recherche depuis 1968. Sur ce terrain miné, ni François Bayrou, ni Lionel Jospin, ni Jack Lang, ni Jacques Chirac n'avaient osé se risquer. » Que dire de plus ? Rien.

*
* *

La preuve que l'état de grâce était bien fini résidait dans la multiplication des mouvements sociaux qui constituaient un premier élément incontestable de fragilité. Je devais par ailleurs faire face à des attaques sur les sujets les plus divers. Tout faisait polémique ou le devenait immédiatement. Le salaire que je touchais en tant que président de la République m'en fournit une énième illustration. Je ressentis un vif sentiment d'injustice lorsque je pus constater la façon partiale dont mes opposants, comme une partie de la presse, avaient traité le sujet. L'affaire se déroula ainsi. J'arrivais à l'Élysée et, quelques jours après, le directeur financier que je n'avais pas nommé me fit demander. « Quel salaire doit-on fixer pour le président de la République ? » Je fus fort surpris, et répondis comme une évidence : « La même chose que mon prédécesseur. Il suffit d'appliquer la règle. Je n'ai bien évidemment aucune demande ni idée particulière sur le sujet ! » Or, il n'existait aucune règle, ce que j'ignorais. Chacun de mes prédécesseurs avait fait comme il le souhaitait. Jacques Chirac cumulait alors quatre retraites, celle de parlementaire, celle de maire, celle de conseiller général et celle de membre de la Cour des comptes. C'était bien évidemment parfaitement légal. Il avait fixé, en conséquence, son salaire de président à 7 800 euros. C'était une sorte de complément qui devait porter ses revenus mensuels aux alentours de 20 000 euros. Je demandai ensuite ce qui était organisé pour le Premier ministre. On me répondit qu'un barème existait, comme pour les ministres, et qu'il était prévu pour lui un salaire de 18 000 euros. Je pris le soin de diligenter une enquête pour connaître les pratiques en la matière chez nos principaux partenaires. La palme revenait alors au Premier ministre irlandais, avec un salaire mensuel de 25 833 euros. George W. Bush le talonnait avec un peu plus de 23 000 euros. La chancelière allemande Angela Merkel se situait dans les mêmes eaux, elle aussi au-dessus de 23 000 euros. Enfin, le Premier ministre britannique Gordon Brown, membre du Parti travailliste, émargeait à 22 489 euros. Une fois collectés tous ces renseignements, je proposais que l'indemnité mensuelle nette du président de la République soit fixée à 19 331 euros, et que cette information soit communiquée au Parlement dans le cadre du vote sur le budget de l'Élysée. Cela me semblait une décision juste, équilibrée et transparente. Elle tranchait, en tout cas, avec les époques précédentes. Je savais que parler « argent » dans notre pays était toujours délicat, mais il me semblait que je m'étais ainsi entouré d'un maximum de précautions. Je fus estomaqué par la malhonnêteté de certains titres de presse. Sans doute pourrait-on me reprocher une forme de naïveté. Mais je ne pouvais imaginer une mauvaise foi d'une telle profondeur. Franchement, je ne l'avais pas anticipé. J'en étais même loin. Le césar de l'outrance revint à un grand journal du soir, qui titra : « Nicolas Sarkozy est augmenté de 172 % ». Bien évidemment, avec mes 52 ans d'alors, et mon absence de carrière dans la fonction publique, je ne pouvais bénéficier d'aucune retraite, ni privée ni publique. Or, si l'on comparaît la rémunération qui m'était allouée et le cumul de celles de mon prédécesseur, « je coûtais » au système public 15 % de moins ! Il était par ailleurs étrange qu'il n'y ait aucune polémique sur le salaire du Premier ministre, à moins que les observateurs aient considéré que le président devait gagner moins que celui-ci ? Quelle aurait été la logique ? Bien sûr, tout ceci n'avait pas une grande importance, si ce n'est que cela contribuait à approfondir le malaise français à propos des rémunérations et de l'argent. Pourquoi raconter les choses ainsi,

en les biaisant toujours dans le sens d'une présentation
« faisandée » de la politique et de ceux qui la pratiquent ?
Les observateurs qui se livraient si complaisamment à
ces jeux dangereux ne se rendaient pas compte du travail
de sape que tout ceci représentait, et des conséquences
que cela avait sur l'esprit public et sur les choix électoraux
qu'auraient à faire les Français dans le futur. Je me suis
moi-même interrogé, sur le moment comme après, sur
l'opportunité de la décision que j'avais prise. N'aurais-je
pas dû conserver le salaire là où il était, et en conséquence
être rémunéré moitié moins qu'un ministre ? J'entends
l'argument et il pouvait se défendre. Pour mon image,
c'eût certainement été meilleur. Mais je ferai remarquer
que j'aurais donc dû trouver normal que ma fonction
de président ne soit pas rémunérée comme elle l'était
dans toutes les autres démocraties. C'était me demander
beaucoup que d'adhérer à un raisonnement à ce point
contraire à mes convictions intimes sur le travail et sur
le mérite, y compris lorsqu'elles s'appliquaient à moi. Je
n'ai pas cette forme d'hypocrisie. C'est sans doute une
faiblesse.

*

* *

C'était ma première visite officielle en tant que chef
de l'État à Washington. J'allais prononcer un discours
devant le Congrès. Il s'agissait de la première puissance

économique, monétaire, militaire du monde. Les enjeux étaient importants. J'étais convaincu que plus nous aurions la confiance des Américains, plus nous nous donnerions les moyens de notre indépendance. C'était un point de différence stratégique avec Jacques Chirac. Il pensait nécessaire d'« agresser l'Amérique » verbalement assez régulièrement pour crédibiliser notre conception de l'indépendance nationale. Je pensais à l'inverse qu'avec l'amitié, nous pourrions multiplier les initiatives sans qu'ils cherchent à nous « briser les reins ». Au nom de celle-ci, et de la confiance réciproque, nous aurions alors vraiment les moyens de notre indépendance !

La veille de mon départ pour Washington, je décidai à la surprise générale de m'arrêter, en quelque sorte sur le chemin, pour prendre le temps de visiter le port du Guilvinec afin d'y rencontrer les représentants de la filière pêche du Finistère qui était alors en ébullition. Je reconnais, aujourd'hui, que l'idée pouvait paraître étrange. Qu'allais-je gagner, juste avant une visite si importante, à me colleter avec une profession particulièrement virulente comme si j'exerçais les fonctions de ministre de la Pêche ? Ici, et encore une fois, je comprends que l'on puisse se poser la question, je ne dirai pas que c'était un choix évident ni même le bon choix. Je veux seulement expliquer que, si j'ai pris cette décision, c'est parce qu'elle était mûrement réfléchie. D'abord, je veux rappeler que j'avais été élu par la France du travail. Or, ces marins pêcheurs ne demandaient qu'à travailler. Ils aimaient leur métier. Ils étaient écrasés de charges, de taxes, de quotas, de règles multiples. Ils disaient : nous sommes la France qui se lève tôt, qui ne demande ni allocation ni subvention, qui veut travailler et qu'on est en train de tuer. Comment pouvais-je donner le sentiment de les ignorer, de les laisser tomber ? Je savais que l'accueil serait plus que houleux mais qu'au fond, ces hommes et ces femmes respectaient le courage et que si j'en faisais preuve, ils me respecteraient. Du moins, je l'espérais. Il faut bien comprendre qu'à mes yeux, ces marins pêcheurs étaient comme les ouvriers. Ils représentaient des catégories de Français extrêmement nécessaires à notre économie mais en voie de disparition. Ils ne voulaient pas mourir. On peut les comprendre ! C'était le cœur de mon électorat et, plus important que tout, c'était la France que j'ai toujours aimée, dont je me suis toujours senti le plus proche. Quoi qu'il pût m'en coûter, je ne voulais pas d'une rupture avec eux. Arrêter l'avion sur le chemin de Washington était un risque sur le plan de la stature présidentielle, mais c'était un geste d'attention pour ceux qui se sentaient abandonnés de tout et de tous. J'ajoute que je me méfiais toujours de l'effet ambivalent que provoquaient ces voyages à l'étranger. Certains Français étaient fiers, lorsque cela se passait bien, de l'image que le pays renvoyait alors. D'autres trouvaient que j'aurais mieux fait de m'occuper des affaires intérieures plutôt que de me « promener » à l'extérieur de nos frontières. L'arrêt au Guilvinec pouvait permettre une forme de synthèse. Et puis, enfin, je dois reconnaître qu'il y avait mon tempérament. J'aimais être au cœur des situations les plus chaudes. Je croyais être en mesure de trouver des

solutions là où les autres avaient échoué, ce qui constituait un incontestable péché d'orgueil. Mais enfin, si
on en est complètement dépourvu, pourquoi choisir la
fonction de président de la République ? Sans doute aussi
étais-je encore dans ma tête un peu ministre et pas tout
à fait président, ou alors je voulais être l'omniprésident
qui voyait tout, et qui s'occupait de tout. De ce point de
vue, les observateurs et la presse avaient raison...

J'arrivai donc sous les huées de plusieurs centaines
de marins en colère. J'en repartis plus de deux heures
plus tard, aux dires de la presse « sous les applaudissements d'une bonne partie de la foule ». Je voulais aller au
contact. Je franchis même les barrières de sécurité pour
répondre à ceux qui m'invectivaient à propos du prix du
gazole, des charges ou des retraites. Un dénommé Michel
Crochet, patron du Bastenague d'Oléron, déclara sur
tous les écrans de télévision : « Le président a eu un vrai
courage, presque physique, de venir ainsi à la rencontre
des grévistes. J'étais estomaqué. » C'était exactement la
réaction que j'espérais. Il s'agissait de braves gens qui
étaient exaspérés car ils pensaient qu'il n'y en avait que
pour les banlieues, pour ceux qui cassaient, ou pour ceux
qui étaient protégés par leur statut de fonctionnaire. On
ne pouvait apaiser leur colère, par ailleurs largement
justifiée, par de seules mesures techniques ou financières.
Il fallait les regarder dans les yeux, les voir, les entendre.
Ce n'était pas facile mais, aujourd'hui encore, je crois
que c'était indispensable. En tout cas, je n'acceptais par
l'idée que la famille Le Pen devienne leur unique espoir
au seul motif que « les républicains » avaient disparu. Je

devais être omniprésent, en tout cas sur ce front social. Un incident m'opposa alors à un jeune pêcheur sur les quais du port bigouden : « Enculé ! » me lança-t-il. Je m'arrêtai net, et dis : « C'est toi qui m'as dit cela ? D'accord, descends un peu ! » Mon interlocuteur resta interdit. C'était une chose d'insulter anonymement au milieu d'une foule. C'en était une autre que d'assumer un face à face direct avec le président de la République. Les caméras étaient présentes, et la vidéo a été vue des centaines de milliers de fois. J'ai apprécié que ce jeune matelot – il avait 21 ans alors – me présente, quelques semaines plus tard, ses excuses dans les colonnes du journal breton *Le Télégramme* en déclarant : « Avec le recul, je regrette un peu d'avoir dit ces choses. Ce n'était pas malin alors qu'il venait nous aider. C'était un coup de sang. Mais je ne pensais pas qu'il allait s'arrêter là-dessus, et prendre la mouche, comme on prend la mer... » Je ne dis pas à mon tour que j'ai eu raison, notamment de le tutoyer. Ma réaction fut d'ailleurs quasi unanimement condamnée par les observateurs. Mais, en allant au contact, en réagissant humainement à leurs souffrances comme à leurs insultes, j'ai voulu montrer que je n'étais pas en cire, que je ne jouais pas un rôle, que je pouvais être touché moi aussi. Comment créer autrement une relation authentique ? Comment éviter la violence qui naît souvent d'un sentiment de mépris ? Comment ne pas être pris seulement pour un « pantin » politique sur lequel rien n'a de prise puisqu'il vit dans un autre monde ? Je n'ai pas bien sûr la réponse définitive. Existe-t-elle d'ailleurs ? J'en doute. Mais ce jour-là au Guilvinec, j'étais vraiment avec eux et parmi eux. Je crois qu'ils l'avaient compris. Au fond, c'était la seule chose qui comptait vraiment pour moi.

*

*   *

Je retrouvais ma délégation en remontant dans l'avion présidentiel. Huit heures de vol m'attendaient. Je pris quelque repos dans la petite chambre aménagée à cet effet, puis je me plongeai dans le discours que je devais prononcer le lendemain devant les deux chambres du Congrès réunies pour l'occasion. Je découvrais le projet, n'ayant pas eu une minute pour le faire auparavant. J'étais donc en retard, ce que je déteste par-dessus tout, et par ailleurs échaudé par les conséquences du discours de Dakar qui avait été rédigé par Henri Guaino sans donner lieu au moindre travail d'équipe. C'était une mauvaise habitude chez lui ! Jean-David Levitte et mon staff diplomatique avaient décidé de reprendre la main sur la rédaction des textes de politique étrangère. Pour étranges qu'elles puissent apparaître de l'extérieur, ces querelles intestines sont monnaie courante à l'Élysée, comme dans tous les ministères. C'est inutile, c'est usant, mais c'est ainsi. Il n'y a rien de plus difficile que de faire travailler des gens ensemble. Surtout, lorsqu'ils sont aussi différents que l'était mon entourage de l'époque. Le problème, c'est que nous étions ainsi passés d'un excès à un autre. Nous avions sans doute trop voulu en dire à Dakar. Mais, cette fois, dans le discours qu'on m'avait préparé, il n'y avait pas assez ! Il ne risquait pas de susciter de polémiques, tant le texte était plat, sans saveur, sans relief. Je rentrai dans une colère froide en demandant qu'on profitât du voyage pour « muscler » mon propos, afin de ne pas avoir honte au moment où il serait prononcé ! Deux heures plus tard, on me redonna un discours aussi indigent mais qui, de plus, n'avait même plus de cohérence, car il avait été bricolé par plusieurs plumes. Et cela se voyait. Le résultat était encore pire. Je perdis stupidement et définitivement patience, et décidai sans réfléchir de l'écrire moi-même. Je m'étais mis une pression absolument inutile et même contre-productive. Et c'était pour le lendemain matin ! Il y avait urgence. J'ai toujours attaché beaucoup d'importance à mes discours. Je n'ai jamais ou presque lu un texte que je n'avais pas moi-même beaucoup modifié, annoté, rédigé. Je peux même dire que je suis maniaque, à l'excès, surtout rapporté au nombre de discours prononcés et aussitôt oubliés. Je voulais marquer les esprits et reconquérir le cœur des Américains après toutes ces brouilles et ces malentendus. Le rendez-vous au Congrès était crucial, en tout cas pour la réalisation de mon objectif. Je ne pouvais ni ne voulais le rater, ou même seulement livrer un discours moyen. Je reconnais une fois encore la part d'orgueil qui intervenait là. Mais il s'agissait de la France et de l'idée que je m'en faisais. Je voulais être à la hauteur de ce rendez-vous. Nous atterrîmes à Washington en début d'après-midi. Le décalage horaire a du bon, au moins dans ce sens-là. Le problème était cependant que je n'avais toujours pas de discours, et que je m'étais entêté à vouloir le travailler moi-même. Obéissant à mes consignes, personne ne rédigeait un mot. J'avais de surcroît occulté le fait que, dès mon arrivée sur le sol des États-Unis, mon agenda serait surchargé jusqu'au soir où Laura et George W. Bush m'attendaient pour un dîner à la Maison Blanche. Autant dire que le discours devrait patienter jusqu'à mon retour à l'hôtel vers 22 heures, ce qui signifiait 4 heures du matin, heure française. Le dîner était officiel, nous devions tous être en smoking. J'étais accompagné de Christine Lagarde, de Rachida Dati, de Rama Yade et de Bernard Kouchner. J'étais fier de ma délégation, de sa féminité, de sa jeunesse, de sa diversité, de son ouverture. Cela donnait en tout cas une image très renouvelée de notre pays. Aux États-Unis, les dîners commencent très tôt. C'est un avantage pour le voyageur arrivé le jour même. Je devais être à la Maison Blanche avant 19 heures. Laura et George m'attendaient sous le porche officiel. C'était ma seconde visite mais je fus pourtant une nouvelle fois surpris par la relative exiguïté de l'entrée principale. Je trouvais que l'Élysée donnait une impression plus majestueuse. Le dîner fut cordial, sympathique, gai. Les Bush étaient des maîtres de maison simples et enjoués. Ils avaient invité cent cinquante personnes dans la « State Dining Room », tout ce que la capitale américaine comptait de personnalités politiques. Il y avait le choix. Je ne voulais cependant pas trop traîner. J'aspirais à rentrer à l'hôtel pour enfin pouvoir écrire mon discours. Nous nous levâmes de table avant 21 heures. J'étais soulagé, sauf que c'était pour nous diriger vers la petite salle de spectacle de la Maison Blanche. Elle est appelée « The East Room ». En effet, ce n'est pas en France que tout se termine en chansons, c'est aux États-Unis ! C'est une tradition que d'offrir aux hôtes officiels un moment de détente après le dîner. C'était attentionné et décontracté. Les chanteurs étaient exceptionnels, comme souvent aux États-Unis. En trente minutes tout était dit. Les Américains savent ne pas être trop longs. On ne peut pas dire que cela soit toujours une qualité française ni même européenne ! J'arrivai enfin à l'hôtel aux alentours de 22 h 30. J'étais parfaitement installé, même si je sentais monter en moi une immense fatigue. Je commençai à écrire mais, hélas, sans aucun succès. Tout était encore plus plat que ce qui m'avait été préparé. J'étais à deux doigts de renoncer. J'ai, à un moment, imaginé de me rendre au Capitole sans discours. Je me disais tout de même qu'improviser devant le Congrès américain pouvait s'avérer un choix hardi, voire suicidaire. Et puis, tout d'un coup, presque sans que j'y prenne garde, j'ai eu une idée qui débloqua toute la suite. Je voulais dire aux Américains que nous, les Français, nous aimions l'Amérique quand elle était grande, immense, sans limites, que c'était de cette Amérique que j'avais rêvé enfant, c'était la conquête de l'Ouest, John Wayne, Elvis Presley, Charlie Chaplin. Que le petit, le rétréci, l'étriqué ne convenait pas à l'Amérique. Je ne dis pas que cette idée était follement originale, mais au moins elle me permit d'écrire une vingtaine de pages, cette fois-ci sans grandes difficultés. J'étais satisfait de mon travail mais évitai cependant de le relire tout de suite. J'étais trop fatigué et j'avais peur d'être déçu à la relecture ! Je dormis quelques heures et, dès 8 heures, je confiai le discours à mon équipe pour qu'il fût dactylographié et vérifié. Je devais de bon matin rencontrer les associations juives américaines qui sont extrêmement influentes, et qui souhaitaient me remettre le prix « Light Unto the Nation » pour saluer mon action de ministre de l'Intérieur contre l'antisémitisme. Après cet événement nous partîmes enfin, toutes sirènes hurlantes, vers le Capitole. C'était le moment que j'attendais. J'étais soucieux de mon discours, que je n'avais toujours pas relu. Je montai les escaliers majestueux du Capitole. La présidente de la Chambre des représentants m'attendait. Il s'agissait de la démocrate Nancy Pelosi. Elle n'était pas alors connue comme l'adversaire impitoyable de Trump. Je vis pourtant immédiatement à qui j'avais à faire. Sa poignée de main était franche, son sourire chaleureux et décidé à ne pas s'en laisser compter. Son élégance était impressionnante. De surcroît, elle respirait l'autorité. Elle exprima une gentillesse et une considération pour la France qui me touchèrent. Elle semblait sincère et désolée des événements des cinq dernières années. Je lui dis combien j'étais sensible à l'honneur qui était ainsi réservé à la France. Elle me répondit : « Nous sommes heureux de vous recevoir. Vous allez avoir beaucoup de monde. Tous nos membres du Congrès, représentants et sénateurs, sont là. Il ne manquera personne ! » C'était anodin et pourtant j'ai ressenti immédiatement une pression inconnue jusque-là. Nous bavardâmes un moment dans son bureau en présence des présidents de groupe, républicain et démocrate. Puis, l'un de ses collaborateurs lui fit un signe. Nous restâmes seuls un moment, le temps que les autres rejoignent la *joint session* qui se tenait dans la plus grande salle du Congrès. Je suivis Nancy Pelosi dans une succession de couloirs et de bureaux jusqu'à une porte où elle me dit : « Nous y sommes. » Nous marquâmes un bref arrêt. La porte s'ouvrit et j'entendis un speaker annoncer : « Madam speaker, the President of the Republic of France, Nicolas Sarkozy ». Je découvrais cette salle immense où plus de cinq cents parlementaires étaient rassemblés et se mirent debout pour m'accueillir. Au passage, je reconnus les visages de certains des grands acteurs de la vie politique américaine. Je dus même m'arrêter un moment pour saluer John McCain. C'était impressionnant. J'ai rarement connu un moment de cette intensité. Je me sentais vraiment le représentant de la France. Le pays que ceux qui m'applaudissaient maintenant avaient, peu de temps auparavant, attaqué, boycotté, critiqué. Je sentais presque physiquement le besoin de cette réconciliation. J'en avais le souffle coupé. Je me demandais, comment réagiraient-ils à mon discours ? Je suis monté à la tribune. Nancy Pelosi, qui présidait le Congrès, était derrière moi. Je la saluai une nouvelle fois. Elle me souffla : « Monsieur le Président, maintenant c'est à vous ! » Je pris un moment pour regarder cet hémicycle comble. Je m'aperçus que les tribunes, elles aussi, étaient pleines. Les ministres de ma délégation avaient été installés au premier rang. Ils paraissaient émus. Christine Lagarde, toujours affectueuse, me fit même un petit signe d'encouragement. Je parlais sous les portraits de George Washington et du marquis de La Fayette. Le contexte historique était posé. Je n'avais plus qu'à dérouler. Cela tombait bien, puisque je commençai en expliquant que chaque fois qu'un soldat américain tombait de par le monde, c'était comme s'il était l'un des nôtres. Que le sang versé pendant les deux Guerres mondiales, des deux côtés de l'Atlantique, avait créé des liens indissolubles entre nos deux pays. Puis j'évoquai ce que l'Amérique représentait pour un petit garçon qui n'avait, à l'époque, pas les moyens de traverser l'Atlantique. J'hésitai avant de prononcer des noms qui, pour nous Français, sont mythiques et représentaient cette Amérique que nous aimions. J'ai prévenu mon auditoire : « Cela ne se fait pas pour un président de parler d'Elvis Presley, mais pour moi, il est l'Amérique. » Je n'avais pas anticipé leur réaction. À cette seule évocation, le Congrès s'est levé comme un seul homme, me gratifiant d'applaudissements frénétiques. Encouragé, je lâchai quelque peu mon texte et continuai de plus belle en terminant par ces mots : « Je suis venu reconquérir le cœur de l'Amérique. » Ce fut apparemment une réussite puisque l'AFP titra : « Sarkozy ovationné par le Congrès ». Quant à Alain Barluet, pour *Le Figaro*, il relèverait que je fus « interrompu à 25 reprises par des salves d'applaudissements (dont 10 fois debout) ». Je devais cependant me garder de trop faire pencher la balance du côté américain, car cela pouvait créer des difficultés politiques avec une partie de l'opinion française. Je pris donc le soin de rappeler aussi qu'entre amis, on devait parler franchement de ses divergences, au rang desquelles je mettais la valeur du dollar, que je jugeais trop faible pour permettre une concurrence loyale, le combat contre le réchauffement climatique, que les États-Unis ne pouvaient plus ignorer au risque de se mettre à dos la planète entière, et bien sûr la Turquie, dont je confirmai qu'à mes yeux elle ne pouvait avoir sa place en Europe, ce qui chagrinait beaucoup les Américains toujours soucieux de « soigner » un membre si important de l'Otan. Je déclarai : « Je veux être votre ami, votre allié, votre partenaire. Mais je veux être un ami debout, un allié indépendant, un partenaire libre. » Puis je conclus en citant deux grandes figures américaines. Celle de Eisenhower, quand il s'adressa à ses soldats juste avant le débarquement, en juin 1944 : « Les yeux du monde sont fixés sur vous, jeunes d'Amérique. Les espoirs, les prières de tous les peuples épris de liberté vous accompagnent. » Le monde libre était alors derrière les États-Unis. Et il resta libre grâce aux sacrifices de ces jeunes Américains à qui nous devons tant. Et cela, aucun Français ne peut l'oublier ni ne l'oubliera. C'est un devoir de mémoire. Celle de Martin Luther King, ensuite. Ce pasteur noir qui avait fait de l'Amérique une référence universelle dans le monde avec ses paroles d'amour, de dignité, de justice. Tous les hommes qui pouvaient douter de l'Amérique parce qu'ils ne la reconnaissaient plus se sont alors mis à l'aimer de nouveau. J'étais heureux de pouvoir affirmer à la tribune du Congrès : « Pas un jeune Français de ma génération n'a oublié les mots de Martin Luther King. C'est aussi pour lui que nous aimons l'Amérique !» À ces paroles, les démocrates comme les républicains se levèrent d'un seul bond. Nous étions tous émus, et bien sûr moi le premier. Certains observateurs regrettèrent que je n'eusse pas fait davantage d'annonces politiques ce jour-là. Ils n'avaient pas compris. Ce n'était pas mon but. Je voulais toucher le cœur profond de l'Amérique en parlant avec le mien. Cela me semblait tellement plus important, à ce moment précis, que la politique ou la diplomatie. Le temps de ces dernières viendrait bien assez tôt. Ce jour-là, au Congrès, j'ai voulu que cela soit celui des sentiments. Au fond, le discours valait moins par ce que j'avais à proposer que par ce que j'avais à dire, et comment je le dirais. Les Américains sont beaucoup plus sentimentaux qu'on ne le croit. De surcroît, le président Bush avait réussi à se mettre une partie de la planète à dos. L'arrivée d'un nouvel ami ne pouvait être mal accueillie. Je connaissais la puissance américaine et sa capacité à tuer dans l'œuf toute initiative qui ne venait pas d'elle. Mon pari était simple. Si j'arrivais à gagner leur confiance et leur estime, la France pourrait agir à sa guise et multiplier les initiatives. C'était mon plan. Je n'en démordais pas. Avec la crise mondiale qui approchait, j'aurais bientôt l'occasion de vérifier sa pertinence.

Un journal se signala par son désir de caricaturer ma politique en titrant : « Sarkozy est le président le plus proaméricain depuis la Seconde Guerre mondiale. » Au fond, pour cette rédaction, être proaméricain, c'était être prolibéral, procapitalisme et, surtout, pour l'argent. Sans doute aurais-je dû être plus attentif à ce type d'attaques. Mais j'avoue avoir bien du mal à m'excuser de me sentir proche d'un peuple dont la jeunesse est, par deux fois, venue mourir si loin de chez elle pour notre liberté. Sans ce peuple, qu'aurions-nous pu faire ? J'ajoute que j'admire sa capacité à rebondir, à innover, à donner sa chance à chacun. Je me sens proche d'un grand nombre de valeurs que nous avons en commun. Cette posture antiaméricaine d'une partie de nos élites est une erreur d'un point de vue historique, économique et politique. Historiquement, car nous devrions savoir reconnaître ce que nous leur devons. Économiquement, car quand les États-Unis vont mal, cela signifie que l'Europe va aller très mal à son tour. Et politiquement, parce que vouloir construire contre eux n'est pas tenable sur le long terme. Il est possible de réaliser un coup d'éclat à leurs dépens, comme Jacques Chirac l'avait justement fait au moment où George W. Bush choisit de renverser Saddam Hussein. Mais cela ne pouvait, sur le long terme, nous servir de stratégie. Cela finirait par provoquer de grandes divisions en Europe et nous isolerait de nos alliés les plus proches. J'ajoute que le symbole de l'utilisation du droit de veto contre les Américains me semblait inutilement vexatoire. Inutile car, comme on l'a vu, cela ne les avait pas empêchés de faire ce qu'ils voulaient. Vexatoire, parce que cela avait été vécu comme une forme de trahison. Justement parce que la France, à bon droit, disait non, et refusait de participer à une aventure qui finirait en catastrophe, il aurait mieux valu y mettre les formes. Je revins à Paris heureux de ce voyage et plus convaincu que jamais qu'il y avait bien une famille occidentale dont l'unité devait être préservée, quelles qu'en fussent les circonstances.

*

* *

Je reçus, à la fin de l'année, le rapport de Denis Olivennes sur la protection des œuvres culturelles sur les nouveaux réseaux. Le sujet semblait très technique, voire abscons. J'y attachais pourtant une particulière importance car il en allait à mes yeux de la liberté pour les créateurs de vivre du fruit de leurs créations, rien de moins. Dès le début des années 2000, et à peu près seul contre tous, j'avais été scandalisé de la prétendue gratuité censée régner dès qu'on avait « l'honneur » d'être diffusé sur le Net. La musique, la littérature, les films pouvaient être pillés à satiété. Les ayants droit n'avaient en fait le droit à rien, si ce n'est de louer la grâce qui leur était faite par la seule diffusion de leurs œuvres sur les réseaux. On assistait à la ruine progressive de l'économie musicale et cinématographique. C'était une véritable destruction de la culture qui était mise en œuvre à bas bruit. Les journaux avaient d'ailleurs montré un bien mauvais exemple en acceptant de diffuser gratuitement l'intégralité de leurs contenus sur Internet. Serge July avec *Libération* avait même été pionnier en la matière. Le problème étant que, lorsque l'on avait habitué les consommateurs à la gratuité, comment ensuite parvenir à les faire payer ? C'était mission impossible. J'avais tiré à de multiples reprises la sonnette d'alarme. Cette gratuité était d'autant plus choquante qu'elle n'était pas pour tout le monde, notamment pour les géants de l'Internet qui siphonnaient allégrement une grande partie des ressources publicitaires sans payer un centime pour les contenus. Je considérais que c'était du vol, ni plus ni moins. Une spoliation des créateurs. Par peur de se mettre à dos les jeunes utilisateurs, peu nombreux étaient ceux qui acceptaient de protester, y compris parmi les victimes. La démagogie coulait à flots, et ce alors même que la France de Beaumarchais avait inventé le principe des droits d'auteurs. Avant ceux-ci, les créateurs étaient condamnés soit à la pauvreté, soit à l'asservissement auprès d'un riche protecteur et mécène du moment. Défendre le droit à la propriété intellectuelle des auteurs est une condition *sine qua non* de leur liberté. J'ajoute que la culture du « tout gratuit » est toujours délétère, car on ne respecte jamais ce que l'on acquiert sans effort ou sans coût. De quel droit, sous prétexte qu'il s'agit d'Internet, n'y aurait-il plus à rémunérer les journaux pour leurs contenus ? Les écrivains pour leurs livres ? Les compositeurs pour leurs musiques ? Les auteurs pour leurs paroles ? À ma connaissance, quand un client se rend au supermarché pour faire ses courses, il paie, ce n'est pas gratuit ! Internet ne pouvait pas devenir une zone de non-droit où il serait possible de faire le commerce des créations sans rémunérer les auteurs. Le prétexte tiré de la jeunesse des utilisateurs du Net était encore plus pervers. Puisqu'ils étaient jeunes, on ne pouvait leur refuser l'accès gratuit. C'était du moins la thèse majoritaire d'une large partie de nos élites. Je pensais exactement le contraire. C'était parce qu'ils étaient jeunes que toute démagogie devait être prohibée, afin de les préparer à la société dans laquelle ils s'apprêtaient à vivre. Denis Olivennes présentait l'avantage d'être de gauche, et courageux de surcroît. Il connaissait parfaitement le dossier et brûlait d'envie de servir la République, de lui être utile, avec un désintéressement aussi rare qu'admirable. Je lui faisais confiance, non pas seulement pour la force de ses propositions, mais aussi, et peut-être surtout, pour ses grandes qualités de pédagogue. Je savais que pour agir, il fallait d'abord convaincre. Ce n'était pas gagné d'avance, tant le retard qui s'était accumulé était important. En bref, tous ceux qui envisageaient de réguler ou de réglementer Internet, même *a minima*, étaient immédiatement qualifiés de « liberticides réactionnaires ». Nous n'étions pas modernes, nous ne comprenions rien aux nouvelles technologies ni aux évolutions qui en seraient les conséquences. En cela, j'avais contre moi une opposition de gauche libertaire, alliée à une opposition libérale, celle des grandes multinationales de l'Internet.

Je ne me laissais pas impressionner par ces « oukases » bien connus qui, au nom d'une prétendue modernité, piétinaient allégrement des valeurs intangibles de notre civilisation. Je savais qu'une fois l'effet de mode passé, il y aurait une prise de conscience et un retour de bâton. Mais je ne voulais pas qu'il arrive trop tard pour un certain nombre de secteurs littéralement ravagés économiquement par ce pillage légal et sans précédent. Je croyais, et crois toujours, en la vertu pédagogique de la sanction. J'étais convaincu qu'il n'y aurait pas de respect de la propriété intellectuelle sans une répression graduée et proportionnée de ceux qui volaient ainsi le bien d'autrui. Nous créâmes Hadopi dans ces circonstances. Il s'agissait de la Haute Autorité en charge de l'application d'un barème de sanctions, qui allaient du simple avertissement par courrier à la suppression de l'abonnement internet pour l'abonné indélicat multirécidiviste. C'était bien beau d'avoir des principes à défendre, mais à quoi serviraient-ils si rien n'était prévu pour les mettre en œuvre ? La célèbre association UFC-Que Choisir attaqua violemment notre proposition au motif que « les consommateurs refusaient cette surenchère répressive qui était contraire au respect de la présomption d'innocence et à la Convention européenne des droits de l'Homme ». On les avait connus mieux inspirés, et surtout moins ridicules. La ministre de la Culture, Christine Albanel, n'était elle-même guère enthousiaste d'avoir à défendre un texte qui pourtant protégeait les auteurs et les artistes, mais qui ne permettait pas à la ministre de tutelle d'être présentée comme une « amie des nouvelles technologies », ce qui semblait lui poser problème. Christine Albanel était une femme de qualité. Nous avions des rapports amicaux, même si elle avait été la plume de Jacques Chirac. Je lui étais reconnaissant pour son courage et son ouverture d'esprit d'alors. De plus, elle était intelligente et pleine d'humour. Elle rêvait d'être ministre, ce qui lui permettrait de sortir de l'ombre où elle était confinée depuis des années, de façon d'ailleurs assez injuste. Je l'avais nommée à la Culture, certain qu'elle serait parfaite pour le poste. Mais il arriva un phénomène étrange, qu'en tout cas je n'avais pas anticipé. Au lieu de s'épanouir dans ses nouvelles fonctions, il se produisit exactement l'inverse, comme si elle s'éteignait peu à peu. Était-ce la pression médiatique ? La peur de l'erreur ? Le poids de la charge soudainement trop lourde ? Christine Albanel était devenue sombre, triste, sans enthousiasme. Or, au ministère de la Culture, qui disposait d'un petit budget et d'une administration faible et fragmentée, le manque de charisme public devenait rapidement un immense problème. Elle répugnait à prendre part aux débats les plus brûlants, préférant esquiver plutôt que combattre. Or, la politique est un combat, c'est même sa noblesse ! Elle faisait par ailleurs sérieusement ce qu'elle avait à faire. J'avais le sentiment d'un gâchis pour une femme de cette valeur. Cela devenait une faille dans mon dispo-sitif. J'avais vraiment besoin de quelqu'un de fort pour porter notre politique culturelle, dont j'avais fait une grande priorité. J'ai regretté par la suite de devoir me séparer d'une personne que j'appréciais mais qui, avec le recul, n'était sans doute pas faite pour le poste. Elle se retira avec une discrétion élégante qui lui ressemblait et ne chercha même pas à défendre son bilan. Le nôtre ! Cette saga « Hadopi » m'a, en vérité, beaucoup apporté auprès du monde de la culture. Celui-ci était, comme chacun le savait bien, ultra majoritairement de gauche. De façon souvent militante, et parfois sectaire. Or, la gauche, par pure « démagogie jeuniste », avait combattu avec virulence ma politique de défense des droits d'au-teurs. Les socialistes s'étaient trompés en interprétant le silence des artistes comme un refus de mon projet. C'était faux car, au contraire, ils le soutenaient majoritairement sans vouloir pour autant heurter de front leur public. Mais qu'un président de droite défende leur liberté, leur patrimoine, leurs moyens d'existence, voilà qui les avaient tétanisés, du moins au début. Puis, avec le temps, à mesure que le pillage s'accentuait et leurs revenus parallèlement diminuaient, ils ne tardèrent pas à comprendre les enjeux, à être de plus en plus nombreux à le dire publiquement et donc à soutenir cette politique. Je dois à l'honnêteté de reconnaître que trois immenses artistes ont eu le courage d'exprimer leurs convictions très tôt dans ce combat. Il s'agit de Julien Clerc, de Maxime Le Forestier, et bien sûr de Didier Barbelivien. J'étais en petite compagnie par le nombre, mais en si grande par la qualité de ces auteurs-compositeurs. Quelques années après mon départ de l'Élysée, un incident m'opposa sur ce sujet à Pierre Lescure, à qui François Hollande avait confié une mission sur l'avenir d'Hadopi. Pierre Lescure est intelligent, sympathique et toujours prêt à se comporter en fossoyeur pour le compte d'autrui ! Nous étions chez des amis communs quand Carla lui dit : « Pierre, comment pouvez-vous détruire la seule arme qui nous protège, nous les auteurs, contre la spoliation ? Le cinéma que vous aimez tant en sera la première victime. » Le pauvre Pierre Lescure ne savait pas trop quoi répondre. Il voulait être nommé président du Festival de Cannes... J'entendis de loin la conversation, pris Carla par la main en lui disant à haute et intelligible voix : « Ne perds pas ton temps ma chérie, cela ne sert à rien ! » Pierre Lescure ne répondit rien et baissa les yeux. Je ne lui en veux d'ailleurs pas. Je reconnais que la discussion peut être agréable avec cet homme cultivé, mais qui n'a d'autres convictions que celles de la mode du moment.

J'essayai, dans la foulée, de faire comprendre à la Commission européenne que dans l'esprit français les biens culturels étaient des produits de première nécessité, et qu'à ce titre, ils devraient être éligibles à un taux de TVA réduit. Les êtres humains ont besoin de « culture » au même titre qu'ils doivent boire ou se nourrir. Je n'y réussis pas, sauf pour le livre numérique où la Commission a fini par reconnaître que le taux devait être aligné sur celui du livre physique, ce qui fut voté au Parlement en 2010. Pour le reste, je passais pour un démagogue en présentant cette demande que je considérais comme légitime autant qu'utile. La crainte des déficits empêchait la réflexion de tous ceux qui avaient adopté la posture de la « rigueur et de l'austérité raisonnable ». Les ventes de disques s'étaient écroulées. Elles auraient eu dans ces conditions bien du mal à creuser quelque déficit que cela soit.

*
* *

À la fin du mois de novembre, je devais effectuer ma première visite officielle en Chine. Au moment où je franchissais les Invalides dans la voiture qui m'emmenait à l'aéroport, je vis une jeune femme sur le trottoir tenant par la main son fils de 6 ans. Elle me fit un signe affectueux pour me souhaiter un bon voyage. Elle ne pouvait m'accompagner car je ne la connaissais que depuis quelques jours. C'était Carla Bruni, accompagnée de son fils Aurélien. Elle m'avait prévenu qu'elle serait sur le passage du cortège présidentiel pour me dire au revoir. J'eus le temps de baisser la vitre pour lui montrer que je l'avais vue. Ce jour-là, les Parisiens présents ont dû me trouver bien aimable avec les passants ! Et ce, d'autant que j'avais demandé au chauffeur de réduire la vitesse pendant un bref moment. Je ne suis pas certain que lui aussi ait compris l'importance que prenait ce petit signe ce jour-là ! J'avais emmené ma mère dans la délégation. Je voulais lui faire plaisir. Elle avait dépassé allégrement ses quatre-vingts printemps. Elle n'était jamais allée en Chine et j'étais heureux de pouvoir lui faire découvrir le site historique de Xi'an, première étape de la visite. Je réalise aujourd'hui que ce fut son dernier voyage hors de nos frontières. Elle n'aimait pas beaucoup voyager, mais elle était heureuse d'être avec son fils. Elle était installée dans l'avion à côté de Jean-Pierre Raffarin. Je suis aujourd'hui encore reconnaissant à celui-ci de sa gentillesse avec ma mère qui n'a cessé de bavarder pendant les onze heures du trajet ! Au moment de dormir, j'allais la voir pour la convaincre d'incliner son fauteuil. Ainsi lui dis-je : « Tu seras plus à l'aise pour te reposer. » Elle ne voulut rien entendre et me lança, outrée : « Je ne suis pas morte tout de même ! » Je ne voyais pas le rapport avec la mort, mais je renonçais à la convaincre. Elle confia même à Jean-Pierre Raffarin : « Vous savez, Nicolas est gentil mais il est très autoritaire ! » Je crains qu'elle n'ait pas eu beaucoup d'efforts à fournir pour en convaincre ce dernier qui, lui, à raison, s'était confortablement allongé à côté d'une dame d'un certain âge demeurée donc assise, droite comme un « i ». Nous nous posâmes à Xi'an, l'ancienne capitale impériale. J'allais visiter le mausolée de l'empereur Qin et les trois fosses où se trouvait son armée enterrée. Deux siècles avant notre ère, il avait choisi de se faire inhumer au milieu de ses huit mille quatre cents soldats en terre cuite, dont pas un seul n'arborait le même visage. Les Chinois en avaient déjà exhumés pas loin de deux mille quatre cents. C'était un spectacle stupéfiant et émouvant. Je me souviens être demeuré littéralement bouche bée. Je n'avais jamais vu quelque chose qui puisse s'en approcher. C'était si différent. Les officiels chinois me permirent de descendre dans la première fosse, au milieu de ces soldats immobiles dont la taille moyenne était de 1 m 80. En arpentant ces allées, je me demandai comment la Chine, il y a vingt-deux siècles, avait été capable de réaliser de tels prodiges ? Je me confrontais, dès mes premiers pas lors de cette visite officielle, à l'ancienneté et à la maîtrise de cette civilisation exceptionnelle, et qui nous semble si éloignée de nous. Toute la délégation était sous le choc, ma mère la première. Nous n'eûmes cependant pas le temps de nous appesantir car j'étais attendu pour un dîner officiel, le soir même, à Pékin, éloignée de Xi'an de deux bonnes heures d'avion. Je résidais au Sofitel. La suite qui m'avait été réservée était immense. Je m'y perdais littéralement. La vue sur la capitale chinoise était grandiose. Je pouvais mesurer l'ampleur des changements comme à chacune de mes visites précédentes. J'y étais venu pour la première fois en 1989. Pékin était alors grouillante de vélos. Aujourd'hui, la ville compte six périphériques et un septième en construction. Ses encombrements sont parmi les plus inextricables au monde. J'eus d'abord un entretien avec le président Hu Jintao. Entretien, le mot est sans doute inadapté... Il s'agissait plutôt de la rencontre de deux délégations qui se faisaient face, avec un président chinois qui lisait scrupuleusement et presque mot à mot les textes préparés pour lui et, sans doute, adoptés préalablement par le comité permanent du bureau politique. Je ne cache pas que ce formalisme extrême me provoqua quelques frustrations. Les sujets étaient ceux prévus par nos équipes diplomatiques. Les Chinois détestent plus que tout l'improvisation qui est considérée comme un grave manque de professionnalisme. Il n'y a pas d'espace pour le contact personnel ou l'utilisation des circonstances. Tout est policé, et poli. Tout est courtois et ordonnancé selon un protocole très strict et millimétré. Il n'y a de place ni pour les surprises ni pour les originalités. Il faut respecter cette culture et ces codes. Toute allusion aux questions personnelles est bannie, en tout cas dans ce cadre officiel. L'arrivée au palais du Peuple sur la place Tian'anmen est impressionnante. La voiture s'arrêta au bas d'un immense escalier qu'il convenait d'escalader à son rythme. Puis, je pénétrai dans un hall aux proportions gigantesques, où plusieurs rangées de soldats en uniforme d'apparat nous attendaient, immobiles et impeccables. Le président se tenait à l'intérieur. J'avançai vers lui. Il me serra longuement la main avec un visage impassible puis nous écoutâmes les hymnes nationaux avant de nous rendre dans la salle de travail prévue à cet effet. Nous étions seulement douze dans cet immense salon impérial, six de chaque côté. Le but de mon voyage était assez simple. D'abord, il s'agissait d'engranger un maximum de contrats pour les entreprises françaises. Ensuite, il convenait de ne pas tomber dans les trois pièges habituels en Chine que sont Taïwan, le Tibet et les droits de l'Homme. Pour le premier objectif, les choses se passèrent encore mieux que prévu. Les Chinois avaient décidé qu'ils feraient un effort. Et ils le firent, puisque nous signâmes pour pas moins de vingt milliards d'euros de transactions commerciales. La liste était impressionnante : deux réacteurs nucléaires EPR, cent soixante appareils de la famille des A320 et A330, des hélicoptères d'Eurocopter, auxquels venaient s'ajouter de multiples achats pour Sanofi, Alstom ou CMA CGM. Cela représentait pas moins du double de ce que nous attendions. Certains observateurs soulignaient le cynisme de la délégation française, prétendument obnubilée par la dimension économique du voyage. Je n'ignorais pas ces attaques, mais je n'en tenais pas compte, car je sentais bien que la croissance était en train de fléchir en France et j'avais grand besoin de ces « stimuli » économiques chinois. Quant aux trois « irritants » traditionnels, aucun d'entre eux ne me semblait insurmontable. Le fait qu'il n'existe qu'une seule Chine était acquis depuis 1964, et la reconnaissance par le général de Gaulle de ce pays. Taïwan est peuplé de vingt-cinq millions de Hans. Un jour, le détroit ne sera plus une frontière. Ce sont des Chinois des deux côtés. Sauf que, sur le continent, ils sont aujourd'hui un milliard quatre cents millions. Nous n'avons aucune légitimité, et encore moins d'intérêt, à nous ingérer dans leurs relations. Nous pouvons seulement souhaiter et même exiger que la solution soit trouvée par la seule voie diplomatique. C'est d'ailleurs ce qu'il se passe depuis soixante-dix ans maintenant. C'est dans ce cadre que les relations ont été maintenues. Il est également difficile d'affirmer qu'il n'y a qu'une seule Chine et de faire une exception pour le Tibet. Pour le coup, avec Taïwan, cela ferait trois Chine ! J'avais assez de dossiers complexes à traiter avec eux pour ne pas, en plus, chercher à interférer dans ce qui est le plus sensible à leurs yeux, leur unité. Quant aux droits de l'Homme, j'appliquai la même règle qu'avec la Russie, privilégiant le contact direct, hors des médias. Nous pûmes ainsi avoir une discussion approfondie avec le président chinois sur la peine de mort en Chine. Je fis valoir à mon interlocuteur combien cela pouvait nuire à l'image de son pays. À mon grand étonnement, lors du dîner, alors que nous étions côte à côte, donc libérés du poids de nos délégations respectives, il me dit qu'il en était conscient, et qu'il avait veillé à ce que leur nombre diminuât fortement, me précisant même qu'ils allaient continuer dans ce sens. De l'extérieur, cela peut sembler bien peu, mais pour les habitués des discussions de cette nature avec de tels interlocuteurs, cela s'apparentait à une réelle forme d'ouverture. Le dîner était agrémenté d'intermèdes musicaux. L'ambiance devenait plus cordiale. L'échange plus aisé. Je demandais à mon voisin : « Quand vous vous levez le matin, à la tête d'un pays aussi immense, quelle est votre première crainte, ou votre premier souci ? » Il réfléchit un instant. Il se tourna vers moi, et dans un large sourire me confia : « Je pense que si un milliard trois cents millions de Chinois ne sont pas contents, cela peut faire du bruit ! » Il était mi-sérieux, mi-amusé. Je compris à cet instant que tout « empereur de Chine » qu'il était, il se sentait comme assis sur un volcan, dont il prenait bien soin qu'il n'entrât pas en éruption sous ses pieds par inadvertance ou par imprudence. Le lendemain, je dînai avec le Premier ministre Wen Jiabao, avec qui je pus évoquer les deux grandes questions du moment qu'étaient la valeur du yuan et la participation de la Chine à la protection de l'environnement et à la lutte contre le réchauffement climatique. Je tentai d'expliquer à mon interlocuteur qu'un grand pays devait avoir une monnaie forte. Je plaidais pour un équilibre plus juste entre les grandes monnaies. Je fus satisfait de ne pas avoir reçu de fin de non-recevoir sur la question. La vérité est que je n'avais pas davantage obtenu de gestes concrets. La question de l'environnement était plus sérieuse, car elle s'inscrivait dans un ensemble. La Chine devait, en tant que grande nation, prendre sa part de la gestion des principaux défis mondiaux, et au premier rang de ceux-ci il y avait les dérèglements climatiques. J'expliquai que la croissance chinoise ne pouvait se faire au prix d'une dégradation de l'environnement mondial, de l'épuisement des ressources naturelles et d'un réchauffement accéléré de la planète. Je prononçai, le deuxième jour de ma visite, un discours sur l'environnement à l'université Tsinghua à Pékin. Je voulais bien insister sur ce point. La suite montra que cela avait été utile. Sur le chemin de retour, j'étais assez satisfait des résultats de mon voyage, mais m'interrogeais toujours sur l'utilité réelle de ces déplacements diplomatiques qui mobilisaient une grande énergie sans résultats certains sur le fond des dossiers. Pendant deux ou trois journées, je me consacrais en effet à plein temps à nos relations bilatérales pour leur donner l'impulsion la plus forte qu'il m'était possible. Puis j'étais occupé par d'autres dossiers et d'autres pays. J'espérais, sans trop en être certain, que tout ne retomberait pas dans le train-train habituel par la suite. Comment faire autrement ? J'étais loin d'avoir la réponse.

*
* *

Durant mon déplacement en Chine, la situation n'était pas restée calme en France. Loin de là. Aux différents mouvements sociaux s'étaient ajoutées deux nuits de guérilla urbaine à Villiers-le-Bel, à la suite du décès, dans un accident, de deux adolescents après qu'ils avaient heurté sur leur mini-moto une voiture de police. Il ne manquait plus que cela ! Je m'étais tenu informé de l'évolution des événements, et considérais que la ministre de l'Intérieur n'avait pas, en tout cas à mes yeux, été assez réactive. La situation prenait une mauvaise tournure. Je compris rapidement que Michèle Alliot-Marie ne serait pas à l'aise avec l'exigence de réactivité quotidienne propre à ce ministère si particulier. J'étais en l'occurrence le seul responsable. J'avais voulu promouvoir des femmes aux postes les plus importants. Christine Lagarde aux Finances, Rachida Dati à la Justice, Michèle Alliot-Marie à l'Intérieur. Le casting était parfait. L'image, sans aucun doute, avantageuse. Sauf que cette dernière n'est pas tout. La ministre de l'Intérieur disposait d'une réelle autorité naturelle. Elle savait se faire obéir. Elle présentait bien et son équilibre personnel était un gage qui la protégeait de toutes initiatives intempestives. C'était, de surcroît, une femme loyale qui n'avait ni l'idée ni l'envie de se lancer dans des combines politiciennes, encore moins dans des opérations tordues. Je n'avais cependant pas anticipé qu'elle aurait besoin, pour être réellement performante, de se retrouver dans un univers stable et tranquille. Elle n'aimait guère les surprises, les accidents de l'actualité, être bousculée dans son programme comme dans ses convictions. Or, le ministère de l'Intérieur exigeait de son titulaire une grande capacité d'adaptabilité. Et ce n'était pas malheureusement la première qualité de Michèle Alliot-Marie. J'étais absent du territoire national. La ministre de l'Intérieur se laissait mener par les événements. Le pouvoir donnait donc un sentiment d'absence. Ce n'était pas acceptable pour moi, d'autant que la sécurité était censée être mon point fort. C'est pourquoi, alors que mon avion avait atterri en début de matinée, je me rendis directement, sans même passer par l'Élysée, au chevet du commissaire divisionnaire Jean-François Illy, grièvement blessé durant ces émeutes. Ces événements me convainquirent de continuer à m'investir dans toutes les problématiques de sécurité intérieure. C'est ce que je fis en prononçant un discours sur ces questions devant deux mille policiers et gendarmes réunis pour l'occasion dans la grande salle de l'arche de la Défense, à la fin du mois de novembre. Cette initiative fit débat au sein de mon équipe. Pour les uns, je prenais encore une fois le risque de descendre de mon piédestal présidentiel. Pour les autres, je ne pouvais abandonner mon terrain de prédilection. Cette situation perdurerait tout mon quinquennat. Pour ceux qui me soutenaient, j'en faisais trop. Pour mes contradicteurs, pas assez. J'avais pourtant bien l'intuition de devoir m'en occuper. Qu'il s'agissait de préoccupations centrales pour les Français. Et que j'avais, au fond, été élu pour cela et même à cause de cela. Mais je reconnais que je n'étais pas allé au bout de cette logique. Je fus sans doute impressionné par l'argument habituel de la présidentialisation. Je m'étais arrêté au milieu du gué et ainsi je cumulais tous les inconvénients. Au fond, j'aurais dû appliquer jusqu'au bout mon idée originelle. Les violences dans le Val-d'Oise avaient fait la « bagatelle » de cent trente blessés parmi les forces de l'ordre, certains gravement atteints par des tirs de plombs de chasse ou de grenaille. Je n'étais vraiment pas décidé à tolérer de tels agissements. Dans mon discours aux forces de l'ordre, je voulus d'emblée tordre le cou à la ritournelle habituelle en la matière, celle de la crise sociale ! Cet argument, constamment martelé, est d'abord insultant pour les Français de condition modeste, comme si la délinquance était la conséquence automatique de la pauvreté ! C'était faux et irrespectueux. Il s'agissait également d'une énième tentative de déresponsabilisation de bandes de voyous bien installées dans certains de nos quartiers, et qui y font régner la peur et prospérer le trafic de drogue. La réponse à ces émeutes ne pouvait pas être encore plus d'argent récupéré sur le dos du contribuable. La seule réplique adaptée à mes yeux était celle de l'arrestation des émeutiers et leur punition sévère. J'étais obligé de tenir ces propos qui ne font théoriquement pas partie du vocabulaire présidentiel. D'abord, parce qu'ils décrivaient profondément ce qu'était mon état d'esprit. Ensuite, parce que, hélas, je me trouvais assez seul pour les prononcer. C'est un phénomène étrange, à mes yeux, que la plupart des ministres qui ont exercé cette fonction pensaient davantage à leur image auprès de la presse et des milieux dirigeants qu'auprès des couches les plus populaires de la nation. En se comportant ainsi, ils voulaient donner des gages sur les droits de l'Homme, sur leur ouverture d'esprit, sur la générosité de leurs sentiments, et ce au détriment de leur action de répression, d'arrestation des criminels et des délinquants, ce qui n'était pourtant ni plus ni moins que le cœur de leur métier. Je voyais l'ampleur de ce phénomène au mal qu'ils se donnaient pour éviter d'être considérés comme « le premier flic de France ». Comme si ce titre portait en lui-même quelque chose de déshonorant. Si le ministre de l'Intérieur ne se sent pas capable d'avoir l'âme d'un policier ou d'un gendarme, il n'a pas sa place à Beauvau. C'est un endroit où il faut savoir entraîner les hommes et les équipes. Pour ce faire, il convient de leur donner des objectifs à atteindre. J'ai été beaucoup attaqué sur cette question. C'était injuste, car si vous ne fixez pas d'objectifs quantitatifs, vous n'avez aucune chance de les réaliser. Bien sûr, les statistiques ne disent pas tout, ne font pas tout, ne résolvent pas tout. Mais au moins elles permettent de disposer d'indicateurs qu'il convient non pas de lire à la lettre, mais d'interpréter comme des tendances. À mon époque, elles ont toujours indiqué une diminution générale de la criminalité et de la délinquance. Je prenais grand soin de faire publier, tous les mois, la totalité de ces agrégats, sans jamais les modifier afin que chacun puisse, en toute transparence, les suivre, les commenter, et les analyser. Ces publications ont depuis été intégralement supprimées. On ne sait plus rien. Donc il n'y a plus matière à commentaires. La démocratie y a-t-elle gagné quoi que cela soit ? Les bavures policières sont-elles moins nombreuses ? La sécurité est-elle meilleure aujourd'hui ? Les réponses à apporter sont évidentes. Le système n'est plus transparent. La sécurité est moins bien assurée. Les événements qui mettent en cause la police n'ont jamais été si nombreux. Pour faire plaisir à un quarteron d'associations, on a choisi de casser le thermomètre. Où a-t-on vu qu'en agissant ainsi, on faisait baisser la fièvre ? Nulle part ! Le plus extravagant étant que les observateurs n'ont pas, dans leur immense majorité, élevé la plus petite protestation devant ce déni de démocratie. Comme si le sujet de la sécurité n'était pas important. Comme si ce qui était choquant n'était pas les actes de délinquance en eux-mêmes, mais la mesure de ceux-ci. N'en parlons donc plus. Évoquer l'insécurité, les voyous, les émeutiers, les voitures incendiées était définitivement devenu incorrect. À rebours de toutes ces fadaises, je fixai aux représentants des forces de l'ordre l'objectif de faire diminuer de 10 % la délinquance de voie publique et de porter le taux d'élucidation des crimes et délits à 40 % en moyenne. Quant à la délinquance générale, je demandai un objectif de diminution de 5 % sur les deux années à venir. Je terminai en expliquant : « J'ai été élu pour avoir des résultats. Ces résultats, je devrai les assumer. » Il allait de soi que je souhaitais des chiffres aussi précis en matière de lutte contre l'immigration illégale. Les Français avaient le droit de connaître les effets de l'action de la police de l'air et des frontières. J'insistai sur l'objectif des vingt-cinq mille reconduites à la frontière pour la seule fin d'année 2007. Si un pays démocratique n'excluait pas ceux qui n'avaient pas de papiers, à quoi cela rimait-il de donner des titres de séjour à ceux qu'on voulait accueillir ? Cette fameuse politique du chiffre, maintes fois dénoncée par une gauche si longtemps indigente sur le terrain de la sécurité, était la clef de la mobilisation des forces de l'ordre, et de la valorisation de leur action. En conséquence de ces objectifs ambitieux, nous avions imaginé un système de primes qui récompensaient l'efficacité du travail ainsi réalisé. Avec la disparition des objectifs, les primes ont suivi, puisqu'il n'y avait plus de moyen de mesurer le travail accompli. Ce sont donc les policiers et les gendarmes les plus méritants qui furent les premiers pénalisés par la destruction de ce thermomètre pourtant bien utile.

Un autre angle d'attaque ressurgissait avec une certaine force. J'étais, une nouvelle fois, accusé d'utiliser les événements de l'actualité pour réagir avec trop de vigueur sur l'instant et une émotion « déplacée », ou en tout cas jugée comme telle. Il aurait fallu prendre la distance nécessaire et de bon aloi pour un président de la République, disaient mes opposants. J'avais, notamment, commis la « faute » de recevoir les parents d'Anne-Lorraine Schmitt, une étudiante de 23 ans, découverte poignardée de trente-quatre coups de couteau dans une rame du RER D par un individu de 43 ans, qui avait déjà été condamné par une cour d'assises pour viol. J'avais été littéralement horrifié en découvrant les faits, et en comprenant que cet assassin avait été relâché sans aucune précaution pour de potentielles futures victimes. J'ai pensé à cette famille brisée par la douleur et l'incompréhension. J'ai imaginé ma propre réaction si c'était arrivé à l'un de mes enfants. Je l'avoue, j'ai essayé de me mettre à la place de ces parents admirables de courage et de dignité ! Que personne ne s'imagine qu'une telle démarche est facile à entreprendre. Ce n'est jamais aisé de recevoir les victimes. Être confronté à la douleur absolue est une épreuve qui vous bouscule au plus profond de vous-même, qui vous change et parfois vous altère. Que dire à ceux qui se trouvent en face de vous avec ce fardeau de douleur qui les écrase ? Quelle est la bonne attitude ? Comment choisir les mots ? Comment trouver les paroles qui allègent ? Je revendique haut et fort cette part d'humanité qui doit être celle du président de la République. Comment comprendre la souffrance si on ne la côtoie pas ? Si on ne la rencontre pas ? Si on ne l'entend pas ? Je ne voulais pas que l'on puisse me dissimuler la part la plus sombre de l'être humain. De surcroît, j'étais le chef d'un État qui avait failli à défendre leur fille. C'était impossible de ne pas les recevoir. Les victimes ont le droit d'être prises en considération. C'est un devoir pour l'État de le faire respecter. Le journal *Libération* était le plus disert pour stigmatiser mon attitude. Pour eux, c'était « indécent » d'utiliser ainsi les victimes des criminels et des violeurs. Mais que faisaient-ils eux-mêmes lorsqu'ils instrumentalisaient l'immigration illégale ? Autrement dit c'était noble et généreux d'évoquer la situation des clandestins. Mais c'était indigne, incorrect, populiste et déplacé de recevoir les parents des victimes. Quelle logique présidait à ce raisonnement ? Aucune, si ce n'est le souci de l'image et la volonté d'étaler la générosité de son cœur. Le mien, j'ai toujours préféré l'utiliser pour ceux de nos compatriotes que le destin avait frappés si brutalement et si injustement. Je reçus de ce père éploré une leçon de dignité. « Monsieur le Président, me dit-il cinq jours seulement après le sauvage assassinat de sa fille, je n'ai aucune haine, mais je veux que vous me garantissiez que son

assassin demeurera en prison. Il me reste deux filles
de 14 ans. Je ne veux pas qu'elles puissent le rencontrer lorsqu'il quittera la prison ! » Comment lui donner
tort ? Comment rester insensible ? Il me raconta qu'il
était venu chercher Anne-Lorraine à la gare le jour de
son assassinat. Il ne l'avait pas vue descendre. Il pensa
qu'elle avait dû rater son train. Il vit repartir celui-ci
sans savoir qu'il emportait le corps supplicié de sa
fille baignant dans son sang, seule dans un compar-
timent dévasté. Je le laissai parler. Nous étions dans
mon bureau, au premier étage de l'Élysée. J'étais sous
le choc. Je ne pouvais lui dire un mot, cloué que j'étais
par l'émotion à l'évocation de ces faits barbares, de l'innocence de cette jeune fille, de cette vie massacrée, de
cette famille qui trouvait encore la force de parler. Je dus
vraiment faire un effort pour ne pas me laisser complètement submerger par l'émotion. Peu m'importait les
polémiques. J'avais été élu par ces Français-là. Je me
sentais proche d'eux et de leurs sentiments. Quand ils
partirent, je me remis au travail avec une forme de rage
au ventre. Comment peut-on laisser de tels monstres
en liberté ? C'est ce jour-là que j'ai proposé la peine de
sûreté qui devait être applicable aux criminels sexuels
à l'issue de leur séjour en prison. J'en étais convaincu,
ils ne devaient pas retrouver la liberté, même une fois
leur peine exécutée. Il fallait évaluer leur dangerosité
et les garder emprisonnés s'ils présentaient toujours un
risque pour la société. C'était une question de bon sens.

*

* *

Je finissais l'année sur une petite polémique qui, en soit, n'avait guère d'importance, mais elle était révélatrice de l'état d'esprit qui régnait majoritairement au sein des rédactions des journaux et des médias français. Nicolas Beytout, journaliste unanimement respecté et expérimenté, venait d'être remplacé, à la tête de la rédaction du *Figaro*, par Étienne Mougeotte, tout aussi respecté et expérimenté. Compte tenu de son talent, Beytout n'avait pas tardé à trouver un nouvel emploi, mais cette fois pour diriger la rédaction du quotidien économique *Les Échos*. Je connais bien sûr l'un et l'autre, comme d'ailleurs toute la classe politique. J'appréciais le talent de Nicolas Beytout, qui était beaucoup plus libéral que moi et ne se privait pas de l'écrire ou de le faire savoir. Il avait ainsi régulièrement critiqué mon dirigisme, la trop grande place que je laissais à l'État, et une certaine frilosité, du moins c'est ce qu'il pensait, quant aux baisses d'impôts. C'était parfaitement son droit et cela n'avait nullement altéré nos rapports, même si, en vérité, nous n'étions pas particulièrement proches. Il n'avait jamais eu besoin de moi et la réciproque était tout aussi exacte ! Quelle ne fut pas ma surprise à la lecture du communiqué du syndicat national des journalistes, selon lequel « Nicolas Sarkozy orchestrait un jeu de chaises musicales entre *Les Échos* et *Le Figaro*, car il entend ainsi faire la pluie et le beau temps dans les rédactions. » Mais ce n'était pas tout car,

dans le même temps, la rédaction des *Échos* déclara :
« L'intrusion de Nicolas Sarkozy confirme les menaces
qui pèsent sur notre indépendance éditoriale. » J'étais
stupéfait. Les titres de Nicolas Beytout étaient incontes-
tables. Je ne m'étais mêlé de sa nomination ni de près
ni de loin. Je goûtais cependant assez peu ces leçons
d'indépendance. Pour mes contradicteurs de l'occasion,
pour être indépendant, il fallait être de gauche et contre
le président de la République. Dans le cas contraire, on
était réduit à la condition « d'un valet du pouvoir ». Ainsi,
la rédaction du *Monde* avait, dans un éditorial paru deux
jours avant les élections présidentielles de 2007, appelé
à voter pour Ségolène Royal. Cela, c'était de l'indépendance ? Le Syndicat national des journalistes n'avait rien
dit. Le journal *Libération* était dirigé par Laurent Joffrin,
qui fut la plume de François Hollande. Cela aussi, c'était
de l'indépendance ? Même silence du syndicat. *Le Journal
du dimanche* avait organisé un vote au sein de sa rédaction pour connaître la sensibilité politique de celle-ci.
Ils ne furent pas déçus du résultat, puisque 100 % des
journalistes votaient Ségolène Royal. Cela aussi, c'était
une preuve manifeste d'indépendance ! Pour le coup, n'y
avait-il pas là matière à un communiqué du syndicat des
journalistes pour défendre la nécessité du pluralisme ?
Le plus extraordinaire était que ces parangons de vertu
ne se rendaient même pas compte du sectarisme dont ils
faisaient preuve. Cela ne m'avait certes pas empêché de
gagner. Mais c'était l'occasion pour moi de dire combien
cela complique la tâche de celui qui porte le drapeau de

la droite républicaine ! Gagner, pour celle-ci, est devenu plus dur que pour la gauche.

*

*   *

Je terminai l'année sur une note plus ludique. Avec Carla, nous avions décidé de vivre ensemble et de nous marier. C'était rapide mais définitif. Il fallait rendre les choses publiques afin d'éviter les photographies volées, les indiscrétions plus ou moins sourcées, les commentaires orientés. Je ne pouvais imaginer imposer à Carla le statut de « maîtresse », qu'elle soit officielle ou officieuse. Rendre la situation publique simplifierait beaucoup les choses. Je savais que la nouvelle ferait un « buzz » puissant, mais je préférais de beaucoup cela aux paparazzis cachés et aux reportages dans les journaux spécialisés. Carla et moi étions en tout point sur la même longueur d'onde. Nous décidâmes donc d'emmener Aurélien au parc Disney au cours d'un week-end de la fin du mois de décembre et cela, sans nous cacher. C'était la période de Noël, le parc était féérique pour les enfants comme pour les adultes. Nous arrivâmes discrètement à l'hôtel. Nous dînâmes tranquillement dans un salon privé. Puis, nous allâmes, comme tous les participants de cette journée, assister à la parade du soir. Le spectacle était à la hauteur du savoir-faire des équipes de Disney. C'était beau, poétique et bon enfant. Nous étions tous les trois au milieu de la foule. Il y avait là des familles venues de tous les horizons de la planète, dont bien sûr des françaises. Tout le monde était bienveillant et apparemment heureux de se retrouver en notre compagnie pour l'occasion. Nous fîmes des photos. Une dame dit à haute voix : « Ça alors, je ne savais pas qu'ils étaient ensemble ! », je lui glissais à l'oreille : « Nous non plus, c'est si récent ! » Elle rit de bon cœur. Personne n'avait été prévenu à l'Élysée. Carla et moi l'avions décidé seuls, sans stratégie, sans arrière-pensées, sans autre calcul que celui de dire la vérité sur notre situation nouvelle. De toute façon, nous étions si parfaitement heureux ensemble que rien ni personne n'aurait pu nous empêcher d'agir ainsi. Nous passâmes un samedi soir assez tranquille. C'est le dimanche que les choses se compliquèrent. C'était d'ailleurs bien normal. Beaucoup de gens avaient publié leurs propres photos, raconté à leurs familles, expliqué à leurs amis ce qu'ils avaient vu. Les professionnels ont alors pris les choses en mains, et le parc Disney fut envahi d'une meute de paparazzis qui se seraient fait exterminer pour avoir la photo qu'ils pourraient vendre le plus cher possible. Carla comme moi n'ignorions rien de ce qui allait se passer. Notre décision était prise. La vérité valait mieux que toutes les prudences qui, de toute manière, n'auraient servi à rien. Le dimanche soir, une grande chaîne d'infos du moment ouvrait son édition sur ce scoop et avait même invité en plateau Christophe Barbier, le directeur de la rédaction de *L'Express*. C'est un curieux personnage que ce journaliste qui, pour être certain qu'on le remarque, arrive toujours affublé, hiver comme été, d'une écharpe rouge. Quand il fait froid, c'est certainement utile. En été, c'est plus discutable. Comme l'homme est intelligent, on aurait pu imaginer que son esprit et son sens de la synthèse, qui sont réels, auraient pu satisfaire son besoin de reconnaissance. Pourquoi y ajouter l'écharpe ? Et quelle curieuse idée d'aller commenter l'événement ? Il connaissait assez vaguement Carla et lui avait demandé au téléphone dans l'après-midi si l'information était exacte. Carla lui avait répondu oui. De là à aller commenter sur les plateaux des faits qu'il ne connaissait pas, les conditions de notre rencontre et les tenants et les aboutissants de notre histoire d'amour, il y avait un espace dans lequel sa pudeur s'était visiblement effacée devant le besoin irrépressible de donner son avis sur tous les sujets, surtout sur ceux qu'il ne maîtrisait pas. Carla et moi nous amusâmes beaucoup à voir ainsi « l'écharpe rouge » faire preuve de tant d'autorité et d'éloquence à notre propos. Il était inarrêtable et si content que nous savions que nous avions fait au moins un heureux ! Curieusement, nous étions soulagés. C'était dit. Cela ferait l'actualité jusqu'à notre mariage, que nous avions décidé de célébrer le plus tôt possible, mais nous pensions qu'il s'agissait de la façon la plus honnête et la plus digne de nous comporter. Je ne voulais pas que Carla pût souffrir du fait de notre histoire d'un manque de respect de la part de quiconque. J'ai voulu protéger la femme que j'aimais. Si c'était à refaire, je le referais. Je suis bien conscient d'avoir prêté pour l'occasion le flanc à la critique quant à l'exposition de ma vie privée. Mais comment faire différemment ? Comment garder tout ceci secret ? J'aurais par ailleurs été blessé pour Carla de voir une photo de moi sortant de son domicile au petit matin. D'ailleurs, cela ne changea rien à la situation politique. Les observateurs qui me combattaient continuèrent, mettant en avant « ma grande immaturité » et rivalisant de méchanceté. Les autres comprirent assez vite que Carla prendrait son rôle de première dame très à cœur, et qu'elle y réussirait spectaculairement. Je me mets, cependant, à la place de mes adversaires. J'étais président de la République, ils ne l'auraient jamais cru possible. Je vivais une grande histoire d'amour, de surcroît si peu de temps après mon divorce, cela avait de quoi énerver ! Quant aux Français, ils se firent à la nouvelle situation, avec une bienveillance, une ouverture d'esprit et une rapidité stupéfiante. Ils avaient, eux, immédiatement compris que c'était « sérieux ». Ils l'ont donc accepté puis adopté. L'amour, en France, est respecté.

*

* *

À la fin du mois de décembre, je fus reçu au Vatican pour la première fois par le pape Benoît XVI. L'arrivée sur la place Saint-Pierre est toujours un événement auquel on ne peut s'habituer. J'ai ressenti l'impression presque physique de pénétrer dans un autre monde. À l'intérieur du Vatican, chaque pierre, chaque tableau, chaque tapisserie est un fragment d'histoire. À l'instant où je pénétrai dans la basilique, je baissai imperceptiblement la voix, et me mis à faire attention au moindre de mes gestes. Je restai un long moment fasciné par la *Pietà*, la merveille de Michel-Ange qu'il a sculptée à l'âge de 22 ans, et dont le voile de marbre semble prêt à s'envoler au premier courant d'air. Il est impossible d'imaginer qu'il s'agisse d'une pierre si froide et si dure, tant l'ensemble apparaît aérien, léger, vivant. Cette sculpture est à proprement parler surnaturelle de beauté et de présence. Je serais bien resté plus longtemps, à simplement admirer et à m'imprégner de cette atmosphère si particulière. Il fallait cependant se presser, on ne pouvait faire attendre le Saint-Père. Nous passâmes ensuite par la chapelle Sixtine, qui, pour l'occasion, avait été vidée de toute présence, ce qui est un privilège rare et précieux. Puis, nous gagnâmes les appartements privés du pape. Nous franchîmes des salons aux marbres épais et colorés. Des galeries remplies de chefs-d'œuvre de la peinture italienne. Puis, nous stationnâmes quelques minutes dans une grande pièce aux boiseries brunes. Je me fis la remarque qu'il n'y avait pas un bruit. De rares personnes marchaient d'un pas feutré. J'étais impatient de cette rencontre. Enfin, je franchis une porte et me retrouvai dans une large pièce assez dépouillée. Le pape m'attendait à l'intérieur, debout, tout de blanc vêtu avec des chaussures rouges. Son bureau était constitué d'une large table de bois. Il n'y avait pas de téléphone. Il prit un siège. Il m'en désigna un autre juste en face de lui. Nous étions seuls. Il n'y avait ni interprète ni collaborateur. Il parlait un français admirable et sa culture était large, éclectique, approfondie. Son regard était apaisé et bon. Son sourire tellement bienveillant qu'il illuminait tout son visage. Je pouvais sentir une intelligence vive et malicieuse. C'est une impression étrange que de se trouver seul face au pape, et de disposer d'une heure de conversation privée. Était-ce la noblesse des lieux ? Était-ce les vingt et un siècles d'histoire de la chrétienté qu'il représentait ? Était-ce son charisme personnel et sa foi profonde que je pouvais percevoir à chaque instant ? Était-ce tout simplement mon intérêt constant pour toutes les questions touchant à la transcendance et à la spiritualité ? Toujours est-il que je n'abordais pas cet entretien comme je l'aurais fait avec un autre chef d'État, et pourtant le pape était aussi l'un des leurs. Je ressentais une émotion particulière. L'impression de vivre un moment qui ne ressemblait à aucun autre. J'avais vraiment conscience d'être un privilégié au moment d'aborder cette audience. Avec une attention qui me toucha en même temps qu'elle me surprit, le Saint-Père débuta l'entretien en me faisant part de son désir de parler de laïcité, et notamment me dit-il : « De ce concept de laïcité positive tel que vous l'avez représenté dans votre livre, *La République, les religions, l'espérance*. J'ai été intéressé parce que ce que vous expliquez, c'est tellement différent de ce qui est dit dans votre pays à propos de la laïcité. » J'étais sensible bien sûr à cette marque d'intérêt et à cette courtoisie qui l'avait conduit à s'intéresser au livre que j'avais écrit quatre années auparavant. Je lui précisai que j'allais développer cette idée dans mon discours au Latran, la grande église de Rome, que je devais prononcer l'après-midi même. Je n'avais jamais considéré, en effet, les religions comme des adversaires de la République, cette dernière ayant pour mission d'organiser la vie alors que les premières cherchent à lui donner un sens. Il n'y avait pas matière à contradictions, mais bien plutôt à complémentarités. Je poursuivis en soulignant que je n'aimais, ni ne soutenais aucun intégrisme et que cela valait tout autant pour « l'intégrisme laïcard », que l'on avait vu à l'œuvre, et avec quelle violence, au début du XXe siècle en France. J'ajoutai que bien peu de Français imaginaient aujourd'hui que l'Église catholique souhaitât prendre le contrôle de l'État ! Le pape rit beaucoup à cette idée et nous échangeâmes alors sur la disparition préoccupante dans le débat public des grandes voix chrétiennes intellectuelles comme ecclésiastiques. Le Saint-Père m'indiqua qu'il souhaitait approfondir cette question de la laïcité positive, et même qu'il ne serait pas opposé à la reprendre à son compte ! Ce qu'il fit, d'ailleurs, lors de son voyage en France en 2008. Puis, il m'encouragea à évoquer toutes les questions qui pouvaient m'intéresser ou me préoccuper. Je lui demandai alors pourquoi l'Église semblait faire preuve de tant de rigidité envers les divorcés, comme envers les homosexuels. Concernant les premiers, je m'interrogeais sur l'utilité de les exclure d'une Église dont ils auraient grand besoin, surtout pour celui ou celle qui subissait son divorce et ne pouvait décemment pas en être tenu pour responsable ! Quant à l'homosexualité, c'était, à mes yeux, encore plus injuste, car personne ne choisit sa sexualité, ses goûts, ni ses préférences. Le pape écouta.

Ses deux mains étaient jointes. Après un temps de réflexion, il me dit : « Vous avez raison car le plus important, c'est la miséricorde. Je dis toujours à mes prêtres, soyez miséricordieux et accueillez toutes les misères et toutes les souffrances. C'est le devoir et c'est la vocation de l'Église. » Je sentis sa profonde humanité en même temps que la complexité de sa tâche à faire évoluer l'Église dans toutes ses composantes. Nous parlâmes ensuite de l'islam. Il m'interrogea sur le Conseil français du culte musulman. Son commentaire était bienveillant et intéressant. « Avec l'islam, me dit-il, il y a deux difficultés. La première, c'est qu'il n'y a pas de hiérarchie. Or, vous savez, la religion peut attirer certaines personnes à l'équilibre psychologique fragile. Mieux vaut une solide hiérarchie pour éviter les dérives sectaires, c'est bien la force de l'Église catholique. La seconde, c'est que les textes sacrés du Coran ne peuvent faire l'objet d'aucune interprétation. On doit donc prendre tels quels des écrits qui ont quatorze siècles d'ancienneté. Dans la tradition chrétienne, c'est l'inverse, le commentaire et l'interprétation sont la règle. Tout est discuté, débattu, analysé. » L'entretien touchait à sa fin. Le pape m'interrogea une dernière fois : « Pourquoi la question des religions vous intéresse-t-elle tant ? » « Très Saint-Père, une idée qui a résisté à tout durant vingt et un siècles mérite toute notre attention ! Parfois, cela fait du bien de penser que, peut-être, il y a un sens à la vie. Tout est si mystérieux, infini, fragile, fugace. Espérer sans certitude peut apaiser. » Sa réponse fut profonde. Il pensa un instant et me confia : « Toute ma vie, j'ai réfléchi à la question de la raison et de la foi. Comment concilier l'une avec l'autre ? Aujourd'hui, je puis vous dire... » Il marqua un moment de silence. « Monsieur le Président, je crois, après y avoir consacré beaucoup de temps, que la foi est un choix raisonnable ! » Venant du pape, avec cette humilité, cette part de liberté assumée, et cette intelligence si sensible, il était impossible d'ajouter un mot. Il n'y avait plus qu'à remercier. Avant de partir, il me donna un chapelet de perles qu'il bénit. Encore aujourd'hui, je l'ai conservé dans mon bureau. Après mon départ de l'Élysée, j'ai essayé de revoir Benoît XVI, en lui écrivant après sa renonciation. J'ai beaucoup aimé sa parole comme sa personne. Il m'a répondu très gentiment qu'il ne recevait plus, qu'il voulait passer le peu de temps qui lui restait à vivre à prier et à réfléchir, et que, par ailleurs, il n'y avait qu'un seul pape et qu'il ne pouvait en être autrement, c'était le pape François. Quelques années plus tard, lorsque j'ai été reçu par celui-ci, il m'a indiqué : « Je sais que vous avez écrit à mon prédécesseur, et que vous entreteniez de bons rapports avec lui. Il m'a parlé de vos relations. Je sais qu'elles étaient confiantes. » J'en ai conclu que les deux hommes devaient échanger plus souvent que les spécialistes du Vatican ne le pensaient.

Après cette audience, je me rendis dans la grande salle du palais du Latran pour y recevoir, comme le voulait la tradition depuis Henri IV, le titre de chanoine d'honneur de Saint-Jean-de-Latran. Nous avons été cinq présidents sous la Vᵉ République à faire le voyage : le général de Gaulle, Valéry Giscard d'Estaing, Jacques Chirac, Emmanuel Macron et moi. Autant dire que je me trouvais en bonne compagnie, et que l'absence dans la liste de François Mitterrand et de François Hollande ne me trouble pas. C'est à l'issue de cette cérémonie que je prononçai le discours de Latran qui ferait polémique dans les rangs d'une certaine gauche française, littéralement obsédée par l'Église catholique. Pour comprendre cette démarche, sans doute n'est-il pas inutile de rappeler la longue histoire qui lie notre pays à l'Église. C'est par le baptême de Clovis que la France est devenue Fille aînée de l'Église. Clovis fut le premier souverain chrétien. Cet événement a eu des conséquences importantes sur notre destin. La foi chrétienne a pénétré en profondeur la société française, sa culture, ses paysages, sa façon de vivre, sa littérature, son architecture. Les racines de la France sont essentiellement chrétiennes. Je précisai, dans mon propos, que la laïcité était également un fait incontournable. Mais le régime français de laïcité devait être maintenant vu non comme une interdiction mais comme une liberté, celle de croire ou de ne pas croire, de pratiquer une religion et d'en changer, de transmettre à ses enfants ses croyances, enfin de ne pas être discriminé en fonction de ses choix religieux.

Je voulais également dire ma conviction que la laïcité ne pouvait être la négation du passé. Elle n'a pas le pouvoir de couper la France de ses racines chrétiennes. Je souhaitais depuis longtemps porter témoignage de ce double message, assumer nos racines et défendre la laïcité. Je terminai en appelant de mes vœux l'avènement d'une laïcité positive qui ne considérerait pas les religions comme un danger. Je concluai en souhaitant vivement que « dans ce monde paradoxal, obsédé par le confort matériel tout en étant de plus en plus en quête de sens et d'identité, la France avait besoin de catholiques convaincus qui ne craignaient pas d'affirmer ce qu'ils sont et ce en quoi ils croient ».

Une phrase provoqua particulièrement la controverse : « Dans la transmission des valeurs et dans l'apprentissage de la différence entre le bien et le mal, l'instituteur ne pourra jamais tout à fait remplacer le curé ou le pasteur. » Je voulais signifier que les deux ne pouvaient être mis sur le même plan, car ils n'avaient pas le même rôle ni la même vocation. En fait, mon but était d'enterrer la hache de guerre entre les deux France, la cléricale et la révolutionnaire, et de réconcilier pour de bon la République laïque et l'Église catholique en faisant comprendre à chacun qu'elles avaient une mission complémentaire. Par ailleurs, je soulignais avec ironie que je n'avais pas remarqué une tentation croissante de l'Église de France à monopoliser les débats, plutôt une tendance inverse à sa disparition de la scène médiatique. C'était mes convictions et je n'en ai d'ailleurs jamais changé. Cependant, l'anticléricalisme avait de solides relais. Ainsi, un journal, réputé pour son engagement à gauche, moqua vivement « l'enthousiasme des petites sœurs religieuses françaises de Rome à la visite de Nicolas Sarkozy ». Je ne sais si, aux yeux de ces professeurs en vertus républicaines, ce qu'il y avait de plus choquant était qu'elles fussent religieuses ou simplement heureuses de mon discours. Mais, apparemment, cette double particularité en faisait des citoyennes de second rang, que l'on pouvait caricaturer d'autant mieux qu'elles étaient sans défense puisque ne répondant pas ! Belle ouverture d'esprit, qui fut confirmée par l'évocation dans ces mêmes colonnes de mon divorce, rien que cela ! Il aurait sans doute fallu que le pape ne me reçoive pas parce que j'étais un divorcé. Le conformisme de ces héritiers de 68 était touchant ! Quant au journal *Le Monde*, il n'hésita pas à me rappeler aux devoirs de ma charge en précisant que « la neutralité est la loi commune de tous les agents publics dans l'exercice de leur service. Cela doit s'appliquer au président de la République. » Pour le coup, j'apprenais que je n'avais pas été élu pour et avec mes convictions, mais que je n'étais qu'un fonctionnaire comme les autres, qui n'avait le droit qu'au robinet d'eau tiède des discours convenus ! Exprimer ma propre lecture de la laïcité n'était rien de moins qu'une entorse aux principes républicains. Cependant, en termes de neutralité, il ne me serait pas venu à l'idée de recevoir des leçons d'une rédaction bien connue pour la sienne ! Finalement, ce fut une tempête dans un verre d'eau, car évidemment chacun comprit que mon attachement à la laïcité ne pouvait être mis en cause. Mais le seul fait d'être reçu par le pape, d'évoquer les racines chrétiennes de la France, de refuser de considérer l'Église comme l'adversaire d'une République qui aurait à s'en défendre comme si nous étions encore au XIXe siècle était révélateur d'un sectarisme et d'une fermeture d'esprit que j'avais sans doute sous-estimés. Ils n'étaient cependant pas de nature à me faire changer d'avis, et encore moins à reculer.

*
* *

Bien que la période des fêtes ne se prête pas beaucoup à s'intéresser aux grands chantiers de la réforme de l'État, je ne voulais pas que l'année 2007 puisse s'achever sans que je redonne une forte impulsion sur ce sujet, que je considérais comme central. J'avais donc décidé la création d'un Conseil de modernisation des politiques publiques, dont j'assurais moi-même la présidence, et dont Claude Guéant était le grand ordonnateur. Il avait tous les titres pour cela. Sa connaissance des rouages de l'État était complète. Son expérience nationale comme territoriale était très large. Son attachement à la fonction publique était connu de tous. Il y fit d'ailleurs un travail remarquable. Je savais que ce thème était un sujet constant de colloques mais que, dans les faits, il n'avait pas avancé tant les lourdeurs étaient fortes, et les oppositions violentes. Je ne voulais pas confier cette question à un seul ministre en particulier, car cela aurait été l'échec assuré. De surcroît, je ne sentais pas Matignon en général et François Fillon en particulier très mobilisés pour prendre en main cette tâche, qui nécessitait un travail acharné et souterrain. Je décidai donc de m'en occuper personnellement. C'était nécessaire pour surmonter un premier obstacle que je voyais arriver avec la vitesse de l'éclair : celui de la réduction des effectifs dans la fonction publique. Or, si j'étais déterminé à réduire significativement le nombre de fonctionnaires par le non-remplacement d'un départ à la retraite sur deux, je ne voulais pas que cela se fasse à organisation inchangée. Je souhaitais modifier les structures étatiques afin de ne pas laisser de postes sans titulaire. Or, les arbitrages qu'exigeait une telle politique ne pouvaient qu'être pris au sommet de l'État. Et même là, ils étaient durs à assumer et plus encore à mettre en œuvre. Sur le principe de la modernisation, tout le monde était d'accord ; sur les modalités de sa mise en œuvre, plus personne ne voulait bouger. Chaque administration défendait son pré carré avec une ardeur sans cesse renouvelée. Et chaque ministre voyait la moindre amputation de territoire ou de structure comme une défaite politique inacceptable autant qu'insurmontable. Sans parler des syndicats de la fonction publique, dont la répugnance instinctive à tout changement n'était plus à démontrer. Ainsi, la réduction des effectifs fit l'objet de plusieurs combats homériques, et ce alors même que personne ne pouvait décemment contester que nous dépensions trop et que nos effectifs étaient globalement pléthoriques. Les chiffres étaient éloquents. La comparaison avec celui qui était alors notre premier fournisseur, et également notre premier client, l'Allemagne, illustrait la situation où nous nous trouvions. En France, les administrations publiques dépensaient chaque année plus de mille milliards d'euros. Cela représentait très exactement cent cinquante milliards d'euros de plus que ce qui se faisait outre-Rhin. Pourtant, les Allemands n'avaient pas mis en œuvre de choix fondamentalement différents des nôtres en matière de protection sociale.

Au cours des quinze années qui venaient de s'écouler, ils avaient de plus dû financer leur réunification, et donc le rattrapage économique et social des quinze millions d'Allemands de l'Est. Qui oserait dire, cependant, que l'Allemagne était, avec ces cent cinquante milliards de dépenses en moins, mal administrée ou sous-administrée ? Bien sûr, personne. Le non-remplacement d'un départ sur deux des fonctionnaires partant à la retraite n'était certainement pas le système le plus intelligent, mais c'était le plus efficace, et je ne suis même pas loin de penser qu'il était le seul en mesure de produire des résultats. Une fois encore fut dénoncée ma politique du chiffre. De fait, je fus le seul président sous la Vᵉ République qui réussit à faire diminuer le nombre de fonctionnaires de cent cinquante mille en l'espace d'un quinquennat. J'aurais dû en faire davantage. J'en conviens bien volontiers. Mais si on veut bien m'autoriser les comparaisons, elles permettront de mieux me faire comprendre. François Hollande a réussi l'exploit d'augmenter encore nos dépenses et le nombre des fonctionnaires. Quant à Emmanuel Macron, la diminution de leur nombre sur les trois premières années de son mandat fut inférieure à dix mille ! À la lecture de ces chiffres, il est loisible de comprendre l'énergie qu'il a fallu déployer pour arriver au chiffre de cent cinquante mille. Tous les membres du gouvernement avaient adhéré au principe du un sur deux, mais tous ou quasiment souhaitaient s'en voir exonérer pour leurs propres ministères. Les discours étaient toujours les mêmes. Pour le ministre de l'Éducation, moins d'enseignants pour les enfants, c'était impossible. Pour la ministre de l'Intérieur, moins de policiers, c'était inacceptable. Pour le ministre de la Santé, moins de personnel dans les hôpitaux, c'était scandaleux. Pour le ministre des Finances, moins de contrôleurs du fisc, c'était un cadeau aux fraudeurs. Pour le ministre des Armées, moins de soldats et c'était notre indépendance nationale qui serait mise en cause. Tous avaient des arguments solides, et pourtant, je n'en retins aucun, car j'étais convaincu qu'à la première exception, c'était tout le système qui s'écroulerait. Surtout que nous n'étions qu'à la première année de mon mandat ! Autant dire que, si je cédais, c'en était fini de la politique de maîtrise des dépenses publiques. J'ajoute que le poste des traitements de la fonction publique était devenu le premier budget en importance des dépenses de l'État. Réduire ces dernières sans diminuer les effectifs était impossible. Je fis cependant une concession importante, en acceptant de rendre aux fonctionnaires, sous forme de primes au mérite, 30 % des économies dégagées par la réduction de leur nombre. J'étais heureux de pouvoir introduire ainsi le mérite, la performance, l'intéressement dans la grille des rémunérations de la fonction publique. Je lançai donc, sous la double coordination de Claude Guéant et d'Éric Woerth, pas moins de deux cents auditeurs issus de tous les corps d'inspection de l'administration et de cabinets privés dans un seul objectif : faire que chaque euro public soit effectivement dépensé au service des Français, sans gaspillage. J'avais conscience qu'en cinq ans, nous n'aurions pas, loin s'en faudrait, terminé notre tâche. Mais je reste fier de cette politique volontariste de réforme de l'État qui a depuis été presque complètement abandonnée. Il y eut quelques beaux succès, telles la fusion de la direction générale des Impôts et de la Comptabilité publique, la création de Pôle emploi qui rassemblait tous les services d'aide aux chômeurs, la fusion de la DST et des Renseignements généraux... Mais il y avait tant d'autres choses à mettre en œuvre. Comment notre pays a-t-il pu à ce point être drogué à la dépense publique et à l'argent public ? Comme si l'État avait une poche sans fond. Surtout, comme si cet argent n'était pas celui du contribuable déjà ponctionné de toutes parts. Éric Woerth fut très appliqué tout au long de ce processus qui l'intéressait sincèrement. C'est un politique assez atypique. Les dossiers le passionnent. Le sérieux est sa nature première. Il croit dans ce qu'il fait et essaie toujours de le mettre en œuvre au mieux. Je savais que je pouvais lui accorder ma confiance pour des missions difficiles. À cela s'ajoutaient une discrétion naturelle qui ne signifiait pas l'effacement, une loyauté à toute épreuve et une grande honnêteté intellectuelle. Il est le compagnon parfait pour bâtir une politique solide et crédible. Il m'arrivait de regretter parfois son sérieux, qui pouvait être pris pour de la tristesse, ainsi qu'un classicisme de la pensée qui ne s'accordait guère avec le glamour ou l'originalité que, souvent, les observateurs privilégiaient lorsqu'il s'agissait de mettre quelqu'un en avant. Ce n'était pourtant pas insurmontable. J'ai apprécié et aimé l'homme sur le plan personnel comme professionnel. Au fond, nous n'avions qu'un seul sujet de véritable désaccord. C'est un pessimiste actif. Je suis un optimiste résolu.

*

* *

Après ma première visite d'État en Algérie, j'ai voulu profiter de la Journée nationale d'hommage aux combattants morts pour la France en Afrique de Nord pour revenir sur les questions de la colonisation, de nos rapports toujours si sensibles avec l'Algérie et de la dette contractée par la République à l'endroit des harkis en particulier, et des pieds-noirs en général. J'avais 7 ans au moment de la signature des accords d'Évian. Je considérais qu'il était plus que temps de tourner la page de ces événements si douloureux en portant sur eux un regard apaisé par les années qui avaient passé. Ces questions m'ont toujours taraudé, sans doute parce que j'aurais aimé naître de l'autre côté de la Méditerranée, lorsqu'il s'agissait toujours de la France. Comment alors aurais-je réagi moi-même ? De quel côté aurais-je été ? C'est pourquoi je ne voulais à aucun prix que cette réconciliation franco-algérienne se fît une nouvelle fois au détriment de tous ceux qui avaient déjà payé un si lourd tribut. Leurs histoires personnelles et familiales avaient été fracassées par l'histoire collective de nos deux Nations. J'attachais un grand prix à ce que ne soit pas amalgamé le système injuste, cruel, immoral de la colonisation avec les femmes et les hommes qui, par le hasard de la naissance, avaient vécu en son sein. Aussi difficile à entendre que cela puisse apparaître, cela méritait d'être dit. Il y a eu des femmes et des hommes qui avaient œuvré de bonne foi pour la France dans le respect de nos lois et qui se sont même sacrifiés parfois. Il y a eu du courage et de la persévérance chez ces Français d'Afrique du Nord qui avaient travaillé dur toute leur vie, qui avaient construit des routes, des hôpitaux, des écoles, des mairies, qui avaient enseigné, qui avaient soigné, qui avaient planté des vignes et des vergers sur un sol aride, qui avaient beaucoup donné à une terre où ils étaient nés et qui, un jour, ont tout perdu. La souffrance qui avait été la leur devait être respectée. Je voulais dire aussi que les conditions de leur exil forcé furent honteuses, notamment au moment de leur retour en France. Ils ont été parqués, dépouillés, abandonnés, méprisés. Il a fallu pour l'immense majorité d'entre eux repartir à zéro, tout reconstruire. La situation qui fut réservée aux harkis fut encore plus scandaleuse. Il s'agit d'une véritable tache sur l'honneur de la République française. Car si la signature des accords d'Évian a scellé la fin des hostilités militaires, elle n'a pas, loin s'en fallait, marqué la fin des souffrances. Les harkis n'ont pas bénéficié des mesures qui auraient permis d'assurer dignement leur insertion au sein de la communauté nationale, qu'ils avaient pourtant servie avec abnégation et fidélité. Pour moi, il était clair que la France avait failli en les abandonnant. Elle avait fauté en ne les accueillant pas dignement. La France avait une dette. La France leur devait réparation. C'était une question politique, nationale et morale. Je n'avais aucun doute. Lorsque je prononçais ces paroles, je vis celle qui serait par la suite ma secrétaire d'État, Jeannette Bougrab, dont le père était un harki, les yeux embués de larmes, me lancer un merci qui me toucha particulièrement. Cela montrait à quel point ces souffrances et ces humiliations s'étaient transmises de génération en génération. Les grands-parents avaient été marqués au fer rouge. Les petits-enfants portaient encore les stigmates de ces blessures profondes. Il ne s'agissait pas d'un exercice de repentance symbolique et médiatique mais de la reconnaissance concrète de droits qui avaient été bafoués et qui devaient être rétablis dans leur plénitude. Il n'y avait dans mon esprit aucune contradiction avec ma récente visite aux monuments aux morts d'Alger, pour ce que les Algériens appelaient « la guerre de Libération ». L'Algérie avait bien évidemment le droit à son indépendance, et à la reconnaissance de ses morts. Mais soixante années après, l'Algérie et la France avaient mieux à faire que se détester. Nos deux Nations avaient à construire un destin commun qui signerait leur réconciliation. La Méditerranée devrait construire pour elle-même ce qu'avait su faire l'Europe après les deux guerres qui avaient failli l'anéantir. Il convenait de regarder notre passé et de considérer notre avenir ensemble. Je terminai mon propos en informant mon auditoire que nous avions eu une discussion très franche avec le président Bouteflika sur les visas. Je ne pouvais accepter qu'il soit reproché à la France de ne pas en accorder assez, alors même que cela représentait déjà un flux de six cent mille personnes par an. À l'inverse, l'Algérie refusait à quelques centaines de pieds-noirs de retourner sur la terre de leur origine et de leur enfance, ce qui provoquait une grande peine pour ces familles. Ainsi, je n'avais pas pu emmener dans ma délégation qui se rendait à Constantine Enrico Macias, qui y avait pourtant toutes ses racines. Je trouvais injuste cette pratique du deux poids deux mesures. On devait discuter des moyens de débloquer la situation dans les deux sens, pas dans un seul ! Certes, toutes ces problématiques n'étaient pas d'une actualité politique brûlante. Mais elles avaient une place dans mon agenda. C'était aussi le rôle du président de la République de tenter de réparer des fautes du passé, des injustices de l'histoire, d'apaiser des colères qui restaient encore particulièrement vives. Quand il m'était possible d'inscrire mon action du jour dans les plis de l'histoire de France, je n'hésitais jamais. Cela me permettait de montrer la continuité de la nation qu'il fallait envisager dans son ensemble. C'était la meilleure réponse à mes yeux à l'actualité trépidante qui morcelait les messages et leur faisait perdre leur cohérence. Se rattacher à des événements historiques permettait de retrouver une unité et une lisibilité.

*

* *

Le président de la République est également le chef des Armées. À ce titre, toute une partie de son emploi du temps est mobilisée par ses obligations militaires, qui ne peuvent être déchargées sur les épaules du ministre de la Défense. C'est une spécificité française, qui a pour conséquence que le chef des Armées dispose de son propre chef d'état-major particulier, en charge de la liaison avec le chef d'état-major des Armées, qui lui-même a sous ses ordres les chefs d'état-major de nos trois armées, Terre, Air, Marine, et qu'il est suivi en permanence par un aide de camp dont la mission est aussi d'emporter avec lui la mallette contenant les codes et la procédure d'emploi de l'arme nucléaire. Des Conseils de défense présidés par le président de la République se tiennent régulièrement à l'Élysée dans le salon vert qui jouxte le bureau présidentiel et, quand c'est nécessaire, dans le bunker du palais d'où le chef de l'État peut communiquer notamment avec les pachas des sous-marins nucléaires français en mission sur tous les océans de la planète. J'avais choisi ce 22 décembre 2007 pour effectuer ma première visite aux armées en me rendant à Kaboul. Pour des raisons de sécurité évidente, mon voyage n'avait pas été annoncé, et était demeuré secret jusqu'au dernier moment y compris de mon équipe la plus proche. Nous partîmes de Villacoublay. Nous fîmes escale à Douchanbé, au Tadjikistan où nous nous ravitaillâmes en fuel après une petite dizaine d'heures de vol. À peine une heure avant de nous poser à Kaboul, je vis par le hublot de mon avion apparaître deux Mirage français eux-mêmes stationnés à Kandahar, dans le sud de l'Afghanistan, qui avaient la charge d'assurer notre sécurité au moment le plus délicat, celui de la procédure d'approche. À ma grande surprise, alors que nous volions à une altitude plus faible pour préparer l'atterrissage, je les ai vus tirer une assez grande quantité de « missiles leurres ». Au cas où nous aurions été visés nous-mêmes, ils étaient destinés à perturber les tirs ennemis pour que ceux-ci ne puissent repérer la bonne source de chaleur à prendre en chasse. La descente fut rapide. Visiblement, personne n'avait envie de s'éterniser dans les airs. Nous nous posâmes sur la base militaire internationale. Tout y était fortifié, blindé, organisé pour la défense. Un hélicoptère Tigre nous attendait tous moteurs allumés. Le bruit était assourdissant. L'amiral Guillaud me demanda, avant de sortir de l'avion, si je voulais porter un gilet pare-balles et un casque. Je lui demandai si cela servait à quelque chose. Il me répondit avec sa franchise de militaire : « Dans la plupart des cas ici, cela ne sert à rien. » Je déclinai donc, et ce d'autant plus volontiers que j'avais vu des images d'Angela Merkel dans la même situation portant le casque et le gilet. Je m'étais dit alors que pour revêtir un tel harnachement, il valait mieux être un militaire soi-même. J'étais soulagé de ne pas avoir à le faire. Je passai directement de l'avion à l'hélicoptère qui devait nous amener à la base militaire française située à une trentaine de kilomètres de Kaboul. Le transit aérien était plus prudent. Les routes étaient peu sûres et les attentats assez fréquents. Il y avait cependant une condition particulière que je ne découvris qu'une fois dans les airs. Il fallait absolument voler à très basse altitude, pratiquement juste au-dessus des petits arbres qui peuplaient ce territoire désertique fait de montagnes et de pierre. Nous

volions vite, et ce n'était qu'une succession d'à-coups qui
– épousaient exactement les aspérités du terrain. Le cœur
était mis à rude épreuve par ces brusques changements
d'altitude. Nous nous posâmes au beau milieu de la base.
Les militaires nous attendaient dans leurs tenues couleur
sable. Nous comptions à l'époque mille cent soldats qui
participaient à la Force internationale d'assistance à la
sécurité (FIAS) placée sous le commandement de l'Otan.
Cinq cents autres soldats étaient parallèlement intégrés
à l'opération Liberté immuable, cette fois-ci sous le
commandement américain. Je ne restai que six heures
sur place, mais ce fut une expérience réellement intéressante. Je déjeunai avec les soldats sous un large bâtiment
en tôles fortifiées. Il y avait de grandes tables alignées
impeccablement. À la mienne se trouvaient des militaires de tous grades, femmes et hommes confondus.
L'atmosphère était joyeuse malgré les risques et la mort
omniprésente. La moyenne d'âge était jeune, voire très
jeune. Plusieurs avaient moins de 25 ans. Tous paraissaient physiquement très affutés. Ils me confirmèrent
que l'activité physique était intense, même s'ils étaient
confinés à l'intérieur de cet immense camp militaire. J'ai
pu échanger avec une bonne dizaine d'entre eux. Tous
étaient enthousiastes et n'auraient pour rien au monde
échangé leur place. Ils faisaient ce qu'ils aimaient. Ils
vivaient comme ils l'avaient souhaité. Ils ne redoutaient
pas le danger qui faisait partie de leurs vies. Cette expérience me servit beaucoup lorsque je revins à Kaboul
quelques mois plus tard pour m'incliner devant les
cercueils de leurs camarades morts au combat dans

l'embuscade d'Uzbin. C'était bouleversant, mais je savais alors qu'ils avaient choisi cette vie en toute connaissance de cause. J'étais malgré tout impressionné de voir tous ces jeunes soldats aussi déterminés, professionnels, heureux dans un environnement pourtant aride où rien ne portait à la consolation. Ni le paysage lunaire, ni le danger omniprésent, ni le confort minimum de la vie militaire, ni le climat extrême, très froid l'hiver et très chaud en été, ni l'éloignement des siens. J'ai compris qu'ils étaient heureux justement parce que c'était dur. Que c'était cette âpreté qu'ils avaient choisie, qu'ils voulaient dompter. Ce fut une belle leçon. Il y avait une jeunesse française pleine d'idéaux dont le sens du devoir et de l'honneur constituait des raisons de vivre. J'étais vraiment impressionné par leur engagement, leur enthousiasme, leur certitude d'avoir choisi la bonne voie pour être utile et donner un sens à leur vie. Au début, ils étaient intimidés mais, avec le temps qui passait, l'atmosphère se détendait. Ils finirent même par me bombarder de questions. Je serais bien resté plus longtemps avec eux. C'était rafraîchissant de constater leur absence complète de cynisme et d'arrière-pensées. Ils ne formulèrent aucune plainte. Je leur demandai comment ils faisaient pour rester ainsi plusieurs mois éloignés de ceux qu'ils aimaient. Nombreux furent ceux qui me confièrent que c'était dur mais qu'à tout prendre, ils préféraient être en mission plutôt que d'attendre dans leurs régiments respectifs que l'on fît appel à eux. Et puis Skype avait changé leurs vies. Ils pouvaient maintenant se parler et se voir. J'ai senti la grande solidarité qui les liait les uns aux autres. Chacun pouvait compter sur le soutien du groupe, et vice versa. C'est une grande satisfaction pour l'Armée d'avoir à ce point réussi à conserver ses valeurs et à les transmettre ainsi de génération en génération. Au contact de tous ces jeunes soldats, j'ai pu mesurer combien l'Armée était une institution importante au-delà de sa mission première de défense de la nation comme facteur d'équilibre de notre société. En conséquence, je me suis vraiment interrogé tout au long du trajet du retour sur les conséquences de la suppression du service national, qui fut décidée par Jacques Chirac quelques années auparavant. C'était une expérience utile que d'être durant plusieurs mois confronté à ce monde militaire si différent de tous les autres. Bien sûr, cela représentait un sacrifice. Évidemment, nous avions sur le moment tous, moi compris, l'impression d'y avoir perdu notre temps. Mais était-ce si vrai, finalement ? Et qu'est-ce qui va remplacer le temps de socialisation forcée pour tant de jeunes qui ignorent maintenant la signification des mots autorité, discipline, obéissance ? Il y a désormais les « Journées défense et citoyenneté », qui sont si courtes qu'elles ont perdu en chemin une grande partie de ce qui aurait pu être leur signification. Je comprenais bien tous les inconvénients que représentait ce service national, et tous les avantages, à l'inverse, de la professionnalisation de nos armées. Il n'y aura vraisemblablement pas de retour en arrière. Mais qu'il me soit permis de dire que ce choix fut, pour toute notre société, celui de la facilité. Cela pourrait nous coûter cher sur les questions d'intégration pour le futur. Au bout du compte, je crois que ce fut une erreur.

Avant de partir, je m'entretenais avec le général américain Dan McNeill qui commandait les quarante mille soldats de l'Otan stationnés en Afghanistan. Il était exactement ce que je m'étais imaginé qu'il serait. Américain jusqu'au bout des ongles, sympathique, décontracté, sérieux, précis. La discussion était passionnante. Il expliquait les problèmes auxquels il était confronté avec finesse, un grand sens politique et une sincérité parfois étonnante. Il n'y avait aucune langue de bois. Ainsi, il ne me cacha pas l'immense difficulté que représentait la parfaite intégration des talibans dans ce labyrinthe de montagnes et de grottes qu'ils connaissaient à la perfection. Je touchais du doigt les limites de la guerre technologique et l'importance décisive du terrain. Sans parler des rapports complexes entre la société afghane et les adversaires de la coalition. Chaque famille avait un père, un frère, un oncle, un cousin engagé « de l'autre côté ». Qui étaient vraiment les informateurs ? De quel côté étaient les espions ? Pouvait-on faire confiance aux interprètes ? Il m'indiqua que les choses progressaient mais qu'il lui faudrait bien davantage de moyens. Au passage, il me félicita pour la qualité de nos combattants français, en qui il avait confiance et qui pouvaient réellement aller aux combats. Avec les Canadiens et les Anglais, nous étions à peu près les seules nationalités qui trouvaient grâce à ses yeux, en tout cas pour faire la guerre. Il ne me cacha pas cependant quelles étaient les limites d'une action militaire, aussi professionnelle et massive fût-elle. J'appréciai d'avoir pu mener une conversation si libre avec l'un des militaires les plus gradés de l'armée américaine. Son sens de l'analyse politique comme son aptitude au commandement étaient impressionnants. J'ai mieux compris pourquoi, compte tenu de leurs qualités intellectuelles, tant de généraux avaient réussi à bâtir une seconde vie après leur retraite de l'armée dans la politique comme dans le secteur privé.

Je fus enfin reçu par le président afghan Hamid Karzai. Cet homme était assez fascinant. Toujours élégamment vêtu d'une tenue traditionnelle, sa courtoisie et sa politesse impressionnaient. Sa voix était douce. Il ne l'élevait jamais. Il avait un côté professeur d'Oxford tant ses manières et son anglais étaient châtiés. Il avait échappé de peu à un nombre incalculable de tentatives d'assassinats et s'en était toujours sorti par miracle. On lui avait tiré dessus, plastiqué son bureau, bombardé son palais, explosé sa voiture. Il en parlait sans fatuité, naturellement, sans se faire trop d'illusions sur sa capacité à tenir encore longtemps à ce rythme. Il était à la fois très moderne et extrêmement ancré dans une culture afghane traditionnelle. C'était toujours difficile de savoir s'il disait vraiment la vérité ou s'il mentait. Je devais en permanence me remémorer que j'étais en Asie, que rien ne serait en noir et blanc, jamais tout à fait exact ni complètement faux. Il était certain de sa victoire si l'Occident continuait à le soutenir. Il affirmait se battre pour la liberté des femmes, l'éducation des petites Afghanes, la modernisation de son pays et un islam ouvert, adapté aux réalités du XXIe siècle. C'était très séduisant à entendre et même à bien des égards assez convaincant. Plus d'une fois, je me suis senti en profonde harmonie avec cet interlocuteur qui ne ressemblait à personne d'autre. Et puis, après que je l'avais quitté, je retrouvais les rapports de nos services comme de notre ambassade, qui me mettaient en garde contre ce visage si policé qui pouvait dissimuler tant d'autres choses... Son frère était notamment suspecté de baigner dans le trafic de drogue. Sa représentativité politique était également souvent mise en cause. Beaucoup prétendaient qu'il ne pouvait en réalité trop s'éloigner de Kaboul. Qui croire à la fin ? Quel crédit apporter à toutes ces informations contradictoires ? Nous avions bien du mal à démêler les écheveaux de la situation. J'avoue cependant avoir souvent penché dans le sens du président Hamid Karzai. Au moins il était là, et je comprenais ce qu'il disait.

C'était vraiment un dossier difficile à appréhender que celui de l'Afghanistan. Quel que soit le parti que nous aurions choisi, il y aurait eu plus de coups à prendre que d'avantages. J'avais beaucoup réfléchi à la question. Des soldats français avaient été engagés avant que je ne devienne président. Les talibans s'étaient signalés une fois au pouvoir par une cruauté, une barbarie, une violence que rien ne pouvait justifier. Leur départ ne pouvait qu'être espéré par toutes les démocraties du monde. Le pays était par ailleurs devenu le repère d'Oussama ben Laden et de toute sa clique de meurtriers et d'assassins. Depuis ces grottes afghanes, il lançait régulièrement ses appels aux meurtres. Les combattre était un devoir pour tous ceux qui voulaient défendre les valeurs de la civilisation. Partir, quitter la coalition était au regard de cette situation impossible. De surcroît, cela aurait constitué un acte de défiance incompréhensible à l'endroit de nos alliés qui, eux aussi, avaient payé un lourd tribut à cette guerre tragique. En résumé, il y avait toutes les « justes raisons » d'être là où nous étions. Nos armées étaient engagées avec un mandat international. Et ceux que nous combattions ne pouvaient présenter pour leurs défenses aucun argument, non seulement valable, mais même simplement audible. Et pourtant, je ressentais un malaise, car je voyais bien que, par quelque bout que nous prenions les choses, la solution, comme bien souvent, pour ne pas dire toujours, ne serait pas militaire, en tout cas pas seulement ! Nul besoin par ailleurs d'être un grand spécialiste de l'Afghanistan pour savoir que ce pays était à juste titre réputé inexpugnable et sa population indomptable. Il suffisait pour s'en convaincre de se remémorer la débâcle de l'Union soviétique lorsqu'elle avait tenté de « mâter » les moudjahidines. Je craignais qu'à l'arrivée le même sort nous soit réservé. En fait, la solution ne pouvait venir que des Afghans eux-mêmes. On ne pouvait faire le bien d'un pays contre lui-même. J'étais persuadé qu'un jour ou l'autre, il nous faudrait partir. La vérité, c'est que la lassitude que toutes les opinions publiques de la coalition ressentaient était encore plus forte aux États-Unis, qui ne tardèrent pas à se résoudre à donner le signal du départ. Dans l'immédiat, je rassurai George W. Bush en lui affirmant que la France ne serait pas le pays qui leur planterait un couteau dans le dos en abandonnant avant les autres. J'estimais que le coût d'une telle politique serait immense et en contradiction avec ma volonté de renforcer l'unité de l'Europe et de la famille occidentale. Les pressions américaines étaient très fortes pour que nous engagions un plus grand nombre de soldats afin, disaient-ils, d'accélérer les victoires sur le terrain, et de confier davantage de portions du territoire aux seules troupes afghanes. Le problème, c'est que ce raisonnement aussi pouvait se défendre. Je me heurtais ainsi à la complexité de ces grands dossiers internationaux qui ne se prêtaient ni aux décisions hâtives ni aux raisonnements binaires.

*
* *

Je terminais l'année en passant quelques jours en Égypte avec Carla. Ce n'était certainement pas la meilleure idée, ni médiatique, ni politique, ni surtout en termes d'image. La presse était aux aguets. *Paris Match* titra sur « les amoureux du Nil ». C'était inoffensif, mais je comprends bien que cela avait de quoi agacer. En France, afficher son bonheur est aussi mal vu qu'exposer sa richesse matérielle. De ce point de vue, c'était sans doute imprudent, et même irréfléchi. Pourtant, ces cinq journées sont pour Carla comme pour moi un souvenir inoubliable. Je sortais d'une campagne présidentielle assez dure, de quatre années au gouvernement avec Jacques Chirac et Dominique de Villepin très brutales, d'un divorce qui avait été complexe et douloureux à gérer, ne serait-ce que parce que mon fils Louis, alors âgé de 10 ans, était désormais à plusieurs milliers de kilomètres de moi, et enfin de la rencontre miraculeuse avec Carla. Et de surcroît, j'avais depuis quelques mois la responsabilité de la France ! J'éprouvais vraiment le besoin de souffler. Je me souvenais de ce que m'avait dit François Mitterrand à propos de son amour pour l'Égypte. Il résidait régulièrement dans le palace d'Assouan, le Old Cataract, sur les bords du Nil. De l'extérieur, je peux facilement m'imaginer ce que cela a pu susciter de critiques, de jalousies ou d'attaques. De l'intérieur, ce furent des moments de bonheur, de paix et de sérénité. Après tout ce que j'avais vécu, j'avais la certitude d'avoir rencontré mon parfait alter ego. La femme avec qui je voulais refaire ma vie constituait un bonheur profond et complet. Nous passions tous les deux de longues heures à voir le Nil s'écouler, immuable. Nous visitions les trois vallées royales de Louxor. Nous pénétrâmes à l'intérieur de la grande pyramide de Khéops. J'avais l'impression de revivre. Bien sûr, il y avait des attroupements quand nous sortions. Mais qui a connu l'amour une fois dans sa vie sait parfaitement que le poète a toujours raison : « Les amoureux sont seuls au monde. » Nous n'avions que faire des attaques violentes. Nous n'avions pas le sentiment de voler qui que cela soit. Nous nous comportions dignement. Ne pouvaient être choqués que ceux, et c'était leur droit, qui pensaient que le président n'avait pas le droit à une vie privée ni même à l'expression de ses sentiments personnels. À tort ou à raison, j'avais fait un autre choix, celui de l'authenticité et d'une certaine transparence. Le mot « choix » est sans doute inadapté. Car, au fond de moi, je suis convaincu qu'il n'y avait pas d'alternative. Les médias étant ce qu'ils sont, leur omniprésence étant avérée, les frontières n'existent plus entre ce qui est intime et ce qui ne l'est pas. On peut le regretter, mais cela n'y changera rien. La mésaventure de Benjamin Griveaux est là pour en attester. Cet homme et sa famille furent exposés outrageusement par la faute d'un couple cupide et sans scrupule, mais les médias, y compris ceux qui professaient de se boucher le nez, s'en sont repus à satiété ! La publicité faite à cette histoire par les commentateurs professionnels me porta le cœur au bord des lèvres. Ils s'en indignaient, et en même temps s'en nourrissaient avec un appétit dantesque. D'une certaine manière, François Hollande photographié sur son scooter allant visiter Julie Gayet illustra aussi la disparition de toutes frontières. *A posteriori*, la « rue du Cirque » validait l'analyse de la situation que nous avions faite à l'époque avec Carla.

Le 8 janvier 2008, j'organisais une conférence de presse au palais de l'Élysée. Le solide Franck Louvrier orchestrait d'une main de maître cet événement si sensible, entouré de son équipe de communication, toujours efficace et professionnelle. Il était secondé par l'essentielle Véronique Waché. Six cents journalistes étaient présents. Je répondis à leurs questions durant deux heures. J'avais annoncé ma volonté de mettre en œuvre une politique de civilisation. « Si la politique n'exprime pas l'idée que nous nous faisons de l'Homme, de sa liberté, de sa responsabilité, de sa dignité, qu'exprime-t-elle donc ? Rien. » J'évoquai dans ma présentation, en détail, ce que serait le travail du gouvernement pour l'année. Mais ce qui intéressait et ce qui serait retenu, c'était la nature des relations entre Carla et moi. Dès la deuxième question, qui fut posée par Roselyne Febvre de France 24, ce fut cartes sur table : « Monsieur le Président, allez-vous épouser Carla Bruni ? » Les mêmes observateurs qui me reprochaient cette transparence dans ma vie privée ne s'intéressaient en fait qu'à cela. Je n'avais aucun problème avec cette attitude à partir du moment où ils ne s'en servaient pas pour me donner des leçons. J'allais même jusqu'à demander s'ils préféraient l'époque où François Mitterrand allait à Assouan pour Noël avec son amie. Ils étaient alors tous au courant et n'en avaient rien dit. Je trouvais l'attitude que nous avions choisie avec Carla plus digne et infiniment plus démocratique. C'est ce jour-là que j'ai annoncé que mon histoire avec Carla était sérieuse. Un dernier incident m'opposa à Laurent Joffrin qui, dans sa question, mit en cause « [ma] tendance au pouvoir personnel, et [ma] volonté de transformer la Ve République en monarchie élective ». Je demandai à mon interlocuteur de m'éclairer « sur celui qui m'aurait porté sur le trône ? Et sur le nom du souverain dont je serais l'héritier ? » Je mis les rieurs de mon côté. Ses confrères éclatèrent de rire. Il se vengea dans un éditorial du lendemain où il dénonçait mon incapacité bien connue à supporter la critique. Pour Laurent Joffrin, oser répondre, c'était

déjà perdre son sang-froid ! C'était utile d'avoir des opposants si sensibles ! Avec Carla, les deux premiers mois
furent complexes à gérer médiatiquement, mais à partir
de notre mariage, le 2 février 2008, tout rentra dans
l'ordre et s'apaisa. Il faut dire que Carla me stupéfia par
sa capacité à endosser le rôle de « Première dame » avec
un naturel, et une intelligence exceptionnelle. C'était un
monde nouveau pour elle. En quelques petites semaines,
elle en maîtrisa tous les codes.

*

* *

L'année 2008 commença par mon mariage à l'Élysée.
Une première ! Nous avions décidé d'aller vite, voire
très vite. D'abord parce que nous étions sûrs de nous, et
que nous n'avions nul besoin d'une période probatoire.
Ensuite, parce que la presse bruissait de rumeurs plus
ou moins malveillantes. Il fallait couper court à toutes
possibilités d'interprétations sous peine de ne plus rien
contrôler. Dans le plus grand secret, nous choisîmes
le 2 février. C'était un samedi matin. La cérémonie se
déroula dans le salon vert, où se tenaient tant de réunions
importantes. Nous avions obtenu une dispense de publication des bans. Quelques jours auparavant nous mîmes
dans la confidence le maire du VIIIe arrondissement
de Paris, François Lebel, dont dépendait géographiquement l'Élysée. Fort heureusement, il s'agissait d'un

homme discret, travailleur et consciencieux. Je l'ai senti très ému par sa tâche du jour. Il est vrai que célébrer un mariage au palais de l'Élysée n'était pas une chose aisée, pas davantage qu'habituelle. Je me permis de lui dire juste avant la cérémonie : « Ne vous tracassez pas. Soyez le plus simple possible. Par ailleurs, je vous donne un conseil d'ami. Mieux ne vaut pas de discours qu'un discours de qualité inégale ! » Il comprit parfaitement le message et se contenta de nous présenter ses félicitations avec une touchante sincérité. Ce qui nous allait parfaitement. Carla avait la veille au soir téléphoné à ma mère : « J'ai un conseil à vous demander. Nicolas me dit que je n'ai pas besoin de porter une tenue spécifique pour la cérémonie qui se déroulera dans la plus stricte intimité. Je ne suis pas d'accord. Pour moi, c'est mon premier mariage, et j'ai bien l'intention que cela soit le seul ! » Ma mère lui répondit avec autorité : « Vous devez vous marier en robe, et de préférence en blanc. » À sa manière, ma mère était classique. Aussitôt dit, aussitôt fait, Carla partit rue du Faubourg-Saint-Honoré s'acheter sa tenue de mariée. Il était temps, nous étions la veille de l'événement ! C'était d'ailleurs une très jolie robe, couleur crème, qui lui allait magnifiquement. Je me demande encore aujourd'hui ce qui pourrait ne pas lui aller, tant son élégance est naturelle. La veille au soir, je dus rester jusqu'à tard dans la nuit au téléphone avec N'Djamena car le président Idriss Déby avait dû affronter une action de rebelles cherchant à l'assassiner. Le matin, Carla était très émue, je l'étais tout autant. Nous pénétrâmes dans le salon vert où notre proche famille et une vingtaine d'amis nous attendaient. Nous avions dû fermer les rideaux, car les gendarmes du Palais nous avaient signalé un paparazzi caché dans la coupole haute du Grand Palais. À un kilomètre de distance, avec leurs appareils si performants, ils pouvaient capturer jusqu'aux motifs d'une cravate. Cependant, comme un miracle, il n'y avait rien dans la presse. Ce fut un moment familial merveilleux. Mes enfants étaient si heureux de me voir enfin tourner la page. Ma mère était aux anges. Ma nouvelle famille italienne joyeuse, élégante et accueillante, comme si j'étais des leurs depuis des années. Mon beau-père était venu de São Paulo où il habite toujours. Il était l'un des plus heureux et sa joie était communicative. Nos proches amis formaient un cordon protecteur. Tous avaient compris l'intensité que revêtait cet événement pour nous. Ils vécurent ce mariage à la manière d'une évidence. Comme si la seule chose étrange était que nous nous soyons, Carla et moi, rencontrés si tard. Il y avait eu assez de temps perdu. Il était impossible d'attendre encore. Carla était rayonnante, et en même temps abasourdie par l'émotion du moment. Elle ne cessait de me dire : « J'attache une grande importance à notre mariage. C'est un engagement de toute une vie. Jamais je n'aurais imaginé que cela puisse m'arriver ! » J'étais si heureux que le doute ne m'a jamais traversé l'esprit. Nous étions sûrs de notre choix. Je dus travailler cet après-midi-là, et ne pus rejoindre ma femme qu'en tout début de soirée à la Lanterne, où nous avions convié nos familles et quelques-uns de nos proches amis pour un dîner. En l'occurrence, c'était plutôt un buffet. L'ambiance était sage et joyeuse. La soirée se termina tôt, car Carla et moi tombions littéralement de fatigue. C'était tellement d'émotions en même temps ! Le lendemain matin nous partîmes nous promener dans le parc de Versailles. Nous étions en plein hiver. Et pourtant le climat était doux et le ciel complètement dégagé. Nous étions partis à pied pour prendre un café dans l'une des petites boutiques du parc. Le père de Carla et sa sœur Consuelo étaient avec nous. Carla était devenue Française, et moi Italien d'adoption. C'était tellement facile d'aimer cette nouvelle famille chaleureuse et prête à s'émerveiller de tout. Des photographes avaient eu l'idée de venir. Ce furent nos premières photos de mariés. En repensant à ces événements, à leur enchaînement, à leur rapidité et aussi à leur évidence, je suis pris rétrospectivement de vertige. J'ai peu réfléchi. J'ai sauté à pieds joints. Je n'ai pas tergiversé, hésité, calculé. C'était sans doute audacieux pour Carla comme pour moi. Treize années plus tard, Giulia, Carla et moi pouvons témoigner que la chance existe, que la vie autorise la renaissance, qu'il ne faut pas céder au désespoir, pas davantage qu'au bonheur béat car le destin est si imaginatif. Il faut juste essayer de vivre avec confiance, prêt à saisir toutes les opportunités de construire et, surtout, ne pas hésiter et ne jamais renoncer. Nous étions mariés. Je portais l'alliance que j'étais moi-même allé acheter dans une boutique de bijoux proche de l'Élysée. Elle brillait de sa nouveauté autant que de son intensité ! Nous allions écrire une nouvelle page de notre vie. Nous nous doutions qu'il y aurait des épreuves à surmonter.

Tout de suite, Carla prit très au sérieux sa fonction de « Première dame ». C'était d'autant plus difficile qu'il n'existait aucun statut pour elle, et que les Français n'élisaient pas un couple mais un homme ou une femme. Elle avait bien sûr une grande expérience des médias mais aucune de la politique. Elle eut l'intelligence de s'inscrire tout de suite dans une forme de classicisme moderne qui rassura les Français qui ne la connaissaient pas encore. Nous les avions assez déstabilisés par la rapidité de notre union. Il était vraiment inutile d'en rajouter dans l'originalité.

*
* *

Le premier test grandeur nature fut la visite d'État au Royaume-Uni. Le calendrier était ainsi agencé. Je ne pouvais ni le choisir ni le modifier. C'était prestigieux, mais sans doute pas la destination la plus aisée, en tout cas pour « un couple débutant ». D'abord, parce qu'il y avait les tabloïds anglais. Inutile de décrire ce qu'ils étaient capables de faire, et ce qu'ils étaient. Ensuite, parce que c'était la reine d'Angleterre, une part de l'histoire du XXᵉ siècle à elle seule ! La moindre faute de protocole pouvait nous mettre dans une situation bien plus qu'inconfortable. Enfin, parce que c'était la Grande-Bretagne et que tout ce qui touche aux relations entre les Français et les Britanniques est d'une sensibilité extrême.

Nos deux peuples sont capables de se détester et de s'aimer dans un même mouvement. Nous sommes tout à la fois si proches et tellement différents. Comme si les trente kilomètres du Channel étaient pour nos deux Nations une sorte d'océan infranchissable. Même la présence de l'Eurostar n'a pas, tant s'en faut, gommé nos différences. Carla prépara le voyage avec une grande minutie. Elle reçut à deux reprises l'ambassadeur britannique. Elle s'imprégna de toutes les règles protocolaires et se plongea dans les dossiers rédigés pour l'occasion. Elle s'exerça même pour la révérence. Elle était tout à la fois impatiente de ce premier déplacement officiel et inquiète de son déroulement. Je n'avais pour ma part aucun doute, tout se passerait bien. J'étais certain qu'elle serait un atout exceptionnel pour la France. Le jour J arriva enfin. Nous nous envolâmes dans l'Airbus présidentiel en direction de Windsor. Nous devions résider deux journées pleines au château. C'était un grand honneur qui nous était réservé. Le prince Charles et Camilla, la duchesse de Cornouailles, nous attendaient à la descente de l'avion, à l'aéroport d'Heathrow. Le prince de Galles est un homme délicieux, parlant un français remarquable comme toute sa famille. La conversation avec lui est facile. Il est enjoué. Son éducation en fait un hôte attentif et irréprochable. Son rôle est loin d'être simple. Il consiste en un travail de représentation inlassable qu'il pratique à merveille, et à attendre que sa mère lui laisse la place sur le trône. Or, sa mère est un tel personnage, dont la dimension historique est si incontestable, qu'encore à 94 ans passés, elle n'envisage apparemment pas de s'effacer, fût-ce pour son fils. Un jour que j'avais un entretien avec lui, avant d'être reçu par la reine à Buckingham Palace, le prince Charles avait regardé sa montre avec inquiétude. « Dépêchons-nous, vous avez un rendez-vous avec ma mère, nous ne pouvons la faire attendre ! » C'était exact, mais il avait déjà 65 ans passés à l'époque. Et il devait se préoccuper de ne pas être en retard avec sa propre mère ! Être le prince héritier n'est pas une sinécure. Charles est drôle, curieux de tout. Il a de solides convictions et, comme il l'a maintes fois prouvé, ne se laisse pas dicter ses sentiments. Il forme avec Camilla un couple qui m'a semblé fusionnel. Elle m'a paru plus jolie au naturel que l'image qu'en donnaient les photographies de presse. Sa conversation est simple. Elle aime rire et plaisanter, et elle semble raffoler de tous les détails de la vie intime. Elle me posa ainsi beaucoup de questions sur les conditions de ma rencontre avec Carla et sur le couple que nous formions. En tout cas, il est difficile de s'ennuyer avec eux, tant ils ont d'histoires à raconter, d'expériences à partager, d'anecdotes à livrer. À la descente de l'avion, je montai dans la voiture de Charles pour me rendre au village de Windsor distant d'une trentaine de kilomètres seulement. Carla suivait dans une autre voiture, qu'elle partageait avec Camilla. Durant le trajet, Charles fut très amical. Il s'excusa beaucoup pour les tabloïds qui effectivement ne nous avaient guère ménagés. Mais qu'y pouvait-il lui-même ? Rien, évidemment. J'étais donc immédiatement entré dans une relation cordiale et confiante avec un membre de la famille royale, et pas le moindre. Le trajet fut plaisant et passa vite. J'en oubliai presque les étapes suivantes et qui avaient pourtant de quoi augmenter mon stress naturel. Nous arrivâmes aux portes de la ville où nous attendaient deux splendides carrosses tirés chacun par six chevaux impressionnants. Ils étaient de robe blanche pour le premier, noire pour le second. L'habitacle était composé majoritairement de glaces et de vitres, ce qui procurait une grande impression de transparence. La reine Élisabeth II, accompagnée du duc d'Édimbourg, nous attendait. Je pris place dans le premier carrosse en compagnie de la reine. Carla pénétra dans le second avec le duc. Une foule épaisse était massée des deux côtés de la rue que nous remontions jusqu'au château lui-même. Le protocole m'avait bien indiqué de me comporter exactement comme la souveraine le ferait. Je saluais donc sur la gauche tandis qu'elle saluait sur la droite. Le spectacle était majestueux. Nous conversâmes assez peu. Il fallait vraiment être Anglais pour ne pas se trouver ridicule. Eux savent parfaitement gérer ces situations. Je m'imaginais, intérieurement, remontant les Champs-Élysées dans un carrosse royal. On m'aurait guillotiné pour moins que cela ! La reine était délicieuse dans ses manières. Elle prenait malgré la foule et le bruit la peine de m'expliquer le pourquoi et le comment de telle ou telle tradition. Elle s'exprimait tantôt en français tantôt en anglais. Cela ne faisait d'ailleurs aucune différence, car son français aurait fait pâlir d'envie nombre de mes compatriotes. Quant à son anglais, il était d'une pureté académique qui rendait sa compréhension particulièrement aisée. Elle n'était qu'élégance et distinction. Dans l'espace forcément plus étroit du carrosse, j'évitais tout contact physique, dont le si précieux chef du protocole Jean-Pierre Asvazadourian avait pris soin de m'indiquer qu'il serait « inapproprié ». La reine n'est guère tactile et ne souhaite pas qu'on le soit avec elle. J'étais si concentré que je ne me rappelle plus combien de temps dura ce trajet équestre. Sans doute une dizaine de minutes. Puis, nous arrivâmes devant le château de Windsor. Une bâtisse immense, impression- nante par ses proportions, et qui ne respirait pas la franche gaieté immédiate. Il est vrai que les premières pierres en avaient été posées mille ans auparavant par Guillaume le Conquérant. Il y avait une grande place au centre de laquelle avait été montée une estrade. Un régi- ment de la Garde royale attendait dans un alignement impeccable. Ils étaient vêtus de rouge et portaient cette haute coiffure noire en poils d'ours qui les rend si carac- téristiques. Je descendis juste après la reine puis montai en sa compagnie sur la tribune. Le carrosse de Carla et du duc arriva. Quand ma femme sortit toute de Dior vêtue avec ce petit chapeau galette sur la tête, je crus voir Audrey Hepburn dans l'un de ses films inoubliables. Elle avait un sourire angélique. La reine l'attendait debout. Carla lui fit une révérence parfaite, la jambe gauche déli- catement posée en arrière. Cela plut à la souveraine qui sourit, et à la foule qui applaudit. Quant aux photo- graphes, je ne les avais jamais vus dans un tel état d'ex- citation. Puis, nous nous levâmes tous les quatre pour écouter les hymnes nationaux. Je dus ensuite passer en revue les troupes de la Garde d'honneur stationnées devant le château. Les usages britanniques sont, en la matière, bien différents des nôtres. On ne doit pas se contenter de passer devant le premier rang, il faut défiler aussi à l'intérieur de chaque rangée. Je n'avais jamais vu de soldats si grands. Avec leurs sortes de hauts de forme, le plus petit devait dépasser les 2 m 10. C'était un spectacle de voir la reine marcher entre ces militaires avec son sac à la main et sa petite taille. Nous disparaissions en les passant en revue et réapparaissions à chaque virage. Nous entrâmes ensuite dans le château lui-même où un déjeuner informel nous attendait. Il n'avait d'informel que le nom, car il n'y avait pas loin de cent cinquante personnes. En arrivant dans la grande salle où les invités nous attendaient, j'avisai un serveur qui portait un plateau de ce que j'avais pris en cet instant pour de l'eau minérale. Cela tombait bien car je mourais de soif. Nous étions debout depuis plus de deux heures, et j'étais grandement soulagé de la façon brillante dont Carla venait d'entrer dans le monde des relations internationales. Je me saisis donc du premier verre à ma portée. Il était bien glacé. Il ferait parfaitement l'affaire. J'avalai prestement une solide rasade de ce breuvage que je croyais être de l'eau, et qui s'avéra du gin ! La reine était à ma gauche. Je n'avais jamais bu une goutte d'alcool de ma vie. Je me sentis immédiatement comme un dragon antique dont le feu jaillissait de la bouche. Je n'avais pas d'autre choix que d'avaler « cul sec » ce liquide inflammable pour moi ! Carla vit tout de suite que quelque chose avait cloché. « Ça va ? » me demanda-t-elle inquiète. J'eus juste le temps de lui répondre : « C'était du gin ! » Ce n'était vraiment pas le moment de flancher. Je reposai le verre en

me promettant de ne plus jamais faire de telles impru-
dences. J'avais les jambes flageolantes et la bouche en
flamme. La reine ne s'aperçut de rien. Encore en train de
reprendre mes esprits, je lui demandais dans mon meilleur anglais : « Majesté, vous n'êtes jamais fatiguée ? » Sa
réponse fut royale : « *Of course I am, but I never show it !* »
Je me le tenais pour dit. Après le déjeuner, nous pûmes
gagner les appartements qui nous étaient réservés, à l'intérieur du château. En maîtresse de maison parfaite, la
reine avait tenu, en compagnie du duc, à nous montrer
elle-même notre lieu de résidence. Nous franchîmes des
couloirs immenses remplis de tableaux de Canaletto. Je
ne savais plus où donner de la tête. Je crois ne jamais en
avoir vus autant à la fois. C'était à couper le souffle. Nos
appartements étaient spacieux, nous disposions d'un
grand salon, d'une chambre, d'un bureau et d'une salle de
bain. La reine était entrée avec nous. Elle ouvrit même
le robinet d'un lavabo, ce qui déclencha une succession
de bruits sourds témoignant d'une tuyauterie d'un âge qui
devait être respectable et au moins en harmonie avec
celui du château. Elle fut discrètement gênée. Carla et
moi étouffions un fou rire. C'était vraiment une scène
étonnante. Dans la chambre, le duc tint à nous indiquer
que c'était dans ce lit même où nous allions dormir que
sa grand-mère et sa mère avaient accouché. C'était historiquement intéressant, mais dans « la vraie vie », assez peu
suggestif. Une fois seuls, nous nous sommes dit qu'une
lune de miel à Windsor avait quand même une certaine
allure. Nous étions attendus pour le dîner d'État du soir.
La table, en acajou, faisait pas moins de cinquante-cinq

mètres de long dans la grande salle où se trouvaient rassemblés les blasons de toutes les familles les plus nobles d'Angleterre. Ceux qui avaient trahi avaient été effacés, mais l'emplacement demeurait inoccupé. La reine et le duc devaient venir nous chercher à la porte même de notre appartement à 20 heures précises. Je suppliai Carla d'avoir au moins un quart d'heure d'avance, j'imaginais avec horreur la reine frappant à notre porte, et nous, à l'intérieur, en retard ! C'était impossible. Il fallait cependant prendre garde, car le *dress code* était précis. Les hommes devaient être en habit, munis de leurs plus hautes décorations. Les femmes devaient revêtir une robe longue. Je n'ai pas connu une autre occasion où il fallait à ce point être habillé. À table, je me trouvais assis entre la reine et Camilla. Carla était juste en face entre le duc et Charles. Il convenait de ne pas mettre ses mains sur la table mais de les conserver sur ses genoux, du moins lorsque l'on n'était pas en train de se nourrir. Tel était le protocole. Le duc est un personnage enjoué, toujours énergique et de bonne humeur. Quelques verres de bon vin auxquels il ne rechigne pas, et la conversation est vite lancée. Ce type de dîner ne se prête pas à de grandes discussions politiques, mais les échanges peuvent y être plus personnels et intéressants, du point de vue de la découverte des caractères et des personnalités. Camilla fut une voisine charmante, amicale et drôle. La reine était souveraine. Au sens propre comme au figuré. Elle tient son rôle chaque seconde. On ne sent pas le moindre relâchement. Assis à côté d'elle, je me remémorai tout ce que j'avais lu sur elle. Je la faisais parler de tous les Premiers ministres qu'elle avait connus. Bien sûr, je privilégiai Churchill. Elle se prêtait de bonne grâce à mes questions, sans qu'à aucun moment elle puisse apparaître comme portant un jugement trop personnel. C'est elle, la « dame de fer », bien davantage encore que Margaret Thatcher. Elle se donnait à son rôle de reine avec une abnégation totale et un engagement de chaque instant. À côté d'elle, je n'ai pu m'empêcher de considérer son mari comme plus espiègle. Il est le grand amour de sa vie. Cette femme remarquable avait donc réussi son mariage, son rôle de souveraine, sa descendance qu'elle avait cherché à protéger de tout. Toute la famille était au complet, dans ce château de Windsor. C'était amusant de comparer les générations. Ils sont une chance pour la Grande-Bretagne. Invité par la famille royale, ce soir-là, j'avais presque oublié que nous étions au XXIᵉ siècle, tant j'avais l'impression que le temps s'était arrêté, que les traditions ici avaient été plus fortes que tout, que la modernité pouvait toujours frapper sur ces murailles qui nous entouraient, elle n'aurait aucune chance de l'emporter. Sans doute fallait-il des endroits comme celui-ci de stabilité absolue dans un monde qui ne tarderait pas à montrer, en cette année 2008, sa complète instabilité. C'était vraiment une expérience curieuse qui me permit de voir les choses sous un autre angle. J'étais si proche de la France géographiquement parlant, et en même temps si éloigné. J'en prenais conscience alors que tout le propos de fond de mon voyage était centré autour de l'idée d'une nouvelle alliance entre les Français et les Britanniques. Je trouvais que « l'entente cordiale », c'était vraiment trop peu. Je savais que nous avions besoin de leur dynamisme économique, de leur science de la finance, de leur volonté libérale. Il y avait tant à construire ensemble. Je m'entendais très bien avec leur nouveau Premier ministre, le travailliste écossais Gordon Brown. Il était intellectuellement très brillant, passionné d'économie bien davantage que de politique. Il était en fait plus intellectuel que pragmatique, plus visionnaire qu'enraciné dans les problémátiques du moment. Il était aussi éruptif que profondément gentil. Il aimait l'Écosse, l'économie et sa famille. Ils avaient eu à affronter la douleur de la perte d'un de leurs enfants et la maladie d'un autre. De surcroît, je pouvais lui faire confiance, car il respectait ses engagements et tenait sa parole. Durant la grande crise qui, maintenant, approchait à bas bruit, il fut d'une grande aide en même temps qu'une source constante d'idées nouvelles. Après Tony Blair, et quelles que fussent l'évolution de leurs relations, j'avais trouvé dans ces deux travaillistes britanniques plus que des partenaires, des amis.

L'autre moment fort fut le discours que je prononçai à Westminster devant les parlementaires des deux Chambres, des communes et des lords, réunis dans la galerie royale. C'est toujours un exercice délicat que de s'adresser à des hommes et des femmes politiques, opposition et majorité confondues, d'un autre pays que le sien. Il y a d'abord la barrière de la langue et aussi des pratiques différentes, mais un lien commun, la politique et sa violence. Je dois dire qu'à Londres, c'était encore une tout autre paire de manches, car il s'agissait du berceau de la démocratie parlementaire. Ils en ont une pratique beaucoup plus exigeante que la nôtre. Il ne fallait pas rater l'exercice. Je connaissais leurs attentes vigilantes, comme celles de leur presse. J'ai toujours été convaincu que l'Europe avait un grand besoin du Royaume-Uni et qu'à l'inverse, sans elle, celui-ci courait le risque de se caricaturer et de se replier, ce qui serait contre nature. Je voulais leur dire que nous étions d'abord deux forces militaires indépendantes qui avions les mêmes adversaires et que notre collaboration nous rendrait bien plus fort. J'avais notamment le projet de doter l'Armée française d'un deuxième porte-avions mais, compte tenu de son coût pharaonique, j'imaginais qu'il serait possible qu'il soit franco-britannique. La situation était cependant rendue complexe par le fait que l'indépendance des forces militaires britanniques par rapport aux Américains était en fait extrêmement relative. Je subodorais notamment que, pour fabriquer leur bombe atomique, il leur était difficile de se passer des compétences américaines. Étaient-ils totalement libres de décider pour eux-mêmes ? J'en doutais. Je souhaitais surtout leur faire comprendre que, comme eux, nous étions exaspérés des faiblesses et des lourdeurs européennes, mais que c'était de l'intérieur du système qu'ils pourraient le plus faire bouger les choses, surtout pas de l'extérieur. Depuis s'est produit le Brexit qui s'avèrera une catastrophe pour eux comme pour nous. Nous aurons, hélas, peu à attendre pour le constater. Quel formidable gâchis que la perte pour l'Europe de la deuxième économie du continent ! Quel contresens pour les Britanniques que de tourner le dos au premier marché de destination pour leur économie ! Le divorce est toujours facile à prononcer. Les conditions de la réconciliation seront beaucoup plus difficiles à réunir. Cela prendra de très nombreuses années. En fait, les Britanniques veulent l'accès au marché unique sans en assumer les contraintes. Le compromis sera extrêmement difficile à trouver, peut-être impossible, tant les intérêts sont maintenant contradictoires. Je savais que le risque d'une rupture existait. Qu'en vérité, l'intégration ne s'était jamais vraiment réalisée depuis leur entrée en Europe en 1973. Je voulais conjurer ce risque en associant nos voisins d'outre-Manche plus étroitement. J'étais persuadé qu'une fois au cœur du système, ils y trouveraient leurs places et leurs intérêts. Cent quatre ans après la proclamation de l'Entente cordiale, je jugeais le temps venu de passer à « l'Entente amicale ». J'avais, cependant, sous-estimé deux choses. La première, c'est que Londres n'était pas le Royaume-Uni, ni même l'Angleterre. Le fond du pays était plus accessible que je ne l'imaginais, à entendre le discours du repli. La seconde, c'est que David Cameron n'avait pas, sur ses propres troupes, la force, le courage et le charisme de Tony Blair sur les siennes. Je l'ai maintes fois incité à ne pas céder à sa base la plus radicale. Il ne l'a pas fait. Je crois que, surtout, il ne l'a pas pu. Il était un politique intelligent, sympathique, franc et d'un commerce très agréable dans le travail. Mais par caractère, par tempérament, il éprouvait des difficultés au moment où il aurait fallu dire non avec une grande fermeté. Je lui disais : « Tu es leur chef, c'est à toi de les conduire, ne te laisse pas mener par eux. Tu n'y survivras pas. » C'est hélas très exactement ce qui s'est passé. Il s'agit réellement d'une erreur historique pour l'ensemble du continent européen. Durant tout mon quinquennat, je pus travailler main dans la main avec tous les gouvernements britanniques. Ils vont désormais nous manquer plus encore que nous ne pouvons l'imaginer aujourd'hui.

Finalement, notre voyage fut réellement un succès. Carla en prit la plus grande part, tant elle rayonna par son esprit et son élégance. Le grand journal anglais, *The Independent*, titra le jour de notre départ : « France 1-England 0 ». Cela en disait long sur leurs appréciations, surtout après les articles qui avaient précédé notre arrivée. Nous terminâmes par un dîner étrange et sympathique à Guildhall avec le lord-maire de Londres et quatre cents personnes en tenue, qui nous accueillirent tapant en rythme dans leurs mains. Je me disais que la Grande-Bretagne était décidément impressionnante par sa capacité à demeurer fidèle à des traditions immuables, et en étant capable en même temps de toutes les modernités et de toutes les évolutions, quel qu'en fût le domaine.

Je les enviais, les trouvais plus fiers de leurs identités que nous l'étions nous-mêmes des nôtres, et s'inscrivant plus volontiers dans la mondialisation que nous-mêmes. C'était bien sûr avant le Brexit. Nous arrivâmes à l'aéroport pour prendre l'avion du retour à 23 heures passées. J'étais encore en smoking. Carla en robe de soirée. Nous étions soulagés et heureux. J'étais fier de la performance de Carla. En moins d'un mois, elle avait pris sa place. Les critiques se turent au moins pour un temps. Le retour fut gai et animé ! Nous ne sentions pas la fatigue « *Veni, vidi, vici.* » Parfois, la victoire est bonne à vivre. Après toutes les polémiques sur notre week-end à Disneyland, sur notre voyage en Égypte, sur la rapidité de notre mariage, c'était bien agréable de pouvoir souffler quelques instants ! Il y avait vraiment une bonne ambiance ce jour-là dans l'avion présidentiel.

*
* *

Toute la première moitié de janvier fut consacrée aux traditionnelles cérémonies des vœux. Je suis partagé à propos de ces rituels. Une partie de moi pense qu'il s'agit d'actes civilisés que d'échanger ainsi des souhaits avec des femmes et des hommes qui représentent chacun leur métier ou leur milieu d'origine, et que de surcroît cette tradition ne fait de tort à personne. Une autre partie ne peut s'empêcher de se dire combien tout ceci est formel et répétitif. Chacun lit son petit propos bien souvent sans en penser un mot. La vérité est qu'il serait injuste de tout mettre dans le même panier car ces cérémonies sont bien différentes. Parmi les moins significatives, je mettrais les vœux du gouvernement. On se voyait et se parlait tous les jours. Que pouvait-on se dire de plus pour l'occasion du nouvel an ? Chacun se trouvait emprunté ! Le Premier ministre faisait ce qu'il pouvait. Je pensais vraiment que les Français n'avaient pas besoin de ce spectacle de congratulations consanguines. Fort heureusement, dans cette longue série de vœux, il y avait aussi de bons moments. Dans ceux-ci, je mettrais les boulangers et les artisans qui venaient partager leur galette des Rois géante au palais. Ils étaient spontanés, fiers, simples et chaleureux. J'avais l'impression qu'avec eux c'était la vraie vie qui pénétrait enfin à l'Élysée. J'apprenais davantage en une heure de conversations libres avec tous ces amoureux de leurs métiers sur la psychologie de la France, qu'à la lecture de tous les sondages dont j'étais abreuvé. J'appréciais aussi le moment d'échange dans le Salon des ambassadeurs au rez-de-chaussée du palais, avec toutes les autorités religieuses. J'aimais les écouter, les observer, voir comment ils se positionnaient avec leurs confrères des autres cultes. L'archevêque de Paris y tenait toujours une place prépondérante. Le recteur de la grande mosquée de Paris, Dalil Boubakeur, s'efforçait de donner une image policée et érudite de l'islam. Le grand-rabbin de France ne voulait pas rester en arrière de la main et se mêlait souvent à la discussion. Chacun essayait de rivaliser de hauteur de vue, de virtuosité et de culture. À l'époque du grand-rabbin Bernheim, c'était même difficile à suivre pour chacun d'entre nous, tant ses remarques étaient absconses et, je le crains, même pour lui parfois ! J'appréciais également les cérémonies décentralisées. J'avais saisi le prétexte de cette période post-fêtes pour aller saluer les fonctionnaires dans une préfecture de province. Tout était devenu pour moi une opportunité de sortir du palais pour aller à la rencontre du plus grand nombre. S'il avait existé un moyen de rencontrer tous les Français individuellement, et sans exception, je pense que je l'aurais saisi. C'était curieux, cette évolution que j'ai ressentie en moi tout au long de ces cinq années, alors qu'en fait, je suis assez casanier, en tout cas par nature. Je fus saisi alors d'une frénésie de déplacements et de mouvements. On peut légitimement penser que c'était trop. Mais pas que je me suis laissé enfermer. Pour l'occasion, j'avais choisi la préfecture de Lille. À ceux qui m'objectaient qu'il s'agissait de la ville de Martine Aubry et qu'en conséquence nous risquions des difficultés politiques, j'opposais un ferme démenti. Je voulais aller partout, et surtout où c'était difficile, et de plus, je ne croyais pas la maire capable d'un comportement antirépublicain. Elle a en effet la dent dure. Elle est capable de déclarations assez violentes, mais j'ai observé qu'il y avait des limites qu'elle ne dépassait jamais, et quand cela lui arrivait, elle pouvait même s'en excuser. Ce jour-là, j'avais vu juste. Elle était même de fort bonne humeur et fut particulièrement aimable. Elle me fit la surprise d'un gentil cadeau sous la forme d'un beau vélo de route de chez Decathlon, la grande entreprise du Nord. Si bien que, l'été suivant, j'ai voulu l'utiliser pour lui faire honneur. Dès que je croisais un cycliste, il me lançait, goguenard : « C'est le vélo de la Martine ! »

Il y avait plusieurs centaines de fonctionnaires rassemblés pour l'occasion. C'était important de leur parler et de les considérer. Le débat politique est tellement réducteur que ma politique du un sur deux était systématiquement présentée comme une marque de défiance à l'endroit de la fonction publique dans son ensemble. C'était caricatural et injuste, mais c'était ainsi. Je voulais qu'ils soient mieux payés, mieux formés, mieux considérés...

et moins nombreux. C'était vraiment difficile d'inverser la tendance, d'autant plus que je devais avoir l'honnêteté de confirmer mon choix irrévocable de couper dans les effectifs devant un public de fonctionnaires. Je précisais même : « Mon ambition est de ramener les effectifs de la fonction publique à ce qu'ils étaient en 1992, mais la réduction des effectifs ne peut se faire sans une amélioration concomitante de la paie ! » Je pensais vraiment que c'était le seul chemin crédible pour abaisser le niveau de nos dépenses publiques, et en même temps ne pas se mettre à dos définitivement les cinq millions de fonctionnaires et leurs familles. Ce qui finissait tout de même par représenter beaucoup de monde, et constituait un danger électoral non négligeable.

Je terminai cette série de vœux par ceux que je devais présenter au corps diplomatique. C'était un moment intéressant car je me retrouvais devant les représentants du monde entier. Tous les pays ayant des relations avec la France avaient dépêché leurs ambassadeurs pour l'occasion. C'était l'opportunité de faire passer des messages aux quatre coins du monde sans se déplacer ! Et puis c'est toujours instructif de voir par qui, et comment, les grands pays choisissent de se faire représenter. Par exemple, pour les États-Unis, l'ambassadeur était le plus souvent un des riches et généreux donateurs de la campagne du président récemment élu. Démocrates comme républicains avaient la même pratique. Pour l'Allemagne, c'était un proche et de préférence un ancien collaborateur de la chancelière. Cela montrait l'importance des relations avec la France pour nos voisins d'outre-Rhin. Pour les Anglais, c'était un diplomate mais disposant toujours d'une grande expérience politique. Il y en avait donc pour tous les goûts et de tous les styles. Je me demandais souvent comment les chefs d'État étrangers de leur côté jugeaient nos propres ambassadeurs ? Je trouvais moi-même leurs qualités très inégales. Certains étaient remarquables de compétence et d'engagement, d'autres si transparents que l'on ne s'apercevait pas de leur présence ! En vérité, leurs rôles avaient beaucoup évolué par rapport aux époques où les déplacements à l'étranger étaient longs, dangereux, aléatoires. Ils constituaient alors vraiment le principal canal de communication de la France avec les autorités de leur pays de résidence, et la source d'informations quasi unique pour le gouvernement français à propos des pays où ils exerçaient leurs missions. Ils étaient incontournables pour comprendre une situation, et faire passer un message. Avec le développement des moyens de communication, la facilité avec laquelle il est possible de se déplacer, les contacts personnels entre les présidents et les ministres respectifs, forcément, le métier a bien changé, et leur rôle ne peut plus être le même. À cela s'ajoute la quasi-impossibilité d'être en couple, à moins de demander à son partenaire d'abdiquer toute ambition professionnelle. Je suis d'avis qu'il conviendra un jour de considérer la femme ou le mari de l'ambassadeur comme un membre actif du poste diplomatique avec une responsabilité et un salaire, au même titre que les autres diplomates. Car le conjoint a un rôle à jouer. Ce n'est pas rien de tenir « la maison » de l'ambassadeur. J'ai essayé d'élargir les conditions du recrutement de nos ambassadeurs. Ce fut peine perdue, car les diplomates de tous les rangs savent faire front commun pour éviter l'arrivée d'intrus forcément illégitimes à leurs yeux, puisque issus de l'extérieur. Je voulais notamment renouer avec la tradition des écrivains dans des postes diplomatiques. Les précédents prestigieux ne manquaient pas. Je nommai ainsi Jean-Christophe Rufin au Sénégal et Daniel Rondeau à Malte. Le second s'intégra parfaitement avec une passion et une humilité qui lui firent honneur. C'est un grand écrivain qui considéra sa mission comme une fierté et fit tout son possible pour s'y montrer à la hauteur. Personne ne put dire qu'il faisait plus mal qu'un diplomate de formation. J'ai souvent pensé qu'il avait même fait mieux, avec davantage de passion. Le premier était brillant mais avait une telle idée de lui-même qu'il trouvait sans doute le poste sous-dimensionné, en tous cas pour lui. Il fit cependant ce qu'il avait à faire, mais ne se signala que par les critiques qu'il porta sur ma politique étrangère pendant et surtout après avoir exercé les fonctions que je lui avais confiées. De ce point de vue, ce néophyte avait appris assez rapidement les codes les plus anciens du milieu politique. Notamment, l'absence de reconnaissance ! Je me heurtais à une autre difficulté avec la question du rajeunissement. En effet, il y a si peu de postes, et il faut attendre si longtemps, que beaucoup des nominations orchestrées par l'administration du Quai d'Orsay se font à l'ancienneté plutôt qu'au mérite, et encore moins au talent. Arriver à faire nommer à une responsabilité de premier plan un diplomate de moins de 50 ans était une tâche presque insurmontable. Je dois à la vérité de reconnaître que j'ai échoué à faire évoluer le Quai, au moins sur ce point. Cette administration, petite par le nombre, est si corporatiste ! Ma propre équipe diplomatique participait à cette endogamie. Jean-David Levitte veillait jalousement sur ce privilège des nominations. Il connaissait chacun et savait comme personne me « vendre » une candidature. Je m'apercevais, plusieurs mois plus tard, en visitant les postes et en rencontrant de visu ledit ambassadeur, qu'il y avait un certain décalage entre le portrait qui m'en avait été fait et la réalité que je découvrais. Mais c'était trop tard, la fonction était occupée. Quant au ministre Bernard Kouchner, son unique préoccupation en la matière était de nommer au choix ses collaborateurs ou des socialistes bon teint, pensant sans doute qu'ainsi il renforcerait sa capacité d'influence. Il faudra certainement rouvrir cette question des profils dans un métier qui a tellement évolué que le *statu quo* me semble vraiment le pire des choix.

*

* *

En ce début d'année, j'avais choisi de partir plusieurs jours dans le golfe Persique pour tenter d'accroître notre influence dans trois pays réputés proches par leur histoire des Britanniques et des États-Unis. Je sentais qu'une ouverture pour nous était possible. Depuis leur indépendance, l'Arabie saoudite, les Émirats arabes unis et le Qatar étaient quasi exclusivement sous influence américaine et britannique. Ils en pratiquaient parfaitement la langue, envoyaient, pour les familles les plus fortunées du moins, leurs enfants faire leurs études dans l'un ou l'autre de ces deux pays « tuteurs », et s'en remettaient presque totalement pour leur sécurité au grand frère américain. Or, la situation était mûre pour changer, c'est en tout cas ce que je pensais. Le Royaume-Uni avait perdu beaucoup de son prestige et de sa puissance. Les pays arabes cherchaient à diversifier leurs partenaires. De plus, mais je ne pouvais le deviner au moment de ma visite, l'Amérique d'Obama les décevrait bientôt pour ce qu'ils estimeraient être « sa faiblesse » envers l'Iran. Ils ont aimé Clinton, Blair et Bush. Mais, depuis ces générations « bénies », ils se sentaient orphelins. Je me suis tout de suite imaginé qu'il y avait une grande place à conquérir pour la France et de solides amitiés à construire pour elle. Certes, ce n'était pas une région d'influence traditionnelle pour nous, malgré les efforts timides mais réels de Mitterrand et de Chirac. C'était dans mon esprit une raison de plus pour tenter de l'y étendre. À cela s'ajoutait une autre considération stratégique importante. J'observais avec une inquiétude croissante l'évolution du régime iranien. Force était de constater que, depuis 1979, le retour de l'ayatollah Khomeini et la révolution islamique, les choses avaient été de mal en pis. L'obsession iranienne d'obtenir l'arme atomique constituait une menace très sérieuse et rendait encore plus difficile l'établissement d'une relation de confiance avec la grande nation chiite. C'est dans ces conditions que je voulais renforcer notre alliance avec les monarchies sunnites de la région. Cela ne pouvait qu'être une bonne chose pour la France. Au moins, nous ne perdrions pas sur les deux tableaux. Je trouvais, de surcroît, la région passionnante. En trois générations à peine les pays de cette rive du golfe Persique avaient réussi à utiliser la manne pétrolière et gazière de façon remarquable. Quand on pensait que leurs grands-parents vivaient sous une tente dans le désert et qu'on voyait leur niveau de développement actuel, l'intelligence de leur stratégie d'investissements, la qualité des choix architecturaux de leurs villes nouvelles, surtout comparés aux nôtres, on ne pouvait être qu'impressionnés par le travail accompli ces quarante dernières années. Il y a peu d'exemples à travers le monde de développement aussi rapide, aussi réussi et aussi pacifique. J'ai vite perçu, par ailleurs, que c'était dans cette région du monde que se jouerait un défi considérable : la possibilité de concilier l'islam et la modernité. Ce n'était rien de moins que cela qui se jouait là-bas. Et cela pouvait s'avérer capital pour notre sécurité et notre avenir. J'avais donc toutes les raisons de nourrir de grandes ambitions pour la place de la France dans ces trois pays et leurs voisins du Koweït, d'Oman et de Bahreïn. En fait, la difficulté principale résidait dans la politique intérieure française. Nos élites n'aimaient pas ces pays. Elles s'en méfiaient, les accusaient de toutes les perversions et de tous les mensonges. Elles les prenaient pour de nouveaux riches ne pensant qu'à jouir sans se préoccuper du lendemain. C'était inédit, surprenant et injuste. Il y avait d'abord dans cette attitude une profonde ignorance de la situation réelle. Ainsi, alors qu'un jour j'échangeais avec Alain Finkielkraut sur les Émirats et le Qatar pour lui dire que je le trouvais sévère, il me répondit avec son honnêteté habituelle, « je n'y suis jamais allé, emmenez-moi ». Pourquoi pas ? Il y a plus désagréable qu'Alain Finkielkraut comme compagnon de voyage. Mais sa réflexion en disait long sur notre profonde méconnaissance du golfe Persique. Bruno Le Maire, dans sa campagne pour la présidence de l'UMP contre moi, professait une grande opposition vis-à-vis de ces pays, pensant sans doute en tirer un bénéfice politique qui était révélateur de l'état de notre opinion publique. Depuis qu'il est dans le gouvernement d'Emmanuel Macron, il a bien changé d'avis et travaille désormais en confiance avec nombre de ministres des Finances de la région. Il a raison d'agir ainsi. La presse n'était pas en reste, puisqu'elle était très indulgente avec l'Iran qui, il est vrai, a toujours su faire preuve d'une grande habileté médiatique autant que dialectique, et très sévère avec l'Arabie saoudite ou le Qatar. Ainsi, quand l'Iran a reconnu avoir abattu par erreur au début de l'année 2020, un avion civil ukrainien contenant pas moins de 176 innocentes victimes, il y a bien sûr eu des protestations, mais qui durèrent à peine une semaine ! Les réactions furent en vérité très en dessous de la gravité des faits. Si l'Arabie saoudite avait agi ainsi, on peut imaginer le retentissement mondial. L'assassinat du malheureux Khashoggi dans le consulat saoudien à Istanbul était inadmissible, mais il a produit un enchaînement de conséquences planétaires infiniment plus grandes que celui de l'avion civil abattu par les Iraniens. Il est difficile d'expliquer cette différence de traitement. Il n'en restait pas moins que l'opinion publique française, chauffée à blanc par ces campagnes médiatiques déséquilibrées, n'aimait pas ces pays du Golfe et s'en méfiait. Nous pensions qu'ils avaient trop d'argent, qu'ils étaient trop mystérieux, qu'ils entretenaient des relations malsaines avec les terroristes, oubliant au passage que nombre d'attentats ont eu lieu chez eux, à Riyad et à Djeddah… Enfin, j'ai toujours pensé qu'il serait bien plus profitable pour l'économie française que tous ces pays investissent chez nous plutôt qu'exclusivement aux États-Unis et à Londres. Tel était mon état d'esprit au moment de partir pour cette tournée moyen-orientale. Depuis, je n'ai pas changé d'avis, je suis convaincu qu'ils peuvent être pour nous des partenaires fidèles et intelligents.

À tout seigneur, tout honneur, je devais commencer par le poids lourd de la région, l'Arabie saoudite. Les préséances comptaient beaucoup. Il aurait été parfaite-ment déplacé d'agir autrement. Je fus accueilli par le roi Abdallah ben Abdelaziz Al Saoud. Son patronyme même illustrait l'importance de sa famille, puisque celle-ci avait donné son nom au pays. Je ne tardais pas à découvrir certaines des coutumes du lieu : nous eûmes un premier dîner officiel à 20 heures, en présence de tous les frères et demi-frères du roi, presque une centaine de personnes, qui se termina vers 21 h 30. C'est lors de ce repas que le roi me dit : « On raconte que vous courez tous les jours. Allez donc faire votre jogging dans le désert maintenant, puis nous nous retrouverons à minuit pour un dîner de travail tous les deux, si cela vous convient. » Le roi était âgé. Il approchait de ses 85 ans. Il comptait plusieurs dizaines d'enfants. Il commençait ses journées à 17 heures et les terminait vers 4 ou 5 heures du matin. Ce n'était pas du tout mes horaires. Mais bien sûr, je m'y pliai de bonne grâce, pensant que j'en paierais le prix fort de la fatigue le lendemain. Nous discutâmes ainsi jusqu'au petit matin. C'était intéressant, inédit et tellement différent. J'étais, cependant, quelque peu déçu, car je sentis chez lui un immobilisme dont je n'aurais pas su dire s'il était culturel ou seulement dû à son âge. Or, c'était frustrant, car il y avait tant à faire, à mettre en œuvre. Ce pays de près de trente millions d'habitants, dont une majorité de très jeunes, m'apparut bloqué, comme figé par l'équilibre fragile du pouvoir entre toutes les familles régnantes. Je compris assez vite que ce ne serait pas là que je pourrais prendre les initiatives les plus audacieuses. Je devais y entretenir de bonnes relations, mais sans me faire trop d'illusions. Je saluai pourtant le geste fondateur du roi Abdallah qui avait tenu à rencontrer le pape, une année auparavant, signifiant ainsi au monde que le temps n'était plus pour les religions à se combattre entre elles, mais à lutter ensemble contre le recul des valeurs morales et spirituelles, le matérialisme et les excès de l'individualisme. C'était un premier pas, de même que l'entrée de six femmes au Conseil consultatif du Royaume. Mais pour l'accélération de cette évolution que j'appelais de mes vœux, il faudrait attendre le changement de roi, et l'arrivée d'un jeune prince héritier d'à peine 30 ans. Depuis, les changements sont inouïs. Dans ce pays, où j'ai connu de hauts responsables qui, à 70 ans passés, faisaient figure de jeunes devant faire leurs preuves, il est maintenant devenu habituel de rencontrer des ministres de moins de 40 ans. Les projets de développement sont ahurissants de modernité et d'ambition. Les gestes d'apaisement sont nombreux et significatifs, comme l'ouverture au tourisme du site exceptionnel d'Al-'Ula, qui est pour la première fois la reconnaissance par l'Arabie d'une existence avant l'islam avec la civilisation nabatéenne du IIe siècle avant Jésus-Christ, ou la réouverture des cinémas et des concerts à Riyad. Notre intérêt est que Mohamed ben Salman réussisse à briser la chape de plomb que voudraient faire peser sur le pays les religieux orthodoxes, aujourd'hui bousculés mais encore assez forts pour demeurer en embuscade.

Je prononçai un discours devant le Conseil consultatif, sorte de parlement représentant les différentes tendances et branches du Royaume. L'atmosphère y était feutrée, bien loin de l'effervescence des parlements européens. Je leur disais ma conviction quant à l'importance de leur rôle : « Ici en Arabie Saoudite, l'islam démontrera une forme de modernité qui lui est propre et qui ne viendra détruire ni son identité ni sa foi. La question des rapports entre votre religion et la modernité est centrale pour la stabilité du monde, sa sécurité et sa paix. » Je repartais plus encore convaincu de l'importance stratégique de ce pays pour le milliard quatre cents millions de musulmans à travers le monde pour lesquels il représente les lieux saints. J'imaginais le potentiel exceptionnel qui y sommeillait, mais comprenais que nos amis américains étaient encore si forts que je ne devais pas me faire trop d'illusions sur les possibilités d'ouverture pour la France.

Ce fut une tout autre ambiance pour les deux étapes suivantes de ma tournée moyen-orientale qui m'amenèrent à Abou Dabi et à Doha. Ils s'agissaient, certes, de pays plus petits. Dix millions d'habitants pour le premier, trois millions pour le second. Mais leurs moyens financiers étaient considérables et leur soif de diversification de leurs alliances sans limites. La France était, à leurs yeux, assez puissante pour être un allié utile en cas de problème avec l'Iran, mais pas assez forte pour constituer un partenaire « trop encombrant » comme pourrait l'être les États-Unis. Il y avait vraiment une place à prendre. Jacques Chirac l'avait bien senti en entamant les discussions sur le projet enthousiasmant du Louvre Abou Dabi. Il restait, cependant, à concrétiser ce qui ne constituait que des esquisses. Ce fut aisé, tant le dynamisme et la volonté du jeune prince héritier Mohammed ben Zayed, communément appelé MBZ, étaient impressionnants. J'ai rarement rencontré un dirigeant disposant d'une telle vision, aussi claire et structurée. Il voulait moderniser son pays. En finir avec le terrorisme et avec l'islam politique et faire des Émirats arabes unis l'économie la plus intelligemment diversifiée de la région. Nous menâmes à bien le Louvre Abou Dabi, qui restera l'une des œuvres majeures de l'architecte français Jean Nouvel, mais aussi une fantastique réussite culturelle et commerciale avec un million de visiteurs pour sa première année d'ouverture, le tout réalisé en moins de sept ans, de la signature à l'inauguration, ce qui était un exploit dû aux grandes capacités d'organisation des Émiriens. Mais, de surcroît, nous mettions en chantier la Sorbonne Abou Dabi qui se révélera être un formidable instrument de diffusion de la langue et de la culture françaises dans cette partie du monde. J'eus alors l'idée, pour conforter nos positions qui prenaient une toute nouvelle ampleur, de proposer à nos amis émiriens l'ouverture sur leur territoire d'une base militaire française de cinq cents soldats appartenant aux trois armées, Terre, Marine et Air. C'était la première base française permanente ouverte à l'étranger depuis la Seconde Guerre mondiale. Elle présentait l'avantage pour nos hôtes d'être une garantie pour leur sécurité, alors qu'ils ne se trouvaient qu'à deux cent trente kilomètres des côtes iraniennes, et pour nous de constituer un formidable *show-room* pour l'industrie militaire française. C'est d'ailleurs grâce à elle que nous avons pu obtenir depuis tant de contrats militaires dans cette partie du monde. Mais, au-delà de l'aspect strictement commercial qui présentait déjà bien des avantages, l'intérêt stratégique de cette nouvelle implantation militaire française était lui aussi notable. Ce fut notre première base dans le Golfe aux portes du détroit d'Ormuz par où transitait 40 % du pétrole mondial. L'ouverture en était prévue pour 2009. J'en profitai pour signer un accord de défense avec les Émirats. Ainsi, je renforçai la place de la France comme puissance mondiale. C'était la première fois que nous arrivions à avancer nos pions de cette façon sur des terres anglophones de tradition. Je me payais même le luxe, sur la base aérienne d'Al Dhafra à quarante kilomètres d'Abou Dabi, d'assister à un vol de démonstration du Rafale par 47 °C degrés à l'ombre. C'est peu dire que cela n'avait pas beaucoup plu aux Américains. L'opposition protesta contre mes « intentions guerrières » mais, une fois au pouvoir, personne ne ferma cette base militaire qui s'est avérée depuis très utile. Je n'ai cessé d'être impressionné par les réussites de ce pays, qui se transforme encore de mois en mois et est en train de devenir l'une des grandes destinations touristiques du monde. Je précise enfin qu'il s'agit d'un des pays musulmans les plus engagés dans le dialogue entre les religions, comme le montre le magnifique projet de « Maison de la famille d'Abraham » qui verra se construire côte à côte, sur l'île de Saadiyat où se trouve le Louvre, une grande mosquée, une grande synagogue et une église. Par la volonté du prince héritier MBZ, la tolérance et la liberté religieuse sont des réalités.

L'étape à Doha fut tout aussi prometteuse. J'y rencontrai pour la première fois l'émir Cheikh Hamad ben Khalifa Al Thani et son Premier ministre Cheikh Hamad ben Jassem ben Jaber Al Thani. Les deux hommes qui travaillaient main dans la main avaient une vision stupéfiante de la façon dont ce petit pays devait se développer dans les domaines de la santé, du sport, de la culture et des nouvelles technologies. Ils firent installer des sculptures modernes d'artistes du monde entier dans les rues de Doha, ce doit être un exemple unique au monde pour un pays musulman. Et que dire de la construction du Musée national du Qatar, en forme de rose des sables, à l'architecture la plus moderne et disruptive que je n'avais jamais vue, qui fut confiée au génie français Jean Nouvel ? Nos relations furent immédiatement confiantes et amicales. J'invitai même l'émir du Qatar à présider la cérémonie du

défilé militaire du 14 Juillet auquel son fils Joaan participait cette année-là en tant qu'élève de Saint-Cyr. Cet
investissement politique porta ses fruits sous forme de
dizaines de contrats pour nos entreprises. C'est entièrement grâce à ce travail de fond que la France put quelques
années plus tard vendre ses Rafales au Qatar et peut-être
demain aux Émirats. Je rentrais de cette tournée en ayant
saisi que cette partie du monde était en train de devenir bien davantage un élément du continent asiatique
qu'une addition de pays arabes. À Abou Dabi, à Dubaï,
à Doha commençait donc l'Asie, avec laquelle ils avaient
désormais plus de proximité qu'avec les pays arabes du
Maghreb.

*
* *

À mon retour, l'ambiance était morose. Les sondages
avaient bien baissé. Les commentateurs du moment se
déchainaient en parlant de mon « impopularité », qui était
à l'inverse de celle de François Fillon dont la cote avait
grimpé. Avec le quinquennat, c'est le président qui protège
le Premier ministre. Cela excitait beaucoup les journalistes qui pensaient sans doute que je ne supporterais pas
ce décalage et que j'en profiterais pour me débarrasser de
mon Premier ministre. Je n'en avais nullement l'intention.
Je connaissais trop la mécanique et savais surtout que ces
sondages témoignaient de l'humeur du moment, en aucun

cas de rapports de force électoraux. La suite montra à quel point cette analyse était juste. Il était inutile de perdre son temps avec des questions d'amour-propre déplacées. Les municipales approchaient et les mêmes nous promettaient une fameuse déroute. J'essayais de ne pas tenir compte de tout ceci mais le milieu politique, lui, en était tétanisé pour ceux qui me soutenaient, ou exalté pour ceux qui me combattaient. Dans ce genre de situation, tout devenait inflammable et dangereux. J'étais affaibli, donc plus fragile. Une bonne nouvelle cependant vint avec les déclarations surprenantes de Claude Allègre, le grand ami (en tout cas à l'époque) de Lionel Jospin. Dans une interview au *Parisien*, il me couvrait d'éloges. À ce moment de mon quinquennat, c'était courageux et inattendu. Ses propos étaient sans ambiguïté : « Avec Sarkozy, il y a vraiment eu des avancées : le traité européen, la réforme des retraites des régimes spéciaux devant laquelle tout le monde avait jusqu'ici reculé, l'autonomie des universités, le nouveau contrat de travail... Le problème est de savoir s'il va continuer comme de Gaulle ou s'arrêter comme Giscard. » Venant d'un adhérent du Parti socialiste, cela prenait tout son sens et avait un certain impact. J'aurais aimé que certains de mes amis politiques, qui restaient silencieux quand les balles commençaient à siffler, aient pu en dire au moins la moitié... La vérité était que j'appréciais Claude Allègre depuis longtemps. Il est doté d'une intelligence fine et brillante. Le courage est sa seconde nature. Il n'a aucun esprit de clan ou de système. Il est libre à un point que j'ai rarement rencontré jusqu'à présent. De surcroît, c'est un homme enjoué, sympathique, aimant la vie et d'une grande humanité. J'aurais pu travailler avec lui, même si je le savais capable d'allumer des incendies par mégarde ou par goût. Quand il rencontra ses problèmes de santé, il leur fit face avec une volonté indomptable. J'allais le visiter plusieurs fois dans son appartement du 15e arrondissement de Paris et aussi à l'hôpital des Invalides où il était demeuré plusieurs mois. Il avait réussi à retrouver presque intégralement sa capacité à parler et à s'exprimer. C'était vraiment émouvant de le voir tant lutter et reprendre quasiment tout à zéro. Quels progrès il avait accomplis depuis sa première hospitalisation aux Invalides ! Il m'a donné une fameuse leçon de vie. Je ne l'ai jamais vu se plaindre ni dire du mal de qui que cela soit. Jusqu'à ce jour, il continue à fourmiller d'idées pour la France et de projets pour lui. Sa femme, qui étrangement se prénomme Claude comme son mari, est admirable d'amour, de dévouement et d'optimisme. On raconte, je ne sais si c'est complètement exact, que Lionel Jospin ne lui a jamais pardonné le soutien qu'il m'avait apporté. Si c'est vrai, il aura eu bien tort, car il se sera privé de la compagnie d'un homme dont la conversation illumine tous ceux qui ont la chance de le connaître. Je suis de ceux-là.

*
* *

Dans la vie du président de la République, les voyages se succèdent à un rythme effréné mais il est difficile de faire autrement tant les opportunités sont nombreuses et les refus de déplacement vécus douloureusement par les pays qui se trouvent alors humiliés qu'on ne les considère pas comme incontournables. C'était d'autant plus exact avec l'Inde. Il s'agissait d'une priorité, car je voyais depuis des années cette nation grande comme un continent prendre une place majeure dans les affaires internationales. Elle comptera bientôt la population la plus nombreuse du monde, devant la Chine, où la politique de l'enfant unique, aujourd'hui abandonnée, a ralenti la progression démographique. Regarder une carte du monde et la place que l'Inde y occupe a quelque chose de vertigineux. Et il s'agit d'une démocratie. Quand on imagine la diversité de ce pays qui n'utilise pas moins de quinze langues sur ses billets de banque, on mesure le défi que peut représenter sa gestion au quotidien. Je voulais construire une alliance stratégique avec les Indiens. Elle présentait beaucoup d'avantages. D'abord, les rapports avec ces gouvernements n'étaient pas soumis à la pression que nous connaissions avec les régimes chinois ou russes, où tout était empoisonné à chaque fois par la question des libertés démocratiques et des droits de l'Homme. Ensuite, parce que, malgré sa taille gigantesque, ce pays demeurait à un niveau de développement économique assez faible. Nous pouvions, en conséquence, parler dans un rapport équilibré, ce qui n'était depuis longtemps plus le cas avec les États-Unis et la Chine. Enfin, parce qu'ils étaient préoccupés par l'affirmation de la puissance chinoise. Nous aussi. Il y avait là un moyen de faire un contrepoids utile. J'ajoute qu'à la différence des Britanniques, nous n'avions pas un lourd passé colonial à assumer ou à effacer. Tout ceci militait pour une initiative d'ampleur dans leur direction, et ce même si je connaissais l'extrême complexité de leur système de gouvernement et la très grande difficulté de conclure des contrats et de faire des affaires dans une économie qui était encore profondément touchée par la corruption et la violence des rapports ethniques. J'étais enthousiaste et impatient de découvrir ce nouvel univers.

J'atterrissais au petit matin à New Delhi, et étais reçu dans la foulée au palais présidentiel de Rashtrapati Bhavan. L'arrivée sur l'esplanade était impressionnante. C'était immense, beau, intégralement anglais et complètement indien ! Le mélange des cultures et des styles sautait aux yeux du visiteur ébahi. Ses hôtes avaient conservé tant d'habitudes, d'architectures, de rites, de costumes et de manières anglaises, tout en étant des Indiens dont personne ne pourrait se risquer à mettre en cause l'identité ! La Garde d'honneur me fit penser à ces films des années 1950 qui se déroulaient dans les colonies anglaises. Je me trouvais immédiatement dans l'univers de mes hôtes. Le Premier ministre Manmohan Singh était un sikh. Il portait en permanence cette curieuse coiffe en tissu qui lui permettait d'enrouler à l'intérieur ses cheveux qu'il ne coupait pas. Sa courtoisie était exquise, ses manières évoquaient celles d'un lord anglais, un sourire était constamment accroché à son visage. Il était pacifique, humble, secret et très attentionné. Il parlait peu et écoutait beaucoup. Malgré ces différences, nous nous sommes immédiatement trouvés en accord. Nous sommes devenus assez proches sans être intimes. Je l'enjoignais à prendre toute la place dans les affaires du monde que l'importance de son pays justifiait. Je demandais notamment que l'Inde puisse disposer d'un siège de membre permanent du Conseil de sécurité. Comment imaginer que le pays le plus peuplé de la planète n'ait pas voix au chapitre de façon permanente ? Cela n'avait, à mes yeux, plus aucun sens. Il partageait à l'évidence mon point de vue mais était, par sa culture comme par son tempérament, très réservé, voire timide. Il était dès lors impossible de lui arracher la moindre parole forte et encore moins d'obtenir qu'il tapât du poing sur la table. C'eût été trop lui demander. Je voulais également resserrer fortement notre coopération militaire. Je lui proposais de sortir de la seule relation « acheteur-vendeur » pour passer à celle de partenaires sur des projets conjoints de recherche, de développement et de transfert de technologies. Nous avions notamment beaucoup à faire en matière de lutte contre le terrorisme, l'Inde étant l'un des pays les plus régulièrement frappés. Un autre point fort de mon voyage concernait le nucléaire civil. Le marché indien était évalué à pas moins de vingt-cinq à trente centrales nucléaires. C'était peu dire que la compétition faisait rage entre les États-Unis, la Russie, la Chine et nous. Ma visite était cependant plus politique qu'économique. L'Inde était devenue une superpuissance et avec elle nous pourrions davantage peser sur les grands dossiers du moment. J'avais choisi New Delhi pour faire des déclarations que je voulais les plus fortes possibles sur le système financier mondial qui commençait à sérieusement nous préoccuper. La crise n'avait pas commencé, mais je voyais des évolutions inquiétantes et lourdes de menaces. C'est pourquoi j'affirmai : « Il est plus que temps de mettre de la transparence et de nouvelles règles prudentielles dans le système financier mondial, et d'ailleurs national. Il faut prêter de l'argent pour les activités économiques qui, à terme, généreront des richesses plutôt que d'aller spéculer sur différentes activités qui font des flux énormes et des profits considérables en quelques heures. » Je faisais ces déclarations sur la nécessité de la moralisation du capitalisme à la fin du mois de janvier 2008 ! La crise éclaterait finalement à l'automne de la même année. Mon ambition était claire. Je voulais que la France devienne la meilleure amie de l'Inde, que celle-ci appartienne à un G8 élargi, et soit membre permanent du Conseil de sécurité. Le patron des patrons indiens déclara dans la presse indienne durant mon séjour : « Le président français est le visage moderne de la planète Terre. » C'était de bon augure pour la suite, et ce d'autant que j'avais été invité par le Premier ministre indien à présider, le lendemain matin, la parade militaire donnée pour la célébration du Jour de la République sur le Rajpath. Il s'agissait de leur fête nationale qui se déroulait sur la plus grande avenue de New Delhi. Le spectacle était surréaliste et si différent de tout ce qu'il m'avait été donné de voir jusqu'à présent. J'étais assis entre le Premier ministre et la présidente dans la tribune d'honneur, derrière une vitre blindée. Pendant deux heures et demie, nous vîmes défiler toute l'Inde. Et cela faisait beaucoup ! Chaque région était représentée à sa manière. Les véhicules militaires transportant des missiles de la dernière génération et des fusées couchées voisinaient avec les chars fleuris du Rajasthan et les enfants des écoles de Bombay. La musique militaire alternait avec des orchestres festifs. C'était un festival de couleurs, de senteurs, de différences, de discipline et en même temps d'exubérances. Je ne savais plus où regarder tant tout attirait l'oeil. Il y avait des Indiens de toutes les couleurs, de toutes les conditions, de toutes les religions. Il y avait aussi beaucoup d'animaux. Des régiments entiers défilaient à cheval, à dos de chameaux, et même d'éléphants. Le public était extrêmement nombreux, bigarré, enthousiaste. Les familles étaient venues avec leurs enfants. Chacun pouvait applaudir à tout rompre au passage des chars de sa région ou des régiments les plus prestigieux. C'était une revue résumée de l'Inde en deux heures. Un raccourci de toutes ses diversités. C'était spectaculaire et instructif quant au potentiel futur de ce pays-continent. J'étais vraiment conforté dans mon choix initial d'un partenariat privilégié. Le fait de présider un événement d'une telle ampleur relevait dans le même temps l'attente que suscitait encore la France, pour peu qu'elle sache trouver les mots et choisir les bonnes initiatives. Aider l'Inde à prendre toute sa place dans la gouvernance mondiale était vraiment le bon chemin. J'étais même étonné que nous soyons si peu nombreux parmi les chefs d'État à le proposer. Ce n'était pourtant pas très difficile à imaginer...

L'Inde, c'était aussi « Bollywood » et ses studios de cinéma. C'est sans doute la nation la plus romantique au monde. Or, le voyage avait lieu quelques jours avant mon mariage avec Carla. La présence de cette dernière avait été espérée par toute la presse indienne jusqu'au dernier moment. Naturellement, Carla et moi ne l'avions jamais imaginé ! Non pas que nous ne le désirions pas... mais comment justifier que j'arrive avec « ma compagne » ? Cela aurait placé le protocole indien dans une situation embarrassante. Les critiques auraient été nombreuses en France. Tout autre choix était déplacé. Ce n'était pas une question de bourgeoisie ou de conservatisme, juste une affaire d'éducation ! Pour l'occasion, toute la presse indienne faisait ses premiers titres avec la question : « Viendra-t-elle ? » C'était bon enfant, respectueux, sentimental, et même assez touchant. L'ambiance était tout autre parmi les journalistes qui suivaient le voyage en grand nombre. C'est peu de dire que l'Inde ne les intéressait que fort peu. Il y avait même le journal *Point de vue – Images du monde* qui avait envoyé sa directrice. Je ne la connaissais pas. J'avoue ne pas avoir été un lecteur régulier de ce magazine, dont j'avais vaguement l'idée qu'il s'occupait à retracer la vie des familles royales avec un ton plutôt aimable, voire fleur bleue. Quelle ne fut pas ma surprise, lors de la conférence de presse où je devais présenter le bilan de mon voyage, d'en entendre la première question, posée par cette femme ! Avec une grande agressivité, elle exigeait « des explications sur l'absence de Carla ». La même ferait par la suite quantité de commentaires sur la façon dont nous « osions » mettre en scène notre vie privée. Elle avait donc effectué vingt mille kilomètres qui l'avaient visiblement fatiguée pour obtenir une réponse à une question qu'elle aurait pu elle-même résoudre. Lors du dîner d'État, offert en l'honneur de la France par la présidente de la République indienne Pratibha Patil au palais présidentiel, j'étais assis entre cette dernière et l'épouse d'une éminente personnalité politique indienne, une femme d'une grande élégance et d'âge mur. Elle était habillée en sari. Comme beaucoup d'Indiens rencontrés durant ce voyage, elle semblait d'un commerce affable, amicale et ouverte. À la fin du dîner, elle se pencha vers moi en rougissant légèrement : « Monsieur le Président, j'ai une question personnelle qui me brûle les lèvres. Puis-je vous la poser ? » Un peu interloqué, je répondis en souriant : « Mais certainement, Madame. » Elle continua : « J'ai vu votre regard brûlant. Vous n'êtes pas un politique comme les autres. Vous êtes comme nous, les Indiens, un sentimental. Allez-vous épouser Carla ? » J'étais si surpris que j'éclatai de rire avant de lui répondre. « Ne vous trompez pas sur moi, j'ai la politique dans le sang. Le fauve peut faire les yeux doux mais il reste un fauve ! » Elle insista « Et ma question ? » « Donnez-moi votre parole, Madame, que cette conversation restera entre nous. » Elle acquiesça avec un empressement touchant. Je lui dis alors : « Oui, et même très bientôt. » Elle explosa. « J'en étais sûre ! » Visiblement cela rendait heureuse ma voisine d'un soir. Encore aujourd'hui, je remercie ma surprenante confidente indienne d'avoir si scrupuleusement conservé notre secret. Parfois, on n'est pas déçu de faire confiance, y compris à des inconnus. Je terminai mon voyage en rencontrant les représentants des différentes forces politiques du pays dans mon hôtel. Parmi eux se trouvait une personnalité mythique, en tout cas à mes yeux, en la personne de Sonia Gandhi, la présidente du parti du Congrès, l'épouse du fils d'Indira Gandhi, elle-même fille de Nehru. C'était une femme d'une beauté et d'une allure exceptionnelles, mais je m'aperçus vite qu'elle était aussi froide et pouvait même être hautaine. J'étais cependant curieux de voir vivre cette dynastie familiale, avec cette mère qui se battait tant pour imposer son fils. J'étais si fatigué dans l'avion du retour que je vis à peine le temps passer. Ces voyages étaient éreintants, mais ils m'offraient une coupure bienvenue, un espace où penser à autre chose qu'à l'actualité nationale, comme une bouffée d'oxygène où je pouvais reprendre mes esprits. En trois jours, l'ambiance à Paris ne s'était pas allégée. C'était dans ces moments précis qu'il fallait savoir rester calme et garder son sang-froid. Je pressentais que tout maintenant allait faire polémique. Je me devais d'être prudent. C'était une chose de le savoir, c'en était une autre d'éviter de tomber dans les provocations. Je n'allais pas tarder à m'en apercevoir.

*
* *

Quand les choses commencent à tourner mal, il n'y a rien à faire, et surtout rien de brusque ! Il faut descendre la pente et attendre que cela passe. L'approche des élections

et les sondages à la baisse donnaient des ailes à mes contradicteurs et rendaient les commentateurs plus sévères. Ma
faiblesse politique apparente donnait du courage et de
l'énergie à tous ceux qui attendaient ce moment pour se
mettre en marche. Le pire est venu, comme d'habitude,
d'où je l'attendais le moins. Un dénommé Airy Routier
écrivit un article dans *Le Nouvel Observateur* affirmant
que j'avais envoyé un SMS à mon ancienne femme,
Cécilia, libellé ainsi : « Si tu reviens, j'annule tout ! » Je
précise que j'avais divorcé depuis trois mois et que je
venais de me marier ! Bien sûr, il n'en avait aucune preuve,
comme la suite allait le montrer. Mais je me demandais
ce que j'avais bien pu faire à cet Airy Routier pour qu'il
se comportât de la sorte. C'était blessant pour moi, cruel
pour Carla, inutile et d'une bassesse peu commune. Où
en était tombé *Le Nouvel Obs* pour publier des articles
de la sorte ? C'était une intrusion dans la vie d'un couple
basée sur un mensonge et dont le seul but était la volonté
de détruire. Le « bobard » fut hélas repris partout comme
s'il s'agissait d'une information. Carla l'entendit un matin
en écoutant la matinale d'Europe 1. Elle était en larmes.
Je décidai immédiatement de déposer plainte au pénal et
mis l'auteur de l'article au défi de publier ce fameux SMS.
Piteusement, il ne put le faire et pour cause. Il écrivit plus
tard une lettre à Carla pour s'excuser. Des excuses privées
n'étaient qu'un prétexte à se trouver des raisons de s'être
comporté aussi mal. Le propriétaire du journal, Claude
Perdriel, conscience de gauche et milliardaire aimant
pérorer et donner des leçons, s'excusa aussi, mais le mal
gratuit avait été fait. Ce fut l'une des rares fois dans ma

vie où je me suis demandé si la politique méritait de tels sacrifices. Je n'étais pas étonné par le comportement de ce journaliste. Je savais qu'il était prêt à colporter toutes sortes de rumeurs. Ma stupéfaction vint du fait que les médias sérieux, ou prétendus tels, avaient pu reprendre le message et lui accorder ne serait-ce que quelques jours une quelconque crédibilité. C'était, en fait, le début de la dégradation d'une forme désormais dépassée d'informations sérieuses et respectueuses d'un minimum de valeurs communes.

Je laisse avec plaisir sur le sujet le dernier mot à Carla qui avait pris sa plus belle plume pour écrire une tribune remarquable qui fut publiée dans *Le Monde* : « La liberté exige d'avoir le sens des responsabilités, tout comme la transparence exige l'honnêteté. Relisez Beaumarchais : "La calomnie, Monsieur ? Vous ne savez guère ce que vous dédaignez, j'ai vu les plus honnêtes gens prêts d'en être accablés... elle s'élance, étend son vol, tourbillonne, enveloppe, arrache, éclate, et tonne, et devient, grâce au Ciel, un cri général, un *crescendo* public, un *chorus* universel de haine [...]. Qui diable y résisterait ?" Réponse : les journalistes. Les vrais. » Il n'y avait pas une parole à ajouter.

À l'inverse, le deuxième incident était entièrement de ma responsabilité puisqu'il s'agissait du fameux « Casse-toi, pauvre... » L'erreur m'en incombe intégralement. C'était un samedi matin où je devais visiter le Salon de l'agriculture. Comme à l'accoutumée, la foule était au rendez-vous de cet événement populaire, bon enfant et joyeux. Ma visite était très attendue. Compte tenu de l'ambiance politique, chacun spéculait sur l'accueil qui me serait réservé ! La veille au soir, j'étais rentré fébrile et malade. J'avais de la fièvre mais ce n'était vraiment pas le moment d'annuler quoi que cela soit. Je démarrai très tôt le matin ce long marathon par un petit déjeuner avec les responsables syndicaux de la FNSEA. C'était toujours un moment agréable car ils connaissaient leurs dossiers sur le bout des doigts et je devais me livrer à un intense travail préalable de mise à jour de mes informations sur leurs sujets de prédilection pour être en mesure de leur répondre avec un peu de pertinence. Ils aimaient leurs métiers et ne voulaient pas mourir. Je les comprenais et appréciais la compagnie de ces « ouvriers de la terre ». Ce jour-là, la pression autour de moi était encore plus présente qu'à l'accoutumée. Il y avait plusieurs dizaines de micros, de caméras, de photographes, de journalistes qui, par leur seule présence, hystérisaient l'environnement, bousculaient les passants et faisaient monter l'agressivité de plusieurs crans. J'ai toujours trouvé un peu ridicules les records de durée qu'il fallait battre à chaque nouvelle visite au Salon, comme les concours de levée de coude, ou la démonstration tapageuse de la capacité de chacun à avaler n'importe quoi à la file. Je préférais de beaucoup les échanges intelligibles et les discussions approfondies. Je devais cependant ne pas rester moins de neuf ou dix heures, sans quoi on m'accuserait d'avoir manqué de respect à mes interlocuteurs paysans. Je terminais toujours ces visites exténué et la tête pleine de tout ce qui m'avait été dit de droite et de gauche. Il fallait être vigilant vis-à-vis de la foule des visiteurs venue en général en famille, dont les opinions politiques étaient par construction à l'unisson des différences françaises. Les caméras étaient braquées sur moi à chaque instant, et ce même quand je ne parlais pas. La moindre faute de concentration se payait cash. Il ne devait pas être loin de 12 h 30. J'arpentais le salon depuis près de cinq heures. L'accueil avait été bon, voire très bon. Il n'y avait pas eu le moindre sifflet et en revanche beaucoup d'applaudissements s'étaient fait entendre. Cela arrivait très fréquemment dans les périodes difficiles. Le public français est plutôt gentil. Lorsqu'il voit quelqu'un être attaqué par tous, il a tendance à en rajouter dans son soutien. J'étais content, et confiant, comme soulagé par ces conditions d'accueil meilleures que celles qui m'avaient été promises, et même que celles que j'avais pu redouter. C'est alors que l'incident se produisit. Il y avait beaucoup de monde et une certaine confusion. Je me rappelle qu'un grand type s'est soudainement retrouvé devant moi. Était-ce le hasard ou l'avait-il fait exprès ? Je ne saurais le dire. Il se mit juste sur mon passage. Je dus poser ma main sur son bras pour m'excuser et tenter de le contourner tout en lui adressant un « Bonjour, Monsieur ». C'est alors qu'il me dit : « Touche-moi pas, tu me salis ! » Je reconnais que cela ne m'a pas plu. Je m'arrêtai. Je le regardai et lui dis : « Casse-toi, pauvre c... ! » Nous en sommes restés là. Il se retira enfin sans plus de protestation. Quasiment personne autour de moi ne s'était même rendu compte de quoi que cela soit tant la cohue était grande. Hélas pour moi, il y avait une toute petite caméra que naturellement je n'avais pas vue. Elle, à l'inverse, avait tout saisi, et tout filmé ! La visite se termina parfaitement bien. Je rentrais à l'Élysée satisfait. J'avais décidé de me reposer cette après-midi-là et de soigner ma fièvre. C'est seulement au milieu de l'après-midi que je pris connaissance des dégâts. La vidéo était devenue virale. De mémoire, je crois me souvenir qu'elle avait très vite dépassé les deux millions de vues. Comme on peut l'imaginer, les polémiques redoublèrent. Je fus attaqué de toutes parts. Chacun y allait de sa propre analyse sur la sagesse qui me faisait défaut, sur mon éducation qui était défaillante ou même sur une forme de violence que j'avais de plus en plus de mal à contenir. J'ai remarqué que « les observateurs » sont toujours très diserts dans ce genre de situations, car ils peuvent parler jusqu'à satiété sans avoir à ouvrir un dossier ni travailler un sujet. Chacun dit sa vérité sans être contredit et trouve ainsi prétexte à déverser toute sa frustration politique. C'était entièrement de ma faute. Je n'avais qu'à ne pas tomber dans ce piège comme un débutant. Je n'avais vraiment pas besoin de cela, mais c'était ainsi. Pour le coup, et pour reprendre une expression de mon successeur : « Un Président ne devrait pas dire ça ! » C'était une erreur, voire une faute, même s'il n'y avait pas lieu d'aboutir à un tel charivari politicien qui, d'ailleurs, dura moins longtemps que j'aurais pu le craindre. Pourquoi cette inespérée brièveté ? La polémique qu'a connue Emmanuel Macron lorsqu'il s'était adressé à un jeune en lui disant : « Moi, je traverse la rue, je vous en trouve, un emploi ! » m'a fourni des éléments de réponse. Je ne veux pas juger ni critiquer Emmanuel Macron. Il a bien assez de contempteurs pour cela. Il n'a pas besoin de moi en plus. Mais j'ai observé qu'on lui avait reproché d'avoir pu paraître méprisant à l'endroit de son interlocuteur. Je suis certain que ce n'était pas l'intention de l'actuel président de la République, mais c'est l'image que ses adversaires ont voulu laisser de lui. Quant à moi, j'étais passé pour grossier, mais pas pour arrogant. En France, il n'y a rien de pire que l'arrogance. C'était ainsi que, comme pour les pêcheurs du Guilvinec, je reçus par la suite un très abondant courrier de soutien de Français qui avaient tenu à me faire savoir : « À votre place, j'aurais fait la même chose. Il ne faut pas se laisser insulter sans rien dire ! » C'était gentil, mais ils n'étaient pas à ma place. J'étais président de la République et je n'aurais pas dû me mettre à la portée de mon « insulteur » du jour. C'était une erreur et une bêtise de tomber à pieds joints dans un piège aussi grossier.

*
* *

Dans cette ambiance difficile le déplacement à Cherbourg qui suivit pour le lancement du nouveau sous-marin nucléaire *Le Terrible* tombait à point. En tant que chef des Armées, je me devais d'assister à l'événement, et d'ailleurs, il s'agissait d'un changement de sujet très bienvenu. Je dois reconnaître avoir été plus surpris que je n'aurais pu l'imaginer à la vue, en cale sèche, de cet impressionnant sous-marin. Je ne m'attendais pas à ce qu'il soit si imposant. Je n'avais pas réalisé qu'il était haut comme un immeuble, et si large. Ses dimensions parlaient à elles seules. *Le Terrible* était long de 138 mètres. Son diamètre était plus que respectable avec ses 12,5 mètres. Il pouvait transporter 111 hommes à une vitesse de 30 à 40 km/h à plusieurs milliers de mètres de profondeur. Le tout en faisant le bruit d'un four à micro-ondes. C'est dire les prouesses techniques qu'il convenait de réaliser pour produire un engin de cette qualité. Il portait dans ses flancs seize missiles mer-sol balistiques stratégiques à capacité nucléaire dont la portée était de huit mille kilomètres. Cela représentait cinquante fois la puissance de la bombe de Hiroshima pour chaque ogive. La spécificité de ce sous-marin était, en outre, d'être quasi indétectable et de pouvoir frapper à tout moment, et dans toutes les directions. Quel que soit le sacrifice qu'il représentait pour les finances de la nation – le budget de la Défense était devenu le second poste de dépense de l'État, juste après celui de l'Éducation –, je demeurais convaincu que la justesse de la cause méritât cet effort, au-delà même de notre sécurité nationale qui, en soi, constituait déjà un objectif suffisant. Ma conviction était que la France ne serait plus une grande puissance si elle abandonnait ses ambitions en matière de modernisation de son arme nucléaire. Les conséquences d'un tel renoncement sur notre statut et notre capacité d'influence seraient immenses. Il faut bien avoir conscience que nous avons, tout au long des dernières décennies, comme nombre de nos partenaires européens, perdu beaucoup des atouts qui avaient fait de la France une superpuissance au sortir de la Deuxième Guerre mondiale. D'autres pays ont surgi et pris notre place. Ils sont plus nombreux, ont plus de ressources en matières premières et un territoire plus grand que le nôtre. L'arme nucléaire et notre capacité de dissuasion demeurent une marque qui n'appartient qu'aux grands ce monde. Cette marque a un prix. Nous avons hérité des rêves de grandeur française du général de Gaulle. Y renoncer aujourd'hui porterait un coup fatal et définitif à notre place et à notre rôle dans le monde. Il faudra bien en mesurer les conséquences au moment de faire ce saut dans l'inconnu. Pour moi, c'est clair, je ne pourrai accepter un tel renoncement et m'y opposerai de toutes mes forces.

*
* *

Les élections municipales ne furent pas bonnes pour la majorité, mais la large défaite qui nous était promise n'a pas eu lieu pour autant. Le premier tour vit notamment quelques bonnes surprises. D'abord en termes de voix, puisque les listes de gauche obtenaient 47 % des voix contre 45 % pour celles de droite. La gauche avait fait mieux mais la droite s'était tenue. Ensuite, deux de mes jeunes ministres obtenaient des résultats flatteurs en étant élus dès le premier tour : Luc Chatel à Chaumont, et

Laurent Wauquiez au Puy-en-Velay. Le deuxième tour fut cependant plus difficile, car l'opposition conservait Paris et engrangeait de nombreuses villes moyennes. C'était finalement un schéma assez classique dans lequel les Français, après avoir donné les victoires présidentielles et législatives à la droite, rééquilibraient la répartition des pouvoirs pour les municipales. Les résultats étaient attendus et ne changeaient pas grand-chose, si ce n'était à créer de l'agitation et de la division dans la majorité, ce qui n'est jamais de bon augure. C'était dans ces moments qu'il fallait savoir tenir solidement le gouvernail du navire France. C'est ce type de périodes qui s'avéraient les plus usantes et les plus difficiles, car les critiques comme les attaques étaient incessantes. Le phénomène me faisait penser aux vagues de la mer qui viennent s'abattre contre la digue et finissent par la miner par une multitude de coups sourds et répétés mais qui à la fin risquent de tout emporter. Contrairement à ce que l'on pouvait imaginer, les attaques les plus fortes ne venaient pas des adversaires politiques mais de ma propre majorité ! C'était l'occasion pour tous ceux qui n'avaient pas obtenu satisfaction dans leurs espérances et dans leurs demandes de « solder les comptes. » Sans surprise, Alain Juppé, seul de mes ministres à avoir été défait aux élections législatives neuf mois auparavant, déclara : « Sarkozy a fait une erreur. » Jean-Pierre Raffarin affirmait dans un parfait contresens que nous étions trop à droite. Pour Renaud Dutreil, qui fut éliminé dès le premier tour à Reims : « Tout [était] de la faute d'un président impopulaire. » Rien de très nouveau. François Fillon à l'inverse fut assez solide et resta calme.

Je savais pertinemment qu'il y aurait des moments difficiles. Je m'y étais préparé et je sentais que le pire, dans
ce genre de situation, aurait été de demeurer immobile. Il
fallait au contraire accélérer sur le chemin des réformes.
 Je me remis au travail avec encore plus d'énergie, je
pourrais même dire d'acharnement. Je le fis d'autant
plus facilement que le premier dossier d'actualité me
touchait tout particulièrement, sans doute une résur-
gence de mes années place Beauvau puisqu'il s'agissait de
la rétention de sûreté à appliquer aux criminels sexuels,
une fois que ceux-ci avaient effectué leurs peines. Je ne
voulais pas qu'ils quittent la prison avant que la société
ne pût s'assurer qu'ils n'étaient plus dangereux pour elle.
J'avais indiqué : « Le devoir de précaution s'applique
pour la nature, il doit s'appliquer pour les victimes. On
ne peut pas laisser des monstres en liberté au motif qu'ils
ont effectué leurs peines. » La loi qui fut présentée par
Rachida Dati avait été adoptée mais le Conseil constitutionnel avait censuré son application pour le passé.
Autrement dit, pour les prédateurs sexuels futurs, la loi
pouvait entrer en vigueur, mais pour ceux du passé, dont
on connaissait la dangerosité, non ! Sacré Jean-Louis
Debré ! Qu'aurais-je dit aux parents d'un enfant marty-
risé ? Pardon, mais ce récidiviste a commis son premier
crime avant l'entrée en vigueur de la nouvelle loi. Il a dû
être remis en liberté. C'était absurde intellectuellement
et juridiquement, puisque la rétention de sureté n'est pas
une peine, et choquant moralement. À tout prendre, je
préférais la position de Robert Badinter, avec qui j'eus
une violente polémique tant il était opposé au principe de

la rétention de sûreté. Mais c'était son droit : nous étions en désaccord frontal, mais au moins cela avait le mérite de la clarté. La décision du Conseil constitutionnel, non. Cela illustrait parfaitement le décalage entre l'exigence de protection formulée par les Français et le juridisme déplacé qui entravait l'efficacité de l'État. Naturellement, la gauche applaudissait des deux mains. Elle conservait ses principes vertueux et refusait que l'on traitât la question des criminels sexuels récidivistes. Le clivage était révélateur entre ceux qui voulaient être les gardiens sourcilleux de leurs principes et nous qui pensions qu'à force d'inefficacité dans son action quotidienne, l'État finirait par miner ces mêmes principes devenus aux yeux des Français synonymes d'impuissance.

*
* *

Un autre dossier m'avait beaucoup mobilisé et commençait à bien prospérer, avec l'Union pour la Méditerranée. J'avais convaincu, non sans mal, Angela Merkel, qui y était à l'origine très opposée, de m'aider. Elle avait même fini par accepter de « vendre » ce projet à ses collègues européens lors d'un Conseil qui se tenait le 13 mars à Bruxelles. L'idée consistait à arriver à faire travailler ensemble les vingt-sept pays membres de l'Union européenne et les douze États du sud de la Méditerranée, Israël compris, ce qui avait représenté une difficulté supplémentaire au sujet de laquelle je ne pouvais en aucun cas céder. J'avais imaginé tout à la fois une coprésidence d'un État membre de l'U.E. et d'un pays du Sud et un sommet de l'Union pour la Méditerranée tous les deux ans. L'obstacle sensible avait été de dépasser le processus préalable dit « de Barcelone », qui n'avait rien donné, sans blesser les Espagnols. J'avais dû développer des trésors d'amabilité et des arabesques de diplomatie pour y parvenir. Finalement, le 14 mars 2008, le Conseil européen de Bruxelles vota à l'unanimité la transformation du processus de Barcelone en Union pour la Méditerranée, posant comme date du premier sommet fondateur le 13 juillet à Paris. C'était peu dire que j'étais soulagé et heureux de ce nouveau succès diplomatique obtenu de haute lutte. Je n'en revenais pas des efforts qu'il m'avait fallu engager pour une cause en fin de compte si juste et si utile. J'aurais même pu dire si évidente. Je m'attendais à des difficultés extrêmes pour faire asseoir à la même table l'autorité palestinienne, les pays arabes et Israël. Je n'imaginais pas que les pesanteurs les plus fortes viendraient de la machine bruxelloise et des pays du nord de l'Europe que je n'avais jamais vus si sourcilleux à propos de la Méditerranée, qui n'était pourtant pas un sujet d'intérêt et encore moins de préoccupation pour eux. Mais en Europe, tout le monde se méfiait de chacun, et si une initiative était prise, il fallait en être pour ne pas paraître exclu ! Mieux valait que tous demeurent immobiles plutôt que quelques-uns continuent d'avancer.

Dans la foulée, je recevais à Paris le chef de l'État israélien, Shimon Peres. C'était important. D'abord parce qu'il s'agissait d'Israël. Or, à mes yeux, ce n'était pas un pays comme les autres. Après la Shoah, il existait désormais un endroit où les juifs du monde entier, s'ils se sentaient menacés, pouvaient trouver un refuge. L'État hébreu était né de siècles de persécutions un peu partout dans le monde et d'un crime innommable lors de la Deuxième Guerre mondiale. Juifs comme non juifs, personne n'a le droit d'oublier ces événements ni les conséquences qui en furent tirées avec la naissance d'Israël. La disparition de cet État serait l'ultime négation de cette tragédie qui fait honte à l'Humanité dans son ensemble. J'ai souvent été en désaccord avec les dirigeants israéliens et leurs politiques, mais je n'aurais pas hésité à engager la France à défendre Israël si elle avait été menacée dans son existence. C'était à proprement parler inacceptable à mes yeux. Shimon Peres était une personnalité atypique dans le personnel politique israélien. D'abord parce qu'à la différence de beaucoup d'autres, comme Rabin, Sharon ou Netanyahou, sa légitimité n'était pas militaire. Il n'avait jamais été un combattant héroïque comme tant d'autres de ses prédécesseurs. Et malgré ce manque, qui n'était pas un détail dans son pays, il avait réussi à se construire une place à part dans le cœur de ses concitoyens par la seule force de son intelligence, de sa gentillesse, de son amour de la paix et de la réconciliation. Il était de gauche, et pour autant, nous avons toujours été très proches. J'aimais parler avec lui. Il fourmillait d'idées et de projets. Jusqu'à la fin de sa vie, alors qu'il était déjà très âgé puisqu'il avait dépassé les 90 ans, il se passionnait encore pour tout. L'une des dernières fois où je l'ai rencontré, c'était en 2015, à l'hôtel Raphaël à Paris, qu'il affectionnait tout particulièrement. Il était toujours entouré de jeunes collaboratrices qui le vénéraient et avec qui il était toujours gentil et respectueux. Aucun conflit, aucune dispute ne lui semblait jamais définitif. Il possédait toujours les clefs d'un compromis, d'une nouvelle alliance, d'une formule qui permettrait à chacun de se retrouver autour de la même table. Il était chaleureux, amical, tactile. Il embrassait ses amis, les femmes comme les hommes, avec un curieux mouvement des lèvres qu'il poussait vers l'avant. Il était toujours vêtu très élégamment, sans une once de négligé ! Il avait tout lu et rencontré la planète entière. C'était une mémoire vivante. Depuis sa mort, j'ai souvent pensé à lui avec affection. Il manque sa finesse d'analyse et son intelligence à la vie politique israélienne, qui est devenue si brutale et si binaire. Il m'avait offert, lors d'un voyage à Paris, un petit olivier taillé en bonzaï. Curieusement, ce petit arbre m'a accompagné partout. Il fut d'abord dans le salon de notre appartement privé à l'Élysée, puis dans mes bureaux de la rue de Miromesnil et enfin dans notre domicile à Paris. Il se porte comme un charme. Il y a toujours la plaque où est inscrit : « Offert par Shimon Peres ». Shimon serait sans doute heureux que cet arbre, symbole de paix qu'il aimait offrir, ait été si précieusement conservé, et lui ait survécu. Belle leçon de modestie. Il arrive aux êtres humains de vivre moins longtemps que certains arbres, même lorsqu'ils ont été présidents et Premiers ministres de leur pays. Je me suis rendu à ses obsèques, à Jérusalem, en compagnie du président François Hollande qui avait, à juste titre, tenu à faire le déplacement pour honorer la mémoire de ce grand homme. Le monde entier était présent. Ce n'était que justice. La foule était compacte pour ce dernier hommage. Je regrettais seulement que la parole fût donnée à deux présidents américains, Bill Clinton et Barack Obama, et à aucun Européen. C'était une erreur car, par sa vie et sa culture, Shimon Peres était aussi un grand Européen.

*

* *

Au moment de l'anniversaire de la première année de mon quinquennat, je devais me rendre en Tunisie pour plaider, encore et toujours, en faveur de mon projet d'Union pour la Méditerranée. C'était un voyage utile et en même temps sensible. Utile, parce que la Tunisie est un petit pays de douze millions d'habitants coincé entre l'immense Algérie et l'instable Libye, mais qui avait toujours exprimé des positions pacifiques et équilibrées. Cela avait même conduit ce peuple cultivé et paisible à construire une forme de stabilité qui, de Bourguiba à Ben Ali, ne s'était jamais fissurée. Les touristes s'y pressaient par millions chaque année, les femmes y exerçaient plus de responsabilités que dans n'importe quel autre pays arabe, le budget de l'Éducation était de loin le premier poste de dépenses du pays. Ce n'était certes pas une démocratie, mais pas non plus la pire des dictatures

au sens où il y en avait de bien plus cruelles à travers
le monde. Sensible, le voyage l'était parce qu'il s'agissait
du président Ben Ali qui était détesté de toute la presse.
La seule présence à ses côtés vous faisait passer pour un
soutien du « tyran ». Par quelque bout que je le prenne,
ce problème n'avait que de mauvaises solutions. Ne pas
me rendre en Tunisie était impossible dans la perspective du prochain sommet de l'UPM à Paris, où je voulais
ardemment que tout le monde soit rassemblé. Une fois à
Tunis, je ne pouvais décemment pas attaquer le président
tunisien. Et ne rien dire me ferait devenir, à mon tour,
la cible des journalistes pour lesquels la seule question
vraiment intéressante était celle des libertés en Tunisie.
C'était injuste car, s'il y avait des côtés obscurs du régime
Ben Ali, nul ne pouvait mettre en doute qu'il combattait résolument les islamistes, qu'il faisait la promotion
des femmes tunisiennes – le gouvernement était quasi
paritaire – et que l'effort d'éducation au service des
jeunes générations était incontestable. Il suffit pour s'en
convaincre de constater ce que furent ces dix dernières
années pour la malheureuse Tunisie, qui méritait mieux
que des attentats, des blocages et des violences. Ben Ali
était un homme assez étrange dans son apparence. Ses
cheveux étaient teints d'un noir de jais profond où n'apparaissait pas un seul cheveu blanc, alors qu'il avait dépassé
les 70 ans. Ce devait être une préoccupation pour lui. Son
visage était curieusement empâté, parfois boursouflé, me
laissant penser que la chirurgie esthétique avait pu y laisser des traces... Il donnait un sentiment de bonhomie et
de calme. On pouvait lui parler librement et facilement.

Il était plus lucide que nombre de ses homologues. Il m'expliquait notamment que l'effort massif concentré au service de l'éducation avait une contrepartie négative. En effet, le niveau moyen de formation des jeunes tunisiens avait beaucoup progressé, alors que les postes de cadres que pouvait offrir l'économie tunisienne n'avaient que peu augmenté. Ce qui avait pour conséquence de laisser au chômage un nombre de plus en plus élevé de jeunes diplômés. Cela l'inquiétait beaucoup. Les événements qui suivirent, avec les Printemps arabes, lui donnèrent tout à la fois raison et un coup fatal. Ben Ali était francophone et francophile. Je ne pouvais me départir d'une certaine sympathie à son égard. Au fond, la même que celle que j'éprouvais à l'endroit du président Moubarak. Le vrai talon d'Achille du président tunisien était sa femme, qu'il adorait et à qui il passait tout, et surtout sa belle-famille particulièrement âpre aux gains de toutes natures et dans toutes les situations. Le phénomène avait fini par prendre une telle ampleur qu'une majorité de Tunisiens en avait fait un abcès de fixation. La famille Trabelsi était devenue le symbole de la corruption. Ils suscitaient la haine d'une majorité de la population. C'est en tout cas ce que l'on me disait.

L'arrivée à l'aéroport de Tunis-Carthage est toujours un éblouissement. Il y a le soleil, les couleurs, la chaleur, l'accueil si chaleureux propre à l'Afrique du Nord, la gentillesse extrême des Tunisiens. Le président Ben Ali était là pour nous accueillir et excuser l'absence de son épouse empêchée par le deuil récent de sa mère. Était-ce la seule raison ? J'en ai douté, car la première dame tunisienne était connue aussi pour son tempérament fantasque. Le fait était qu'en trois jours de présence en Tunisie, Carla et moi ne l'avons jamais croisée, ne serait-ce que quelques minutes. Nous ne nous éternisâmes pas sur le tarmac, car l'accueil officiel et populaire devait avoir lieu au centre de Tunis, sur la grande avenue Habib Bourguiba. Pour l'occasion, un tapis rouge avait été déroulé. Une foule exaltée et organisée scandait sans interruption « Ben Ali, Ben Ali », et de temps en temps « Sarkozy », mais beaucoup plus rarement ! Nous cheminions à pied derrière un camion où étaient juchés les journalistes officiels et installées les caméras tunisiennes. Je n'en fis bien sûr pas la remarque à mon hôte, mais j'avais rarement perçu si peu de spontanéité dans une manifestation de ce type. Tout était encadré, et hélas cela ne se voyait que trop. Des gardes du corps aux épaules démesurées et aux lunettes noires caricaturales nous entouraient de très près. Leurs mines étaient patibulaires et on imaginait aisément que leurs méthodes pouvaient être radicales. Nous cheminâmes ainsi quatre ou cinq cents mètres. J'avais hâte que cette comédie se termine. Carla avait tout de suite senti l'ambiance et perçu le manque de spontanéité. À trop vouloir en faire, le président Ben Ali était arrivé au résultat inverse. Lors de la réunion de travail qui suivit, nous eûmes un entretien approfondi sur la situation tunisienne. Ce qu'il me disait semblait cohérent. J'entendais sa volonté d'ouverture, de modernisation et de développement du tourisme. Mais qu'y avait-il d'exact ? Quelle était la part du fantasme ? Connaissait-il lui-même la

vérité sur ce qu'il se passait réellement dans son pays ?
Il était notamment fier de son propre parti, de son organisation, de ses centaines de milliers d'adhérents. Ce n'était
que du décor. Nous eûmes un dîner d'État au palais présidentiel. Le lendemain, je pus visiter la Médina entouré
d'hommes en armes. J'eus le loisir d'arpenter les ruines de
Carthage et de pénétrer dans la mosquée Zitouna. C'était
beau, spectaculaire, méditerranéen et ensoleillé, mais je
percevais de façon diffuse que ce n'était pas vrai. Il s'agissait des façades somptueuses héritées du passé. Mais le
présent tunisien, qu'était-il réellement ? Trois jours de
visite d'État ne permettaient pas à l'évidence de répondre
à la question. Celle-ci me serait brutalement fournie,
par un mouvement que personne n'avait imaginé, et qui
surprit le monde entier.

Le Printemps arabe emporta Ben Ali en 2011. Tout s'effondra comme un fragile château de cartes en un rien de
temps. En quelques jours, il ne restait plus rien de ses
vingt-cinq années à la tête de son pays. Il n'eut que le
temps de fuir piteusement dans un avion pour Djeddah,
afin d'échapper au lynchage dont la réalité n'aurait pas été
que politique. Ce régime que tous les présidents français
successifs, moi compris, avaient cru solide s'était littéralement effondré sur lui-même. Nos ambassadeurs et nos
ambassades, nos spécialistes et nos services de renseignement, nos hommes d'affaires comme nos élus n'avaient
rien senti, anticipé, imaginé. J'espère que la Tunisie si
proche du cœur de tant de Français trouvera son chemin.
Je prie surtout pour que le pays du jasmin ne tombe
jamais aux mains de ces intégristes qui ont massacré

tant d'innocentes victimes dans le musée du Bardo où sont rassemblées les plus belles céramiques du monde. Au milieu de ces trésors de culture, on trouve désormais les impacts de balles des assassins qui ont été conservés pour que nul ne puisse oublier. Que peut-on imaginer de plus violemment contrasté que ces trésors de culture et de savoir-faire millénaires au milieu des souillures de la barbarie d'aujourd'hui ?

*

* *

Dans la perspective de la prochaine présidence française de l'Union européenne, j'avais décidé de recevoir tous les présidents de groupe au Parlement européen. En cette fin du mois d'avril, c'était au tour de Daniel Cohn-Bendit qui animait celui des Verts. J'ai assez rarement rencontré une personnalité aussi différente dans l'image qu'il donnait de ce qu'il était réellement. Je le connaissais peu. C'était notre première véritable rencontre. Je fus surpris par son apparence physique. Je me l'étais imaginé plus jeune. Or, je l'ai trouvé marqué et plus âgé que je ne le pensais. Je l'avais souvent vu à la télévision et l'avais parfois trouvé brillant, jovial et souriant. Je me retrouvais confronté à quelqu'un d'assez sectaire et de réellement agressif. Je le pensais intelligent et original, je constatais que dans une discussion approfondie, il pensait et raisonnait faux de façon spectaculaire. Il y avait beaucoup de formules creuses et déconnectées de toute réalité. Seule comptait à ses yeux l'image. Je compris rapidement qu'au-delà du flot de paroles, il connaissait mal les dossiers européens. Mis à part la rengaine fédéraliste, il n'y avait rien ou si peu. C'était une réelle déception. Certes, je n'imaginais pas que nous tomberions d'accord sur beaucoup de sujets, mais c'était pire que je ne l'avais envisagé. En somme, son idéal consistait en ce que le Parlement européen soit un vaste forum de discussions et de débats sans qu'à aucun moment on ne perçoive qui devait au bout du compte prendre et assumer les décisions. Toutes règles un tant soit peu restrictives étaient comme frappées d'illégitimité, comme s'il ne pouvait y avoir de démocratie que dans la pagaille. Mieux valait à ses yeux un sympathique chaos qu'une société ordonnée. Pour le reste, il fallait pêle-mêle la proportionnelle à tous les étages, le fédéralisme partout et une société libertaire pour tous. Et, j'allais oublier le point le plus important, lui-même, au centre de tout. Je mettais assez rapidement un terme à notre rencontre, persuadé que mon interlocuteur avait arrêté l'évolution de sa pensée à l'époque des événements de 1968. Ce fut son âge d'or et il ne cessait depuis de vivre dans la nostalgie de cette période. Je pouvais comprendre cette tentation, en notant toutefois qu'elle était la marque d'une certaine immaturité. Je compris durant notre conversation un autre aspect de la personnalité de mon interlocuteur du jour. Il ne faisait référence qu'aux journalistes et aux médias. Il vivait dans sa bulle, distillait les avis qu'il estimait les bons et n'était jamais confronté aux réalités du terrain. Quant à ses idées sur la France, ce n'était qu'une succession de retours vers un passé qu'il réécrivait sous des traits plus flatteurs qu'ils n'avaient été en réalité. Je m'attendais à une confrontation revigorante et musclée. Je n'obtins que des banalités dont j'aurais eu bien du mal à faire la synthèse tant tout ceci manquait cruellement de contenu.

*
* *

Une affaire autrement sérieuse allait trouver son épilogue heureux en ce mois d'avril 2008. Le 4 avril, des pirates somaliens prenaient en otage, dans le golfe d'Aden, un voilier trois-mâts de croisière appartenant à la compagnie du Ponant. Les pirates étaient une douzaine, lourdement armés de fusils AK-47 et de lance-roquettes. Ils avaient fait trente prisonniers, dont vingt-deux de nationalité française, c'est-à-dire tout l'équipage. Aussitôt informé, je déclenchai l'alerte « Pirate-Mer », et décidai de faire dérouter sur la zone un bateau militaire, un aviso, avec mission de rester hors de vue, mais à proximité du voilier pris en otage, et ce jusqu'à l'épilogue. Le lendemain, j'envoyai des renforts, en l'occurrence dix-huit soldats des forces spéciales de la Marine. Je souhaitais être tenu au courant minute par minute et, pour ce faire, je demandais à l'amiral qui dirigeait les commandos marine, Marin Gillier, de se rendre sur place en compagnie du colonel Favier, le chef du GIGN. L'ordre était plus simple à

donner qu'à réaliser car, pour ce faire, il fallut les para-
chuter au beau milieu de l'océan Indien avant qu'un
zodiac des forces d'intervention les récupère en mer et
les ramène sur l'aviso qui nous servait de quartier général flottant. Avec un courage certain, les deux hommes
obtempérèrent. Je ne suis pas certain que leur dernier
saut était si récent... L'océan Indien n'était pas le meilleur
endroit pour s'y remettre ! Cela me rassurait de pouvoir
traiter directement avec des chefs opérationnels en qui
j'avais confiance et qui étaient sur place. J'étais certain
maintenant que la transmission des ordres ne souffrirait
d'aucune possibilité d'interprétation. Un peu plus tard,
nous renforçâmes notre dispositif en envoyant le porte-
hélicoptères *Jeanne d'Arc* qui naviguait entre Madagascar
et Djibouti. Il présentait l'avantage crucial de disposer
d'un hôpital de campagne, dont je craignais que nous
puissions avoir besoin tant les pirates nous semblaient
nerveux et prêts à tout. Ces derniers pilotaient *Le Ponant*
vers les côtes du Puntland, une région somalienne devenue *de facto* indépendante. Je reçus une première fois
les familles des otages. Elles étaient angoissées et, pour
certains, agressives. Ce que je pouvais comprendre, car
elles voulaient des informations que je ne pouvais leur
donner. Je me contentais de leur dire : « Vous devez nous
faire confiance, vous n'avez pas le choix. » La compagnie
du Ponant était, à l'époque, une filiale du grand groupe
CMA CGM qui appartenait à la famille Saadé, dirigé par
le père. C'était un homme d'autorité, d'une grande intelligence, dont les origines syro-libanaises expliquaient un
grand attachement à son indépendance. Il estimait qu'il

s'agissait de son bateau. C'était exact. De son équipage, ce qui était exact encore. Et donc, que c'était à lui et à lui seul de régler le problème en versant une rançon. C'était ici que nos avis divergeaient. La vie de trente otages était en jeu. Cela dépassait la seule responsabilité de la CMA CGM et devenait celle de l'État, donc la mienne. Le président Saadé insista, je lui répondis : « Je n'hésiterai pas à vous faire arrêter si vous persévérez à vouloir verser une rançon par vous-même. Laissez-nous traiter cette histoire, j'en assumerai toutes les responsabilités. À partir de maintenant, vous ne faites plus rien ! » La discussion fut brutale et rude. Je fus bien aidé par son fils Rodolphe qui comprit instantanément que l'intérêt de tous était que le gouvernement prenne les choses en main. J'avais bien sûr le souci du *Ponant*, mais aussi celui de tous les autres navires français qui se seraient trouvés en grave danger si, à la première prise d'otages, nous « arrosions » les ravisseurs avec de l'argent ! En vérité, nous voulions piéger les pirates en leur faisant croire que nous étions prêts à leur apporter les sommes qu'ils avaient demandées, en l'occurrence deux millions cent cinquante mille dollars. Ce que nous fîmes par l'intermédiaire de trois militaires chargés de remettre l'argent, mais les destinataires ignoraient qu'au même moment, un avion Atlantique 2, équipé de moyens de reconnaissance sophistiqués, suivait toute l'opération à dix mille mètres d'altitude, sans que ceux-ci ne puissent soupçonner qu'il se trouvât au-dessus de leurs têtes. Dans le même temps, quatre hélicoptères, opérant depuis la *Jeanne d'Arc*, se lançaient à la poursuite des véhicules 4 × 4 des pirates, guidés au centimètre près par l'Atlantique 2. Un tireur d'élite embarqué stoppa la première voiture en en détruisant le moteur. Les commandos marine, Hubert, arrêtaient les six pirates et récupéraient une partie de la rançon. Au cours de l'intervention, l'amiral me demanda l'autorisation de lancer une roquette sur un autre véhicule qui s'échappait avec le dernier groupe des preneurs d'otages. Je refusai, car les risques d'atteindre des civils, alors que le véhicule traversait une petite ville, étaient trop grands. On ne devait pas tuer des hommes et prendre le risque d'une bavure pour récupérer l'autre partie de la rançon. C'était la limite que je m'étais fixée, même si je dus prendre la décision sans délai. La situation ne laissait aucun temps de réflexion puisqu'elle se déroulait en direct. C'était dans ces moments que le rôle de chef des Armées prenait tout son sens, et c'est bien en cela qu'être président de la République ne ressemble à rien d'autre. Les otages furent libérés et transférés sur la *Jeanne d'Arc* puis héliportés sur la base aérienne de Djibouti et finalement rapatriés en France le 14 avril 2008. J'allais les accueillir au pavillon d'honneur d'Orly, où un petit buffet avait été dressé pour les familles. Quant aux six pirates capturés, ils furent ramenés en France pour y être jugés. J'étais soulagé que tout se soit bien terminé. L'armée et les commandos marine avaient été remarquables de courage et d'efficacité. L'état-major avait été réactif et avait su parfaitement demeurer en contact avec le terrain. Une grande partie des pirates avait été neutralisée sans qu'il y ait eu un seul mort. Nous avions employé la force mais de façon proportionnée. L'armateur était satisfait d'avoir récupéré sain et sauf tout son équipage et son navire. L'ambiance était joyeuse dans le pavillon d'honneur d'Orly. J'avais le sentiment du travail bien fait, c'est-à-dire avec professionnalisme. Durant ces quelques jours, j'avais retrouvé les ambiances tendues où se jouait la vie ou la mort, si caractéristiques de la place Beauvau. Aussi tragiques soient-ils, j'appréciais ces espaces où la moindre faute de concentration se payait cash, en vies humaines. Où le temps semblait suspendu. Où, en dernière analyse, le président était seul à décider. Où la chance devait être au rendez-vous. Où la plus petite hésitation, erreur, incertitude faisait tout échouer. Ce jour-là, nous avions tout réussi comme à l'entraînement. Il y aura, malheureusement, d'autres journées qui n'auront pas la même issue favorable. Je reste convaincu que, dans la crise, il ne peut y avoir qu'un seul décideur, un seul donneur d'ordres, un seul qui prenne et assume tous les risques et toutes les responsabilités. Et c'est parce que celui à qui échoit la décision finale aura bien assimilé cette règle immuable que les échelons du dessous feront parfaitement ce qu'ils ont à faire. En revanche, s'ils sentent qu'en haut, cela tergiverse ou hésite, alors rien ne pourra éviter les catastrophes.

*
* *

J'appris le décès d'Aimé Césaire alors que je me trouvais à Paris. Je savais que la nouvelle serait ressentie comme un choc dans toutes les Antilles françaises et notamment en Martinique. J'ai immédiatement pensé à en faire un événement national. L'homme le méritait amplement pour son œuvre romanesque et poétique. Il avait fait honneur à la littérature française. De surcroît, il était de Martinique. C'était une occasion en or de célébrer l'apport de cette île à la pensée française, et pas seulement au sport français comme les commentateurs ont l'habitude de le souligner. Je voulais que les Antillais soient fiers de leur grand homme, et comprennent la place qui lui revenait dans la culture française, et à eux aussi en conséquence. Il s'agissait dans mon esprit tout à la fois d'honorer un homme et un territoire si intimement lié à cette œuvre.

Je connaissais Aimé Césaire. Notre histoire commune avait plutôt mal commencé. En 2005, alors que j'étais ministre de l'Intérieur, il avait refusé de me rencontrer par la faute d'une loi dont un article évoquait, à la suite d'un amendement parlementaire, « le rôle positif de la présence française outre-mer ». Aimé Césaire, ayant été de tous les combats contre le colonialisme, le critiqua avec virulence. Je n'étais pas en charge de cette loi moi-même, mais j'avais été le destinataire de cette balle perdue. C'était une occasion manquée, mais qui n'avait laissé aucune trace de mon côté, comme du sien. L'année suivante, il m'avait non seulement reçu à son domicile martiniquais mais aussi offert son célèbre discours sur le colonialisme de 1950 gentiment dédicacé. Nos relations avaient été rétablies. Et le 26 juin 2007, je lui écrivais pour le jour de ses 94 ans afin de célébrer « le message de paix, de tolérance et d'ouverture » qu'il n'avait cessé de porter et de défendre. Il m'avait confié avoir apprécié cette attention. Le jour de son décès, je pensais que c'était toute la nation française qui devait prendre le deuil. Il avait, avec son ami Léopold Sédar Senghor, inventé le concept de « négritude ». Aimé Césaire m'avait lui-même raconté sa rencontre avec l'ancien président sénégalais. C'était un moment très émouvant car il avait pris le temps de me décrire très précisément la scène. « J'entrais, me dit-il, en classe préparatoire au Lycée Louis-le-Grand une année après Senghor et Pompidou. Nous étions habillés de blouses grises que nous fermions avec une ficelle. Un jour que j'étais dans la cour, quelqu'un me héla en me lançant : "Qui es-tu, bizut ?" C'était Senghor. Je répondis : "Je m'appelle Aimé Césaire, et je viens de la Martinique." Et lui de me dire : "Eh bien, bizut, tu seras mon bizut." » Le lendemain lorsqu'il revint, il trouva Georges Pompidou. Ainsi s'était constitué le trio et avait surgi le concept de négritude, qui irriguerait toute l'œuvre d'Aimé Césaire. Il avait combattu sa vie durant pour la reconnaissance de son identité et la richesse de ses racines africaines. Je me sentais parfaitement en harmonie avec une de ses professions de foi politique : « À liberté, égalité, fraternité, j'ajoute toujours identité. Car, oui, nous y avons droit ! » Comme il avait raison, et comme il était plaisant de voir cet homme de gauche revendiquer son identité au moment où tant de petits marquis socialistes contestaient à la France la possibilité d'être fière de la sienne ! Sans doute n'avaient-ils jamais lu Aimé Césaire... Sur sa tombe, dans le petit cimetière où il repose désormais en paix, fut gravé à titre d'épitaphe l'un de ses poèmes : « J'habite une blessure sacrée, j'habite des ancêtres imaginaires, J'habite un vouloir obscur, j'habite un long silence, j'habite une soif irrémédiable, j'habite un voyage de mille ans. » Aimé Césaire était l'un de nos plus grands poètes. Il a inventé la négritude pour en faire une boussole. « Comment mesurer le chemin parcouru si l'on ne sait ni d'où on vient ni où on veut aller ? » Au premier Congrès international des écrivains et artistes noirs, il martela ce cri : « Laissez entrer les peuples noirs sur la grande scène de l'histoire. » Ce combat allait être celui de toute sa vie. Autant dire que lui n'avait pas protesté au moment du discours que j'avais prononcé à Dakar ! Vichy et Pétain avaient fait interdire *Tropiques* en le qualifiant « d'empoisonneur d'âmes ». Il avait répondu magnifiquement : « Je suis un empoisonneur d'âmes comme Racine. Un ingrat et traître à la patrie comme Zola. Un révolutionnaire comme Hugo, un sectaire comme Rimbaud. Et même un raciste, oui, mais celui de Toussaint Louverture, pas celui de Drumont et d'Hitler. » Je l'admirais et lui savais gré de ne jamais avoir voulu de l'indépendance pour la Martinique, dont il disait qu'elle serait un déchirement et même une tragédie ! Ces formules avaient une puissance à nulle autre pareille. Ainsi, quand il expliquait le créole : « C'est le français appréhendé par des oreilles africaines ! » Au moment où il m'avait remis son livre, Aimé Césaire avait déclaré à la presse médusée : « On sent en lui une force, une volonté, c'est sur cette base-là que nous le jugerons ! » À la différence de tant de responsables de gauche, il ne connaissait pas le sectarisme. À l'annonce de sa mort, je pensai à tous ces souvenirs, à la richesse de la culture française nourrie de tant de sources différentes, à la Martinique si rebelle, si indocile et si fière de son poète. La disparition de cet homme aux multiples talents faisait mieux comprendre l'ampleur de tout ce que la France avait su agréger. Je décidai de traverser l'Atlantique pour m'incliner sur son cercueil et me recueillir au milieu des Martiniquais. Je ne savais pas si cela ferait plaisir à tout le monde là-bas, mais j'étais certain que, si je ne le faisais pas, l'unanimité se ferait alors contre moi. Je n'avais pas oublié le scandale qu'avait provoqué l'absence de Jacques Chirac et de Lionel Jospin pour les obsèques de Senghor à Dakar. Je n'éprouvais nul besoin de me forcer tant cette démarche me semblait légitime et naturelle. Je décidai même qu'il s'agirait d'obsèques nationales, qui n'avaient jusqu'à présent été accordées que pour trois écrivains : Victor Hugo, Paul Valéry et Colette. Aimé Césaire se trouvait en bonne compagnie. Des milliers de Martiniquais étaient rassemblés dans le grand stade de Fort-de-France. Le cercueil avait été installé au milieu de la pelouse sous un petit auvent. Aucun discours n'avait été prévu. C'était mieux ainsi. Une exception avait été faite pour Pierre Aliker, alors âgé de 101 ans, qui était son plus proche compagnon. Je retrouvai à cette occasion Ségolène Royal, qui était en proie à une grande agitation et qui, s'adressant à moi, me dit sur ce ton péremptoire qui la rend si « sympathique » : « N'êtes-vous pas choqué, Monsieur le Président, que le préfet soit habillé en blanc pour une cérémonie d'enterrement ? » « Madame, sans doute l'ignorez-vous, mais le blanc est l'une des couleurs

du deuil en Martinique ! » Elle n'a pas paru plus gênée
que cela... J'eus une longue discussion avec la famille
d'Aimé Césaire. Je voulais leur dire que j'avais un projet
que je souhaitais approfondir quand l'émotion se serait
apaisée. Nous convînmes de nous revoir. Nous restâmes
en contact. C'est ainsi qu'à la fin de l'année 2010, lors
d'un voyage en Martinique, j'allais, hors programme officiel, rendre visite à la sœur du poète qui fut maire de
Fort-de-France durant cinquante-six ans. Je voulais m'assurer de l'accord de la famille pour que soit fixée au
Panthéon une plaque à la mémoire du grand intellectuel
et de l'homme engagé de la Martinique. C'était la meilleure solution, car je savais qu'il serait exclu de transférer
son corps en métropole, il ne pouvait reposer que dans
sa terre martiniquaise. Aussitôt connue, cette décision
fut saluée unanimement sur l'île, et notamment par Serge
Letchimy, son successeur à la mairie. La cérémonie eut
lieu le 6 avril 2011. Elle fut belle et émouvante. La foule
était nombreuse. Il n'y eut aucune polémique. J'ai été ému
par les déclarations de certains des spectateurs anonymes.
L'AFP rapporta ainsi les propos d'un certain Jean Liseron :
« C'est inespéré de voir un homme noir entrer au
Panthéon. Et c'est un espoir qu'il ouvre la porte à d'autres. »
Une fois encore, le public avait mieux compris le sens de
cette initiative que nombre de commentateurs professionnels. J'avais mis beaucoup de soin à la rédaction du
discours pour son entrée dans ce temple des grands
hommes. Je le terminais en citant l'un des poèmes les
plus caractéristiques du langage si particulier d'Aimé
Césaire : « Et dans ce chant... où le soleil et la lune

s'entrechoquent, où le sol est de chair rouge et le ciel de chair ardente, où des oiseaux cognent leur tête au plafond du soleil... dans la nuit africaine peuplée de grands arbres sacrés et de plantes au nom mystérieux, hantée par le souvenir des peurs ancestrales. » Ces mots qui avaient rendu à une partie de l'humanité l'identité qu'on lui avait arrachée et la dignité qu'on lui refusait avaient été écrits en français par un poète martiniquais. Aimé Césaire avait désormais son nom sur les murs du Panthéon à côté de ceux de l'abbé Grégoire et de Schœlcher... Ce n'était que justice. J'étais apaisé d'avoir pu mener à bien ce projet qui n'était rien de moins qu'un acte puissant d'unité nationale.

*
*   *

Toujours dans le cadre de la préparation de la présidence française de l'Union européenne, j'avais souhaité pouvoir échanger avec Michel Rocard. D'abord, parce que j'appréciais l'homme qu'il était depuis longtemps. Le mot « sympathique » aurait pu être écrit pour lui tant il lui allait comme un gant. C'était un tempérament heureux et curieux. Heureux, car un rien le faisait s'émerveiller. Curieux, car absolument tout le passionnait, et ce jusqu'à la fin de sa vie. Il était profondément original dans sa pensée comme dans sa façon de la présenter. Il était l'inverse de la pensée unique, et ce malgré une formation très classique. Il aimait inventer, trouver de nouvelles voies, présenter inlassablement des compromis impossibles. Il n'avait en lui pas l'ombre d'un sectarisme. Il parlait avec toutes personnes de bonne foi. Il ne refusait aucun échange pour peu qu'il lui semblât utile. En le connaissant mieux, j'ai fini par comprendre la haine viscérale qu'il pouvait inspirer à certains de ses camarades socialistes. Il était tout leur contraire et notamment parce qu'il ne se prenait jamais au sérieux. Ils étaient aussi sectaires que lui ouvert. Il était aussi créatif qu'eux fermés lorsqu'ils se complaisaient dans le socialisme le plus archaïque d'Europe. Enfin, il était sentimental. Il adorait sa dernière épouse et en parlait avec des tremblements dans la voix. Le recevoir était donc un plaisir et en même temps une source d'enrichissements. J'ai apprécié Michel Rocard. Nous finîmes même par être sinon proches, du moins capables de travailler en confiance. C'est ce qui me conduisit à lui confier deux missions importantes. Pour la première, je le désignai pour présider, avec Alain Juppé, la commission que j'avais chargée de présélectionner les projets aptes à être financés par le produit du grand emprunt lancé après la crise de 2008. Il s'était attelé à la tâche avec un réel enthousiasme. Et quand je lui indiquai qu'il en partagerait la présidence avec Alain Juppé, il se contenta de me dire : « Il s'agit d'un homme tout à fait estimable ! » Cela ne lui posa pas le moindre problème. Il ne me demanda aucune garantie sur sa liberté de jugement, considérant sans doute que cela allait de soi. Il fut même plus facile à convaincre et à gérer que Juppé, pourtant membre de mon propre parti, qui fit preuve d'une raideur coutumière, comme si je n'avais comme seule préoccupation que de freiner les travaux d'un comité dont j'avais pris l'initiative ! Finalement, les deux hommes firent un bon travail sans que jamais il n'y eût la moindre anicroche entre eux. Fait assez rare pour être souligné près de dix ans après, l'allocation de ces quelque trente-cinq milliards d'investissements n'a donné lieu à aucune polémique ! Un miracle... certainement. Auparavant, j'avais nommé Michel Rocard ambassadeur de France chargé des pôles. C'était son idée, car il s'était pris de passion pour ces territoires sans nationalité mais tellement stratégiques pour l'équilibre de la planète. Il y développa une énergie inlassable, voyageant sans cesse, se faisant l'avocat infatigable de ces terres dépeuplées. Je mesurais le travail qu'il y accomplissait au nombre de notes, de documents, de rapports qu'il m'adressait ou de réunions qu'il me demandait. Le jour de ses funérailles, nous étions rassemblés dans la cour d'honneur des Invalides, j'avais tenu à être présent pour ce dernier hommage. Toute la gauche était rassemblée, attendant le discours du président Macron. Je me trouvais un peu seul au milieu de tous ces socialistes pur jus, puis un huissier vint me dire : « Madame Rocard souhaite vous parler. Pouvez-vous me suivre ? Je vais vous conduire auprès d'elle. » Je refusai aimablement, par souci de discrétion. « Remerciez Madame Rocard, mais je ne veux en aucun cas la déranger. Je la verrai après la cérémonie. » Trois minutes plus tard, l'huissier revint : « Madame Rocard insiste, elle souhaite vous parler maintenant. » Interloqué, je m'exécutai. Je dus quitter le premier rang des officiels,

le remonter sur une centaine de mètres sous le regard
« bienveillant » de toutes les excellences de la gauche
qui se demandaient ce que j'allais faire au milieu de la
famille de Michel Rocard. Quand sa femme m'aperçut,
elle quitta son emplacement pour venir à ma rencontre,
elle m'embrassa et dit à haute et intelligible voix : « Vous
avez donné à Michel ses deux dernières grandes joies en
lui confiant ces missions. Je ne l'oublierai jamais. Je ne
regrette pas d'avoir voté pour vous en 2012. » J'étais ému
et un peu abasourdi. Je repris ma place, sous le choc. En
rentrant à la maison, je racontai cette histoire à Carla qui
n'en croyait pas ses oreilles. J'ai, depuis, revu la discrète,
élégante et si gentille Sylvie Rocard. C'est une femme
lumineuse qui découvre la solitude après le bonheur de
la vie commune avec Michel. Je l'ai sentie isolée. Cela
m'a fait de la peine de voir le sort réservé au conjoint
après la mort du « grand homme ». Ce n'est pas la partie
la plus belle de notre humanité. Madame Rocard n'était
pas seulement la femme de Michel... Elle est aussi une
bien belle personne.

*
* *

À la fin du mois de mai, j'avais décidé de me rendre à
Rungis, sur le marché international. C'était la France
des « lève-très-tôt ». La France du travail. La France des
passionnés. Cela faisait longtemps que je voulais revoir

le poumon de l'île-de-France. On y vendait de tout. On y achetait pour tous. Paris ne serait pas approvisionné sans le marché de Rungis. J'avais fait, ce mois-ci, beaucoup de déplacements en France et à l'étranger. J'étais fatigué, et il fallait partir de l'Élysée à 4 h 30 du matin ! Pour dire les choses franchement, au moment de quitter le palais, je sentis le besoin d'un petit remontant. D'autant, que j'avais prévu d'être ensuite à 7 h 30 pour une heure au micro de la radio RTL. C'était donc une longue journée qui s'annonçait. Le remontant est arrivé de la façon la plus inattendue en la personne de Carla qui, à 4 heures du matin, m'annonça qu'elle serait heureuse de m'accompagner. C'était d'autant plus méritoire qu'elle n'est pas vraiment du matin. À la minute où elle me fit part de sa décision, ma fatigue s'envola. Je la prévins, cependant, que cela risquait d'être haut en couleur, chaleureux, bousculé, populaire, franc. Nous traversâmes Paris tous les deux à moitié endormis dans la voiture. Nous commençâmes par le pavillon des viandes. Des employés, des journalistes, des élus nous attendaient en très grand nombre. Il y avait aussi une cinquantaine de manifestants CGT venus pour défendre les sans-papiers. Ils ne devaient pas, eux non plus, être du matin car je ne les trouvai pas si bruyants ni si en forme ! Pour la viande, il fallait avoir le cœur bien accroché. D'énormes morceaux étaient trimballés à dos d'hommes. Il y avait du sang partout. Une odeur entêtante. Et surtout, le bruit de tous les bouchers qui s'interpellaient entre eux ou m'apostrophaient de façon virile, parfois goguenarde, mais toujours cordiale. Je crois qu'ils étaient heureux de notre présence et surtout de pouvoir nous montrer leur savoir-faire. Je fis des dizaines de photos entouré de costauds habillés de tabliers qui avaient sans doute dû être blancs un jour... Je respirais l'atmosphère du compagnonnage qui régnait entre eux. Ils étaient concurrents, certes, mais ils appartenaient d'abord à une famille. La même famille, celle des travailleurs du petit matin. J'ai vite perçu qu'ici le problème politique ne serait pas la gauche mais le Front national. Cela ne me gênait nullement, mais il fallait parler à chacun. Écouter toutes les complaintes. Et, toujours, je devais rassurer : « Non, je ne reculerai pas ! Non, je ne vous trahirai pas. Non, je ne veux pas être comme tous les autres qui semblaient si déconnectés de la vie quotidienne. » Puis, nous passâmes au pavillon des fromages. Un endroit magnifique, mais à ne surtout pas fréquenter si on se trouve trop sensible aux odeurs ! Il était impossible de refuser la moindre bouchée. Carla m'impressionna en posant devant une énorme meule de parmesan décorée d'un drapeau italien, et en avalant un large assortiment de nos meilleurs fromages français. Pour sa première sortie officielle en France, cela contrastait avec le château de Windsor... Nous terminâmes par le pavillon aux fleurs qui, par contraste, semblait être une promenade de santé. Tout y était raffinement, beauté et senteurs délicieuses. Enfin, nous nous retrouvâmes debout au bar d'une brasserie bondée pour attaquer un pantagruélique petit déjeuner en compagnie de tout le conseil d'administration du marché de Rungis. L'entrée dans l'établissement fut haute en couleur. La bousculade était encore plus intense. L'accueil toujours aussi chaleureux. Il était un peu moins de 7 heures du matin. Je ne pouvais pas m'attarder plus longtemps. J'avais le sentiment d'être à la fin de la journée à mesure que je percevais une grande fatigue m'envahir. C'est peu dire que j'avais le ventre plein. J'étais heureux d'être venu, mais ce n'était sans doute pas à refaire tous les jours. La dépense d'énergie était immense. À l'arrivée dans les studios de RTL, j'avais vraiment l'impression de me retrouver dans un autre monde. Je pensais en moi-même, qu'y a-t-il de commun entre ceux que je viens de quitter et cette rédaction policée, éduquée, informée de tous les détails de l'actualité ? Le décalage entre la réalité que je venais de quitter et les questions qui me furent posées au micro était immense. Il s'agissait vraiment, non seulement de deux pays, mais même de deux univers différents, tant les sujets de préoccupation et la façon de les exprimer n'avaient rien à voir. C'était une situation que je connaissais mais que je n'avais jamais pu formaliser avec cette violence par le seul fait de la concomitance des séquences. Je touchais du doigt toute la complexité du message que doit délivrer le président de la République. Comment se faire comprendre de tous, en même temps, alors que les attentes sont si différentes ? Pour faire simple, ce qui plaisait le plus au public de Rungis était ce qu'abhorraient le plus les rédactions.

Ce matin-là, j'étais interviewé par Alain Duhamel et Jean-Michel Aphatie. J'ai toujours aimé la radio, sa souplesse, sa réactivité, sa décontraction. Elle a cependant beaucoup perdu en s'obstinant à vouloir filmer ses interviews, car ce n'est plus tout à fait de la radio sans devenir une vraie télévision. Forcément, les cadrages et les lumières ne peuvent être de la même qualité. Alain Duhamel est un grand journaliste. Sa longévité s'explique par sa passion toujours intacte et sa force de travail si rare dans un milieu qui n'aime pas approfondir et préfère passer au plus vite d'un sujet à un autre. Il connaît ses dossiers, essaie toujours de les actualiser et pose souvent des questions auxquelles il est parfois difficile de répondre. C'est un intervieweur exigeant mais respectueux, vif mais ne coupant jamais la parole, doté d'une grande capacité de synthèse. Il n'a que deux faiblesses à mes yeux. La première réside dans le temps qu'il lui faut pour considérer « qu'un jeune politique » est devenu digne d'être interrogé par lui. La seconde porte sur un certain classicisme de sa pensée et de ses convictions, qui ne cadre pas avec une personnalité plus originale qu'on le croit. J'ai aimé être interrogé par Alain Duhamel justement parce que c'était plus difficile et complexe qu'avec ses confrères. Mon jugement sera plus balancé sur Jean-Michel Aphatie, qui avait tout pour devenir l'un des journalistes préférés du public avec son accent rocailleux de Toulouse et sa faconde sympathique du Sud-Ouest. De mon point de vue, il a eu le tort d'en rajouter dans l'obsession politicienne de ses questions et dans l'agressivité de ses interviews, qui devenaient des joutes plutôt que des échanges. J'avais sans doute ma part de responsabilité dans ces ping-pongs radiophoniques souvent inutilement rugueux. Mais, à chaque fois, j'avais été déçu par le résultat de nos rencontres, dont ils ne sortaient pas grand-chose sur le fond si ce n'est une impression de désamour réciproque, ce qui ne correspondait pas à la réalité. Je ne lui en ai voulu qu'une seule fois, car il avait alors vraiment dépassé les bornes. J'étais en voyage d'État au Mexique, le président mexicain nous avait fait résider dans une villa appartenant à l'un de ses amis pour une nuit. Il était difficile, voire impossible, de refuser cette offre, par ailleurs anodine. Il y avait eu une polémique au Mexique sur la famille, propriétaire des lieux, que je n'avais jamais rencontrée, ni avant, ni pendant, ni après le voyage. Jean-Michel Aphatie avait voulu faire le malin dans une de ses chroniques sur Canal+ en expliquant : « C'est embêtant quand on est chef de l'État français et qu'on est hébergé par un trafiquant de cocaïne... On espère qu'il n'y avait pas trop de cocaïne dans la maison. » C'était gratuit, irrespectueux et insultant. On n'avait pas le droit de faire comme si Carla et moi étions des familiers d'un trafiquant de drogue. J'en avais été furieux, et l'avait dit à l'intéressé sans prendre d'intermédiaire ni même de gants. Je dois reconnaître qu'avec correction, il m'avait adressé une lettre d'excuses. L'incident était clos. Nous n'avions, au bout du compte, ni oppositions personnelles ni atomes crochus !

Le bilan de toute la séquence était somme toute assez positif. J'avais été au contact. Cela s'était bien passé. C'était d'autant plus nécessaire que tous les observateurs avaient tenu à éditorialiser le premier anniversaire de mon élection. Comme je pouvais l'anticiper, les jugements étaient « balancés ». Ce n'était ni très bon ni très mauvais. Et surtout, cela n'avait pas grand intérêt. J'étais élu pour cinq ans. Il en restait donc quatre !

*

* *

Comment mieux illustrer la précarité des choses lorsque l'on a la responsabilité de la France qu'avec ces chiffres et cette date ? Au mois de juin 2008, le chômage était tombé à 7,2 % de la population active pour le premier trimestre de l'année. Ce taux était en baisse de 1,2 point sur un an, ce qui correspondait à deux millions de chômeurs pour toute la France métropolitaine. C'était un record historique, puisque nous n'avions pas connu le chômage à un niveau si bas depuis le début des années 1980, cela faisait donc vingt-cinq années que la France n'avait pas fait mieux. L'économie tournait à un bon régime. Les heures supplémentaires avaient dopé l'activité et le pouvoir d'achat. Notre politique économique était ainsi confortée. Tout allait bien sur ce front. Pas le moindre nuage n'apparaissait à l'horizon. Pourtant, nous étions à peine deux mois avant la faillite venant des États-Unis de la grande banque Lehman Brothers, qui allait précipiter le monde dans un chaos indescriptible. Avec le recul, je peux mesurer combien la science économique prédictive était aléatoire, à quel point il était inutile de tirer trop de plans sur la comète tant les paramètres pouvaient changer à une vitesse stupéfiante. Enfin, il s'agissait bien d'une nouvelle illustration du principe, jamais pris en défaut, selon lequel les ennuis n'arrivent jamais de là où on les attend ! Comment pouvais-je imaginer qu'au moment où nous partirions en vacances, tous les clignotants seraient au vert et que, dans l'espace de quelques semaines, ils seraient tous passés au rouge vif ? Voilà qui renforçait encore mon aversion pour les théories économiques et les schémas de pensée préétablis, alors qu'au pouvoir il n'y a que deux règles qui permettent de survivre et de progresser : celles du pragmatisme et de l'adaptabilité. Les événements ont toujours raison. Les faits sont têtus. Nier la réalité et tenter de la tordre pour l'adapter à ses propres principes ne pouvait conduire qu'à la catastrophe. C'est bien pour cela que j'ai souvent fait l'inverse.

*
* *

J'avais promis de rencontrer ou de visiter tous les dirigeants des pays d'Europe avant la présidence française. Cela me semblait être le minimum, compte tenu des ambitions qui étaient les nôtres. Je m'envolai donc pour deux destinations successives, à Athènes et à Rome. Le voyage en Grèce revêtait une signification particulière. D'abord, parce qu'il s'agissait du pays de mon grand-père maternel qui était né et avait vécu à Salonique. Ensuite, comment ne pas être amoureux de cette nation bénie ? La Méditerranée termine son long voyage sur ses rivages.

Ses côtes sont les plus belles au monde. Sa culture est l'une des plus anciennes. En se promenant dans la campagne grecque, on pourrait aisément imaginer que la douceur de vivre est née très exactement dans ses villages, à moins qu'elle ne soit apparue dans ses petits ports ou bien dans ses îles. Où peut-on mieux apprécier la vie qu'à Athènes, où chaque coin de rue recèle un trésor archéologique ; où le Parthénon veille sur la ville étendue entre mer et montagnes ; où les gens y sont délicieux et francophiles ; où la nourriture est fine et douce ; où la musique est omniprésente ? Chaque fois que je me suis rendu en Grèce, j'ai ressenti la même émotion et le même plaisir. Je n'ai jamais eu l'impression d'y travailler. C'est dire combien j'étais heureux à la perspective de ce déplacement. Je devais prononcer un discours devant la Voulí, autrement dit le Parlement grec. L'entrée était majestueuse, avec ces régiments de soldats curieusement habillés en collant blanc et en jupe. Ils portaient aux pieds des formes de sabots et tenaient leurs fusils bien à la verticale et légèrement écartés de leurs corps. Rien ne ressemble aux evzones grecs.

Lorsque j'évoquai, au début de mon intervention, la mémoire de mon grand-père, les parlementaires unanimes m'applaudirent debout. Je ressentis alors une telle émotion qu'il me fallut quelques secondes pour reprendre le cours de mon discours. Je ne m'y attendais pas. Il faut dire que l'endroit est impressionnant. Vingt-six siècles auparavant, et seulement à quelques dizaines de mètres du lieu où je parlais, Thémistocle, Périclès, Démosthène avaient prononcé leurs discours les plus fameux. C'était ici que, pour la première fois dans l'histoire de l'Humanité, avait été pensée, et expérimentée, la démocratie. Je m'adressais aux héritiers de ces fondateurs géniaux. Nous devons encore aujourd'hui être reconnaissants envers la civilisation grecque. Et c'est cette même pensée grecque qui a plus tard inspiré les idéaux de la Renaissance, des Lumières et de la Révolution française. Nos deux pays se sont toujours compris, aimés, soutenus. Je proposais de construire une nouvelle alliance entre la France et la Grèce où nous aurions pu mettre sur pied l'embryon d'une sécurité civile européenne qui mutualiserait les moyens de lutte contre les incendies de forêt, auxquelles nos deux Nations étaient constamment confrontées. Une nouvelle alliance bien utile pour ne pas laisser la Grèce et ses seize mille kilomètres de frontières maritimes seule face aux problèmes de l'immigration. Et aussi, une nouvelle alliance qui pourrait s'avérer précieuse pour calmer le turbulent et géant voisin turc.

J'avais de l'amitié pour le Premier ministre Kóstas Karamanlís, héritier d'une dynastie qui comptait plusieurs chefs de gouvernement et qui représentait la droite grecque depuis des décennies. À gauche, le phénomène était symétrique mais, cette fois, il s'agissait de la famille Papandréou. Ils dirigeaient tous le pays alternativement et savaient s'entendre pour se répartir le pouvoir. La Grèce était devenue tout à la fois démocratique et dynastique. J'ai pu sentir l'amour que la population portait à la France et pas seulement parce que nous étions devenus le premier employeur étranger. Cela compta beaucoup, au cours de la crise de 2010, dans l'expression de mon refus déterminé de laisser tomber ce pays de près de dix millions d'habitants. Ce qui me valut, à l'époque, de nombreuses discussions orageuses avec les Allemands en général et Angela Merkel en particulier. Je savais que je pourrais compter sur la Grèce durant ma présidence européenne, et ils avaient bien compris que la réciproque serait tout aussi exacte. Nous n'avions en vérité aucun désaccord. En terminant mon discours, je citai Malraux qui, avec son génie propre, avait su parfaitement cerner notre difficulté commune : « Vieilles Nations de l'Esprit, il ne s'agit pas pour nous de nous réfugier dans notre passé mais d'inventer l'avenir qu'il exige de nous. » C'était bien le problème de la Grèce comme de la France. Nous avons tendance à revisiter notre histoire avec une nostalgie telle que nous en oublions parfois d'imaginer notre avenir !

*
* *

Il n'était pas raisonnable d'entamer la présidence française sans prendre le temps d'une étape à Rome. L'Italie est sans doute le pays qui nous est culturellement le plus proche, que nous aimons le plus, qui nous fait tant rêver depuis des siècles. Ce n'est pourtant pas le partenaire le plus simple, car il y a beaucoup d'irritants possibles entre nos deux Nations, dont le passé est plus glorieux que le présent, et qui se trouvent souvent en concurrence.

Dans notre proximité naturelle et notre attachement réciproque, il peut y avoir aussi de la jalousie et de l'agacement, parfois même de l'exaspération. L'Italie et la France appartiennent à une même famille, et comme dans toutes les familles, les querelles peuvent être d'autant plus soudaines et violentes qu'elles ne durent pas. Les relations transalpines demandent plus de doigté qu'on l'imagine souvent. Une arrivée en territoire conquis à Rome est une attitude à proscrire absolument. L'Italie veut qu'on la séduise, qu'on la convainque, qu'on lui donne la place à laquelle elle est très attachée. C'était d'ailleurs devenu de plus en plus difficile de se parler franchement et librement à mesure que la classe politique italienne classique avait tendance à disparaître pour être remplacée par les « originaux » du Mouvement 5 étoiles ou les « durs » de la Ligue. Mon voyage à Rome correspondait au énième retour de Silvio Berlusconi à la tête du gouvernement italien. Je le connaissais pour l'avoir déjà rencontré à plusieurs reprises. J'admirais le chef d'entreprise qui avait réussi à construire, avec Médiaset, l'un des plus grands groupes de communication européens, ce qui n'était pas rien. Il était parfaitement francophone, et sa capacité à passer du privé à la politique, et vice versa, m'interpellait et me fascinait. Il avait réussi à installer son parti Forza Italia, à le conforter, puis à surmonter sa défaite et à organiser son retour. Le moins que l'on pouvait en dire était qu'il apprenait vite. Enfin, son énergie était indomptable, surtout si l'on voulait bien considérer qu'il avait vaillamment dépassé les 70 ans. Cependant, je reconnais que je ne suis jamais arrivé à lui faire complètement confiance. D'abord, parce qu'il se croyait toujours être dans le « business ». Il avait un côté Trump avant l'heure ! La stratégie n'était pas son domaine de prédilection. En revanche, il pratiquait l'art constant du « deal ». Avec un côté « marchand de tapis » assumé et parfois lassant, car pas toujours à la hauteur des enjeux. Ensuite, parce que tout était propice à la rigolade et à la gaudriole, y compris lorsque la situation ne s'y prêtait pas du tout. Un jour que nous étions au Canada pour un G8, il avait tenu à emmener dans sa délégation une très jeune collaboratrice. Je prenais un verre avec Angela Merkel et Barack Obama sur une terrasse en attendant qu'on nous appelle pour le dîner. Nous étions arrivés peu de temps auparavant et encaissions, en tout cas pour Angela et moi, le décalage horaire. Nous nous retournâmes en même temps alors que Silvio Berlusconi nous faisait de grands signes. Il était accompagné de cette jeune femme. Nous étions alors dans ce que la sécurité appelait « la zone rouge », réservée exclusivement aux chefs d'État et de gouvernement. S'adressant à nous, il nous annonça, avec un grand enthousiasme, « Je vais vous présenter une Italienne fantastique qui est sortie première de l'école des attachés de presse de Milan. » J'en concluais qu'elle devait être très jeune. Angela et Barack ne furent pas outre mesure impressionnés par cette performance universitaire... Mais les choses se compliquèrent quand Berlusconi poursuivit : « Elle vous aime beaucoup. Elle veut une photo avec chacun ! » Je vis au sourire crispé de mes deux collègues que cela ne les enthousiasmait guère... Moi non plus, d'ailleurs. Ainsi était Silvio Berlusconi. On ne savait jamais de quel côté allait tomber la balle. Si, par malheur, c'était du mauvais, cela pouvait aller assez bas ! Mais, dans le même temps, il savait être gentil, attentionné, prévenant. Au fond, j'étais incapable d'avoir un jugement stabilisé sur lui, et sur la façon dont nous pourrions travailler ensemble. Par la suite, les choses s'aigrirent entre nous. Il sommeillait parfois durant les sommets. Un jour, une photographe immortalisa Angela et moi encadrant un Silvio dormant profondément, alors que tous les deux le regardions amusés. Puis, il y eut le triste épisode « bunga-bunga » qui, pour le coup, n'était pas drôle du tout. Silvio devint alors plus lunatique et plus sombre. Les conversations étaient devenues plus difficiles avec lui. Le pic de la défiance serait atteint entre nous lors du G20 de Cannes, où il était devenu un problème pour l'Italie sans qu'il s'en fût même aperçu, ne serait-ce qu'un instant. Les marchés attaquaient son pays par le seul fait qu'il était à sa tête. Ce ne fut pas simple de lui faire comprendre la réalité de la situation. À partir de ce moment, nos rapports devinrent même exécrables. Je le regrettais pour l'Italie, qui était devenue ma seconde patrie, et même pour cet homme dont la carrière fut brillante, dont les réalisations furent nombreuses, et qui aurait mérité une fin politique plus digne. Nous n'en étions pas là au moment de ce sommet. Silvio Berlusconi approuvait chaudement mon initiative d'Union pour la Méditerranée. J'essayai même de l'encourager à prendre le virage du nucléaire civil qui était banni en Italie depuis 1987. Il y avait un projet de développement de trois à cinq centrales qui intéressait beaucoup EDF comme Areva.

Ce n'était en tout cas pas de l'Italie que viendraient les problèmes pour la présidence française que je devais lancer quelques jours plus tard.

*
* *

Il y avait la présidence européenne, mais il y avait également l'Union pour la Méditerranée. Ces deux projets me tenaient également à cœur. Dans cette perspective, il me fallait prendre une initiative pour le Liban. Dire que ce malheureux pays allait mal était un euphémisme. Qui, dans ma génération, pouvait affirmer qu'il avait connu ou visité le Liban qui allait bien ? C'est un drame, car c'est un pays admirable et nécessaire. Admirable, il l'est par sa beauté, sa culture, son histoire, sa population, sa volonté de paix, la capacité des Libanais à créer ou à commercer. C'est un petit pays de sept millions d'habitants, mais dont la population a conquis le monde du commerce et des affaires. Il est impossible d'aller quelque part sur la planète, y compris dans les coins les plus reculés, sans croiser un Libanais, et à coup sûr, cela sera un Libanais bien placé et bien introduit ! Le Liban est absolument nécessaire parce qu'il s'agit de l'un des derniers pays d'Orient où la diversité est encore préservée et défendue. L'identité orientale réside dans la coexistence des cultures et des différences. Depuis des siècles, cela a toujours été ainsi. C'est hélas seulement depuis une quarantaine d'années que la folie de la « pureté » s'est emparée de cette partie du monde. Les chrétiens sont massacrés sans que la communauté internationale ne réagisse. Les sunnites et les chiites s'affrontent sans pitié, et sans quartier. La Syrie a explosé. L'Irak est en train de se dissoudre. Au fond, le Liban demeure l'un des seuls pays de la région vraiment pluriculturels, et même pluriethniques. J'ai toujours pensé que l'exception libanaise devait être préservée et sauvée. Si le Liban devait disparaître, cela signifierait la fin de l'un des derniers endroits en Orient où les différentes communautés peuvent coexister, et ont l'obligation du compromis. Le Liban est tout à la fois chrétien, sunnite, chiite, druze... et tant d'autres choses. C'est toute sa richesse, son identité et son histoire. Ce pays devait être défendu, aidé, protégé. Et les Libanais sont tellement proches de nous. La majorité d'entre eux sont francophones. Nous ne pouvions pas les abandonner aux multiples menaces qui les entourent, à commencer par celle de la Syrie. J'ai pris beaucoup de temps pour essayer de faire comprendre à Bachar al-Assad que le Liban n'était pas une province syrienne mais un pays libre dont il devait respecter l'indépendance et la souveraineté. Je pensais avoir ébranlé quelque peu ses certitudes lorsqu'il accepta, pour la première fois, de désigner un ambassadeur syrien à Beyrouth. Ce qui, en creux, revenait à reconnaître le Liban libre. Puis, il fut repris par ses démons et recommença l'inadmissible politique d'ingérence syrienne sur la scène politique libanaise. Si le Liban venait à disparaître, c'est tout l'équilibre du Proche-Orient qui en serait fragilisé ! Je voulais marquer spectaculairement l'attachement de la France à ce pays, c'est pourquoi j'eus l'idée d'inviter tous les chefs de partis français à m'accompagner pour cette première visite. C'était une façon de montrer aux Libanais qu'au-delà de nos divergences politiques nationales, nous nous retrouvions tous en soutien de la cause libanaise. J'arrivai donc à Beyrouth accompagné de François Hollande, Patrick Devedjian, François Bayrou et même Marie-George Buffet pour le Parti communiste. François Fillon et Bernard Kouchner faisaient également partie du voyage. Avec cette délégation sans précédent, je souhaitais envoyer un message d'amitié et d'encouragement de la démocratie française à la démocratie libanaise. Le président chrétien Michel Sleiman venait d'être élu après six mois de vide à la tête de l'État, et un an et demi de crise politique. Saad Hariri, le chef de la majorité sunnite, était proche de devenir le Premier ministre. J'aimais et j'appréciais ce dernier qui m'avait été présenté par Jacques Chirac lui-même, quelques jours après mon élection. Il m'avait demandé de façon pressante : « Tu sais combien j'étais proche de son père, je voudrais t'amener moi-même le fils. Peux-tu nous recevoir tous les deux ? » Je les recevais donc un samedi, et j'avais immédiatement sympathisé avec Saad. Il avait renoncé à diriger les affaires familiales pour s'engager, au grand dam de sa femme, dans la politique, ce qui, au Liban, n'était pas une chose facile. C'était un homme profondément sympathique, intelligent, travailleur et courageux. Malheureusement, il lui arriva d'être naïf et de refuser de prendre des décisions nécessaires et fortes pour conserver un consensus qui conduisait à la catastrophe. Il avait un grand sens de l'État. Son père avait été assassiné. La main qui avait armé ses agresseurs ne faisait guère de doute. Tous les regards s'étaient logiquement tournés vers le régime baasiste de Damas. Or, la question du procès engagé devant le Tribunal pénal international empoisonnait les relations entre la Syrie et le Liban. En tant que fils de son père, Saad Hariri voulait obtenir le nom des coupables de l'assassinat, chacun pouvait aisément le comprendre. Mais en tant que Premier ministre, il n'avait aucun intérêt à ce que le clash se produisît avec les Syriens. Il fit preuve d'un grand calme et d'un profond attachement à l'unité nationale libanaise. Il me confia lors de mon voyage : « Le fils ne peut pas oublier ce qu'ils ont fait à mon père, mais le Premier ministre du Liban doit savoir pardonner ! »

Je profitai de mon déplacement pour rencontrer les dirigeants des treize partis libanais, y compris, bien sûr, le Hezbollah. Par rapport à un tel éclatement, la carte partisane politique française apparaissait comme un havre de paix et d'unité, c'est dire... Je saluai également notre contingent de militaires français. Nous avions engagé mille huit cents hommes, ce qui représentait la deuxième force de cette coalition qui rassemblait vingt-six pays. Il était impossible de laisser le Sud-Liban sans protection, mais j'avoue ne jamais avoir été un chaud partisan de toutes ces missions internationales qui s'éternisaient. Nous étions là-bas depuis plus de vingt-cinq ans. Il était à mes yeux plus que temps de trouver une nouvelle solution. Le *statu quo* ne pouvant apporter que de bien mauvaises surprises. Je voyageai à l'aller comme au retour avec mes invités, les chefs de parti. L'ambiance était assez cordiale. Tous étaient heureux d'avoir fait ce déplacement utile. François Hollande, comme à son habitude, nous fit rire avec ses petites blagues. Patrick Devedjian avait travaillé son sujet et se montrait comme souvent érudit et cultivé sur la question du jour. Seul, François Bayrou était sombre, et cherchait la polémique. Personne ne refait sa nature...

*
* *

Comme toujours, les mois de juin étaient chargés en actualité internationale pour le président de la République. Il fallait effectuer, avant l'été, tous les déplacements qui avaient été remis pour une raison ou une autre durant les mois qui précédaient. Nous avions prévu de nous rendre avec Carla pour deux jours en Israël et dans les territoires palestiniens. L'accueil qui nous fut réservé était exceptionnel. *Le Figaro* écrivit : « Le président de la République est plus populaire en Israël qu'aucun de ses prédécesseurs. » À l'aéroport Ben Gourion de Tel-Aviv nous attendaient Ehud Olmert et son gouvernement au grand complet. Un traitement de faveur, jusque-là réservé aux seuls présidents américains. Pour le dîner d'État dans la résidence de Shimon Peres, le porte-parole de la présidence fut obligé de déclarer : « Nous ne pouvions inviter tous ceux qui voulaient en être. Nous avons reçu des demandes de la moitié du pays ! » C'est dire que nous étions favorablement attendus. J'avais bien naturellement invité Simone et Antoine Veil à se joindre à la délégation, ce qu'ils avaient accepté avec joie.

Le voyage n'était pourtant pas si simple. D'abord parce que je voulais qu'Israël participât au premier sommet de l'Union pour la Méditerranée, mais je souhaitais qu'il n'y ait aucune provocation. C'était déjà assez compliqué comme cela. Je devais donc avoir une discussion franche sur le sujet avec le Premier ministre Ehud Olmert. Ensuite, parce que je devais prononcer un discours à la Knesset, le parlement de l'État israélien, qui promettait d'être particulièrement délicat compte tenu de tous les équilibres si sensibles à maintenir.

Je souhaitais dès le début de ma visite faire une halte au mémorial de Yad Vashem érigé en mémoire des victimes juives de la Shoah et en particulier au mémorial des enfants. J'ai visité peu de monuments aussi boule-versants que celui-ci. On y accédait par un soupirail de pierres blanches. On y entendait comme un murmure qui serait sorti des entrailles de la Terre. Puis au fil du cheminement souterrain le murmure devenait une longue plainte, jusqu'au moment d'entrer dans une vaste salle plongée intégralement dans l'obscurité ! Alors, des milliers de petites bougies scintillaient devant autant de miroirs qui reflétaient leurs éclats. Et chaque minute, une voix égrenait dans le silence : « *Betzabeth, two years old, Simon, five years old...* » La gorge se nouait, chacun se taisait. L'émotion était à son comble. J'y étais venu en différentes occasions, et à chaque fois je ressentais ce même mélange de rage et de désespoir devant ces abominations. Il y a peu de pèlerinages que j'ai effectués avec une telle intensité intérieure. D'ailleurs, plusieurs minutes après la visite, ni Carla ni moi ne pouvions prononcer un mot. Simone Veil était avec nous, grave et résignée. Elle avait emprunté elle-même tant de fois ce chemin de souffrance.

En arrivant à la Knesset, je compris qu'un tel honneur n'avait plus été accordé à un président français depuis 1982 avec François Mitterrand. J'y pénétrai à pied après avoir traversé l'immense esplanade. Le Parlement israélien était bondé, dans l'hémicycle comme dans les tribunes. Il s'agissait vraiment de l'effervescence des grands jours. Carla était inquiète, car elle savait que j'allais prononcer un discours que je voulais « équilibré ». C'était un pari qui pouvait me fâcher avec tous, les faucons comme les colombes, les Israéliens comme les Palestiniens, mais j'avais choisi de dire ce que je pensais quoi qu'il m'en coûtât. Il y avait eu tellement de non-dits, d'hypocrisies, de contorsions diplomatiques. J'estimais qu'il était grand temps d'aller plus loin, et surtout plus fort. Je fus d'abord acclamé lorsque je définis Israël « comme une réponse à l'injustice que le peuple juif a subie si longtemps. Cette injustice est un défi lancé à la conscience universelle. Israël est la réponse à la prière de Rutka, la petite juive polonaise : Je voudrais attacher des ailes à mes épaules pour m'élever très haut... et m'envoler vers un endroit où il n'y aurait pas de ghetto. » La vérité était qu'aucun autre État dans le monde ne s'était construit sur autant de douleurs et sur autant d'espérance que l'État hébreu. Les applaudissements redoublèrent d'intensité lorsque j'affirmai : « Que ceux qui appellent à la destruction d'Israël sachent qu'ils trouveront la France face à eux pour leur barrer la route. » La suite fut plus difficile, mais pourtant elle devait être dite dans cette enceinte. « Il n'y aura pas de sécurité pour Israël tant qu'il n'y aura pas à ses côtés un État palestinien indépendant, moderne, démocratique et viable » et, ensuite, « Il ne peut y avoir de paix sans l'arrêt total et immédiat de la colonisation. » Je sentais une tension physique dans l'hémicycle, mais cela passa sans trop de problèmes. Ce fut pour Jérusalem que la tension monta encore de plusieurs crans. Je rappelais ma conviction qu'elle devait être « la capitale des deux États », israélien et palestinien. Il y eut des murmures de désapprobation. C'était inévitable, mais le Parlement israélien devait entendre ce propos. Jérusalem est un miracle car c'est une ville trois fois sainte. Pour les juifs, pour les chrétiens et pour les musulmans. Réduire Jérusalem au seul statut de capitale juive serait tout à la fois un contresens et une contrevérité, aussi difficile que cela soit de l'accepter pour un Israélien. Il s'agissait d'une réalité historique. Jérusalem est un endroit saint pour les trois religions du Livre. L'amputer de deux d'entre elles, c'était la couper de toute une part de son identité. D'ailleurs, quelques minutes après mon discours, Benyamin Netanyahou alors chef de l'opposition de droite prenait radicalement le contre-pied de ma position en affirmant que « Jérusalem restera unifiée sous la souveraineté d'Israël ». Peu importait au fond ces désaccords politiques. J'étais certain que la voie que je proposais était la seule viable sur le long terme. Chacun, qu'il soit juif, chrétien ou musulman, devrait avant d'aller en Israël se remettre en mémoire les paroles pleines de sagesse du prophète Isaïe : « Je ferai de Jérusalem mon allégresse. Et de mon peuple ma joie. On n'y entendra plus le bruit des pleurs et le bruit des cris. Ils bâtiront des maisons et les habiteront. Ils ne travailleront plus en vain et ils n'auront pas des enfants pour les voir périr. » Quelques semaines auparavant, en ce même lieu, le président George W. Bush n'avait pas dit un mot sur l'État palestinien ! Je ne regrettais pas mon attitude. D'ailleurs, Mahmoud Abbas, le président de l'Autorité palestinienne, avait tenu à réagir positivement à mon discours. Je voulais faire bien comprendre que j'étais l'ami indéfectible d'Israël, pas son otage. Je savais que je disposais d'un certain capital de confiance, et je voulais l'utiliser pour les pousser à engager de vrais pourparlers de paix. J'essayais de convaincre les Israéliens de l'inutilité de gagner toutes les guerres militaires si c'était pour finalement perdre toutes les guerres de communication. Un jour, les choses risquaient de se retourner et Israël serait en danger. Pour conjurer ce risque, il fallait agir. Mon message à la Knesset avait été écouté sans protestation. Le *Jerusalem Post* expliquait dans son éditorial du lendemain : « Les mots de Nicolas Sarkozy n'ont pas été prononcés par un dirigeant arrogant comme Jacques Chirac qui n'avait pas d'affection pour Israël. » D'un ami, ils pouvaient entendre davantage. C'était bien là la stratégie. Il fallait se servir de ces sentiments pour faire avancer Israël et non pour l'inciter à se claquemurer.

Après la Knesset, nous eûmes un moment de calme et de sérénité que j'avais demandé instamment au protocole. Nous partîmes avec Carla pour déjeuner en tout petit comité dans le monastère bénédictin d'Abou Gosh. Le repas simple mais de qualité nous fut servi dans un jardin parfaitement ombragé. On entendait les oiseaux, il y avait une légère brise bienvenue. Aucun photographe ni journaliste. Une longue table en bois trônait au milieu des arbres. Nous nous assîmes. Les sœurs étaient si heureuses de nous recevoir. Pas autant que nous de pouvoir souffler après tant de tensions et de stress. Ce fut une étape délicieuse. Un temps volé. Une oasis de culture et de paix.

La dernière étape de notre voyage me conduisait à Bethléem pour une rencontre avec Mahmoud Abbas. Il s'agissait d'un passage obligé pour qui voulait effectuer un voyage « politiquement équilibré ». Les Palestiniens souffraient eux aussi et cette souffrance devait être entendue. J'étais bien décidé à m'en faire l'écho. Et ce d'autant que j'éprouvais une réelle sympathie pour Mahmoud Abbas. C'est un petit homme aux formes arrondies et au sourire radieux. Rien qu'au premier contact, on l'imagine bon vivant. Son allure est celle d'un grand-père que l'on pense tranquille, mais qui sait être un très fin politique. D'ailleurs, pour survivre physiquement et politiquement à la tête de l'Autorité palestinienne, il fallait avoir des compétences de navigateur expérimenté, et un courage de vieux loup de mer. C'était important de ne pas me laisser endormir par l'aspect bonhomme de

mon interlocuteur qui savait comme personne char-
mer, rassurer et piquer lorsqu'il l'estimait nécessaire.
Le passage d'Israël à la Cisjordanie était spectaculaire.
Il fallait d'abord changer de véhicule. On ne pénétrait
pas en Cisjordanie avec une voiture israélienne. Le
transfert se faisait derrière d'immenses rideaux noirs
de quatre mètres de hauteur, qui nous masquaient à la
vue de tous. Des hommes, fusils mitrailleurs aux bras,
nous encadraient et nous pressaient. Nous étions entrés
dans ce carré opaque dans une voiture israélienne. Nous
en sortions dans une voiture palestinienne. Puis nous
franchîmes le « check point », unique ouverture dans un
mur de ciment de cinq mètres de hauteur. Bienvenue
à Bethléem ! Ce n'était pas exactement l'image que je
m'en faisais initialement. Une fois cette frontière opaque
franchie, je souriais en apercevant le premier immense
panneau publicitaire qui nous accueillait. « *Coca Cola
– Welcome* ». La mondialisation était donc partout et avait
d'abord une saveur américaine !

Le palais de Mahmoud Abbas était simple et dépouillé.
Un semblant de garde nous attendait pour que les
honneurs nous soient dignement rendus. Le président
de l'Autorité était entouré d'une dizaine de proches et de
conseillers. Nous eûmes une heure de discussion assez
libre, puis un déjeuner décontracté et sympathique.
Mahmoud Abbas me remercia pour mon discours de
la Knesset. « Vous avez été courageux, et droit. Nous
savons apprécier ceux qui ne pratiquent pas le double
langage. Nous avons tant de fois été déçus et trahis. » Il

me confia également son incompréhension de la situation. « Le gouvernement israélien fait le jeu du Hamas en ne bougeant pas. Chaque fois qu'ils sont plus durs avec nous, ils m'affaiblissent dans mon rapport avec les dirigeants de cette organisation. » La vérité était que le Premier ministre israélien Ehud Olmert était prêt à aller assez loin dans le processus de paix avec les Palestiniens. Mais c'était déjà bien trop tard, car les élections législatives israéliennes approchaient et promettaient une victoire écrasante à l'opposition. Il n'avait plus le temps ni la légitimité politique pour conduire un tel projet. C'était dommage, car cela constituait une étape de plus dans la longue liste des occasions de paix manquées. Pourtant, rien ne me semblait insurmontable dans ces blocages. J'étais également frappé par la quasi-disparition du « grand protecteur américain ». Où était-il ? Que faisait-il ? Espérait-il encore un jour voir aboutir le processus de paix ou y avait-il définitivement renoncé ?

Nous rejoignîmes l'aéroport à Tel-Aviv la tête remplie de l'émotion de ces presque trois journées en Terre sainte. Tout y était à la fois complexe et simple. Tout s'y trouvait entremêlé. Chaque fois que l'on pensait tenir un fil, c'était toute la pelote qui défilait. Les sentiments sincères comme les arrière-pensées politiques se mélangeaient en permanence et brouillaient la situation jusqu'à la rendre illisible. C'était tout à la fois passionnant, exaspérant et inquiétant. Au bas de l'avion, le président et le Premier ministre israéliens nous attendaient. Une petite cérémonie se déroula chaleureusement. J'étais en train de dire au revoir à Shimon Peres au bas de la passerelle d'accès à notre avion quand j'entendis distinctement un coup de feu. Je n'y prêtai d'abord pas attention. Puis, quelques secondes après, je vis surgir des hommes en armes dans un grand état de surexcitation. Tous les kevlars étaient sortis. Shimon Peres était poussé dans sa voiture sans le moindre ménagement. Les services de sécurité français faisaient rempart de leurs corps autour de Carla et de moi. Il y avait beaucoup de bruit et de panique. Ludovic Chantreux, mon fidèle et efficace officier de sécurité, me dit : « Monsieur, il y a eu un tir dans notre direction. Je vous demande de vous courber et de monter en courant dans l'avion. » Carla avait été exfiltrée et se trouvait déjà en train d'escalader la passerelle. « Ludovic, toutes les télévisions sont sur le tarmac. Je ne suis pas un lapin. Collez-vous à moi si vous l'estimez nécessaire, mais montons tranquillement ! » Ce que nous fîmes. Une fois à l'intérieur de l'avion, la sécurité verrouilla immédiatement la porte. Je hurlai de la rouvrir car je m'aperçus que Simone Veil était encore dehors. Ils l'avaient oubliée ! Nous avons beaucoup ri une fois l'étonnement et l'émotion du moment passés. Carla avait été très bouleversée. C'était en quelque sorte son baptême du feu. Je lui confiai : « Dans quelle galère t'ai-je entraînée ? » Que s'était-il passé ? Nous ne le sûmes réellement jamais. L'explication officielle qui fut donnée était étrange. « Un garde-frontière s'était suicidé à l'aéroport Ben Gourion au moment où le président français était sur le point de partir ! » Telle fut la déclaration laconique du porte-parole de la police israélienne, Micky Rosenfeld. Le pauvre homme avait bien mal choisi son moment. Les services de sécurité français ne m'ont pas semblé extrêmement convaincus par cette explication, qui avait cependant le mérite de préserver la police israélienne du soupçon de la moindre faille dans le système de sécurité mis en place pour l'occasion de notre départ. Encore aujourd'hui, je m'interroge sur cet événement inédit et finalement sans conséquence.

*
* *

La télévision publique est toujours un sujet de fantasme. Qui la contrôle ? À qui profite-t-elle ? Quelle doit être la nature de ses programmes ? Élitistes, populaires, éducatifs ? Quel est l'avenir de la redevance ? Les questions ne manquaient pas. Les polémiques non plus. L'État était le propriétaire. J'étais président de la République, donc le représentant de l'unique actionnaire. J'avais décidé d'agir plutôt que d'assister sans rien faire à une « normalisation » de la télévision publique par rapport à ses concurrentes du secteur privé. J'avais identifié que cette triste similitude était le produit d'une même course à l'audience. Lorsque j'interrogeais les dirigeants de ces chaînes, ils m'indiquaient qu'ils devaient y participer pour sécuriser leurs recettes publicitaires, elles-mêmes indexées sur les fameuses courbes d'audience ! C'était un cercle vicieux d'autant plus anormal que la télévision publique était financée par la redevance, payée par les Français qui possédaient une télévision. La publicité aurait dû être réservée aux télévisions privées qui, à l'inverse, ne bénéficiaient pas de la redevance. La télévision publique devait vivre des ressources de cet impôt. Je décidai donc en toute logique, du moins me le semblait-il, de supprimer la publicité sur les antennes de France Télévisions pour les soirées. Ce qui présentait l'autre grand avantage de faire démarrer les programmes dès 20 h 30, au lieu de 21 heures du fait de la longueur des coupures publicitaires. Une fois encore, je fus surpris par la polémique, et surtout par l'endroit d'où elle partait. Je m'attendais en effet à ce que les partisans de la suppression de la redevance y soient opposés. Leurs positions étaient, pour le coup, logiques. Ils cherchaient à la compenser par les recettes publicitaires. J'y étais opposé car, dans ces conditions, que serait devenue la spécificité des programmes du service public ? Rien, puisqu'il aurait alors fallu qu'elle s'alignât complètement sur la tyrannie des courbes d'audience. Plus étonnant à mes yeux fut donc l'opposition d'une partie de la gauche. Je m'attendais à un soutien enthousiaste des réalisateurs et des auteurs de voir ainsi s'éloigner la menace des coupures publicitaires de leurs films, ce qui représentait comme une forme de sacrilège. J'avais souvent entendu nombre d'entre eux s'interroger à haute voix : « Comment pouvait-on ainsi vouloir détruire le rythme d'une œuvre avec une ou deux interruptions publicitaires ? » C'était sans compter sur une forme de cupidité d'une partie des producteurs qui vivaient largement des subsides distribués par France Télévisions, et qui avaient peur que je ne tienne pas mon engagement de garantir, à l'euro près, la compensation des recettes publicitaires préalablement supprimées ! Entre leurs convictions et leurs intérêts patrimoniaux, ils avaient choisi. Je reçus ainsi, à trois reprises, en leurs noms, leur représentante, productrice reconnue et amie de Carla. Je prenais le temps de lui expliquer mon projet. Rien n'y faisait. Elle ne voulait rien entendre. La discussion était devenue parfaitement inversée. Je défendais la culture. Elle défendait la publicité. À moins qu'il n'y ait eu de sa part des arrière-pensées politiques ? C'était sans doute ce que j'aurais dû comprendre plus tôt. J'étais vraiment convaincu qu'il s'agissait de l'unique moyen d'améliorer sensiblement la qualité et l'exigence des programmes des sept télévisions publiques (en comptant France 24 et France Ô). Après mon départ, personne ne s'est préoccupé de ce sujet qui, visiblement, n'intéressait plus grand monde. La droite au pouvoir n'avait vraiment aucune leçon à recevoir de la gauche en matière de politique culturelle. Encore aujourd'hui, je me félicite d'avoir nommé Véronique Cayla à la tête d'Arte. Elle a conduit cette chaîne vers un public plus large sans jamais renoncer à une exigeante qualité de ses programmes.

*
* *

À l'approche du 14 Juillet et de la parade militaire, je dus affronter une polémique embarrassante avec une partie du haut commandement militaire français. C'était, à mes yeux, maladroit et injuste. Il y avait eu d'abord un problème circonstanciel qui prit la forme d'un fait divers que je jugeais invraisemblable autant qu'inadmissible. Les événements se déroulèrent à Carcassonne lors d'une démonstration effectuée dans une base militaire, en présence d'un important public. Un sergent fit seize blessés à la suite d'une « erreur » qui l'avait conduit à utiliser des balles réelles au lieu des balles à blanc évidemment prévues dans ce genre de manifestations où une assistance nombreuse et familiale se pressait. Comment avait-on pu être si négligent ? Que faisait la chaîne de commandement qui n'avait pas vérifié cet élément pourtant crucial pour la sécurité des soldats comme des spectateurs ? Cela témoignait à mes yeux d'un laisser-aller peu commun. J'étais dans une colère noire et ne me privais pas de le faire savoir. Des têtes devaient tomber et cela ne pouvait pas être seulement celle de ce malheureux sergent, dernier coupable mais pas unique. Je visionnai la scène qui avait été filmée par l'armée. Je frémissais en pensant aux conséquences encore plus dramatiques que nous aurions pu connaître. Seulement seize blessés, et pas de mort, c'était une forme de petit miracle. Je me rendis à Carcassonne pour rencontrer les victimes et présenter mes plus plates excuses aux familles. Ce ne fut ni agréable ni facile. Que pouvais-je bien dire, sinon que ces négligences étaient inacceptables ? Par la suite, j'acceptai, sans état d'âme, la démission du chef d'état-major de l'Armée de terre, le général Bruno Cuche, et nommai dès le Conseil des ministres qui suivit son successeur, le général Elrick Irastorza. Pour l'occasion, certains commentateurs m'avaient trouvé trop dur et m'accusaient une nouvelle fois d'avoir perdu mes nerfs. J'étais persuadé que les mêmes m'auraient certainement trouvé trop mou, voire laxiste, si je n'avais pas pris ces décisions. En y repensant aujourd'hui, je ne ressens aucun état d'âme quant à mon choix de l'époque. Plusieurs années après, lorsqu'un conflit opposa le président Macron au général de Villiers, dans d'autres circonstances, j'ai pensé qu'il était le président, le chef des Armées, et que le devoir des généraux était de lui obéir. Ou alors il ne s'agissait plus d'un fonctionnement normal de la démocratie.

Cet incident avait d'autant plus tendu l'atmosphère qu'il se déroulait dans un climat assombri par la réduction des effectifs que j'étais en train d'imposer à nos armées. Je venais de présenter le livre blanc de la Défense pour fixer notre stratégie pour les années à venir. Cinquante-quatre mille postes avaient vocation à disparaître. J'imposais ainsi à la sphère militaire le même sacrifice que celui que je réclamais pour l'administration civile de l'État. C'était juste, d'autant plus que nous avions prévu un très important effort d'investissement et de rénovation des matériels militaires, mais c'était dur, car il allait falloir fermer des bases et démanteler des régiments. Certains hauts gradés ne l'entendaient pas de cette oreille et le firent savoir par l'intermédiaire d'une tribune anonyme signée Surcouf, où ils contestaient les choix du gouvernement en matière militaire. C'en était vraiment trop pour moi. J'aime l'armée. J'admire les militaires. J'étais en train de demander à Bercy de grands sacrifices budgétaires pour moderniser tout leur arsenal, mais je ne pouvais accepter ces tentatives dont le but était seulement de faire reculer le gouvernement. Il n'y a pas de concurrence des institutions dans la République. L'institution militaire est soumise à l'autorité du président élu dont la Constitution prévoit *expressis verbis* qu'il est aussi le chef des Armées. Les mots avaient un sens. J'étais bien décidé à faire respecter la lettre comme l'esprit de la Constitution. Pour arranger les choses, le *JDD* fit sa une la veille du défilé militaire de la fête nationale sur « L'armée sous tension ». Chacun de mes opposants me promettait une avalanche d'incidents pour le jour J. En fait, il n'y en eut aucun. Ce qui montrait le calme et le sens des responsabilités de l'armée française dans ses profondeurs. Si l'intention de certains dans le haut commandement avait été de me tester, ils ne durent pas être déçus, puisque je ne connus plus aucun problème de ce côté-ci jusqu'à la fin de mon mandat. Il restait enfin un dernier irritant : l'invitation que j'avais lancée à tous les pays membres de l'Union pour la Méditerranée de participer dans la tribune officielle aux célébrations de notre fête nationale. La venue de Bachar al-Assad passait mal pour une partie de l'armée qui n'avait jamais pardonné au régime syrien l'attentat du Drakkar survenu vingt-cinq ans plus tôt à Beyrouth et qui avait coûté la vie à cinquante-huit parachutistes français. Il m'était cependant difficile d'écarter la Syrie du nombre des pays membres de l'Union pour la Méditerranée.

Avec ces incidents, je mesurai la pression qui pesait sur le président de la République, tout à la fois dernier décideur et donc dernier responsable pour tout et pour tous. Comme il pouvait être tentant parfois de « lâcher du lest », de ne pas se battre sur tous les sujets, d'avouer simplement qu'il était difficile de devoir être en permanence un roc de certitudes pour des décisions forcément exigeantes et complexes qu'il fallait assumer chaque jour. Le tout en donnant le sentiment que tout allait pour le mieux. Le président de la République peut douter, hésiter, changer d'avis mais ne doit pas montrer ses états d'âme et multiplier les moments d'indécisions. Car, ce qui se joue, c'est son autorité. Elle ne doit pas et ne peut pas être contestée en tout cas jusqu'au moment de la prochaine élection.

*
* *

Une parenthèse enchantée fut la sortie du nouvel album de Carla *Comme si de rien n'était*. En devenant ma femme, Carla avait dû arrêter tous ses contrats et toutes ses activités. Mais je ne voulais pas qu'elle soit réduite au seul statut « de femme de... », fût-ce du président de la République. Carla avait mené une très brillante carrière internationale de mannequin. Elle était, de surcroît, auteur, compositeur, et chanteuse. Je ne voyais aucune raison à ce qu'elle renonçât à ce qui était sa vie professionnelle désormais. Bien sûr, elle ne pouvait plus monter sur scène mais écrire, composer et faire un album, oui ! Je trouvais de plus que c'était très important comme exemple à donner à tant de jeunes couples, quand le mari considérait encore trop souvent qu'il était normal que sa femme sacrifiât sa carrière pour lui sans que la réciproque fût toujours vraie. C'est peu dire que j'étais heureux de la sortie de *Comme si de rien n'était*. J'étais fier du travail de Carla qui rencontra un grand succès puisqu'elle reçut un disque de platine avec près de cinq cent mille exemplaires vendus dans le monde. Plus encore, je voulais montrer aux Françaises que les choses avaient changé dans notre société. Elle versa l'intégralité des bénéfices engendrés par l'album à la Fondation de France.

*
* *

En cette année 2008, j'avais en perspective deux rendez-vous européens majeurs, celui de la présidence française de l'Union européenne et celui des élections européennes qui se profilaient pour l'année suivante. Il s'agissait de deux fameux défis aussi consistants que dangereux à affronter. Les élections européennes sont toujours un rendez-vous compliqué pour le pouvoir en place, car elles sont tout à la fois suffisamment politiques pour affaiblir un gouvernement dont les candidats n'y feraient pas un bon score, et assez « techniques » pour provoquer le désintérêt de nombreux Français. Je fis un premier choix structurant : celui de m'y engager pleinement. Je ne voulais pas reproduire l'erreur du deuxième tour des élections législatives. Je restais sourd aux arguments de tous ceux qui m'enjoignaient de ne pas trop me mettre en avant afin d'éviter d'être désigné comme le perdant en cas de résultats mauvais ou mitigés, ce qui était pour le coup vraisemblable. L'argument n'emportait pourtant pas ma conviction, persuadé que j'étais que, de toute façon, et quoi qu'il arrive, c'est moi qui devrais régler toutes les additions et assumer toutes les responsabilités. Et puis sans doute il y avait aussi et encore mon tempérament. J'étais prêt à être transpercé par toutes les flèches, mais je n'étais pas décidé à les subir sans combattre. Cela était vraiment au-dessus de mes forces ! Je pris donc les choses en main sans laisser paraître la moindre ambiguïté. Mon engagement étant décidé, il ne restait plus qu'à en fixer les modalités. Les européennes ne devaient et ne pouvaient être que l'affaire du président de la République en charge de la politique avec nos partenaires du continent. Je rompis une nouvelle fois avec les us et coutumes habituels en participant à un événement de mon propre parti, la convention sur l'Europe, où j'avais convié Angela Merkel. Je voulais ainsi inscrire l'Europe dans la vie politique française. Ouvrir les esprits. Montrer que nous avions besoin les uns des autres. Élargir l'influence de la France. Cela me semblait tellement plus intéressant que de nous enfermer dans nos habituelles querelles picrocholines. Il y eut de grands débats pour affirmer qu'un président de la République ne devrait pas s'exprimer devant une formation politique, fût-elle la sienne. En fait, le piège tendu était parfait, mais je ne voulais pas y tomber. Car, avec ce raisonnement, tous ceux qui nous combattaient ne m'invitaient pas. Et on pouvait les comprendre. Mais à l'inverse, je n'aurais pas eu le droit de m'adresser à tous ceux qui voulaient soutenir mon action. Où était l'équité ? Je leur donnais, de surcroît, par mon absence, le sentiment de les abandonner et de leur tourner le dos. Je perdais donc avec les uns, et je ne pouvais gagner avec les autres. C'était perdant-perdant. Quelques années auparavant, Silvio Berlusconi m'avait clairement ouvert les yeux sur le sujet : « Tu sais, la première fois que je fus président du Conseil italien j'ai commis la grave erreur de ne plus me préoccuper de mon parti Forza Italia. Il était tombé à moins de quatre-vingt mille adhérents. Et quand j'ai vraiment eu besoin d'eux, ils étaient devenus trop faibles pour réellement m'apporter un soutien de poids. » J'avais retenu la leçon. Angela Merkel avait toujours été autrement habile. Ainsi, elle savait parfaitement se poser en « Allemande moyenne » ouverte et refusant tous sectarismes partisans. Et dans le même temps, elle me confiait qu'elle ne manquait jamais de présider elle-même, deux fois par mois, le bureau politique de son parti, la CDU, dans les locaux de celui-ci, où elle avait toujours son bureau ! Bien sûr, le système est bien différent du nôtre mais, intuitivement, je sentais bien que je ne devais pas m'éloigner de ma base, et de ma famille, ce d'autant plus que je leur avais imposé l'ouverture qui avait toujours un peu de mal à passer. L'équation n'était pas simple, je n'étais plus, et ne devais plus être, un homme de parti, mais je ne pouvais me désintéresser de la vie du mien et des épreuves électorales qui l'attendaient. Cela participait, une fois encore, des non-dits, des postures et des hypocrisies dont notre débat politique aime tant se nourrir ! Inviter Angela Merkel me permettait de montrer que je pouvais tout à la fois défendre l'identité française et l'ouverture à l'Europe. Il n'y avait là nulle contradiction mais, bien au contraire, une parfaite complémentarité. Les militants me réservèrent un accueil plus que chaleureux. C'était bon de retrouver sa famille, ses amis, ses compagnons de route de si longue date. C'était rassurant de les sentir prêts à repartir en campagne. Et puis cela leur rappelait la victoire. Des souvenirs pour eux comme pour moi remontaient ainsi à la surface. Il ne faut pas sous-estimer la dimension sentimentale de la politique, les amitiés, les fraternités, l'engagement désintéressé de tous ces militants qui m'avaient donné tellement de leur temps et de leur passion. J'avais si profondément aimé ces ambiances, ces réunions, ces innombrables meetings auxquels j'avais participé. Moi aussi je ressentais le besoin de retrouver mes racines. Pour Angela Merkel, c'était plus complexe. Une partie de mes propres amis doutait de l'opportunité de la convier pour une réunion sur l'Europe. Leurs craintes étaient nombreuses. N'allait-on pas nous accuser de nous aligner sur la grande Allemagne ? Ne prenait-on pas le risque de nous associer à la ligne Merkel, trop fédéraliste au goût de beaucoup dans mon parti ? Et compte tenu des réticences d'une partie des Français, notamment parmi les plus âgés, à l'endroit de l'Allemagne, n'était-ce pas dangereux de trop en faire dans les démonstrations d'amitié ? Chacun de ces arguments pouvait sans doute se défendre. Je les balayais pourtant au motif que ma conviction était solidement ancrée. Qu'on les aime ou pas, rien ne serait possible en Europe sans une solide alliance avec nos partenaires d'outre-Rhin. J'allais prendre la présidence de l'Europe. J'avais besoin de cette relation de confiance et d'amitié avec la chancelière. Et je savais que l'inviter à Paris, devant mon parti, pour prononcer un discours serait compris par elle comme un grand signe de reconnaissance pour son action et pour son pays. Et qu'elle y serait forcément très sensible. Je ne tarderais d'ailleurs pas à recueillir les fruits de cette politique dans la façon dont Angela Merkel, durant toute la crise qui allait arriver, aurait toujours à cœur d'accepter de soutenir les initiatives de la France. Cela ne signifiait pas que nous n'avions pas de désaccords. Bien au contraire. Il y en avait et certains étaient même assez sérieux. Ainsi la chancelière n'avait rien trouvé de mieux que de déclarer au moment de la crise économique de 2008 que « l'Europe n'avait pas besoin d'une réunion des chefs d'État et de gouvernements pour coordonner les politiques économiques sur le continent. L'Eurogroupe, dirigé par les ministres des Finances, était bien suffisant. » Elle alla même jusqu'à dire : « Il ne faut pas multiplier les forums de rencontre. » J'étais en tout point opposé à cette position traditionnelle de l'Allemagne qui revenait à refuser un gouvernement économique de l'Europe digne de ce nom, dans la crainte qu'il fasse contrepoids à la Banque centrale européenne et puisse, en conséquence, contester son indépendance. J'avais choisi ma stratégie. Je ne polémiquais pas. Je ne lui répondais pas. Je faisais toujours comme si Angela était d'accord. Et surtout, j'avançais sans tenir compte de ses craintes ni de ses réticences. Parfois elle m'en faisait le reproche dans nos conversations privées. Mais cela ne tournait jamais mal puisque je n'évoquais pas publiquement nos désaccords. Et c'est cela qui comptait le plus pour elle. Encore une fois, chercher à la convaincre était inutile. Utiliser le bras de fer médiatique était contreproductif. Restait le contournement. J'en étais devenu l'expert, et même parfois avec une certaine mauvaise foi !

La chancelière est un « bulldozer timide ». Sur scène elle était réservée, presque empruntée et en même temps heureuse d'être la *guest-star*. Ses discours étaient solides, sérieux, mais parfois un peu indigestes. Juste avant notre réunion, j'avais dû prendre le temps de la rassurer à propos de mon initiative sur l'Union de la Méditerranée. Elle craignait que l'Allemagne n'en soit exclue. J'avais beau lui faire valoir que, n'étant pas riveraine de la Baltique, la France n'envisageait pas de réclamer un siège de participant actif au Conseil des États de la mer Baltique, elle ne voulait rien entendre. Elle soutenait qu'il fallait qu'elle en soit ou bien qu'elle s'y opposerait. Je lui répondais en riant : « Tu m'aimes tellement que tu ne veux pas me laisser seul. » Finalement, j'acceptai que tous les États membres de l'Union européenne soient également membres de l'Union pour la Méditerranée et participent aux sommets. Je me disais qu'après tout ce n'était pas anormal, car tous participaient à l'accueil des immigrés en provenance du sud de la Méditerranée.

Dans mon discours à la Convention, je fixais ce que devrait être à mes yeux le programme de la présidence française et, en même temps, celui de notre future campagne européenne. Il y avait d'abord ma volonté d'imaginer un pacte européen pour l'immigration. Je voulais que chaque pays s'interdise les régularisations massives d'immigrés en situation irrégulière tant qu'il n'avait pas obtenu l'autorisation de ses voisins. En effet, avec l'espace Schengen, une fois pénétré dans un terri-toire, le nouvel arrivant pouvait aller dans le pays de son choix, à l'intérieur de l'ensemble pour profiter notam-ment des prestations sociales les plus avantageuses. Je souhaitais également que, si un membre de Schengen refusait un visa pour un réfugié qui se voulait politique, ce refus devait valoir pour tous les autres, sans qu'il soit besoin de nouvelles procédures d'instruction. Je deman-dais « que soit mise en place une politique de l'immi-gration européenne qui devait être accompagnée d'une ambitieuse politique de codéveloppement, parce qu'avec quatre cent soixante-quinze millions de jeunes Africains qui avaient moins de 17 ans, et un détroit de Gibraltar large d'à peine quatorze kilomètres, il n'y avait pas d'autre choix que d'aider l'Afrique à se développer. »

Je proposais une deuxième priorité avec la politique agricole commune. Il y avait deux milliards de personnes sur la planète qui n'avaient pas de quoi se nourrir. Cela représentait un potentiel de développement immense. La question de la sécurité et de l'indépendance alimentaires était stratégique. Car le jour où il n'y aurait plus qu'une seule agriculture dans le monde, celle des Américains, il y aurait fort à parier que l'on ne tarderait pas à voir les prix des matières premières agricoles exploser.

Je fixais une troisième priorité avec le paquet climatique. « J'ai l'ambition de faire du continent européen le premier qui aura compris que la planète court à sa perte si nous ne prenons pas des engagements en matière de développement durable qui nous rendront exemplaires. » En consultant tous mes documents de l'époque, je constate que l'on avait fait beaucoup en la matière, et le tout sans « écologistes » au gouvernement. Je concluais mon propos en proposant une grande ambition européenne : « Elle sera toujours plus facile à réaliser que la toute petite. Parce que la grande ambition européenne c'est ce que les peuples d'Europe attendent de nous ! » Le décor était désormais posé. Il ne restait plus qu'à attendre le premier jour de la présidence française, le 1er juillet 2008. Pour le célébrer dignement, la tour Eiffel avait été illuminée aux couleurs de l'Europe et j'avais convié à Paris le président du Parlement européen, Hans-Gert Pöttering, le plus francophone des Allemands, et José Manuel Barroso, le président de la Commission européenne. Le soir, je dînais à l'Élysée avec tous les commissaires européens. Je ne voulais pas perdre une minute de ces six mois si précieux à mes yeux. Cela commençait d'ailleurs par deux belles difficultés, avec l'annonce par le président polonais qu'il refusait de signer l'acte de ratification du traité de Lisbonne, et avec le vote « non » des Irlandais quelques jours plus tôt. Je compris instantanément que je n'allais pas manquer de travail.

Même si cela peut paraître naïf ou décalé, j'étais passionné par la perspective de cette présidence. Je voulais vraiment en faire quelque chose d'utile. J'avais décidé d'y consacrer un temps important. C'était tout à fait nouveau, cela ne correspondait à aucune tradition, à aucune habitude. Je savais que c'était très court : six mois, et que ce qui était attendu du nouveau président consistait pour l'essentiel à présider les deux sommets de sa présidence. Pour le reste s'il était aimable, on l'inviterait aux réunions avec les présidents de la Commission et du Parlement. Je n'avais aucune idée des événements qui allaient bientôt occuper la présidence française. Mais en tout état de cause, c'était peu dire que mon état d'esprit était bien différent de ce qu'imaginait le landerneau bruxellois. J'aime l'Europe. Je me sens Européen et je supportais de moins en moins ses lourdeurs, ses lâchetés, ses reculades, ses anachronismes et, par-dessus tout, sa bureaucratie. Je voulais marquer les esprits. Je souhaitais vraiment que l'on me crût lorsque j'évoquais mon enthousiasme et mon volontarisme. Je pris tout de suite un certain nombre de mesures qui pouvaient apparaître comme des détails mais qui faisaient sens dans mon esprit, sur la direction que je souhaitais prendre et surtout faire emprunter à l'Europe. J'annonçai que, durant les six mois de la présidence française, je suspendrais les réunions à 22 h 30 le soir pour les reprendre dès 8 h 30 le matin. Nous devions apprendre à travailler de façon rationnelle et cela ne l'était pas de finir tous nos sommets à 3 heures du matin. Il s'agissait d'une perte de temps et d'énergie. Cette décision avait une conséquence. J'annonçai qu'en séance je refuserais de donner la parole sur le même sujet plus de deux fois au même chef d'État ou Premier ministre. À vingt-sept autour de la table, nous devions nous discipliner si nous voulions seulement être un peu efficaces. Cela me valut, dès le début, une algarade assez forte avec le président roumain à qui je refusais la parole pour une troisième intervention. Il tempêta, m'accusa de mépriser les dix-neuf millions de Roumains, et menaça de quitter la séance. Je lui répondis, je le reconnais, peu diplomatiquement : « Surtout ne te gêne pas ! » Je prévins ensuite les services du Conseil, et de la Commission que je n'accepterais pas un communiqué de fin de Conseil européen qui fasse plus de cinq ou six pages, ce qui rompait brutalement avec la tradition de ces textes dont la longueur était inversement proportionnelle à la qualité de contenu. Dernier détail, je changeai également le fournisseur des repas. Je voulais un Français, qui fit beaucoup mieux. Il était d'ailleurs impossible d'imaginer qu'il fasse pire ! Bernard Kouchner s'était beaucoup mobilisé pour que son ami Starck, le célèbre designer, ait la charge de tous les petits cadeaux, stylos, carnets et le logo de la présidence. J'avais accepté. Je ne le connaissais pas. Pour l'occasion, je le reçus deux fois. Je rencontrai un homme certainement intelligent, parfois sympathique et un peu bonimenteur. Ainsi, tout ce qu'il me présentait était immédiatement « intellectualisé ». J'ai vite trouvé cela assez creux et pour tout dire manquant de simplicité. Le résultat fut d'ailleurs inégal. Je ne pouvais décemment pas l'accuser d'avoir forcé son talent outre mesure ! Bernard Kouchner et lui s'émerveillaient de la forme d'un Bic en plastique dont la courbe « pouvait signifier la douceur de la vie... » Il s'agissait de tout ce que j'avais fui dans ma vie. J'ai dû passer pour un imbécile en demandant des pointes bille qui marchaient et qui aient une apparence moins « toc ». Je ne crois pas avoir remonté dans la considération de Starck. Je le regrettais. On ne dira jamais assez le temps perdu dans tout ce « packaging » inutile. Cela n'enlève rien au talent reconnu du décorateur et de l'architecte.

J'ai bien vite senti que nombre d'eurocrates bruxellois redoutaient mon arrivée. Qu'allais-je encore inventer ? Jean-Pierre Jouyet n'était pas avare en conseils : « Surtout, ne les bousculez pas. » C'était triste de constater que dans leurs esprits un bon Européen était un Européen immobile ! La vérité, c'est que l'idée européenne était beaucoup trop grande pour ceux qui prétendaient la gérer et qui n'avaient fait qu'en hériter. Le *Financial Times Deutschland* résumait, à sa manière mais plutôt bien, la situation parlant d'Angela Merkel et de moi : « Chacun des deux acteurs doit comprendre la psychologie de l'autre. La chancelière doit accepter que Nicolas Sarkozy veuille se présenter pendant sa présidence de l'U.E. en générateur d'idées nouvelles pour l'Europe. Le président doit accepter de son côté que l'Allemagne ne tolère aucune prétention généralisée de la France au sein de la Communauté ».

Le premier véritable test de ma présidence fut « le grand oral » que je dus passer devant le Parlement européen, une semaine après ma prise de fonction. C'était un exercice délicat et passionnant. Délicat, parce que je me trouvais devant près de sept cent cinquante parlementaires, de toutes tendances politiques, venant de vingt-sept pays différents, utilisant une bonne vingtaine de langues spécifiques. Il fallait répondre sans notes, sans conseillers qui puissent vous souffler les réponses, sans grand délai de réflexion, le tout sur des dossiers européens techniques et complexes. La séance était de surcroît retransmise en direct sur de nombreuses chaînes de télévision. C'était peu dire qu'il y avait de la pression, et que l'attente était immense. Le Parlement était bondé. Pas un fauteuil n'était vide. Pour le meilleur ou pour le pire, les parlementaires européens m'attendaient de pied ferme. C'était passionnant parce que j'ai, pour la première fois, ressenti physiquement ce qu'était la démocratie européenne. C'était une belle démonstration de ce qu'avait fait de mieux l'Europe que la création de ce cénacle où conservateurs, libéraux, socialistes, nationalistes, écologistes, gauchistes de vingt-sept pays pouvaient débattre, dialoguer, voter comme s'ils appartenaient à un même pays. On ne souligne pas assez la spécificité de cette pratique qui ne représente, ni plus ni moins, qu'un petit exploit. C'était passionnant parce que, de toutes les institutions européennes, le Parlement est l'une des plus jeunes avec ses quarante années à peine. Et cela se sentait. Les parlementaires n'étaient pas usés par le temps et les habitudes. Je ressentis, tout à la fois, une véritable fraicheur et une réelle passion. Il y avait peu de gens blasés. Dans leur pays, rares étaient ceux qui comptaient réellement, mais à Strasbourg comme à

Le Temps des Tempêtes

Bruxelles, il en allait bien différemment. J'ai adoré cet exercice qui avait pourtant duré trois bonnes heures entre mon discours introductif et la séance des questions-réponses à laquelle j'avais dû me prêter. Les sujets ne manquaient pas. Je dus d'abord m'expliquer sur ce que serait ma gestion du non irlandais au traité de Lisbonne. J'annonçai que je me rendrais dans ce pays avant la fin du mois de juillet pour écouter, dialoguer et trouver une solution. J'avais déjà en tête l'idée d'un deuxième referendum. Je dus ensuite me défendre pied à pied sur le sujet de la Banque centrale européenne. En effet, j'avais dit que porter le taux d'intérêt européen à 4,25 %, alors que les Américains avaient des taux à 2 %, ne me semblait pas raisonnable, car cela contribuait à renchérir l'euro et à affaiblir le dollar, et donc à diminuer la compétitivité de nos produits que, par conséquent, nous vendrions plus chers du fait de la valeur de notre monnaie. Jean-Claude Trichet était obnubilé par un risque d'inflation auquel il était le seul à croire. J'expliquais au Parlement que l'indépendance de la BCE ne voulait pas dire que nous avions une obligation d'indifférence. L'Europe souffrait d'un manque de débat. Je revendiquais mon droit à discuter de la meilleure politique monétaire. Je prononçai enfin et, une nouvelle fois, un vibrant plaidoyer en faveur d'une politique énergétique et environnementale européenne réellement ambitieuse. Je conclus même ce point par ces mots : « Nous sommes la dernière génération qui peut éviter la catastrophe. » Hans-Gert Pöttering présidait la séance avec calme, autorité et compétence. C'était un homme de grande hauteur de vue, européen convaincu

466

et reconnu, d'une intelligence extrêmement fine. Il était membre de la CDU. C'était un fidèle de Merkel, mais qui savait garder une réelle autonomie de pensée. J'ai beaucoup aimé travailler avec lui. Comme il se devait, il conduisait les débats et donnait la parole aux parlementaires désirant m'interroger. Il n'y eut qu'un seul incident, avec Daniel Cohn-Bendit, qui était visiblement mécontent qu'on ne l'ait pas davantage remarqué depuis le début de la séance. Au bout de deux heures, n'y tenant plus, il s'agita pour que l'on voie bien qu'il portait un tee-shirt de l'association Reporters sans frontières, montrant les anneaux olympiques menottés. Cette association avait, à l'époque, un président nommé Robert Ménard, qui a depuis été élu maire de Béziers avec le soutien actif de Marine Le Pen. Cela serait amusant de savoir si le révolutionnaire de 68 a conservé ce tee-shirt ? Lorsqu'il prit la parole, il fut comme à l'accoutumée énervé, excessif et désagréable. Il accélérait le rythme de sa voix qui devenait encore plus métallique et aiguë. C'était difficilement audible. Il termina ses hurlements par des invectives : « C'est minable d'aller à l'ouverture des Jeux olympiques. C'est une honte. Quand vous rédigerez votre autobiographie, vous regretterez ce que vous vous apprêtez à faire. » Le terme minable était usuel chez lui. Je l'avais vu l'employer contre François Bayrou, quand ce dernier lui avait reproché ses écrits et ses déclarations sur la sexualité des enfants. Cette fois-ci, j'étais donc le minable du jour. Je répondis que l'Europe ne se grandirait pas en boycottant un milliard trois cents millions de Chinois, mais que je parlerais avec les dirigeants chinois de la question des droits de l'Homme. Je proposai même à mon interlocuteur de me faire passer la liste des dissidents dont il souhaitait que j'évoque la situation. Il fut surpris. Ne sut d'abord pas trop quoi répondre. Puis déclara qu'il allait travailler sur une liste. Ce qu'il fit. J'étais tranquille pour quelque temps de ce côté-là. Les commentaires de la presse européenne et des observateurs furent assez favorables soulignant qu'au minimum, il ne serait pas possible de reprocher à la présidence française d'avoir manqué de volontarisme politique. C'était déjà cela.

La première véritable décision politique que je dus assumer en tant que président de l'Union européenne concernait donc les Jeux olympiques de Pékin. Une grande majorité des chefs d'État et de gouvernements européens n'avaient aucune envie de faire le voyage en Chine en ce début du mois d'août, et cherchaient en conséquence toutes les raisons politiques de l'éviter. Il est vrai que les sujets ne manquaient pas. Les libertés, le Tibet, Taïwan, la valeur du yuan... Chacun avait ses raisons, dont certaines n'étaient pas négligeables. L'accueil réservé en France à la flamme olympique avait été entouré de multiples polémiques, le maire de Paris Bertrand Delanoë nous ayant beaucoup compliqué la tâche. Les pays scandinaves réclamaient le boycott pour des raisons politiques. Et les pays du sud, notamment Silvio Berlusconi, n'avaient visiblement pas envie de faire le voyage. J'étais d'un avis diamétralement opposé. Les Chinois avaient préparé cet événement avec un soin et un engagement de tous les instants. Il s'agissait maintenant d'une question de fierté nationale. Ne pas se rendre à Pékin deviendrait un camouflet non seulement pour le président Hu Jintao mais pour le milliard trois cents millions de Chinois. Je ne voyais pas en quoi cela aurait fait le moins du monde progresser la cause des droits de l'Homme d'infliger cette humiliation aux Chinois. C'eût été de surcroît incohérent avec la décision d'envoyer nos équipes nationales sportives. Les chefs d'État et de gouvernement voulaient boycotter, mais les sportifs devaient faire le déplacement. Quelle était la logique ? Je décidai donc de me rendre à Pékin non pas seulement en tant que président de la France, mais aussi en tant que président de l'Union européenne. Bien m'en avait pris, car je me retrouvais l'un des seuls Européens présents sur place. La chaleur était torride, le spectacle extraordinaire, et le pire avait été évité car j'expliquais à nos hôtes que, naturellement, je représentais tous mes collègues. Les apparences étaient sauvées. L'idée de boycotter 20 % de l'humanité n'était ni plus ni moins qu'une folie. Mon déplacement fit grogner quelques chancelleries du continent. Rien de très sérieux, si ce n'est que cela illustrait, une fois de plus, l'impossibilité d'un processus de consensus et d'unanimité qui nous conduisait toujours au plus petit dénominateur commun, et donc à l'impuissance.

Je venais d'arriver dans le stade surnommé le « Nid d'oiseau » pour son architecture exceptionnelle. Je me restaurais dans le salon réservé aux chefs d'État présents. Il y avait toute l'Asie, toute l'Afrique et une grande partie de l'Amérique du sud, ce qui commençait à faire beaucoup. L'Europe se serait ridiculisée si elle n'avait pas été représentée. Jean-David Levitte, tout à la fois le chef de mon équipe diplomatique et mon sherpa, s'avança vers moi, le visage grave et le teint très pâle. « Je viens d'apprendre une nouvelle extrêmement préoccupante. L'armée russe est en train de franchir la frontière avec la Géorgie. Ils semblent vouloir envahir le pays. Je suis en train de vérifier la véracité de ces événements. » Vladimir Poutine était à vingt mètres de moi. J'allai le voir sur-le-champ pour en avoir le cœur net. Je lui demandai de nous laisser au moins quarante-huit heures afin de calmer les choses. Il refusa sèchement : « Niet, niet, niet. » L'endroit où nous nous trouvions n'était vraiment pas adapté pour une telle discussion. De surcroît, je ne voulais pas d'un esclandre public. Je pensais vraiment que tout ceci pouvait mal finir. Finalement, je gagnai ma place en tribune et fut happé par la beauté inouïe de la cérémonie d'ouverture. J'étais arrivé le matin même et je devais repartir juste après la cérémonie. J'avais emmené mon fils Louis, alors âgé de 11 ans. Nous retraversâmes Pékin en pleine nuit et à vive allure. Une fois dans l'avion présidentiel, nous nous écroulâmes de fatigue. J'eus juste le temps de faire un point avec l'équipe qui m'accompagnait. « Hélas, les faits semblent se confirmer », fut le premier commentaire de Jean-David Levitte. Il n'y avait rien de plus à faire ni à tenter à cette heure avancée de la nuit. Je devais atterrir à Toulon pour passer le week-end du 15 août au Cap Nègre, où se trouvait déjà Carla. J'arrivai très exactement pour le petit déjeuner. C'était un enchantement. Le soleil était déjà chaud. Ma femme m'attendait. La mer était comme un lac recouvert d'écailles que faisait scintiller la lumière éclatante. J'avais bien récupéré grâce à la longue nuit dans l'avion. Je partis pour mon jogging quotidien. À mon retour, Jean-David Levitte qui venait d'arriver à Paris m'avait déjà demandé deux fois. Je le rappelai sur la ligne sécurisée qui avait été installée dans la maison. Les nouvelles n'étaient pas bonnes. L'armée russe était bien en territoire géorgien et, pire, continuait son avancée vers la capitale, Tbilissi. Le monde était sous le choc. Je décidai d'appeler le président russe du moment, Dmitri Medvedev. Cette première décision fut l'objet d'un intense débat chez les diplomates. Il y avait ceux qui plaidaient pour que je parle au vrai et unique patron, en l'occurrence le Premier ministre, Vladimir Poutine, et ceux qui poussaient en faveur du respect des règles protocolaires, c'est-à-dire d'un dialogue de président à président. Je tranchai en faveur de cette dernière proposition car je considérais qu'agir différemment aurait ridiculisé le président Medvedev, qui ne le méritait vraiment pas. Et je me disais par ailleurs que, compte tenu de la gravité de la crise, si Poutine voulait intervenir, il ne se gênerait pas pour le faire. Il n'y avait donc que des avantages, en tout cas dans un premier temps, à passer par Medvedev. Je n'eus aucune difficulté à le joindre. La situation était inacceptable, mais je devais avoir l'honnêteté de reconnaître que le président géorgien Saakachvili avait tout fait pour tendre les choses au préalable. C'était bien pourquoi nous avions dû convoquer à l'Élysée l'ambassadeur de ce pays pour le prévenir que l'Europe comme les États-Unis n'interviendraient pas militairement en cas de répliques russes. Bernard Kouchner avait appelé son homologue géorgien pour lui passer le même message. Il faut dire que les deux régions géorgiennes en cause, l'Ossétie du Sud et l'Abkhazie, étaient un peu à ce pays ce qu'étaient l'Alsace et la Lorraine pour la France. C'est dire combien tout ceci était d'une grande sensibilité. Saakachvili avait voulu flatter le sentiment nationaliste de ses compatriotes, il n'avait réussi qu'à réveiller l'ours russe. Le faire rentrer dans sa tanière ne serait pas une partie de plaisir ! Avant de parler au président Medvedev, j'avais élaboré un plan en trois points, dont le but était en quelque sorte un retour au *statu quo ante*. Il prit note, avec sa cordialité habituelle, de mes propositions et ne s'engagea pas. Pendant ce temps, les forces russes poursuivaient leur progression en territoire géorgien. Le 11 août, elles n'étaient plus qu'à vingt-cinq kilomètres de Tbilissi. J'imaginais le scénario du pire, qui consistait pour les Russes à prendre possession de la ville, à renverser Saakachvili et à installer un gouvernement prorusse. George W. Bush me téléphona pour me dire qu'il soutiendrait le plan français, mais qu'il exigeait que les Russes « soient punis », sans toutefois (et heureusement) déclencher une intervention militaire. J'étais pris entre deux feux. Les Russes qui me pensaient du côté géorgien. Les Américains et une partie des Européens qui me trouvaient, à l'inverse, trop conciliant. Si on voyait les choses d'une manière optimiste, cela pouvait également signifier que je tenais une position « équilibrée ». Je parlais deux nouvelles fois avec Dmitri Medvedev. Je sentais confusément qu'il n'était pas loin de considérer, comme je lui expliquais inlassablement, que tout ceci était en train d'aller trop loin, et que les conséquences sur la réputation de la Russie risquaient d'être considérables. Il n'allait pas jusqu'à me le dire, mais je le sentais de moins en moins bloqué sur la position officielle. Je savais qu'il n'était pas le dernier décideur mais, malgré tout, il avait la confiance de Poutine. Je décidai de profiter de ce moment de flottement, en tout cas que je percevais comme tel, pour tenter un nouveau va-tout. Je proposai à mon interlocuteur de me rendre à Moscou pour entamer de réelles discussions. Je ne posais qu'une seule condition, mais de taille, puisqu'il s'agissait de l'arrêt de la progression des forces russes. J'étais même encore plus précis : « Je viens à Moscou, mais quand les roues de mon avion se poseront sur la piste, j'attends qu'une dépêche annonce l'arrêt de l'armée russe. Dans le cas contraire, je ne descendrai pas et repartirai immédiatement. » J'avais besoin de cette garantie car une partie de mon équipe craignait que mon voyage à Moscou se terminât en un piège qui permît aux Russes de gagner du temps pour finir le travail. Malgré tout, je choisissais de prendre le risque de faire confiance à Medvedev. Nous partîmes donc pour Moscou seulement trois jours après être rentrés de Pékin.

Le spécialiste des transmissions qui m'accompagnait dans l'avion présidentiel me remit, à peine dix minutes avant notre atterrissage, un communiqué annonçant que l'ordre avait été donné aux chars russes d'arrêter leur progression. Je soufflai un moment. Il s'agissait enfin d'une bonne nouvelle. Cependant, les arrêter, c'était bien, mais pas suffisant. Il fallait maintenant qu'ils reculent ! Nous traversâmes Moscou toutes sirènes hurlantes pour arriver au Kremlin. À l'arrivée, je fus assailli par une quantité impressionnante de caméras, de micros, de journalistes. La tension était palpable. Nous sentions tous la gravité de la situation. Personne ne souriait ni même ne parlait dans ma petite délégation. Nous étions très tendus. Je me demandais intérieurement si j'avais fait le bon choix. Il était cependant trop tard pour se poser ces questions. Il allait falloir se battre d'arrache-pied, et je savais que personne n'était prêt à perdre la face. Le président Medvedev et l'inusable ministre des Affaires étrangères Sergueï Lavrov nous attendaient. Dès mon arrivée, Dmitri Medvedev me prit à part. « Cela te dérange-t-il si Vladimir Poutine se joint à nous pour le déjeuner ? » Je répondis : « En aucune manière, je serai même très heureux de le revoir. » Cette présence imprévue montrait toute l'importance que les Russes attachaient à cette affaire. Je pensais même que cela nous faciliterait la tâche, car je n'étais pas certain que les généraux russes obéiraient à Medvedev, alors qu'à Poutine, si. Il n'y avait pas le moindre doute. Sur ces entrefaites, Vladimir Poutine était arrivé avec une joue légèrement enflée. Il me salua d'entrée en me disant : « Je sors de chez le dentiste, j'ai une rage de dents et je suis de très mauvaise humeur. » Je pensais en moi-même que j'avais connu de meilleurs démarrages. Puis nous nous assîmes autour d'une petite table. Il y avait les deux dirigeants russes, Jean-David Levitte et moi. Pendant ce temps, dans une pièce adjacente, se tenait un autre déjeuner avec le ministre Sergueï Lavrov et le sherpa de Medvedev, Sergueï Prikhodko, Bernard Kouchner et mon conseiller

Damien Loras. Le déjeuner commença au plus mal. Poutine tenait parole. Il était furieux. Il prit en main la discussion et la monopolisa durant une bonne quinzaine de minutes. Il s'agissait d'un violent réquisitoire contre Saakachvili, ses méthodes, sa politique, sa personnalité. Il était hors de lui et allait jusqu'à se signer lorsqu'il prononçait le nom du président géorgien. C'était vraiment impressionnant. Il finit même par me dire : « Il ne peut pas rester avec tous les crimes qu'il a commis. » Le calme n'étant pas ma qualité première, la moutarde commençait à me monter au nez. Dmitri Medvedev était, pendant cette tirade, demeuré totalement silencieux. J'interrompis mon interlocuteur avec peine, et j'explosai littéralement : « Nous sommes le 11 août, je n'ai pas quitté le Cap Nègre pour supporter tes injures et tes menaces à l'endroit du président d'un pays membre de l'ONU. Je suis venu plein de bonne volonté pour vous aider à sortir d'une situation où il n'y aura que des perdants, et toi le premier. Tu ne veux rien entendre. J'en ai assez, je m'en vais. » Et, emporté par mon élan, je me levai, remis ma veste que j'avais enlevée en passant à table, et me dirigeai d'un pas décidé vers la porte. Poutine me lança inquiet : « Mais où vas-tu ? » « Je n'ai plus rien à faire ici. Je ne peux pas dire un mot et tu ne veux rien entendre. Je vais donc informer la presse que j'ai échoué. » Poutine s'était levé et, cette fois-ci, plus aimablement, me demanda de rester et de reprendre la conversation dont je lui fis remarquer qu'à mes yeux, elle n'avait pas commencé ! Je revins à la table. En fait, j'étais soulagé de pouvoir le faire. Poutine poursuivit : « J'ai une question à te poser. Quand ton ami

Bush pend Saddam Hussein, tu ne protestes pas. Quand je propose que Saakachvili soit mis dehors, tu veux t'en aller. Pourquoi cette différence d'attitude ? » Je répondis : « C'était donc cela, le rêve de ta vie, finir comme Bush qui est détesté par les deux tiers de la planète ? Je n'avais pas compris qu'il s'agissait de ton modèle ! » Poutine éclata de rire, et de bonne foi me répondit : « Là, tu as marqué un point. » Nous pûmes enfin commencer à discuter posément. Il n'avait plus de rage de dents ou, en tout cas, elle ne le faisait plus souffrir. Je retrouvais l'interlocuteur calme et raisonnable que j'appréciais. Je pris, à mon tour, de longues minutes pour lui faire comprendre combien il avait réussi à redresser pacifiquement son pays sans violence, ce qui était inespéré, et l'étendue des dégâts, pour la Russie comme pour lui, qui résulteraient de toute cette histoire. Je ne comprenais même pas où était l'enjeu politique, économique, militaire, diplomatique. Où que se portât mon regard, ce ne pouvait lui attirer qu'une accumulation de catastrophes. Quel serait, en effet, le prestige pour la Russie d'abattre un pays de quatre millions d'habitants ? Il fallait essayer de sortir la tête haute de cette folie, sans quoi il finirait comme un dictateur honni ! Nous finîmes par échanger près de quatre heures, sans jamais avoir besoin de hausser le ton, mais sans que je pusse obtenir un accord de sortie de crise présentable. Je commençais à fatiguer sérieusement. Je demandai à mes deux interlocuteurs une suspension de séance pour me permettre de leur proposer un plan de paix. Je m'isolai avec mon équipe et rédigeai moi-même une feuille de route en six points, que je revins soumettre à l'accord des Russes. L'essentiel résidait dans le retrait des forces militaires russes de Géorgie, mais avec la possibilité pour eux de continuer à stationner en Ossétie du Sud et en Abkhazie ; 90 % du territoire géorgien se trouverait ainsi en situation d'être libéré. Ce n'était pas l'idéal, mais c'était infiniment mieux que l'occupation totale. Poutine accepta quand je lui indiquai que mon idée était d'organiser de futurs pourparlers à Genève entre Russes et Géorgiens pour négocier sur ce que serait le statut définitif de ces deux petites régions. Je savais que cela prendrait beaucoup de temps, et donc que cela nous en donnait pour résoudre le paroxysme de la crise. Les Russes se voyaient reconnaître un droit tacite à demeurer dans ces deux territoires, mais devaient évacuer tout le reste. Je pus même tenir une conférence de presse commune avec Medvedev pour présenter le plan que la France venait de proposer et devait garantir. C'était une avancée incontestable. Le pire était évité. Restait maintenant à convaincre les Géorgiens. Je reprenais l'avion, mais cette fois pour Tbilissi où nous atterrîmes aux alentours de 22 heures. Il faisait nuit noire. Le pays était en guerre avec les chars d'une armée d'occupation à vingt-cinq kilomètres de l'endroit où nous nous étions posés. L'ambiance était sinistre entre l'aéroport et le palais présidentiel, où Saakachvili nous attendait. C'était la première fois que je traversais une ville si proche de la ligne de front. Il n'y avait plus aucune vie visible. Les lumières étaient éteintes. Les gens se calfeutraient comme ils le pouvaient. La peur régnait, insidieuse, partout. Un endroit de la capitale faisait exception, c'était le Parlement où se trouvait aussi le palais présidentiel. Je sentais une grande exaltation, presque une hystérie. L'immeuble situé sur l'une des hauteurs de la ville était violemment éclairé, ce qui produisait un contraste saisissant avec le reste de la ville intégralement dans le noir. Les autorités géorgiennes avaient appelé leurs partisans les plus déterminés à se rassembler autour de cet ultime lieu de pouvoir pour le défendre et pour recevoir les dernières consignes. Où que je porte mon regard, ce n'était qu'agitation, empressement, énervement. En arrivant dans le bureau du président Saakachvili, je fus remercié, salué, fêté avec beaucoup de sincérité et d'exubérance. Il y avait aussi les présidents de la Lituanie, de la Pologne et de l'Ukraine venus exprimer leur soutien par leur présence physique. J'aperçus immédiatement dans un coin du bureau présidentiel deux hommes qui, visiblement, n'étaient pas Géorgiens, et qui se tenaient à l'écart. Je demandai ce qu'ils faisaient là. On me répondit qu'il s'agissait de deux des conseillers américains de Saakachvili. J'exigeai qu'ils quittent les lieux immédiatement. Je voulais parler aux autorités géorgiennes et à elles seules, et si possible sans témoin extérieur. Avant que nous ne commencions à parler du plan en six points, Saakachvili me dit avec un grand enthousiasme : « Cent cinquante mille personnes sont massées autour du palais. Ils scandent ton nom. Une tribune et des micros ont été installés. Il faut que tu leur parles. » Il ouvrit la double porte-fenêtre de son bureau et un immense brouhaha fut immédiatement perceptible. Bien que cela fut très tentant, je déclinai fermement l'invitation qui m'était faite, car j'avais donné ma parole à

Poutine comme à Medvedev que, si l'armée russe se reti-rait, je ne dirais pas une phrase contre eux. Or, la foule géorgienne, chauffée à blanc et en délire, ne voulait entendre de ma part que des mots qui condamnaient sans ambiguïté les Russes. Je pouvais bien sûr les comprendre, mais si je sortais de mon rôle d'intermédiaire et de négo-ciateur, j'abandonnais toute l'efficacité qu'une apparente impartialité m'avait jusqu'à présent conférée. En déses-poir de cause, le président géorgien tenta une dernière offensive : « Mais si tu ne parles pas, ils vont tout casser. » « Qu'ils cassent tout s'ils le souhaitent. J'ai donné ma parole. Je la tiendrai. La seule chose qui compte, à mes yeux, c'est que les chars russes quittent votre territoire le plus tôt possible. » Je savais que la moindre de mes décla-rations publiques comme privées était suivie au milli-mètre près par Moscou. Je ne doutais pas un instant que mes interlocuteurs du déjeuner devaient disposer de tout le matériel technique et humain dont ils avaient besoin pour être parfaitement renseignés sur ce qui se passait à Tbilissi. Ce ne fut que vers minuit que nous entrâmes dans le vif du sujet. J'expliquai alors que soit la Géorgie acceptait mon plan, soit les combats reprendraient, Tbilissi tomberait et cela en serait fini de la Géorgie indé-pendante. Saakachvili refusa et se braqua sur la question d'une discussion internationale établissant le statut futur de l'Ossétie du Sud et de l'Abkhazie. C'était une erreur de sa part, car c'était une garantie indirecte pour que le fait accompli de l'occupation russe de ces deux territoires ne soit pas entériné. Tout était donc à refaire. À 1 heure du matin, je me décidai à appeler Medvedev pour le convaincre d'abandonner cette référence à une discussion internationale sur le statut des deux régions, même si l'armée russe pourrait demeurer sur place. Il commença par me remercier de ce que j'étais en train de faire et de la manière dont je le faisais. Visiblement, il était au courant de tout. Le système géorgien était infiniment plus poreux que ce que mes hôtes pouvaient imaginer. Et, à ma grande surprise, il accepta sans grande discussion ma demande en me précisant même qu'il avait donné des ordres au haut commandement militaire russe de se préparer au repli. C'était formidable et inespéré. Ainsi, le cessez-le-feu provisoire de la matinée devenait permanent. Je tenais vers 3 heures du matin une conférence de presse dans les jardins du Parlement géorgien. L'ambiance était étrange, lunaire, tout à la fois euphorique et stressante. Je repris mon avion pour rentrer au Cap Nègre. Au moment d'entrer dans la cabine, Thierry, le maître d'hôtel qui s'occupait de toute l'intendance, me dit : « On est content de partir, Monsieur le Président. Je ne voulais vraiment pas rater le convoi pour rentrer à la maison. » Je lui demandai : « Vous avez eu peur ? » « Et comment, me dit-il, on l'aurait eu à moins ! » Nous rîmes de bon cœur, car il n'avait pas vraiment tort, à la réflexion...

Nous n'étions, cependant, pas complètement tirés d'affaire. Je devais d'abord convaincre mes partenaires européens qu'il s'agissait du meilleur accord possible. Or, ce n'était pas l'avis de toute une partie de l'Europe de l'Est qui voulait absolument en découdre avec les Russes et n'était pas effrayée par un retour à la Guerre froide, ce dont je ne voulais à aucun prix. Je convoquai un Conseil européen extraordinaire le 1er septembre à Bruxelles et, bien aidé par Angela Merkel, nous emportâmes la décision de haute lutte et pûmes ainsi obtenir le déploiement des observateurs européens sur la dernière ligne de front entre les Russes et les Géorgiens. Je devais ensuite, et je dirais surtout, obtenir le vrai retrait de l'armée russe. Je dus, une nouvelle fois, retourner à Moscou le 8 septembre afin d'exiger de Medvedev un calendrier fixe et contraint. Après une violente algarade avec le ministre des Affaires étrangères Lavrov, qui était très agressif, il fut décidé que, quinze jours après le déploiement des observateurs européens, les Russes partiraient. À la fin de l'année 2008, la Géorgie avait sauvé sa liberté et son indépendance. Il n'y avait plus de militaires russes, à l'exception de l'Abkhazie et de l'Ossétie du Sud, mais je rappelle qu'ils y stationnaient déjà avant le conflit. L'Europe était parvenue à maintenir son unité et à être maître d'œuvre d'un bout à l'autre de la crise. J'avais toujours affirmé que ce problème devait être réglé par les Européens, et non par les Américains. C'était notre région d'influence, pas la leur. Les États-Unis n'auraient fait que compliquer les choses en transformant le conflit géorgien en un affrontement russo-américain. Ils nous avaient loyalement soutenus et j'en étais reconnaissant à George W. Bush. Enfin, et paradoxalement, ma relation de confiance avec les dirigeants russes était spectaculairement confortée, voire renforcée. Poutine avait tenu sa parole, et Medvedev avait été beaucoup plus qu'un simple figurant. Nous pouvions et nous devions désormais leur faire confiance. Mon jugement sur le président Saakachvili était plus nuancé. C'était un homme de qualité qui était porteur d'une vraie vision. Par ailleurs, il était l'un des plus impressionnants polyglottes que j'ai jamais rencontrés. Mais il s'était doublement trompé. D'abord, en imaginant que les États-Unis allaient entrer en guerre pour le défendre. Plusieurs responsables américains le lui avaient dit. S'il y avait bien réfléchi, il aurait compris que ce n'était que des paroles en l'air. Ensuite, il avait beaucoup surestimé ses propres forces. Deux erreurs en même temps, cela faisait beaucoup, et sans doute trop ! Ce fut ma première véritable tempête en tant que président de l'Union européenne. J'étais heureux de ce nouveau succès diplomatique. La preuve était apportée que lorsque l'Europe voulait, elle pouvait !

*

* *

Un léger retour en arrière est nécessaire, tant cet été 2008 s'avéra tellement riche en événements internationaux ! Le vendredi 25 juillet, la presse française était très agitée, car je recevais à l'Élysée un jeune sénateur américain de l'Illinois, candidat démocrate à la présidence des États-Unis d'Amérique, en la personne de Barack Obama. Je n'avais jamais vu un tel phénomène. Les journalistes étaient subjugués, énamourés, fascinés. Chaque mot de l'intéressé suscitait un concert d'approbations et de louanges. Il était aussi populaire que Bush était impopulaire. Tous les journalistes voulaient être de l'événement. Les spécialistes des États-Unis et des affaires internationales bien sûr, mais tous les autres aussi. C'était une tornade d'amour et de soutiens aveugles qui s'abattaient sur les épaules de Barack Obama. J'étais heureux pour lui et un peu préoccupé pour les médias qui, pour le coup, avaient perdu tout sens de la mesure, comme si leurs têtes avaient été retournées. Qu'avait fait Barack Obama pour susciter un tel engouement ? Il n'était pas encore élu et n'avait donc aucun bilan. Mais il était charismatique, beau et parlait bien. Il était devenu en quelques mois la coqueluche des médias internationaux. Beaucoup de ceux qui détestaient l'Amérique de Bush pouvaient de nouveau affirmer qu'ils aimaient l'Amérique, puisque c'était celle d'Obama. C'était très réducteur de ramener un pays de trois cent trente millions d'habitants à une seule et même personne, mais c'était ainsi. Je connaissais déjà Barack Obama, j'avais fait sa connaissance lors du voyage que j'avais effectué aux États-Unis en 2006. J'avais demandé à le rencontrer après avoir vu à la télévision un excellent discours de ce jeune sénateur lors de la Convention démocrate de 2004. Il m'avait reçu à Washington, dans son bureau du Sénat, durant une bonne heure. Nous avions sympathisé et même prévu de nous rendre de concert en Afrique. Il m'avait interrogé sur mes ambitions présidentielles. Je les lui avais confirmées et en retour lui posai la même question. Il m'avait répondu : « Je ne serai pas candidat, car c'est sans doute trop tôt ! » Les choses avaient bien changé depuis car non seulement il était candidat mais, de surcroît, tout le monde le voyait élu avant même l'élection. Le pauvre John McCain, pourtant un homme de qualité, ne pouvait rivaliser. La tournée européenne de Barack Obama était un triomphe. Il avait voulu s'arrêter à Paris et tenir une conférence de presse commune avec moi au palais de l'Élysée. Je retrouvais donc mon interlocuteur américain avec plaisir. C'était un homme sans aucune arrogance, sans volonté de domination de l'autre, sans arrière-pensées particulières. C'était facile de travailler avec lui, et aisé d'entretenir un dialogue suivi. Je le trouvais franc, droit et dénué des petites perversités habituelles de la vie politique. J'aimais quand il souriait largement ou même quand il riait. On se serait imaginé alors sur les bancs d'une université américaine en train de discuter avec l'un de ses plus brillants condisciples. Il avait le sens de l'humour et il aimait blaguer. Un jour que nous étions à la Maison Blanche, avec autour de nous pas moins d'une dizaine de collaborateurs, il a ouvert la réunion en disant : « Avant de commencer, je veux partager avec vous un document historique sur lequel je veux recueillir les commentaires du président français. » Je n'avais aucune idée de ce dont il s'agissait. Il sortit une grande enveloppe brune à l'intérieur de laquelle se trouvait une photo de moi, étudiant à 20 ans, avec les cheveux longs et un jean à la mode de l'époque. Barack continua : « Peux-tu me dire où tu avais acheté ce jean ? » Nous avions tous éclaté de rire. Quand mon fils Jean a eu son premier enfant, il m'avait appelé vers minuit, alors que Carla et moi étions à la maison : « Nicolas, je veux te féliciter, tu dois être très heureux. Michelle et moi le sommes pour vous. Mais, dis-moi, qu'est-ce que cela fait à Carla, de dormir désormais avec un grand-père ? » terminait-il en s'esclaffant. Je lui répondis sur le même ton : « Ne t'inquiète pas, cela va t'arriver bientôt avec tes deux filles ! » Nos rapports étaient très peu protocolaires. De surcroît, je me réjouissais de cette popularité qui remettait curieusement mais fortement à la mode les États-Unis. Mon proaméricanisme présumé en devenait plus difficile à contester. Et la gauche était très gênée de protester contre ma volonté de revenir dans le commandement militaire intégré de l'Otan. C'était médiatiquement beaucoup plus facile de travailler avec Obama qu'avec Bush. La gauche française voulait en faire l'un des siens. La vérité était qu'il se trouvait être à ma droite sur bien des sujets. Ainsi, il avait, durant sa campagne, conservé une position floue sur la question de l'avortement. Son engagement religieux était très américain et donc assez profond. Il croyait fortement au libéralisme économique et à l'efficacité des baisses d'impôts. Il y avait cependant un grand changement avec l'ère Bush : il voulait s'engager sur la question du changement climatique, ce qui nous permettait d'espérer qu'enfin, les États-Unis cesseraient de bloquer les grandes décisions internationales sur le sujet. En fait, ce qui était le plus bluffant chez lui, c'est ce qu'il révélait du pragmatisme américain. L'Amérique était quand même un pays où, dans les profondeurs du Sud, jusque dans les années 1980, on pouvait encore lire à l'entrée de certains restaurants : « *Colored people not welcome* », et qui, moins de trente ans plus tard, s'apprêtait à voter pour un président noir pour la première fois de son histoire ! C'était fascinant, vertigineux, et cela remplissait d'espoir tous ceux qui, dans le monde, avaient eu à souffrir du racisme. La seule réserve que j'ai bien vite perçue est que Barack Obama commençait à s'habituer à cette adulation. Il aimait être aimé. À l'inverse, il détestait prendre le risque de briser cette image si consensuelle, et en conséquence il s'abstiendrait vite de prendre le risque de la fissurer. C'était sans doute inévitable. Quand vous recevez le prix Nobel de la Paix à peine huit mois après votre élection, sans la moindre raison factuelle, cela ne peut rester sans conséquence. Qui pourrait l'en blâmer ? Lors de la conférence de presse, la première question qui me fut posée par une journaliste française fut de savoir si, quatre années auparavant, alors que maintenant j'étais au côté de Barack Obama, je regrettais d'avoir parlé du « kärcher » ? Quel était le rapport ? Sans doute qu'il y avait des noirs dans nos banlieues et que le futur président américain était lui-même noir ? C'était un peu triste, mais en même temps tellement révélateur de l'évolution d'un métier noble et constamment tiré vers le bas.

*

* *

La grande affaire, en tout cas à mes yeux, de cette fin de mois de juillet fut le premier sommet, à Paris, de l'Union pour la Méditerranée. Je l'avais rêvé. Je l'avais espéré. J'avais tant voyagé, et dû surmonter tant d'obstacles pour qu'il se mette en place. J'avais réussi à en poser l'acte fondateur. Tout le monde était présent. Je ne sais si, aujourd'hui, on peut encore se rendre compte des difficultés inouïes que nous avions eues à surmonter. Et la première d'entre elles était de convaincre tous les chefs d'États arabes de s'asseoir à la même table que le Premier ministre israélien, non pour une réunion secrète, mais pour un rassemblement tenu au vu et au su de la planète entière, notamment de leurs propres opinions publiques. Et ce, alors que la plupart d'entre eux n'avaient même pas reconnu Israël ! Les Palestiniens l'avaient accepté eux aussi, ce qui n'avait pas été une mince affaire. Il avait fallu ensuite surmonter les questions de préséance et de susceptibilité. Les Syriens étaient aux côtés des Libanais. Le Turc Erdogan croisait le président égyptien Moubarak. L'Algérien Bouteflika devait souffrir la présence des Marocains, alors que leurs frontières communes étaient fermées depuis quatorze ans. Et enfin, des chefs d'État classiques et fréquentables côtoyaient des infréquentables comme Bachar al-Assad ou Kadhafi qui, heureusement, au tout dernier moment, se décommanda. Mais c'était la réalité de la Méditerranée, et elle était incontournable, à moins de l'amputer. À tout ceci, qui était déjà beaucoup, il fallait ajouter le secrétaire général des Nations-Unies Ban Ki-moon, le président de la Commission européenne Barroso, et tous les chefs d'État et de gouvernements européens qui avaient voulu faire le déplacement pour ne pas manquer la fête méditerranéenne. En repensant à ce sommet, je me demande comment j'ai pu être si inconscient pour me mettre une telle responsabilité sur le dos alors que j'étais déjà président de l'Union européenne ! La vérité était que, porté par mon énergie, j'imaginais, je faisais, et je ne pensais aux difficultés qu'ensuite, alors que je m'y trouvais en plein milieu. C'était tout à la fois passionnant d'avoir pu réunir toute la famille méditerranéenne et extrêmement stressant. Compte tenu des personnalités rassemblées et de l'extraordinaire enchevêtrement des problèmes et des situations, sans parler des arrière-pensées, tout pouvait exploser, à chaque instant, aussi bien pour un problème de fond que pour une peccadille. Je coprésidais le sommet avec le président égyptien Hosni Moubarak. Il était de contact très facile bien qu'assez réservé, presque timide. Il détestait se mettre en avant. C'était un homme de paix et de rassemblement, y compris avec les Israéliens. Il combattait sans relâche les extrémistes islamistes. Il fut un soutien précieux dans l'aventure de l'UPM et se trouva être l'un des plus faciles à gérer dans un univers qui comptait peu de caractères dociles. Je devais faire attention à tous les détails. La presse internationale était aux aguets. Ce furent quarante-huit heures sous très haute tension. Au fond, tous les observateurs étaient assez incrédules. Pour la plupart, ils n'y avaient jamais cru, et ce qu'ils voyaient se dérouler sous leurs yeux leur infligeait un cinglant démenti. Je ne pouvais leur en vouloir car, moi aussi, il m'était arrivé de douter du succès final du projet, voire de sa viabilité, tant tout ceci avait demandé d'efforts surhumains. Finalement, nous nous retrouvâmes à pas moins de quarante-trois dirigeants internationaux présents autour de la table pour ce lancement. Notre objectif était très ambitieux, puisqu'il consistait à bâtir, dans cette région du monde si stratégique, un avenir de paix et de coopération. Je devais également éviter d'humilier les Espagnols en rendant hommage au processus dit de Barcelone, qui avait vu le jour en 1995 et qui, en vérité, était tombé dans une léthargie quasi totale. On n'avait même pas été capable de dépenser le tiers des treize milliards de crédits prévus en treize ans ! Je dus donc manier la langue de bois dans la déclaration finale afin d'y caser cet hommage. Je voulais que l'UPM ne se contentât pas de déclarations de principes, mais qu'elle travaillât sur le concret. Je fixais donc quatre projets régionaux : la dépollution de la Méditerranée, la construction d'autoroutes maritimes et terrestres pour améliorer la fluidité du commerce entre les deux rives du Sud et du Nord, le développement d'une authentique protection civile méditerranéenne et, enfin, l'installation d'une université euro-méditerranéenne en Slovénie. C'était beaucoup, sans doute trop, mais je souhaitais que cette Union incarnât une grande ambition. Comme je m'y attendais, le point le plus difficile pour rallier tout le monde porta sur le processus de paix entre Israéliens et Palestiniens. Nous dûmes négocier pied à pied jusqu'à la dernière minute. Nous nous contentâmes d'un « soutien au processus de paix ». C'était peu et déjà beaucoup. Peu m'importait d'ailleurs le contenu de la première réunion de l'UPM car, ce qui comptait à mes yeux, c'était qu'un cadre approprié ait pu voir le jour pour que les discussions se poursuivent et s'approfondissent. Nous avions désormais un lieu où échanger tous ensemble. Compte tenu de l'importance stratégique de la Méditerranée, c'était déjà une grande nouveauté et un réel progrès. Nous avions prévu d'organiser alternativement, sur chacune des deux rives, un sommet tous les deux ans. C'était sans compter sur les Printemps arabes qui bouleversèrent les agendas et entraînèrent le remplacement de nombreux dirigeants du sud de la Méditerranée. Ce fut une grande déception que mon successeur, François Hollande, ait abandonné complètement l'Union pour la Méditerranée. Je ne sais toujours pas s'il le fit pour continuer son œuvre de « table rase » de tout ce que j'avais réalisé, ou si, plus simplement, il ne se sentait pas à la hauteur d'un tel défi.

Durant le sommet, je multipliai les têtes à têtes et les réunions sur les sujets qui le méritaient. Ainsi, nous organisâmes une rencontre à trois avec Ehud Olmert et Mahmoud Abbas. Le Premier ministre israélien déclara à la sortie : « Israéliens et Palestiniens n'ont jamais été aussi proches d'un accord de paix. » Et c'était vrai. La dynamique de l'UPM fonctionnait bien et contraignait chacun à se montrer à la hauteur de l'ambiance consensuelle. Personne ne voulait hériter du mistigri de la division ou de la mauvaise volonté. Je recevais également, pour la première fois, le président syrien Bachar al-Assad. Lui aussi était calme et me donna son accord pour établir des relations diplomatiques avec le Liban à travers l'ouverture mutuelle d'ambassades. Une première depuis leur indépendance en 1943 ! En conséquence, je donnai mon accord pour effectuer une prochaine visite à Damas. C'était vraiment l'ensemble du puzzle méditerranéen qui commençait à bouger. Bachar al-Assad était venu avec sa femme, une très élégante jeune femme éduquée, policée, intelligente. Lui-même était très courtois dans la discussion, n'élevant jamais la voix et semblant accessible à un raisonnement rationnel. Il était ophtalmologiste de formation et avait étudié à Londres. Il n'était absolument pas destiné à prendre la suite de son père Hafez al-Assad. Ce fut la mort accidentelle de son frère qui le précipita sur le devant de la scène politique. Plusieurs années après, je me suis souvent posé la question de sa dérive personnelle. Qu'est-ce qui avait bien pu le conduire à changer à ce point ? Comment son épouse, si moderne et occidentale, avait-elle pu accepter tous ces crimes et tous ces drames ? Était-il libre de décider ou était-il le prisonnier d'un régime baasiste tenu par le reste de sa famille et par des intérêts très puissants ? Je me perdais en conjectures. Et c'était bien là toute la difficulté des relations internationales, où il était souvent impossible de démêler le vrai du faux, alors que nous n'étions pas sur place, et où les impressions personnelles quant à la nature profonde d'un dirigeant rencontré pour quelques heures seulement pouvaient s'avérer trompeuses. J'ai été très attaqué pour cette invitation à Bachar al-Assad, pourtant je ne la regrette pas. J'essayais de faire bouger les choses. Elles avaient commencé à le faire. La France était au cœur de la Méditerranée, et au centre de la résolution de toutes les crises. Nous étions à notre place et nous faisions le travail en parlant à tout le monde. Je peux dire clairement aujourd'hui qu'il n'y avait que des motifs de fierté à agir ainsi. La presse et les commentaires furent globalement positifs. C'eût été difficile d'ailleurs d'écrire autre chose ! Il y eut cependant quelques articles acides dont l'un expliquait que « Nicolas Sarkozy avait perdu la face après avoir dû se plier aux exigences de la chancelière. » Je les trouvais injustes à propos du couple franco-allemand que j'essayais de faire fonctionner le mieux possible. Si j'avais tenu compte de ces commentaires, l'équation serait devenue impossible. Si un compromis était un camouflet, il n'y avait plus aucun accord possible ! Merkel ne voulait pas de l'UPM. À l'arrivée, l'UPM était née et Merkel en était. Que pouvait-on obtenir de plus ? Rien. L'enjeu était historique. La génération qui avait précédé la mienne avait su faire la paix en Europe. Ma génération, qui était maintenant au pouvoir, avait le devoir de tout mettre en œuvre pour créer les conditions de la paix en Méditerranée. En fait, la politique devenait plus facile lorsqu'on lui fixait des objectifs aussi ambitieux, car cela obligeait tous les acteurs à se hisser à la hauteur des enjeux.

Je n'en avais pas fini pour autant avec mes obligations internationales. Il me fallait sans tarder me rendre en Irlande où le referendum sur le traité de Lisbonne avait été rejeté par 53 % des voix. Je devais, en tant que président de l'Union européenne, les convaincre de voter, ce que je fis en me rendant à Dublin le 21 juillet pour y rencontrer le Premier ministre Brian Cowen, ainsi que les chefs de toutes les forces politiques et les représentants de la société civile. Ils finiront par dire oui à l'automne. Le traité de Lisbonne était définitivement sauvé.

Tous ces efforts avaient fini par porter leurs fruits en me permettant de briser la spirale des mauvais sondages. Je repassais au-delà de la barre des 40 % de confiance. Le plus important, comme le plus difficile, était l'inversion des courbes. Quand le pouvoir en place commence à prendre le toboggan, il en a toujours pour beaucoup plus longtemps qu'il ne peut l'imaginer... Autrement dit c'était facile de baisser et beaucoup plus difficile de remonter. Je pensais avoir fait le plus dur. C'était une erreur lourde, car je n'avais encore rien vu de ce qui devenait, sans que je le sache, imminent. Le mois de septembre allait faire trembler le monde.

*
* *

Décidément, ce mois d'août 2008 n'en finissait pas. Après la Chine, la Russie, la Géorgie, et l'Irlande, voici qu'il me fallait en toute urgence retourner à Kaboul où un drame venait de se produire. Dix de nos jeunes soldats venaient de se faire tuer et vingt et un autres avaient été blessés alors qu'ils étaient partis en mission de reconnaissance dans la vallée d'Uzbin, à quelque cinquante kilomètres de la capitale afghane. Au passage d'un col, ils tombèrent dans une embuscade menée par des terroristes talibans. Le combat fut d'une violence terrible. Nos hommes durent lutter plusieurs heures avant que des hélicoptères vinssent les dégager. Je ne reviendrai pas sur le pourquoi de notre engagement en Afghanistan, qui remontait à 2001 et s'exerçait dans le cadre d'un mandat de la communauté internationale, j'en ai déjà parlé. Je veux, en revanche, expliquer le rapport particulier que le président de la République doit entretenir avec la mort, notamment celle de tous ceux qu'il a envoyés en mission et qui n'en reviendront pas. Dans l'avion qui m'emmenait vers Kaboul, je n'ai pas pu fermer l'œil de la nuit. Dix soldats de plus qui venaient s'additionner à tous les autres sacrifiés pour avoir fait leur devoir. Ce prix devenait de plus en plus lourd à payer. Est-ce que cela en valait la peine ? Combien de temps cela allait-il encore durer ? C'était moi désormais qui en portais toute la responsabilité. Il était impossible de ne pas me remettre profondément en question devant un bilan aussi tragique. En arrivant, je fus immédiatement transféré sur notre base militaire où les dix cercueils de bois étaient alignés sur une place à l'extérieur. Tous leurs camarades leur rendaient les honneurs. Beaucoup étaient sous le choc. Les plus proches pleuraient. On aurait pu entendre une mouche voler tant l'émotion nous étreignait tous. On ne peut pas s'habituer à la mort surtout quand elle frappe de si jeunes hommes. C'est une chose d'en parler, de l'intégrer comme faisant partie de son métier, de l'apprivoiser au quotidien. Mais quand tout à coup elle frappe, c'est toujours aussi violent, injuste, insupportable. Sur chaque cercueil il y avait la photo du soldat mort. Toutes les montraient souriants, radieux, pleins de vie et de projets. Je regardais chacun de ces visages qui ignoraient, quand ils partirent ce matin-là,

qu'ils reviendraient dans un cercueil. C'était leur destin.
Je pensais à la brutalité sauvage que devaient ressentir leurs familles restées en France, qui venaient juste
d'apprendre la nouvelle. J'essayai d'articuler un discours
digne et cohérent : « Vous devez continuer pour que vos
camarades ne soient pas morts pour rien. Ce que vous
faites ici est indispensable puisqu'il s'agit du combat
avancé contre le terrorisme. » J'étais cependant rasséréné
de constater combien, malgré leur peine, leurs camarades
n'éprouvaient aucun état d'âme et conservaient intacte
leur détermination. Dès mon retour à Paris, j'organisais
une cérémonie nationale aux Invalides. Il y eut un office
religieux, puis chaque cercueil reçut les honneurs militaires. Ils étaient recouverts du drapeau tricolore dans la
cour d'honneur. J'avais si souvent participé à ces cérémonies funéraires. Je connaissais pratiquement chacun
des pavés distendus qui constituaient le sol. Il fallait faire
toujours très attention à ne pas se tordre une cheville, le
déséquilibre était possible à chaque pas. Puis il y eut le
discours, et ma voix qui résonnait dans ce lieu où l'on
se retrouvait surtout pour les drames. J'aurais presque
fini par le prendre en grippe. Toutes ces vies emportées,
rayées, balayées finissaient par donner le tournis. Et
toutes ces familles écrasées de chagrin, dont la douleur
était rendue muette par la solennité de l'endroit. Après
la cérémonie, sous un chapiteau dressé pour l'occasion,
nous nous rassemblâmes à huis clos, juste les familles et
moi. Que leur dire ? Comment aider cette jeune veuve ?
Comment apaiser la douleur d'un fils ou d'une fille ? Je
peux seulement affirmer que j'essayai de faire de mon

mieux. Je tentai de vivre cette célébration à l'unisson avec eux. Dans mon discours, je déclarai : « Jamais à tel point je n'ai mesuré ce que peut être la solitude d'un chef d'État face aux décisions qu'il doit assumer. » Je ne mentais pas. C'était vrai. Et je la ressentais encore plus fortement au moment de pénétrer sous le petit chapiteau où m'attendaient une centaine de membres des familles des défunts. Je respirai profondément et je commençai à leur parler, les uns après les autres. C'était poignant et déchirant. Le père d'un des plus jeunes soldats décédés se dressa devant moi et me regarda bien dans les yeux. Les siens étaient remplis de larmes silencieuses. Son fils avait tout juste 22 ans. « Monsieur le Président, la vie de mon enfant a été brève, mais elle a été belle. Il a vécu exactement comme il l'a voulu. » En même temps il me serra la main si fortement que j'eus du mal à contenir un petit rictus de douleur. Puis il s'effondra en pleurs. Je me tus. Il n'y avait rien à dire. Les mots auraient été déplacés. Il fallait juste soutenir les regards, partager les peines, arriver à s'intégrer à ce corps douloureux qu'avaient fini par constituer ces familles unies par la mort. Une nouvelle fois, je ne sortais pas indemne de cette souffrance que je voyais de si près. C'était réellement une épreuve que de sentir à quel point de détresse se trouvaient tous ces malheureux. Je voulais leur faire comprendre que la France les chérissait, les aimait, les respectait. Certains penseront qu'il ne s'agissait que de mots, qui ne serviraient à rien. Ils ont tort car l'humanité, c'est la parole !

Il n'y avait pas que moi qui fus occupé en ce mois d'août 2008 puisque je confiai à Carla sa première mission diplomatique, qui consistait à se rendre avec Bernard Kouchner auprès du Dalaï-Lama, en visite en France pour procéder à l'inauguration d'un temple bouddhique. Je ne voulais pas le faire moi-même juste à quelques jours de l'ouverture des Jeux olympiques de Pékin. Les Chinois l'auraient à juste titre vécu comme une provocation. En même temps, je souhaitais faire un geste en demandant à Carla, qui avait de la sympathie pour lui, de rencontrer le Dalaï-Lama lors d'un événement semi-officiel. Carla remplit son office avec son intelligence habituelle sans que personne ne puisse y trouver à redire. L'événement donna lieu à un concert d'hypocrisie. D'abord parce que la gauche que j'avais connue plus intransigeante dans sa défense de la laïcité exigeait que je me rendisse auprès du chef religieux tibétain. Autrement dit, quand j'allais à Latran, j'offensais la laïcité. En revanche, je devais me précipiter chez le Dalaï-Lama. Belle leçon de cohérence. Ensuite, les mêmes demandaient que je boycotte les J.O. de Pékin au nom de la défense du Dalaï-Lama qui, lui-même, plaidait intelligemment pour qu'on ne le fît surtout pas, et alla même jusqu'à souhaiter bonne chance à la Chine ! Enfin, je n'eus même pas à refuser une entrevue au Dalaï-Lama car il ne me l'avait pas demandée. Car lui, à la différence des socialistes français, avait compris que cela serait contre-productif pour la cause qu'il défendait, que cela aurait tendu un peu plus un contexte qui n'avait vraiment pas besoin de l'être. Cela témoignait de la subtilité de ce chef religieux, en même temps que de l'inexpérience des dirigeants de la rue de Solférino.

*
* *

J'avais l'habitude de demander chaque jour l'évolution d'une dizaine d'indicateurs économiques afin de mieux suivre les tendances de la situation de l'économie française comme mondiale. Le niveau des taux d'intérêt, la bourse aux États-Unis et en France, le prix d'un certain nombre de matières premières, les chiffres du chômage chez nous et chez nos principaux partenaires... et encore quelques autres qui me permettaient en quelques minutes de comprendre où nous en étions. C'était une habitude que j'avais conservée de mes passages au ministère des Finances. J'en parlais régulièrement avec mon ami de toujours Xavier Musca, à l'époque directeur du Trésor. En apparence, tout allait bien en cette seconde moitié de l'année 2007. Le chômage battait des records de baisse et aucun nuage n'était en vue. Il y avait cependant un certain nombre d'événements relativement modestes dans leur ampleur mais très étranges. Nous n'arrivions pas à comprendre ce qu'ils cachaient, et même pourquoi ils s'étaient produits. Ainsi, dès le mois d'août 2007, trois fonds de BNP Paribas aux États-Unis avaient été soudainement fermés, après la faillite de deux fonds de Bear Stearns qui s'était produite quelques semaines auparavant. Nous nous demandions ce qui était en train de se passer avec l'immobilier américain, et si cela pouvait avoir des conséquences sur les marchés financiers de ce pays. En fait, ces entités avaient acheté massivement des obligations titrisées fondées sur des crédits immobiliers, dits *subprimes*, aux ménages américains. Or, il s'était produit une augmentation brutale de défaut de ces derniers, qui ne pouvaient plus rembourser la dette contractée pour acheter leur logement. En fait, trop d'argent avait été prêté à des familles qui ne pouvaient pas rembourser. En conséquence, les fonds de la BNP ne pouvaient plus rendre à leurs investisseurs ce qu'ils leur devaient. D'où leurs fermetures. Tous les spécialistes, à l'époque, analysaient ces difficultés comme uniquement sectorielles. C'était, à leurs yeux, une crise de l'immobilier américain liée aux excès des *subprimes*. Je n'étais pas un spécialiste de ces questions, loin de là. Mes compétences étaient sans doute très limitées en la matière. Mais j'en savais suffisamment pour raisonner et essayer de faire preuve de bon sens. Mon intuition tenait en deux points. Premièrement, tous les marchés étaient connectés. Si l'un flanchait, cela ne pouvait pas être sans conséquence sur les autres. Deuxièmement, compte tenu du poids de l'économie et de la finance américaines, nous serions impactés à un moment ou à un autre. Je ne pensais pas davantage que cela, mais j'y pensais très fort ! Tellement que je voulus en savoir plus. Je ne pouvais en aucun cas rester inactif. J'avais suffisamment protesté contre la passivité des responsables politiques face à la finance mondiale pour ne pas m'y laisser prendre à mon tour. Je décidai donc, à la fin du mois d'août 2007, soit plus d'une année avant que la crise financière n'éclate, d'écrire une lettre à Angela Merkel en sa qualité de présidente du G8. Je lui demandais que le G8 puisse travailler, sans délai, sur la transparence des marchés financiers, sur les processus de titrisation qui permettaient d'accumuler des bénéfices sur les ventes successives d'une dette sans que personne ne songe à la rembourser *in fine*, sur le rôle des agences de notation qui furent un accélérateur de la crise, et sur l'accès à la liquidité. C'était un texte en apparence technique mais qui, à mes yeux, revêtait une grande importance politique, car il marquait la première étape de mon intention d'accélérer la régulation financière internationale. La réaction des Allemands fut polie, amusée et sceptique. Polie, parce qu'ils ne pouvaient pas faire autrement. Amusée, parce qu'ils prirent mon initiative comme une forme d'agitation inutile, symptôme de mon volontarisme caricatural. Sceptique, parce qu'ils considéraient que ces Français étaient décidément incorrigibles dans leur obsession de régulation. Je ne me décourageai pas, et même j'en rajoutai encore en demandant, en avril 2008 à René Ricol de préparer un rapport sur les risques d'une crise financière internationale. Nous étions alors six mois avant la faillite de Lehman Brothers. Je faisais grande confiance à ce spécialiste de la finance, à ses compétences techniques et à ses réseaux d'informations puisqu'il avait été pendant des années le président mondial des experts comptables. J'avais confiance en son jugement et en son bon sens. Quand je le saisis, il ne me demanda pas de me justifier sur le libéralisme qui était ou non le mien, pas davantage sur les théories économiques que je souhaitais mettre en œuvre. Il comprit tout de suite de quoi il s'agissait pour moi. Nous devions être pragmatiques et réfléchir aux mesures que nous pourrions mettre en œuvre pour éviter un krach financier, dont nous ignorions tout de la date, mais dont nous redoutions qu'il fût inéluctable. À la relecture de son rapport, je trouve toutes les questions qui seront abordées par le G20 une année plus tard pour nous sortir de la crise. J'étais vraiment décidé à agir mais je voulais le faire à froid, c'est-à-dire avant le drame. En fait, j'ai bien dû agir, mais à chaud, c'est-à-dire pendant le drame.

Voici que nous arrivons en septembre 2008 et au vrai déclencheur de la catastrophe que fut la faillite de Lehman Brothers. Ce n'était pas rien. L'une des cinq plus grandes banques américaines se trouvait soudainement en cessation de paiement. Incroyable. Invraisemblable. Inacceptable. Cet événement était, à proprement parler, ahurissant. J'étais aux États-Unis à peine quelques jours après que le secrétaire au Trésor, Henry Paulson, prit la parole avec une inconséquence et une arrogance extrêmes : « Je n'ai jamais envisagé, ne serait-ce qu'une fois, qu'il était possible d'utiliser l'argent du contribuable pour sauver Lehman. » Quelques jours plus tard, en privé, il aggraverait son cas en expliquant en substance qu'il n'avait pas voulu éviter la faillite à de mauvais banquiers et à une mauvaise banque. Lorsqu'il prononça ces mots d'une rare brutalité, je sentis sa fierté et sa certitude qu'il décidait bien. C'était fascinant de le voir foncer dans le mur, tête baissée. Tous les Américains n'étaient pas aussi aveugles. Timothy Geithner, qui dirigeait la Federal Reserve, la Banque centrale américaine, me confia son scepticisme et son inquiétude après avoir entendu les propos du secrétaire au Trésor. Le problème résidait dans le fait qu'il entraînait avec lui la planète entière. Moins de trois jours après, c'était toute la confiance mondiale qui avait disparu, s'était volatilisée, avait été pulvérisée. Si une des cinq grandes banques américaines pouvait ne pas rembourser ses dettes, ne pas rendre à ses investisseurs leur argent, ne plus honorer aucun de ses engagements, alors la seule conclusion possible, pour les épargnants et les financiers du monde entier, était que cela pourrait arriver chez eux aussi, dans leur propre banque et dans leur propre pays. La crise avait démarré. Rien ni personne ne pouvait désormais l'arrêter. Comme un corps qui se vide de son sang, l'économie se vidait de sa confiance. Or, sans elle, plus rien ne pouvait fonctionner. Ce fut une période absolument folle où tous nos repères avaient disparu en un instant. Plus rien ne fonctionnait. Il était impossible de se raccrocher à quoi que cela soit. La notion même de solidité s'était évanouie. Le système financier avait cessé de fonctionner tout court. Les banques ne se prêtaient plus entre elles, rendant chaque jour leurs situations plus désespérées. Les épargnants cherchaient à retirer leurs dépôts, aggravant ainsi la panique et s'enfonçant dans la crise. Les entreprises n'avaient plus accès à aucune possibilité de se financer, ne pouvaient plus assumer leurs charges et tombaient les unes après les autres. Je vécus ainsi une scène incroyable alors que je recevais les PDG de Renault et de Peugeot en les personnes de Carlos Ghosn et de Philippe Varin. Ils m'expliquèrent, accablés, que si l'État ne leur prêtait pas de l'argent dans un délai de deux mois, ils ne pourraient plus payer les salaires ! Deux des plus importantes entreprises françaises avaient besoin pour survivre de trois milliards d'euros, sous peine de disparaître. Si les mastodontes étaient fragilisés, on pouvait imaginer sans peine les conséquences sur les petites et moyennes entreprises ! Nous étions face à un tsunami qui emportait avec lui tous les pays du monde et tous les secteurs absolument sans aucune exception. C'était inédit. On avait connu les crises asiatiques ou sud-américaines, les crises du textile, de la sidérurgie, de l'automobile, des mines de charbon mais pas toutes en même temps ! Jamais. Pourquoi cela s'était-il répandu si rapidement ? Je me suis posé la question avant de comprendre à quel point d'interconnexion le monde en était rendu. J'avoue que je n'avais pas envisagé auparavant cet enchaînement dramatique. Tout était désormais en réseau. Et, tous les réseaux se rattachaient, s'interconnectaient, se nourrissaient les uns les autres. Rien n'y échappait, comme une toile d'araignée qui semble bien suspendue et dont soudain un côté lâche, une légère brise se lève et tout s'effondre. Le concept même d'indépendance nationale dans un tel contexte perdait tout sens. Un phénomène connexe aggrava encore les choses à propos des banques. En fait, pas une seule n'était isolée de l'ensemble. Elles s'achetaient et se vendaient alternativement leurs propres produits financiers. Ce qui conduisait à un résultat inéluctable. Si l'une tombait, toutes les autres se fracassaient. Elles étaient tout à la fois les débitrices de chacune et les prêteuses de toutes. Ainsi, une nuit, vers 3 heures du matin, Xavier Musca me téléphona : « Président, nous avons, avec Christine Lagarde, à vous demander une décision très importante qu'il vous faut prendre, cette nuit, avant l'ouverture des marchés asiatiques très tôt demain matin. » Je me levai. Je m'habillai et, alors que je mettais ma cravate, Carla se réveilla : « Que fais-tu debout à cette heure, où vas-tu ? » Par précaution, j'avais décidé de dormir à l'Élysée car je sentais que tout pouvait basculer à chaque instant. « J'ai une décision à six milliards d'euros à prendre. Je ne peux le faire que dans une tenue correcte ! » Nous rîmes ensemble, même si je n'en avais vraiment pas le cœur. Il s'agissait bien plutôt de l'ironie de ceux qui peuvent mourir et qui essaient de faire bonne figure. À 4 heures du matin, nous nous retrouvâmes dans le salon vert. Il y avait là Christine Lagarde, son équipe de Bercy et mes plus proches collaborateurs. Le soleil ne s'était pas encore levé, il en était même loin. « Le Crédit local de France est en faillite, si nous ne le rachetons pas, tout explose », me dit, sur un ton lugubre, Xavier Musca. Stéphane Richard, l'excellent directeur de cabinet de la ministre des Finances, était aussi de cet avis. J'étais incrédule. Je connaissais le Crédit local de France, mais je ne l'imaginais pas avoir une telle importance. Puis, je compris que toutes les autres grandes banques françaises avaient dans leurs comptes des produits d'épargne de cet établissement. En conséquence de quoi, s'il faisait défaut, il entraînerait inéluctablement tous les autres dans sa chute. Comme un château de cartes, tout menaçait de s'écrouler. Il fallait chaque fois ériger une digue, et prier pour qu'elle ne cède pas. En tout cas, pas tout de suite. Tout ce que le capitalisme avait de caricatural se désintégrait sous nos yeux. Le monde payait au prix le plus fort l'absence de règles prudentielles, la course aux gains faciles sans limites, les spéculations les plus éhontées, les bulles internet où des acheteurs inconscients payaient des prix fous pour des entreprises qui ne produisaient rien, les bonus faramineux des traders qui jouaient à la bourse comme au casino. À mes yeux, cela n'avait rien à voir avec l'économie de marché, celle où les entrepreneurs et les travailleurs devaient prendre des risques, travailler dur, investir et innover. Je n'étais en rien d'avis de faire le procès du capitalisme, car ce à quoi nous avions assisté n'avait rien à voir avec l'idée que je m'en faisais. Le marché mondial s'était installé avant qu'une régulation mondiale, digne de ce nom, pût le faire. L'État-nation gardait toute sa légitimité mais n'était pas en mesure de faire face seul aux dérèglements de l'économie mondiale. Dès le début de la catastrophe, je compris que nous manquions cruellement de deux choses. La première était un ensemble de mesures régulatrices qui auraient permis de corriger, de limiter et de maîtriser tous les excès de la finance mondiale. La seconde était un lieu ou une organisation qui n'existait pas encore et qui autoriserait la mise en place d'une riposte mondiale coordonnée des États. J'étais persuadé que si nous agissions en ordre dispersé, nous serions balayés ; or, personne ne prenait la moindre initiative, comme tétanisé par les événements. Les organisations qui auraient pu tenter quelque chose avaient disparu corps et biens. Ainsi, le FMI, qui se trouvait très rigoureux pour sanctionner un petit pays africain trop prodigue à ses yeux, restait muet et interdit quand il s'agissait de réguler les États-Unis. L'ONU plaidait, non sans raison, son incompétence au sens littéral du terme. L'Organisation mondiale du commerce, qui s'escrimait depuis sept années à faire aboutir un *round* de négociations impossible à atteindre, était en état de mort clinique. Vers qui ou vers quoi aurais-je pu me tourner ? C'était le désert des Tartares. Il n'y avait pas d'autre alternative que d'inventer et d'innover. Tout était à faire. Les banques centrales elles-mêmes ne savaient plus où donner de la tête. J'ai le souvenir, durant cette période horrible, de la visite à l'Élysée du patron de la Banque centrale européenne, Jean-Claude Trichet. C'est peu dire que nous n'avions pas la même sensibilité : c'était un homme rigoureux, intelligent, honnête et travailleur, mais d'une rigidité et d'un conformisme qui dépassaient l'entendement. Il possédait un schéma de pensée et un seul, et n'en démordait jamais. Cela pouvait avoir des avantages dans certaines circonstances, spécialement quand tout allait bien. Sa prévisibilité alors rassurait les marchés. Mais son schéma était daté. C'était celui des années 1980. Et, dans la crise, il fallait à tout prix être mobile, réactif, pragmatique, imaginatif. Bref, tout ce avec quoi il n'était pas à l'aise. Nous avions eu beaucoup de discussions et de désaccords dans le passé. Il me trouvait trop dépensier, trop instable dans mes convictions, trop étranger à tout ce en quoi il croyait. J'étais cependant heureux de le recevoir. D'abord parce que la période n'était vraiment pas aux affrontements théoriques, ensuite parce que, malgré nos désaccords, je le respectais et je crois même que mon énergie le rassurait, en tout cas pour cette période ! En le voyant entrer dans mon bureau, j'éprouvai un réel sentiment de sympathie. Il était épuisé, stressé, défait. Il me dit, sans perdre une minute, avec un accablement que je ne lui avais jamais connu : « Le monde s'effondre. Nous sommes en train de rouler au fond d'un précipice. Je ne comprends absolument pas ce qui est en train de se passer. C'est vertigineux. L'argent que nous prêtons aux banques le matin, elles viennent elles-mêmes le rapporter le soir à la BCE. Elles ne font plus confiance à personne, et surtout pas à leurs consœurs. L'économie est devenue comme un corps qu'on aurait privé de sang. Plus rien ne peut fonctionner ! Nous ne savons plus à quel saint nous vouer. Nous n'avons plus aucune idée de ce qu'il faudrait faire ! » Je ne pouvais lui donner tort dans son constat mais, en même temps, ce n'était pas le moment de se laisser aller à une forme de dépression, fût-elle passagère. De surcroît, les choses continuaient de s'accélérer et de se dégrader. À la crise financière s'ajoutait maintenant la crise économique, puisque les banques avaient cessé de prêter aux entreprises. Mais ce n'était pas tout, car un troisième étage de catastrophe venait s'ajouter aux deux premiers. Les États étaient maintenant eux-mêmes attaqués ! Les plus mal gérés, comme la Grèce, se retrouvaient sans financement, et d'autres, comme l'Irlande, en faillite. Nous avions trois crises simultanées sur les bras : la financière, l'économique, et celle des États. Il fallait donc agir ou mourir. La seule stratégie possible était une action mondiale coordonnée. Ce fut un parcours d'obstacles pour convaincre de cette nécessité, car personne ne voulait bouger par crainte de recevoir instantanément le mur dans la figure. Dans la tempête, il y a toujours la tentation du chacun pour soi. Et comme à son habitude, le premier réflexe d'Angela était de ne pas bouger. Je dus m'y reprendre à deux reprises pour la convaincre de faire mouvement lors de deux sommets à l'Élysée, les 4 et 12 octobre 2008. Je fus bien aidé par la dégradation de la situation en Allemagne. La vérité était que les banques allemandes se trouvèrent dans une situation bien plus périlleuse que les nôtres. Quand elle l'eut constaté de visu, elle sentit qu'il y avait urgence. Avec un grand pragmatisme, elle changea radicalement. Je lui disais : « Mais comment peux-tu imaginer une seconde que l'Allemagne va passer entre les gouttes ? Vous êtes exportateurs, si vos clients font faillite, vous serez les suivants sur la liste. » Je reconnais que mon argumentation n'était pas très élaborée, mais je la pensais efficace car reposant sur le seul bon sens. J'étais président de l'Union européenne, je devais donc d'abord emmener « les miens » avant de penser à entraîner les autres. Le premier sommet européen que j'avais convoqué en urgence à Paris fut décevant. Je n'arrivais pas à convaincre de la nécessité d'un fond européen de soutien à toutes les banques du continent. Certes, l'Europe s'engageait à soutenir les établissements financiers, mais c'était trop faible, trop tardif, trop pusillanime. Le lendemain, les bourses du continent connaissaient une chute historique qui dura plusieurs jours. Cette seule semaine, le CAC 40 perdit la bagatelle de 23 %. J'étais persuadé que nous devions prendre tous les risques pour arrêter la spirale infernale. Je décidai de jouer mon va-tout en imposant à Angela Merkel un nouveau sommet, moins de dix jours après le premier, mais cette fois-ci pour prendre de véritables décisions, que cela plaise ou non ! J'étais vraiment décidé à passer en force tant je ressentais la gravité extrême de notre situation qui pouvait, à bref délai, devenir désespérée. Je convoquai donc un véritable gouvernement économique de la zone euro, c'est-à-dire une réunion des États membres de l'euro au niveau des chefs d'État et de gouvernement, ce que les Allemands avaient toujours refusé d'envisager ! Depuis la création de l'euro en 2001, c'était même la première réunion de l'Eurogroupe à ce niveau. Nous étions, autour de la table, seize chefs d'État et de gouvernement. J'avais décidé de ne rien leur dire de l'invitation que j'avais lancée au Premier ministre britannique, Gordon Brown, pour participer au début de ce sommet. C'était comme un sacrilège de convier les Britanniques à une réunion de l'Eurogroupe ! Mais peu importait qu'ils ne fussent pas membres de notre Union monétaire. Ils étaient confrontés aux mêmes difficultés. Eux et nous devions absolument nous coordonner. Gordon Brown m'avait dit au téléphone qu'il envisageait de nationaliser toutes les banques anglaises. Cela m'avait beaucoup impressionné. Je lui avais répondu : « Es-tu devenu fou ? Tu es le plus libéral d'entre nous. » Il avait poursuivi : « Les queues commencent à se former devant les établissements bancaires à Londres. On va à la faillite si je ne fais pas cela ! » Si j'avais informé mes partenaires de sa venue, ils auraient sans doute refusé cette invitation hétérodoxe, et Angela la première. Juste avant le sommet, elle m'en fit d'ailleurs la remarque : « Est-ce vrai que tu as invité Gordon ? » « Oui, on aura besoin de tout le monde. Il est créatif et imaginatif. Il sera très utile. Mais je lui demanderai de quitter la réunion lorsque nous parlerons spécifiquement de l'euro ! » Telle fut ma réponse. Je la sentis à moitié convaincue. Cela ne me troubla pas davantage que cela. Cette deuxième réunion fut autrement efficace. Il faut dire que la situation n'en finissait pas de se dégrader. C'était exactement comme un puit sans fond où nous étions entraînés toujours plus bas, et surtout toujours plus vite. Les décisions que nous prîmes étaient cette fois-ci, enfin, à la hauteur. Nous annoncions que nous ne laisserions aucun établissement financier faire faillite, que l'épargne et les dépôts seraient protégés pour tous. Je voulais éviter que ne se générali-sât, sur le continent, la panique observée à Londres. En effet, si tous les épargnants réclamaient leur argent en même temps, le système exploserait littéralement. En garantissant les banques, l'État ferait cesser la frénésie de retrait. C'était en tout cas ce que j'espérais. Dans le même temps, je faisais adopter en trois jours, un record impossible à battre, une loi pour la France qui donnait l'autorisation à l'État de garantir les banques jusqu'à trois cent soixante milliards d'euros. Nous avions enfin décidé d'agir massivement.

Dès le début de la crise, j'avais le souci constant que les Français comprennent ce qui se passait et ce que nous étions en train de mettre en place. C'était très difficile, compte tenu de l'effrayante complexité de la crise et des montants financiers monstrueux qui étaient en cause. Cela avait un côté irréel. Nous étions comme hors-sol. Les Français entendaient la valse des centaines de milliards sans comprendre que tout ceci était virtuel mais pouvait faire perdre la tête. C'était absolument capital que l'opinion publique ne décrochât pas, ne paniquât pas, ne se braquât pas. Je pris donc une première décision. Dans la crise, il ne pouvait y avoir qu'un seul émetteur d'informations, ce devait être le président de la République. Je le signifiai au Premier ministre sans ambiguïté. La pluralité des décideurs compliquerait tout et nous n'avions vraiment pas besoin de davantage de complexité. Il fallait fixer un cap, l'expliquer et s'y tenir. Que nous réussissions ou que nous échouions, il était capital d'organiser notre dispositif de riposte de manière absolument verticale. Dans la foulée, je décidai de tenir une grande réunion dans l'immense Zénith de Toulon, où j'avais si souvent pris la parole en campagne électorale, pour prononcer le discours qui définirait la stratégie, fixerait les étapes, annoncerait les engagements que nous allions prendre et tenir. L'enjeu était immense car la confiance en dépendait. Je n'avais aucun droit à l'erreur. Une fois encore, ma stratégie était claire. Je voulais dire toute vérité sur la gravité de la crise et annoncer le plus petit nombre possible de mesures, mais, en revanche, elles devaient être massives. Je savais que si les Français avaient le sentiment que je leur cachais des choses, leurs doutes grandiraient et il ne serait plus possible de leur faire accepter quoi que ce fût. J'expliquai donc la gravité extrême de notre situation, en précisant toutefois que « la crise que nous connaissons n'est pas la crise du capitalisme. C'est la crise d'un système qui s'est éloigné des valeurs les plus fondamentales du capitalisme et qui l'a même trahi ! » Pour nous en sortir, j'appelais « à ce que les chefs d'État et de gouvernement des principaux pays concernés se réunissent avant la fin de l'année pour tirer les leçons de la crise financière et coordonner leurs efforts pour rétablir la confiance... Il faut remettre à plat tout le système financier et monétaire mondial comme on le fit à Bretton Woods après la Seconde Guerre mondiale. Cela nous permettra de créer les outils d'une régulation mondiale que la globalisation et la mondialisation des échanges rendent indispensables. On ne peut pas continuer de gérer l'économie du XXIe siècle avec les instruments de l'économie du XXe siècle. On ne peut pas davantage penser le monde de demain avec les idées d'hier. » C'était la première fois que j'avançais l'idée qui deviendrait le G20. Cette instance fut décisive car elle nous permit non plus des coopérations bilatérales mais multilatérales, ce qui changea la face du monde. Et surtout, je pris une décision qu'une partie importante de l'administration de Bercy ne voulait pas que j'annonce, en tout cas, aussi fortement : « C'est un engagement solennel que je prends ce soir, je n'accepterai pas qu'un seul déposant perde un seul euro parce qu'un établissement financier se révélerait dans l'incapacité de faire face à ses engagements. » Ce fut une décision extrêmement risquée parce que, si j'avais eu vraiment besoin de la mettre en œuvre, le coût financier aurait été astronomique. Mais mon pari résidait dans le fait que parce qu'elle était massive, et d'une certaine façon extrême, nous n'aurions pas à la mettre en place. Sa force même devait suffire à *blaster* l'incendie. C'était là encore une question de confiance. La parole de l'État devait rassurer les épargnants et les déposants qui laisseraient ainsi leurs dépôts en place et n'auraient pas la tentation de les retirer. Beaucoup me disaient qu'il fallait plafonner cette garantie, autrement dit ne pas aller au-delà d'une certaine somme pour limiter les risques de dépenses futures. C'était toujours la même maladie française des barèmes, des catégories, des plafonnements. De peur de se faire attaquer sur le thème des cadeaux aux riches, on ne mettait plus rien en œuvre de lisible. Limiter la garantie de l'État à un niveau moyen préalablement déterminé aurait présenté tous les inconvénients sans l'avantage du côté massif et aurait finalement coûté plus cher. Je voulais être simple. On garantissait ou bien on ne garantissait pas ! Il fallait être entendu, compris et surtout cru. Pour cela, le seul moyen était de retenir une forme de « brutalité simpliste ». Cela fonctionna. Nous avions gagné ce premier pari. Je le sentis tout de suite, car il y avait des milliers de personnes dans la salle ce soir-là à Toulon, et quand je prononçai ces quelques phrases, ils applaudirent spontanément et longuement. Ce n'était pas l'expression d'un soutien de supporters ou de partisans mais d'épargnants qui comprenaient à cet instant qu'ils ne seraient pas spoliés. Il n'y avait aucune hystérie dans la salle à ce moment précis, mais un sentiment intense de soulagement que je perçus très fortement de la tribune où je me trouvais. Je terminai mon propos en annonçant qu'une fois la crise passée, je ne mettrais en aucun cas en œuvre une politique d'austérité qui nous condamnerait. À l'inverse, je préparais une relance ambitieuse. Là aussi, c'était la première fois que j'évoquais de façon allusive ce qui allait devenir le grand emprunt pour les investissements d'avenir. Le dispositif de réponse à la crise était maintenant en place pour l'Europe et pour la France, mais il fallait rallier nos autres grands partenaires internationaux à l'idée d'une réponse coordonnée. Sans eux, nous risquions d'échouer, car nous étions trop isolés et pas assez puissants. Presque dix années après ces événements, c'est une réelle satisfaction que de pouvoir dire aux Français que j'ai tenu mes promesses du discours de Toulon. À la suite de cette crise, pas un seul d'entre eux n'a perdu le moindre centime d'euro de son épargne. Pas une seule banque française n'a fermé ses portes. C'est simple à écrire. C'est facile à vérifier. Mais Dieu que cela a été dur à obtenir ! On parle si souvent des promesses politiques qui n'ont pas été honorées. Avec celles-ci, je peux affirmer le contraire. Et rien que cela pourrait suffire à mes yeux à remplir de façon honorable le bilan de mon quinquennat.

À la fin du mois d'octobre 2008, j'étais au Québec pour un sommet de la Francophonie. La situation était toujours aussi grave. Toute la nuit, j'avais réfléchi à ce que nous pourrions faire de plus pour redresser la situation. Je savais que rien ne serait possible au niveau international sans les Américains. Or, j'étais au Canada, tout près des États-Unis. Je décidai de téléphoner à George W. Bush, qui était à la toute fin de son mandat puisque Barack Obama allait être élu le 4 novembre suivant. Il se reposait à Camp David, ce qui était compréhensible car son impopularité du moment l'empêchait de participer à la campagne du candidat républicain. Je le pressais d'accepter une rencontre pour lui soumettre le plan de sortie de crise que j'avais élaboré. Très amicalement, il répondit favorablement. Je partis dans l'instant. J'allais atterrir à Washington et de là prendre l'un des hélicoptères de la présidence américaine qui m'emmènerait directement à Camp David. Le président de la Commission européenne, José Manuel Barroso, qui était au Québec pour le sommet de la Francophonie, m'arrêta alors que je quittais le sommet : « Je veux venir avec toi. Ce serait une humiliation pour la Commission, comme pour moi, si tu ne m'emmenais pas. » Je lui répondis que je n'avais rien à faire des susceptibilités des uns et des autres compte tenu de la gravité extrême de la situation, mais qu'en revanche sa présence serait effectivement très utile pour convaincre les Européens d'adopter ce que nous aurions obtenu de Bush. Nous partîmes donc ensemble dans l'avion français. À peine montés, il me confia : « J'ai appelé ma femme pour la prévenir que je partais aux États-Unis avec toi. Elle m'a demandé "combien de temps va-t-il demeurer président de l'Europe parce que, depuis qu'il est là, il t'a fait travailler tous les week-ends" ! » C'était drôle et juste. Mais surtout, c'était un nouveau changement d'habitude pour les dirigeants européens. Le voyage fut court et agréable. J'en profitai pour dormir à poings fermés, je savais que j'allais avoir besoin de beaucoup d'énergie. Nous montâmes ensuite dans l'hélicoptère de l'US Air Force que j'avais tant de fois vu à la télévision. J'étais impatient de découvrir Camp David. Je ne m'y étais jamais rendu. Je découvris un vaste espace boisé dans lequel se trouvait un ensemble de maisons à un étage, en bois, extrêmement confortables et campagnardes, à l'américaine. Il y avait quantité de chemins qui serpentaient à travers la forêt. George W. Bush nous attendait au volant d'une petite voiture de golf qu'il conduisait lui-même. Il m'invita à monter à ses côtés. Barroso dû se contenter du siège arrière qui se trouvait dans le sens inverse de la marche, ce qui, j'en conviens, donnait le sentiment qu'il ne jouait pas un rôle majeur dans notre petite délégation ! Je n'y étais cependant pour rien. Le trajet ne dura que quelques minutes avant que nous parvenions devant la porte de l'une de ces vastes demeures. Laura Bush nous attendait en maîtresse de maison, avenante et prévenante. Elle nous proposa de nous rafraîchir et de nous restaurer dans le salon où se trouvait déjà le secrétaire au Trésor, Henry Paulson, et l'incontournable Condoleezza Rice ; je ne sais pas pourquoi, mais j'étais affamé et me jetai donc sur les cookies pour le plus grand plaisir de Laura Bush. L'accueil était amical mais l'ambiance était sinistre. George W. Bush s'apprêtait à quitter le pouvoir dans l'impopularité. Le temps de la réhabilitation n'était pas encore venu pour lui. Paulson était complètement éteint, comme groggy. L'époque de la suffisance était vraiment passée pour cet ancien de Goldman Sachs. Seule, comme à l'accoutumée, Condoleezza faisait preuve d'entrain et de dynamisme. Au bout d'une demi-heure, nous nous retirâmes dans une salle de réunion qui se trouvait dans l'une des maisons adjacentes. Nous y allâmes à pied, c'était agréable de voir tous ces arbres magnifiques. Il faisait beau. Pour peu, on aurait pu se croire dans un camp de chasse confortable, quelque part au milieu de l'un des grands parcs américains. La salle où nous nous trouvions était grande. Les fauteuils étaient très confortables et assez hauts, ce qui permettait d'écouter très paisiblement. Le président américain me demanda d'ouvrir la réunion et d'expliquer mes propositions. Je lui dressai un tableau très sombre de la situation : « La crise est partie de chez vous. Vous êtes la première économie du monde. La réaction doit donc venir des États-Unis. Le plus tôt sera le mieux. Nous ne pouvons prendre le luxe de perdre du temps. Tu dois convoquer un sommet à Washington pour coordonner les mesures économiques de relances mondiales. » J'étais assez brutal dans ma façon de parler. Je voulais le réveiller et même le piquer. « Tu ne peux pas partir en laissant le monde et ton pays dans cet état. » Compte tenu de ce qu'étaient nos relations, il ne le prit pas mal. Il connaissait mon amitié pour les États-Unis comme pour lui. Sa réponse ne fut cependant pas très engageante. « Je n'ai pas envie de le faire. Je suis à la toute fin de mon mandat, je n'ai donc plus de légitimité. Et, de surcroît, cela donnera une formidable tribune à tous ceux qui voudront attaquer les États-Unis. Ton sommet se terminera en procès de mon pays et de ma présidence. » L'argument ne manquait pas de poids, mais je n'en continuai pas moins : « Tu ignores donc que c'est dans l'œil du cyclone que la mer est le plus calme. Si tu prends l'initiative, personne ne te le reprochera, si tu ne fais rien, tout le monde t'accablera. » Dans la foulée, je lui proposai de créer et d'inviter ce que je dénommais le G14, c'est-à-dire le G8 auquel je voulais ajouter le G5 composé de la Chine, de l'Inde, du Brésil, de l'Afrique du Sud et du Mexique, et je demandais en plus un pays arabe, à choisir entre l'Égypte et l'Arabie saoudite. Avec ce groupe, nous aurions déjà une solide représentation de ce qu'était l'économie mondiale. Cette première réunion dura presque trois heures. Au fur et à mesure, je sentais George W. Bush reprendre des forces et de l'énergie. Il n'était plus affalé sur son fauteuil mais assis bien droit. Son argumentation contre mon initiative, peu à peu, se transformait en questions ou en demandes de précisions. Je sentais que les choses évoluaient favorablement. Il fallait conclure. Je lui proposai de prendre une pause de trente minutes pour que nous puissions chacun consulter nos équipes respectives. J'étais accompagné de Jean-David Levitte, Xavier Musca, François Pérol, Henri Guaino et Franck Louvrier. Christine Lagarde nous avait rejoints. Ce fut long d'attendre qu'ils prennent leurs décisions finales. Je me perdais en conjectures pour savoir ce que nous pourrions faire s'ils refusaient. Dans ce cas, je me serais retrouvé dans une impasse. Comment organiser un tel sommet sans la présence de la première économie du monde, voire contre elle ? J'échafaudais des scénarios alternatifs mais aucun n'était vraiment satisfaisant. Après une attente que je trouvai interminable, George W. Bush revint, entouré de ses ministres et collaborateurs dans la salle de réunion où nous étions restés. Condolezza était tout sourire. Elle me fit même un petit signe complice. Je pris cela comme étant de bon augure. Bush commença : « Je crois que tu as raison. C'est risqué, mais j'adhère à ton raisonnement. Sans prise de risque, on ne peut pas s'en sortir. Je suis donc d'accord sur le principe d'un sommet très prochain à Washington. » Je fus soulagé et heureux de cette bonne nouvelle. Barroso pressa mon bras pour me signifier son soutien et son consentement. C'était gentil, même s'il n'avait quasiment rien dit lors de la réunion précédente. Bush poursuivit : « J'ai deux demandes à formuler avant de donner un accord formel. D'abord, je voudrais rajouter à ta liste quelques autres pays. » Je connaissais déjà les noms de certains d'entre eux car je pressentais que les États-Unis ne participeraient pas à la création d'une nouvelle instance internationale sans leurs alliés traditionnels : l'Australie, la Corée du Sud, la Turquie. Pour les pays arabes, il choisissait l'Arabie saoudite. Enfin, nous nous mîmes d'accord sur l'Indonésie et sur l'Espagne, que je ne voulais pas laisser en dehors et qui serait bien utile au moment d'expliquer aux autres pays européens qu'ils n'en seraient pas. Nous étions arrivés au G20 d'un commun accord. Je précisais que, pour diminuer la pression des pays qui ne seraient pas invités, nous pourrions donner cinq invitations de plus qui seraient dans la main de la présidence tournante de ce G20. Ensuite, le président américain me demanda de ne surtout rien annoncer avant qu'il ne fût retourné à la Maison Blanche. Il ne voulait pas donner le sentiment de s'être fait imposer quoi que cela soit. J'acceptai, car c'était de bonne guerre. Nous convînmes de convier également les représentants des principales organisations internationales, comme le secrétaire général de l'ONU, le patron du FMI ou celui de la Commission européenne. J'eus, à cette occasion, le seul différent qui m'opposa en cinq années à Ban Ki-moon. Peu de temps après l'annonce du G20, il me téléphona pour me dire : « Pourquoi, Monsieur le Président, voulez-vous tuer avec votre G20 le G192 que je représente avec les Nations-Unies ? » Je lui répondis assez vivement : « Je n'ai pas besoin de le tuer puisque vous vous en chargez très bien vous-même, à force de ne plus rien décider et de ne plus assumer la moindre décision. » En effet, dans mon esprit, le G20 devait être un lieu où l'on prendrait des décisions, à l'inverse de l'ONU, qui n'en prenait plus, ou si peu. Car, c'était bien la règle du compromis qui était en train d'achever les Nations-Unies. Avant de retourner en France, je remerciais chaleureusement Bush qui me confia : « C'était bien de te voir. Tu nous as redonné à tous de l'énergie. » J'étais heureux car, pour la première fois, j'entrevoyais le bout du tunnel et la possibilité de mettre en œuvre ma stratégie de régulation du capitalisme financier. Et de fait, quelques jours plus tard, les vingt pays reçurent une invitation du président Bush pour un premier sommet dans la capitale américaine. La date retenue était le 15 novembre 2008. Il avait tenu parole. Nous venions de créer une nouvelle instance internationale. La première depuis la naissance du G5 devenu G8 en 1974 par Valéry Giscard d'Estaing.

En un mois, nous avions obtenu le G20. Quand je pénétrai dans la salle, pour la première réunion que présidait George W. Bush, ce fut impressionnant et même émouvant de voir, autour de la table, réunis ensemble sans aucun collaborateur présent dans la pièce les dirigeants des vingt premières économies de la planète. Le vieux roi d'Arabie était aux côtés de Lula, le président indonésien parlait avec Thabo Mbeki qui dirigeait l'Afrique du Sud. Le Mexicain Felipe Calderón voisinait avec Gordon Brown. J'étais aux côtés du président américain avec Angela Merkel. Je savourais un moment rare en politique, celui de voir réalisé ce à quoi on avait rêvé. Sans la crise, jamais je n'aurais pu obtenir un tel résultat, et surtout, en un temps aussi bref. Le G20 était né. Il fallait maintenant le mettre au travail. Je me demandais s'il serait aussi efficace que je l'avais imaginé. Dans mon esprit, il était l'instrument qui devrait nous permettre de sortir sains et saufs de la tempête. Nous n'y étions pas encore. Il allait maintenant falloir se battre sur un agenda et sur un contenu. La suite montra que j'avais encore bien des montagnes à escalader !

*
* *

J'ai écrit ces pages alors que je me trouvais confiné dans le sud de la France durant la crise du Covid-19. Je me remémorais les crises que j'avais vécues, tout en assistant, en direct, à celle du jour. C'était fascinant de voir surgir exactement les mêmes phénomènes dans des contextes pourtant bien différents. Dans toutes les crises, les responsables sont confrontés au même risque de les sous-estimer au début, et de surréagir à la fin. Trouver la juste mesure est sans doute ce qu'il y a de plus difficile. Il y a à l'identique le cortège de prétendus spécialistes qui n'ont rien d'autre à faire que d'encombrer les écrans et les micros de leurs nombreux commentaires en général péremptoires, et souvent démentis *a posteriori* par les faits. La crise augmente les vocations de pseudo-experts. Je l'ai connu avec l'économie. J'y assistais avec la santé. Il y a la même *doxa* dominante qu'il est impossible de contester, jusqu'à ce qu'elle se fracasse sur la réalité. Alors seulement un discours différent devient audible. Car, dans le déroulement de la crise, toute personne qui n'adhère pas à cette pensée unique est immédiatement clouée au pilori. La crise n'est pas favorable à la pensée indépendante. La meute des commentateurs moutonniers a vite fait de réduire au silence toute volonté de différenciation. La crise est aussi l'ennemi de la prise de risques, alors que celle-ci est pourtant le seul moyen de survie. Mais le réflexe grégaire conduit les responsables à essayer de s'assurer contre l'aléa, ce qui sera voué à l'échec, puisque celui-ci est la règle, au moins durant la période paroxysmique. La crise génère encore quantité de penseurs et des philosophes du dimanche qui vont répétant l'inusable rengaine du « après rien ne sera plus comme avant ». Ce qui est méprisant pour les générations passées qui sont supposées s'être mal comportées et très ignorant de la pulsion de vie, qui est plus forte que tout. La vie d'après ressemblera à la vie d'avant, parce que la vie gagne toujours sur les circonstances. Enfin, tous ceux qui vivent une crise, moi le premier, disent, et ils le croient sincèrement, qu'elle est la plus importante qu'on ait jamais connue, bien sûr avant la suivante ! La crise est avant tout un formidable révélateur de l'utilité de la politique. Dans une démocratie, le décideur final doit toujours être le politique et jamais l'expert. Ce sont le président et les élus qui ont la légitimité du suffrage universel, et elle sera toujours bien supérieure à celle que peuvent conférer les titres universitaires ou le tirage au sort. En ces temps de contestation de l'autorité politique, je reste convaincu qu'elle est la seule apte à incarner une vision, à trancher les débats et à préparer l'avenir. La crise du Covid-19 m'a conforté dans la conviction de mes jeunes années que les Français ne peuvent se passer de la politique. C'est une question d'ambition et de destin. Notre peuple a besoin de se surpasser. C'est le sens de la politique. Voir grand, voir large, voir pour demain.

*Composition et mise en pages
Nord Compo à Villeneuve-d'Ascq*

Achevé d'imprimer en France en juillet 2020
par Normandie Roto Impression s.a.s.
61250 Lonrai
N° d'impression : 2002038

PEFC 10-31-2541 / Certifié PEFC / Ce produit est issu de forêts gérées durablement et de sources contrôlées. / pefc-france.org